합격을 보장하는

영양사 특강

최신 10년간의 기출문제 유형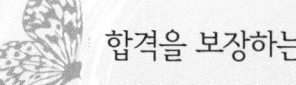

영양사고시연구회

2 고시

식사요법/영양교육
식품위생학
식품위생관계법규

<영양사> 합격을 위해 당신이 꼭 하셔야 할 일들이 있습니다.

첫째, 성실하게 시험공부에 임하셔야 합니다.

둘째, 길은 이 책이 안내해 드릴 것입니다.
만약 그럼에도 이해가 잘 안된다면
지구인'(JIGU-IN)을 클릭하세요.

셋째, 과락(40점 이하)에 유의하셔야 합니다.
자신있는 과목은 1번,
확신이 없는 과목은 2번 탐독하세요.
이 책에 유사한 문제가 여러번 실렸다면
그만큼 출제확률이 높은 문제입니다.

넷째, 다른 책을 더 보실 필요는 없습니다.
시험 전에 문제를 풀어보시고
과락없이 70%가 넘으면
편안한 마음으로 시험장에 가십시오.

시험은 수험생이 보는 것입니다.
반려자는 도와드릴 수는 있지만
대신할 수는 없음을
명심하셔야 합니다.

평생 배워도 좋을 올바른 식습관!
직업으로 삼는다면 더 좋겠지요?

　오늘날 우리 사회는 안정된 발전을 거듭하면서 생활이 윤택하게 되어 고령화가 급속히 진행되고 있습니다. 이제 우리가 걱정해야 할 일은 굶주림이 아니오 영양실조도 아니오 과식에 영양과잉이 되었습니다.
　따라서 위생관리와 성인병이라 불리우는 비만, 당뇨, 고혈압, 심장병, 암 등의 예방과 치료가 현대인의 수명을 판가름 합니다. 병원에서는 물리적·화학적으로 치료를 하겠지만 그 예방을 위해서는 균형있는 식습관이 무엇보다 중요하며, 증상에 따른 건강식단은 바로 영양사가 해야 할 일입니다.
　또 여름철 어패류나 가축전염병, 불량식품이나 변질로 인한 식중독은 연례행사처럼 찾아오고 있습니다. 합리적인 영양관리와 환경·위생교육을 할 수 있는 영양사의 사회적 요구는 시대가 변하여도 변함이 없을 것입니다.

　영양사는 고등교육관계법령에 따라 식품학 및 영양학에 관한 교과목을 이수·학점을 취득한 사람으로 보건복지부에서 주관하는 시험에 합격한 사람에게는 영양사 면허증이 수여됩니다.

　영양사는 영양학(기초·고급·생애주기영양 포함), 생화학, 생리학, 식품위생학, 식품위생관계법규, 영양교육, 식이요법, 단체급식관리(인사관리·급식경영·구매관리 포함), 식품학 및 조리원리(식품화학·식품미생물학 포함) 등 9개 분야 총 17개 과목의 광범위한 내용을 3교시에 걸쳐서 치루게 됩니다.

　영양교사는 여기에 교직과목 20학점을 이수하고 2차에 걸친 선발시험에 합격하여야 합니다.
　이 시리즈는 이 모든 시험을 마스터 할 수 있도록
　첫째, 전 교과목의 핵심을 함축·정리하였으며,
　둘째, 영양권장량과 관계법규 등은 최근 개정된 내용에 따랐으며,
　셋째, 출제경험이 풍부한 교수님들께서 출제가 예상되는 문제를 정선, 해설을
　　　　하고, 기출문제를 다룸으로써 충분한 이해와 실전에 대비토록 하였습니다.

　이 책이 햇빛을 보게 되기까지 끝까지 감수하여 주신 박인숙 교수님을 비롯하여 김정미·박경숙·이은주·최은영 교수님들께 진심으로 감사 드리며, 수험생 여러분에게 합격의 영광이 있으시기를 기원합니다.

계사년 정월에
필자 대표 씀

영양사 시험안내

1 응시원서 교부 및 접수

(1) 응시원서교부접수 장소
한국보건의료인 국가시험원 (www.kuksiwon.or.kr, 1544-4244)

(2) 응시원서 교부 및 접수 유의사항
① 인터넷 접수 : [한국보건의료인국가시험원 홈페이지] - [실명인증 및 회원가입] - [로그인] - [응시원서 작성] - [응시수수료 결제] - [응시표 출력]
② 방문 접수 : 영양관련 18과목 52학점 인정대학 졸업자 중 국가시험에 처음 응시하는 경우는 응시자격 확인을 위해 방문접수만 가능

(3) 방문접수 시 제출서류
■ 대리인 접수 시 응시자의 도장을 반드시 지참

① 영양학과, 식품영양학과, 영양식품학과, 식품과학과, 식생활과, 식품학·영양학·식품영양학·영양식품학 전공 또는 복수전공 졸업 (예정)자
- 응시원서 (본원소정양식) : 1매
- 사진 (출원전 6월 이내에 촬영한 동일원판의 탈모정면상반신 반명함판, 3×4cm) : 2매
- 졸업예정증명서 (졸업예정자에 한함) : 1매
  국내대학 단체접수자 : 학장 직인으로 확인한 졸업예정자 명단을 제출합니다.
- 응시수수료 (현금 또는 카드 납부)
- 개인정보 수집·이용·제 3자 제공 동의서 1매

② 영양관련 18과목 52학점 인정대학 졸업 (예정)자
- 응시원서 1매 (국시원 홈페이지에서 내려 받아 사용 가능)
- 사진 2매 (3×4cm 크기)
- 개인정보 수집·이용·제 3자 제공 동의서 1매
- 수강신청확인서 1매, 졸업예정증명서 1매 (졸업예정자에 한함)
- 영양관련 교과목 이수 (예정)증명서 1매 (국시원 서식)
- 성적증명서 1매
- 응시수수료 (현금 또는 카드 납부)

2 응시자격

(1) 응시자격
고등교육법에 의한 학교에서 식품학 또는 영양학을 전공한 자로서 교과목 및 학점이수 등에 관하여 보건복지부령이 정하는 요건을 갖춘 자. 단, 졸업예정자의 경우 2013년 2월 이전 졸업이 확인된 자이어야 하며 만일 동 기간 내에 졸업하지 못한 경우 합격 취소
- 식품학 또는 영양학을 전공한 자
- "교과목과 학점 이수 등에 관하여 보건복지부령으로 정하는 요건을 갖춘 자"라 함은

영양관련 교과목 이수증명서에 따른 18과목 52학점을 전공필수 또는 선택으로 이수하고 졸업한 자

(2) 면허를 교부 받을 수 없는 경우
- 정신보건법 제 3 조제 1 호에 따른 정신질환자. 단, 전문의가 영양사로서 적합하다고 인정하는 사람은 제외
- 감염병의 예방 및 관리에 관한 법률 제 2 조제 13 호에 따른 감염병환자 중 보건복지부령으로 정하는 사람
- 마약, 대마, 향정신성의약품 중독자
- 영양사 면허의 취소처분을 받고 그 취소된 날부터 1년이 지나지 아니한 자

3 시험방법

(1) 시험과목수, 문제수 및 배점기준

시험종별	시험과목수	문제수	배 점	총 점	문제형식
영 양 사	9	300	1점 / 1문제	300	객관식 5 지선다형

(2) 시험시간표

교시	시험과목(문제수)	교시별 문제수	시험형식	응시자 입장시간	시험시간
1교시	영양학(60), 생화학(20) 생리학(20)	100	객관식	~ 08 : 30	09 : 00 ~ 10 : 15 (75분)
2교시	식품위생학(20), 영양교육(20), 식사요법(40) 식품위생관계법규(20)	100	객관식	~ 10 : 35	10 : 45 ~ 12 : 00 (75분)
3교시	단체급식관리(50) 식품학 및 조리원리(50)	100	객관식	~ 12 : 20	12 : 30 ~ 13 : 45 (75분)

4 시험방법

(1) 합격자 결정

① 합격자 결정은 전 과목 총점의 60퍼센트 이상 득점한 자로 하되 영양학, 식사요법, 식품학 및 조리원리, 단체급식관리 과목에 대하여는 그 과목 만점의 40퍼센트 이상 득점한 자를 합격자로 합니다.
② 응시자격이 없는 것으로 확인된 경우에는 합격자 발표 이후에도 합격을 취소합니다.
   ▶ 과락과목 : 영양학, 식사요법, 식품학 및 조리원리, 단체급식

(2) 합격자 발표

① 국시원 홈페이지 [합격자조회] 메뉴
② ARS 전화번호 : 060-700-2353
  • ARS 이용기간 : 합격자 발표일 0시부터 7일간
③ 휴대전화번호가 기입된 경우에 한하여 SMS로 합격여부를 알려드립니다.

영양교사 시험안내

1 영양교사 응시자격

(1) 영양교사(1급, 2급)자격증 소지자

① 대학교에서 교직과정 이수 : 대학·산업대학의 식품학 또는 영양학 관련학과 졸업자로서 재학 중 소정의 교직학점을 취득하고 영양사 면허증을 가진 자
② 교육대학원에서 교직과정 이수 : 영양사 면허증을 가지고 교육대학원 또는 교육인적자원부장관이 지정하는 대학원의 교육과에서 영양교육과정을 이수하고 석사학위를 받은 자 (모든 영양사 자격증 소지자 및 식품영양관련학과 졸업자 및 졸업예정자)
③ 교사자격증 취득을 위해서는 전공 42학점과 교직 20학점 (비교과는 16학점)을 이수해야 하며, 이수한 전공 42학점 중 아래의 기본이수과목이 5과목 이상, 14학점 이상 포함되어야 함. (비교과 :전문상담교사, 사서교사, 영양교사)

※ 교직과목 : 교직과목 20학점을 다음과 같이 이수해야 함

영 역	과 목	이수학점	비 고
교직이론	교육학 개론 교육철학 및 교육사 교육과정 및 교육 평가 교육방법 및 교육공학 교육심리 교육사회 교육행정 및 교육경영	14학점 이상 (7과목 이상)	
교과교육	교과교육론 교과교재연구 및 지도법 논리 및 논술에 관한 과목	4학점 이상 (2과목 이상)	교육대학원에서 이수해야 함 (사서교사, 전문상담교사, 영양교사 제외)
교육실습	교육실습	2학점 (4주)	중등학교 정교사(2급) 자격증 기 소지자는 면제

※ 전공과목 : 출신학부와 교육대학원에서 관련 전공과목을 총 42학점 이수해야 하며, 전공과목 중에는 아래의 기본이수과목이 14학점 이상 (5과목 이상) 포함되어야 함

영 역	과 목	이수학점	비 고
영양교육	영양교사	영양학 및 관련되는 학부(전공, 학과) ※ 영양사 면허증 소지자에 한함	① 영양교육 및 상담실습 ② 생애주기영양학,영양판정 및 실습, 식사요법 및 실습 ③ 식품학, 조리원리 및 실습 ④ 단체급식 및 실습, 식품위생학

(2) 장애인구분 모집
　① 장애인은 구분선발이 없거나 구분 선발하여도 희망하지 않는 경우에는 일반으로 응시가 능함
　② 장애인 구분모집 과목에 응시하고자 하는 자는 응시접수 마감일 현재까지 장애인으로 유효하게 등록되어 있어야 함
　③ 최종합격자 선발시 장애인 합격자의 수가 장애인 선발예정인원에 미달되는 경우 장애인 선발예정 과목별로 미달되는 인원만큼 일반으로 선발
　④ 기타 시험시행의 일반원칙 및 합격자 결정 등의 사항은 일반응시자와 동일하게 적용

(3) 응시연령 : 제한없음 (단, 「교육공무원법」 제47조(정년)에 해당되지 않는 자)

(4) 응시자격 제한
　① 「국가공무원법」 제33조 (결격사유) 각호의 어느 하나에 해당하는자
　② 교원 (사립학교 교원 포함) 재직 중 「교육공무원법」 제10조의 3 (채용의 제한) 제1항 각 호의 어느 하나에 의한 사유로 파면, 해임된 자
　③ 「교육공무원임용령」 제11조의 4 (부정행위자에 대한 조치) 제1항 및 제2항 해당자
　④ 「청소년의 성보호에 관한 법률」 제42조의 4 (부정행위자에 대한 조치) 제1항 및 제2항 해당자
　　「아동·청소년의 성보호에 관한 법률」 제44조 (아동·청소년 관련 교육기관 등에의 취업제한 등) 제1항 해당자
　⑤ 기타 시험시행의 일반원칙 및 합격자 결정 등의 사항은 일반응시자와 동일하게 적용

2 시험 일정

1. 시험시행 계획공고 : 매년 9월
2. 원서 접수기간 : 매년 9월
3. 제1차 시험 (선택형) : 매년 10월
4. 제2차 시험 (논술형) : 매년 11월

　　※ 제3차 시험방법 및 세부일정 등은 시험시행 공고시 안내

3 선발 배수

1. 제1차 시험 (선택형) : 선발 예정 인원의 2배수
2. 제2차 시험 (논술형) : 선발 예정 인원의 1.5배수

4 시험 일정

구분	과목	형식	문항수	배점	총점	출제비율		시 간
						교과교육학	교과내용학	
제1차 시험	교육학 (공통)	선택형 (5지선다)	40문항	0.5점	20점			09:00 ~ 10:00 (70분)
	전공	선택형 (5지선다)	40문항	1.5 / 2.0 / 2.5점	80점	25 ~ 35%	65 ~ 75%	10:40 ~ 12:40 (120분)
제2차 시험	전공	논술형(Ⅰ)	2문항	20 ~ 30점	50점	35 ~ 55%	45 ~ 65%	09:00 ~ 11:00 (120분)
		논술형(Ⅱ)	2문항	20 ~ 30점	50점			11:30 ~ 13:30 (120분)

5 시험과목 및 시간표

(1) 응시원서 접수시 공고문 및 원서접수 방법안내(인터넷 응시원서 접수사이트의 공지사항)와 처리 단계별 절차를 반드시 숙지하고, 의문사항(특히, 가산점 확인)은 전화상담 후 원서접수함

(2) 결제 후에는 원서 취소기간까지 취소할 수 있으며, 접수 및 취소 부주의로 인하여 시험에 응시할 수 없을 경우에는 응시자에게 모든 책임이 있음

(3) 접수기간 동안에는 취소 또는 기재사항 수정(과목변경은 안됨)이 가능하며, 접수기간 종료 후에는 수정할 수 없음(접수기간 내는 취소만 가능)

(4) 응시자는 본인에게 해당하는 서류를 미리 발급받아 확인하고 응시원서 입력사항(특히, 가산점과 관련한 사항)을 정확히 입력하여야 한다. 입력내용의 오류로 인한 합격자 결정시의 불이익은 전적으로 응시자 본인의 귀책사유이며 부당 가산점으로 합격한 자의 합격은 취소하고, 고의 또는 임의로 작성하여 사실과 다름이 확인될 경우 당해시험의 응시기회 박탈 또는 당해시험을 정지 또는 무효로 하고, 그 처분을 받은 날부터 관계법령에 의거 2년간 시험에 응시할 수 없으며, 민·형사상 처벌 대상이 될 수 있음

※ 응시원서에 입력하지 아니한 가산점에 대하여는 추후 인정하지 않음

(5) 제1차 시험 합격자 중 응시원서에 입력된 가산점 내용과 상이한 증명서류를 제출하는 자는 고의나 과실에 관계없이 최종합격을 취소하며, 이 경우 합격점은 재사정하지 않음

(4) 응시원서접수 마감일 마감시간에 임박하여 지원자가 폭주할시 응시원서 접수사이트 접속이 불가하여 접수마감시간까지 접수를 못할 수 있으므로 원서접수기간 내 접수하지 못 할 경우에는 응시자에게 책임이 있음

※ 접수기간 및 마감시간 연장 없음

차 례

- 영양사 시험안내 / 2
- 영양교사 시험안내 / 4

Part 1 식사요법

1. 식사요법의 개요 ········· 14
 1. 식사요법의 의의와 목적 / 14
 2. 환자 영양상태의 판정 / 14

2. 병인식 ········· 16
 1. 병인식의 분류 / 16
 2. 치료식사 / 18
 3. 검사식 / 19
 4. 식품교환군을 이용한 식단작성 / 19

3. 소화기계 질환 ········· 20
 1. 위 염 / 20
  1. 급성위염 / 20
  2. 만성위염 / 20
 2. 위, 십이지장 궤양 / 21
 3. 위하수증 / 22
 4. 장 염 / 23
  1. 급성장염 / 23
  2. 만성장염 / 23
 5. 변 비 / 24
  1. 이완성 변비 / 24
  2. 경련성 변비 / 24
  3. 장애성 변비 / 24
 6. 게실염 (diverticulitis) / 25
 7. 설 사 / 25
  1. 원 인 / 25
  2. 식사요법 / 25
 8. 지방변증 (steatorrhea) / 26

4. 건강과 담낭·췌장 질환 ········· 26
 1. 간의 기능 / 26
 2. 간질환 / 28
  1. 급성간염 (viral hepatitis) / 28
  2. 만성간염 / 29
  3. 간경변증 (liver cirrhosis) / 29
  4. 지방간 (fatty liver) / 29
  5. 그 밖의 질환 및 합병증 / 30
 3. 담낭염 및 담석증 / 30
  1. 담 즙 / 30
  2. 담낭염 (cholecystitis) / 31
  3. 담석증 / 31
  4. 췌장염 (pancreatitis) / 32

5. 비만증과 체중부족 ········· 32
 1. 비 만 / 32
  1. 원 인 / 33
  2. 체조직 분류에 따른 비만 / 33
  3. 지방분포 부위에 따른 분류 / 33
  4. 비만과 질병과의 관계 / 33
  5. 비만의 판정 / 34
  6. 비만생리 / 35
  7. 식사요법 / 35
  8. 비만증의 예방지침 / 36
 2. 체중부족 / 37
  1. 원 인 / 37
  2. 증 상 / 37
  3. 치 료 / 37

차 례

6. 심장순환계통 질환 ·················· 38
   1. 심장의 구조와 기능 / 38
   2. 심장병의 종류 / 38
   3. 심장병의 원인 및 증상 / 38
   4. 심부전의 영양관리 / 39
   5. 급성 심장질환의 식사 / 40
   6. 만성 심장질환의 식사 / 40

7. 혈관계 질환 ·················· 41
  1. 고혈압 / 41
   1. 고혈압의 분류 / 41
   2. 고혈압의 진단 / 41
   3. 고혈압의 일반 증상 / 41
   4. 고혈압의 원인 / 41
   5. 식사요법 / 41
  2. 저혈압 / 41
  3. 동맥경화증 / 43
   1. 원 인 / 43
   2. 증 상 / 43
   3. 동맥경화와 지질대사 / 43
   4. 동맥경화증의 식사요법 / 44
  4. 고지혈증 / 44
   1. 고지혈증의 분류 / 44
   2. 고지혈증의 식사요법 / 45
  5. 뇌졸증 / 45

8. 빈 혈 ·················· 46
   1. 빈혈의 분류 / 46
   2. 철분결핍성 빈혈 / 46
   3. 단백질 결핍 빈혈 / 47
   4. 구리와 기타 중금속 결핍성 빈혈 / 47
   5. 비타민 결핍성 빈혈 / 47

9. 비뇨기계통 질환 ·················· 47
  1. 신장의 기능 / 47
  2. 신장질환의 일반적인 증상 / 48

3. 신장질환 / 48
   1. 신부전 / 49
   2. 신 염 / 50
   3. 네프로제 (Nephrotic syndrome) / 31
   4. 신경화증 / 51
   5. 신결석 / 52
4. 투석요법 / 52

10. 감염 및 호흡기질환 ·················· 53
  1. 영양과 저항력 / 53
   1. 영양과 면역 / 53
   2. 감염의 대사 / 54
   3. 발열시의 대사 / 54
  2. 급성감염성 질병 / 54
  3. 각종 급성감염성 질병 / 55
   1. 폐 렴 / 55
   2. 장티푸스 / 55
   3. 류머티스열 / 56
   4. 회백수염 / 56
   5. 콜레라 / 56
  4. 폐결핵 / 56
  5. 회기성 감염병 / 57
   1. 말라리아 / 57
   2. 기 종 / 57

11. 선천성 대사장애 ·················· 58
   1. 식사 개선으로 치료되는 대사성 장애의 종류 / 58
   2. 대사장애의 질환 / 58

12. 당뇨병 ·················· 60
  1. 당뇨병의 병리적 특징 / 60
   1. 당뇨병 / 61
   2. 혈당의 조절 / 61
   3. 인슐린이 제대로 작용하지 못할 경우 / 61
   4. 인슐린의 기능 / 61

2. 당뇨병의 발병원인 및 임상증상 / 62
1. 당뇨병의 원인 / 62
2. 당뇨병의 종류 / 62
3. 임상증상 / 63

3. 당뇨병의 치료 / 65
1. 약물요법 / 65
2. 식사요법 / 67
3. 운동요법 / 68

4. 당뇨병의 합병증 / 68
1. 저혈당증 / 68
2. 당뇨성 혼수 / 68

13. 수술과 알레르기 …… 68
1. 수술시의 영양 / 68
2. 수술 후 환자 식사 / 69
3. 화 상 / 69
4. 알레르기성 질환 / 69
5. 피부질환 / 71

14. 암환자 …………………… 72
1. 암 발생의 원인 / 72
2. 암의 종류와 식생활 / 72
3. 암의 방어 인자 / 73
4. 암의 치료 / 73

식사요법 핵심문제 해설 …………………………… 74

Part 2 영양교육

1. 영양교육의 개념 ………… 148
1. 영양교육이란? / 148
2. 영양교육의 목적과 목표 / 148
3. 영양지도자 및 영양교육 실시자의 업무 / 149
4. 영양교육의 실시과정 / 149
5. 영양교육의 곤란성 / 149
6. 영양교육의 효과 / 150

2. 영양교육의 역사적 배경 및 기초지식 · 150

1. 영양사의 역사 / 150
2. 영양섭취기준 / 150
1. 영양섭취기준 활용분야 / 150
2. 한국인 영양섭취기준 / 151

3. 영양교육의 방법 ………… 151

1. 영양교육의 이론 / 151

1. 합리적 행동 이론 / 151
2. 계획적 행동 이론 / 152
3. 건강신념 모델 / 152
4. 사회학습이론 / 152
5. 사회인지이론 / 153
6. 행동변화단계 / 153

2. 개인지도 / 154
1. 개별 지도방법의 특징 / 154
2. 개인지도를 할 때 면담자가 갖추어야 할 태도 / 155

3. 집단지도 / 155
1. 집단지도의 전달방법 / 155
2. 집단지도자가 유념할 점 / 155

4. 영양교육의 실제 / 155
1. 원탁식 토의법 / 155
2. 배석식 토의법 / 155
3. 공론식 토의법 / 156

차 례

  4. 강의식 토의법 / 156
  5. 강단식 토의법 / 156
  6. 6·6식 토의법 / 156
  7. 연구집회 / 156
  8. 두뇌 충격법 / 157
  9. 역활연기법 / 157
  10. 사례연구 / 157
  11. 시범교수법 / 157

4. 영양교육의 매체 ·············· 158
  1. 매체의 의의 / 158
  2. 매체의 사용방법 / 158
  3. 매체의 종류 / 158
   1. 인쇄매체 / 158
   2. 게시매체 / 159
   3. 영상으로 보는 매체 / 160
   4. 실연해서 보는 매체 / 160

5. 영양조사 및 연구기구 ·············· 160
  1. 국민영양조사 / 160
   1. 조사시기 / 160
   2. 조사항목 / 161
   3. 조사내용 / 161
   4. 영양조사원 및 영양지도원의 자격 / 161
   5. 영양지도원의 업무 / 162
  2. 연구기구 / 162

6. 집단급식의 영양교육 ·············· 163
   1. 학교급식 / 163
   2. 산업체 급식 / 163
   3. 지역사회 영양지도 / 163
   4. 단체급식에서의 영양지도업무 / 164
   5. 특수시기 대상별 특징과 영양지도 방법 / 164

영양교육 핵심문제 해설 ·············· 165

Part 3 식품위생학

1. 식품위생 개요 ·············· 238
  1. 식품의 위해요인 / 238
   1. 생성원인에 따른 분류 / 238
   2. 특성에 따른 분류 / 238
  2. 식중독의 원인과 사전조치 / 238
   1. 식중독의 정의 / 238
   2. 식중독의 분류 / 239
   3. 식중독의 발생 / 239
   4. 식중독의 역학조사 / 239
   5. 식품의 안전성 평가 / 239
   6. 식품위생의 지표미생물 / 240
   7. 소독과 살균 / 240
   8. 변질 / 241
   9. 부패의 판정 / 241
   10. 식품의 부패방지법 / 241
   11. 상수도의 수질기준 / 242
   12. 위해요소 중점관리기준 / 242

2. 세균성 식중독의 관리 및 대책 ····· 243
  1. 감염형 세균성 식중독 / 243
   1. 살모넬라 식중독 / 243
   2. 장염비브리오 식중독 / 243
   3. 병원성 대장균 / 244
   4. 리스테리아 식중독 / 244
   5. 여시니아 식중독 / 244
   6. 캠필로박터 식중독 / 245

2. 독소형 세균성 식중독 / 245
 1. 포도상구균 / 245
 2. 보툴리즘 식중독 / 245

3. 감염독소형 세균성 식중독 / 246
 1. *Clostridium perfringens* 식중독 / 246
 2. *Bacillus cereus* 식중독 / 246
 3. *E. coli* O157 : H7 / 247

4. 그 밖의 식중독 / 247
 1. Allergy성 식중독 / 247
 2. *Vibrio vulnificus* 괴저 / 247

5. 식중독 예방대책 / 248

3. 자연독 식중독 ······················ 248
 1. 동물성 자연독 / 248
 2. 식물성 자연독 / 248
 3. 진균독 / 249

4. 화학성 식중독 ······················ 249
 1. 농 약 / 249
 2. 항생물질 / 249
 3. 중금속 / 250
 4. 유해성 식품첨가물 / 250
 5. 용기, 포장재에서 용출되는 유독물질 / 250
 6. 제조·가공·저장 중에 생성되는 유독물질 / 250
 7. 환경오염물질 / 250
 8. 방사성 물질 / 251
 9. 수질오염 / 251
 10. GMO / 251

5. 기생충, 위생동물 및 감염병 ··· 251
 1. 경구감염병 / 251
  1. 경구감염병의 분류 / 251
  2. 경구감염병의 예방대책 / 252
  3. 주요 경구감염병 / 252
 2. 인축공통감염병 / 253
 3. 기생충 / 254
 4. 위생동물 / 255

6. 식품의 변질과 보존 ··············· 257
 1. 변 질 / 257
 2. 부패의 판정 / 257
 3. 식품별 주요 변패 미생물 / 257
 4. 식품의 변질방지 / 258

7. 살균 및 소독 ························ 259
 1. 멸균·소독 및 방부 / 259
 2. 소독제의 구비조건 / 259
 3. 소독 및 살균방법 / 259

8. 식품첨가물 ··························· 261
 1. 식품첨가물의 개념 / 261
 2. 식품첨가물의 분류 및 용도 / 261
  1. 보존료 / 261   2. 살균류 / 262
  3. 산화방지제 / 262 4. 피막제 / 262
  5. 착색료 / 263   6. 발색제 / 264
  7. 표백제 / 264   8. 인공감미료 / 265
  9. 조미료 / 265   10. 산미류 / 265
  11. 착향료 / 266   12. 밀가루 개량제 / 266
  13. 품질개량제 / 266 14. 호 료 / 267
  15. 유화제 / 267   16. 용 제 / 268
  17. 이형제 / 268   18. 품질유지제 / 268
  19. 영양강화제 / 268 20. 껌기초제 / 268
  21. 팽창제 / 269   22. 추출제 / 269
  23. 소포제 / 269   24. 방충 및 살충제 / 269
  25. 기타 식품제조용제 / 270

9. 식품위생검사 및 가공업의 시설기준 ··· 271
 1. 식품위생검사의 의의 / 271
 2. 식품위생검사의 종류 / 271
 3. 미생물검사 / 271
 4. 이화학적 검사 / 272
 5. 물리적 검사 / 273
 6. 식품의 신선도 검사 / 273
 7. 독성검사 / 273
 8. 식품제조·가공업의 시설기준 / 274

식품위생학문제 해설 ·· 276

차례

Part 4 식품위생관계법규

1. 법의 정의 ······ 340
2. 식품위생법 해설 ······ 342
   1. 식품위생관계법 공포 / 342
   2. 식품위생관계법의 구성 / 343
3. 식품위생법의 시행세칙과 해설 ······ 358
   1. 개 요 / 358
   2. 총 칙 / 358
   3. 위해식품 등의 판매 등 금지 / 359
   4. 영 업 / 360
   5. 업종별 시설기준 / 366
   6. 식품 등의 표시기준 / 369
   7. 광 고 / 370
   8. 위생교육 / 371
   9. 검 사 / 372
   10. 검 사 / 377
   11. 위해요소 중점관리기준 / 377
   12. 위해식품 등의 회수 / 378
   13. 건강진단 / 381
   14. 영업자 준수사항 등 / 381
   15. 행정처분 / 384
4. 기타 관련법규 해설 ······ 388
   1. 식품 등의 기준 및 규격 해설 / 388
   2. 학교보건법 및 시행령 / 396
   3. 먹는물 수질기준 및 검사 등에 관한 규칙 / 396
   4. 위생분야 종사자 등의 건강진단 규칙 / 400
   5. 보건범죄 단속에 관한 특별조치법 및 시행령 / 400
   6. 감염병의 예방 및 관리에 관한 법률 / 401
5. 국민건강증진법 해설 ······ 404
6. 학교급식법 해설 ······ 410
7. 식품위생행정 ······ 414
   1. 식품위생행정의 목적과 시책 / 414
   2. 식품위생 행정기구 / 414

식품위생관계법규 해설 ······ 419

식사요법

❶ 식사요법

　식사요법이란 음식물 섭취를 조절하며, 질병을 치료하거나 예방하는 방법으로 병인식의 종류와 식단작성법 각종 성인병 질환에 따른 식사요법 등을 공부하여 시험에 대비하는 것이 바람직합니다.

　식사요법은 국가고시에서 총 300문제 중 40문제가 출제되며, 과락과목으로 지정될 만큼 중요하고, 비중 또한 높습니다.

식사요법

1. 식사요법의 개요

1. 식사요법의 의의와 목적

식사요법은 환자의 자각증상을 완화시켜 직접적 또는 간접적으로 병의 악화를 방지하거나 치료에 도움을 줄 목적으로 입원환자에게 급식하는 식사로 환자가 입원하면 진단 결과에 따라 의사와 영양사에 의해 처방되는 식사를 말한다.

식사요법은 의사의 진단에 따라 영양 원리를 기본으로 하여 질병의 종류와 건강상태에 따른 영양의 대처와 식사의 실천으로 질병치료와 합병증을 예방하고자 한다.

2. 환자 영양상태의 판정

(1) 환자의 병력조사

환자가 앓았던 병의 종류와 정도, 사회성, 식습관 등을 진료상담을 통해 조사하는 것이 환자의 질병치료에 많은 도움이 된다.
① 내 용: 환자의 인적사항, 체중 변화, 중독증상, 진단명, 병력, 치료계획, 가족력, 합병증, 식사처방, 약물복용 등
② 단 점: 조사자의 주관에 의존, 영양불량 환자를 조기에 선별하기 어려움

(2) 신체계측평가

신장과 체중, 피하지방의 두께 등 신체와 체격에 관한 기초검사를 한다. 그 중 환자들의 신체계측 정보로 많이 활용되는 항목은 다음과 같다.
① 체 중: 표준체중 이용법, 비만도, 체중변화율, 체질량지수
② 체지방량: 캘리퍼를 이용한 피부 두겹집기, 생체 전기저항 측정법 이용
③ 허리둘레, 허리-엉덩이둘레비

(3) 생화학적 검사

영양상태 판정을 위한 검사에는 혈액·소변 분석검사, X-ray 촬영 등의 기본검사와 대변검사, 내시경검사, 생검 등 다양한 검사가 요구되기도 한다. 특히 혈액과 소변의 생화학적 검사는 질병의 진단과 치료의 기초가 된다.

영양상태 판정에 필요한 생화학적 조사와 정상 범위

혈 액 검 사		소 변 검 사	
검 사 항 목	정 상 범 위	검 사 항 목	정 상 범 위
GOT	8~30 unit/L	포도당	0.5~1.5 g/일
GPT	8~30 unit/L	단백질	10~100 mg/dL
총 혈장단백질	6~8 g/100 mL	Urea nitrogen	12~20 g/일
혈청 albumin	3.3~5.2 g/100 mL	크레아티닌	1.0~2.0 g/일
Cholesterol	130~270 mg/100 mL	요산	250~750 mg/일
HDL-cholesterol	남: 35~50 mg/100 mL 여: 45~65 mg/100 mL	Na K	40~220 mEq/L 25~120 mEq/L
Triglyceride	180 mg/100 mL	Cl	110~250 mEq/L
Phospholipid	남: 150~250 mg/100 mL 여: 150~190 mg/100 mL	Ca P	100~250 mg/일 0.3~1.3 g/일
Total lipid	400~800 mg/100 mL	Mg	60~120 mg/일
Fe	50~170 μg/100 mL	크레아틴	남: 0~40 mg/일 여: 0~100 mg/일
Na	135~145 mEq/L		
K	3.5~5.5 mEq/L	크레아틴 제거율	70~130 mL/분
Ca	9~11 mg/100 mL		
P	2.5~4.5 mg/100 mL		
Mg	1.9~2.5 mg/100 mL		
BUN	7~20 mg/100 mL		
크레아틴	남: 0.2~0.6 mg/100 mL 여: 0.6~1.0 mg/100 mL		
요산	3~7 mg/100 mL		
헤모글로빈	남: 13~17 g/100 mL 여: 12~16 g/100 mL		
헤마토크리트	남: 38~52% 여: 36~48%		

(4) 식사섭취 조사법

환자의 식품 및 영양소 섭취량을 조사하여 영양상태를 판정한다.

① 목 표: 여러 집단의 평균 영양소 섭취 비교, 집단 내에서 개인의 등급인지, 개인의 일상적 섭취 조사를 위하여 실시
② 내 용: 식사의 문제점이나 영양섭취 관련 문제점, 식욕, 최근 입맛의 변화, 식품의 기호도, 식습관 조사, 병원식 섭취량, 병원식 이외의 식품 섭취량
③ 종 류: 실측법, 식사기록법, 24시간 회상법, 식사력 조사법, 식품 섭취빈도 조사법

2. 병인식

1. 병인식의 분류

(1) 일반식 (general diet)
① 환자들에게 영양적으로 충분한 식사를 제공하기 위해 영양권장량이 충분히 갖추어져 있는 균형식
② 상식 (normal diet), 보통식 (common diet), 표준식 (standard diet)
③ 질병의 치료상 특별한 식사조절이나 소화에 아무런 제한이 필요하지 않은 환자를 대상 [예] 외상환자, 외과질환자, 산과질환자, 정신질환자
④ **상식의 목적**: 상식은 보통식, 일반식, 원식 (house diet), 전식 (full diet) 등으로 분류되며 정상인이 먹는 보통식사와 유사하다. 한국인의 영양권장량에 기초한 균형식을 통한 적절한 영양 공급으로 현 영양상태를 유지하는 것이 목적이다.

(2) 경 식 (light diet)
① 연식에서 일반식으로 전환하는 중간에 사용하는 식사로 진밥식 혹은 회복식이라고도 함
② 소화하기 쉽고 위에 부담을 주지 않는 식품을 선택
③ **식사원칙**
- 튀기거나 기름이 많은 음식, 양념을 많이 한 자극적인 식품, 섬유소가 많은 생채소와 과일을 피한다.
- 육류는 기름기가 적고 부드러운 것을 선택

(3) 연 식 (soft diet)
① 부드러운 식사로 일명 죽식이라고도 함
② 소화기 질환, 구강, 식도 장애로 삼키기 힘든 환자를 대상
③ **연식의 종류**
- **보통 연식**: 수술 후 위장장애 등이 있을 때 처방되는 식사로 섬유소가 적은 식품으로 구성
- **기질적 연식**: 내과장애는 없으나 치과질환 등으로 씹기 힘들거나 신경이나 식도, 구강 및 인후장애 또는 수술로 인해 삼키기 힘든 환자에게 주는 식사
  [예] 순두부, 토스트, 달걀찜, 호박죽 등
④ **연식의 구성**: 주식인 죽과 부식인 반찬으로 구성
⑤ **식사원칙**
- 소화되기 쉽고 부드러운 식품으로 구성
- 섬유질이나 결체조직이 적은 식품을 선택 (채소는 삶거나 찌고, 과일은 퓨레나 과일주스 이용)
- 강한 향신료의 사용을 제한하고, 튀김 등의 조리법은 이용하지 않는다.
- 연식만으로는 필수 영양소 공급이 어려우므로 장기간 섭취 시 별도의 영양지원 필요

(4) 유동식 (Liquid diet)
① 금식이나 수술 후 일시적으로 소화기능이 떨어졌을 때 처방되는 식사
② 수술 후 회복기 환자, 고형식품을 섭취할 수 없는 환자, 급성기의 고열성 질환자 대상
③ 수분 공급이 주된 목적으로 주로 당질과 물로만 구성되기 때문에 영양소가 부족되기 쉬워 짧은 기간 사용해야 함. 증세가 호전됨에 따라 맑은 유동식으로부터 일반 유동식, 경구영양 유동식으로 이행
④ 유동식의 종류
   - 전유동식 (Full liquit diet) : 상온에서 액체 또는 반 액체 상태의 식품, 일반유동식. 충분한 열량 및 영양소를 공급할 수 없으므로 지속할 경우 경구영양 유동식을 이용하도록 한다.
   - 맑은 유동식 (Clear liquid diet) : 수술이 끝난 후 어느 정도 시간이 경과된 후에 공급하며, 소량의 물이나 연한 보리차를 제공한다.
⑤ 식사원칙
   - 최소한의 잔사와 가스를 발생시키지 않는 식품으로 구성
   - 섬유소가 많은 식품, 우유류, 지방류는 제외

(5) 영양지원 (nutrition support)
질병이나 수술 등으로 인하여 일반 식사로는 적절한 영양소를 공급할 수 없거나 구강으로 섭취가 불가능한 환자들을 대상으로 경장영양, 정맥영양 등을 통해 적극적으로 영양을 공급하는 것이다.

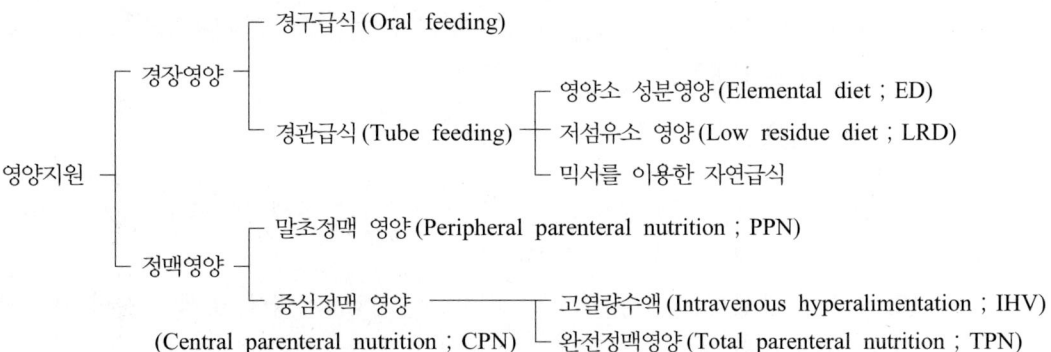

① 경구급식 (oral feeding)
   - 입을 통하여 영양을 공급하는 방법
   - 보충제로는 액상이나 분말형태의 우유, 분말 달걀, 또는 농축된 단백질로서 달걀 알부민을 첨가한 유동식 이용

② 경관급식 (tube feeding)
구강으로 음식을 섭취할 수 없는 환자들, 구강내 수술, 위장관 수술, 연하곤란, 식욕결핍, 식도의 장애일 때 이용

- 경관영양의 조건
    - 유동성이 있고 영양가가 높을 것
    - 영양소의 배합에 균형이 있고, 충분한 무기질 및 비타민을 함유하는 것
    - 주입하기 용이하고 24시간 변질하지 않고 보존이 가능한 것
- 경장유동식을 주입하는 경로 : 비공장식, 비위장관 급식 등
    - 영양액의 분류 : 질환별 영양액, 표준영양액, 성분영양액 등
    - 경관급식용 유동식 주입 방법 : 지속적 주입, 간헐적 주입, 1회적 주입 등
    - 경관급식 적용대상 : 위장 질환, 종양성 질환, 신경성 질환, 대사항진, 신경계 질환, 기관계 부전 등의 질환 시, 위장관 기능이 정상이거나 경구섭취가 크게 불충분한 경우
- 경관급식의 합병증

가장 일반적인 것은 설사이다. 원인은 젖당불내증, 영양액의 높은 삼투농도, 너무 빠른 주입속도, 영양액의 변질, 세균 감염, 너무 찬 것을 주었을 때 등이 있다.
    - 기계적 합병증 : 심한 구토, 식도궤양, 복부팽만, 운동항진증
    - 위장관 합병증 : 오심, 구토, 설사, 변비
    - 대사적 합병증 : 과수화 현상, 탈수현상, 영양소 불균형

③ **정맥영양**

구강이나 위장관으로 영양공급이 어려울 때 정맥주사를 통해 영양요구량을 공급하는 방법. 공급경로에 따라 두 가지로 나뉨
- 중심정맥영양 : 영양상태 개선이 목적, 수분 제한이 필요하거나 열량요구량이 많을 때 처방된다.
- 말초정맥영양 : 7~10일 이하의 단기간 영양지원에 사용되며, 시술이 용이하고 합병증 발병이 적다.

2. 치료식사

(1) 환자의 질병을 치료하거나 증세를 완화시키기 위해 제공되는 식사로 의사 처방에 의해 영양사가 식단을 작성한다.
(2) 환자의 개별적인 질병 상태를 고려하여 영양요구량에 맞게 식사량이나 빈도 또는 특정 식품 등을 조절하여 제공되어야 한다.
(3) **치료식의 종류** : 열량조절식, 무기질조절식(저염식), 당질조절식, 섬유소조절식, 단백질조절식
   ① **열량조절식** : 비만, 당뇨식, 체중부족 등
   ② **단백질조절식** ⎰ 고단백식 : 간질환자, 화상, 신질환식
                    ⎱ 저단백식 : 간성혼수, 급성장염, 급성췌장염
   ③ **당질조절식** : 당뇨병, 덤핑증상(dumping syndrome)
   ④ **지방조절식** : 비만, 지방변증, 췌장염, 담낭염, 고지혈증, 낭포성 섬유질

⑤ 염분조절식 : 복수, 부종, 심장질환, 고혈압, 만성 신부전증, 통풍
⑥ 신장결석식
⑦ 위장질환
⑧ 암치료식
⑨ allergy 식
⑩ 수술 전후 식사 등

3. 검 사 식

(1) 지방변 검사식 (steatorrhea test diet)
(2) 레닌 검사식 (renin test diet)
(3) 바륨식 (barium meal)
(4) 잠혈 검사식 (occult blood test diet)
(5) 갈색 세포증 검사식 (VMA test diet)
(6) 5-HIAA 검사식 (5-hydroxy indolacetic acid test diet)
(7) 호흡수소농도 검사식 (breath hydrogen concentration test diet)

4. 식품교환군을 이용한 식단작성

식품교환표는 1950년 미국 ADA에서 고안하여 우리나라에서는 1958년에 처음 병원 당뇨병 환자식단을 작성하여 사용하였고, 1981년 대한영양사회에서는 ADA 식품교환표를 수정·개정하여 환자 및 건강식 식단작성에 사용하고 있다.

식품교환표는 식품성분표에 의한 영양가 계산이 곤란한 환자를 위해 의사가 내린 지시 영양량을 장기간 쉽게 스스로 관리할 수 있도록 연구된 방법으로 식품들을 영양소의 구성이 비슷한 것끼리 6가지 식품군으로 나누어 묶은 표이다.

(1) 각 식품군의 1교환 단위당 영양성분

식품교환군		교환단위	단백질(g)	지방(g)	당질(g)	열량(kcal)
곡 류 군		1	2	—	23	100
어육류군	저지방	1	8	2	—	50
	중지방	1	8	5	—	75
	고지방	1	8	8	—	100
채 소 군		1	2	—	3	20
지 방 군		1	—	5	—	45
우 유 군		1	6	7	10	125
과 일 군		1	—	—	12	50

(2) 식품교환표를 이용한 식단작성법

① 처방된 총 열량에 따른 당질, 단백질, 지방량을 결정한다.
② 각 식품군별 교환 단위수의 결정

③ 교환 단위수의 끼니별 분배
④ 식품교환군에서 다양한 식품의 선택
⑤ 식단 밸런스를 맞춰 식단구성

3. 소화기계 질환

1. 위 염

위점막에 염증이 생긴 것을 말한다.

1. 급성위염

(1) 원 인

① 급성 외인성 : 폭음, 폭식, stress, 자극성 물질, 해열제, 진통제와 같은 약물 복용 등의 경우에 나타나는 단순성 위염과 부식독 및 약물오용에 대한 부식성 위염이 있다.
② 급성 내인성 : 박테리아, 바이러스, 급성감염병, 감기 등으로 감염되는 감염성 위염과 화농균에 의한 화농성 위염 등
③ 기 타 : Allergy 성 위염

(2) 증 상

극도의 식욕부진, 심한 통증, 오심, 구토, 설사

(3) 식사요법

① 부패한 식품이나 세균성 음식으로 중독된 때에는 희석한 중탄산나트륨(sodium bicarbonate)을 넣어서 위를 씻어내야 한다.
② 1~2 일간 절식시킨다. 구토가 심한 경우는 비경구적으로 수분과 전해질을 공급한다.
③ 위점막을 자극하거나 위산분비를 촉진하는 음식을 제한한다.
④ 증세가 호전되면 clear liquid → full liquid → bland diet 로 진전시키며 회복식을 한다.

2. 만성위염

(1) 원 인

원인은 잘 알려져 있지 않지만 폭음, 폭식의 반복, 저작불충분, 난소화성 식품, 향신료와 알코올의 남용, 약품남용이나 노령화, 자율신경실조, 위산분비 이상 등이 원인이다. 수개월 간의 급성위염이 완쾌되지 않고 만성화되는 경우도 있다.

(2) 증상 및 특징
  ① 증상이 일정치 않으나 가장 흔한 증상으로 식욕부진, 상복부 팽만감 및 통증 등이 있다.
  ② 단백질·탄수화물의 소화 장애, 살균작용의 약화
  ③ 오래되면 비타민 B_{12}의 흡수 불량으로 빈혈 발생

(3) 식사요법

무산성 위염의 특징 및 식사요법	과산성 위염의 특징 및 식사요법
• 단백질, 당질의 소화장애 • 살균작용 불충분 [식사] • 식욕을 증진시키는 식품 　초장, 유자차, 레몬, 귤차, 엷은 차 • 위액분비를 촉진시키는 식품 　육즙, 콘소메, 멸치국물, 토마토주스, 요구르트, 칼피스 등 • 철이 많은 식품 공급 　닭간, 쇠간, 당밀, 녹황색 채소	• 청·장년에게 일어나기 쉽고, 소화성 궤양과 유사한 증상을 나타냄 [식사] • 위산을 중화시키는 제산제 복용 • 편식예방(장기간 치료를 요하므로) • 무자극성 식이(부드럽고 섬유질이 적으며, 강한 조미료나 향신료를 제한) • 위산분비 억제제 : 육즙, 산미가 강한 것, 자극이 강한 조미료, 커피, 술, 탄산음료 제한

2. 위, 십이지장 궤양

위 또는 장점막의 침식된 상처를 궤양이라 하며, 십이지장 궤양이 위궤양보다 많고 남자에 더 많이 발병한다.

(1) 원 인
  ① **정신적 요인** : 신경 계통의 질환, 감정적·심리적 stress, 심리적 shock 등에 의해 뇌하수체가 자극을 받아서 ACTH(부신피질 자극 호르몬)의 분비가 항진되어 위액의 분비가 증가된다.
  ② **식사성 요인** : 필수 아미노산의 부족, 강한 향신료나 조미료, 자극성 있는 음료(알코올, 커피) 등을 다량 마시는 경우, 불규칙한 식사 등
  ③ **약제복용의 경우** : 항생제, 아스피린(해열제) 등의 장기적인 약물복용 시를 말한다. 즉, HCl 분비, pepsin, gastrin, histamine 분비가 증가되면 공격인자가 강하여 점막장해, mucin 감소, 혈류장해, 십이지장의 알칼리성 감소 등으로 방어인자가 약해 밸런스가 깨지면서 궤양을 유발한다.

(2) 증 상
  ① 공복 시의 상복부 통증(위궤양 : 식후 1시간, 십이지장 궤양 : 식후 2시간 이후), 토기, 구토

② 위벽에서 출혈
③ 빈혈
④ 장기화되면 체중이 감소된다.

(3) 식사요법

① 약물치료와 병행한다 (제산제, antacid).
② 과로하지 않는다.
③ 1800년대 smooth 한 식사 → semi starvation → 1915년 sippy diet(우유를 주로 한 고지방, 고단백의 부드러운 식이를 조금씩 자주 준다) → bland diet 로 발달(장기간 → 영양실조) → free diet 로 주장하기도 한다. 또는 보완된 시피식(modified sippy diet)을 적용하기도 한다.
④ 위산분비를 억제하고 위산을 중화하기 위해 위가 비지 않도록 음식을 자주 공급하며, 가능한 한 소화가 용이한 식품을 골고루 주도록 한다.
⑤ 음식의 온도는 체온과 같게 하며, 경질식품, 섬유질 식품, 자극성이 강한 조미료, 향신료, 산미가 강한 식품은 피하고, 위액분비를 촉진시키는 육즙, 콘소메 등을 제한한다.
⑥ 상처를 빨리 회복시키기 위하여 양질의 단백질과 비타민 C가 많은 식품의 섭취를 권장한다.
⑦ 응급식 궤양식 : 시피식(sippy diet), 렌하르츠식(Lenhartz diet), 모일렌그라하트식(Meulengracht diet) 등이 있다.

(4) 궤양 환자에게 오는 합병증

① antacid 투여시 : 혈액 내 Ca, urea-N, creatinin이 증가하므로 milk-alkari syndrome 을 일으킬 수 있다.
② 열량과 단백질 결핍증
③ 비타민 결핍증 : 특히 비타민 C 결핍
④ 빈혈증 : 철분의 섭취 부족

3. 위하수증

(1) 증 상

위가 아래로 길게 늘어져 있으며, 위의 긴장과 운동이 약해져서 자주 소화불량이 되어 거북하고, 혈액순환이 잘 안되서 변비를 초래할 수도 있다.

(2) 위하수의 특징

소화능력이 저하되고 위의 내용물을 장으로 내보내는 힘이 미약하여 약간이라도 음식섭취량이 많아지면 위가 거북해진다.
식욕을 촉진시킬 수 있는 것, 위에 부담을 주지 않도록 소량으로 영양가가 높은 것을 식사횟수를 조절하여 주도록 한다.

(3) 식사요법
① 소화가 잘 되며, 위에 오래 머무르지 않는 음식을 준다.
② 영양가가 높은 음식을 조금씩 자주 준다.
③ 수분이 많은 음식은 피하고, 간식으로 우유나 주스 등을 준다.
④ 지방은 유화된 버터, 크림 등으로, 단백질은 부드러운 고기, 생선, 두류 등으로 공급한다.
⑤ 식욕을 돋우기 위하여 적당한 향신료를 사용할 수 있다.
⑥ 섬유질이 적은 식품을 선택한다.

4. 장 염

1. 급성장염

(1) 원인 및 증상
장점막의 염증성 변화로 소화 흡수에 장애가 일어나 설사, 복통, 구토, 발열 등이 일어나고 1일 10회 이상의 설사 때문에 탈수증을 일으켜 전신쇠약 증상을 보임.
① **감염성** : 이질, 장염, 비브리오, 살모넬라, 콜레라 등의 세균과 바이러스 등이 원인
② **비감염성** : 폭음, 폭식, 식중독, 불소화성 음식물을 다량 섭취한 경우, 약물이나 음식물 알레르기 등이 원인

(2) 식사요법
① 초기 24~36시간은 절식한다.
② 설사로 인한 탈수증을 막기 위해 전해질과 수분을 충분히 공급한다.
③ 식욕의 회복과 함께 지방이 적은 미음, 수프 등의 유동식부터 단계식을 실시한다.

2. 만성장염

(1) 원인 및 증상
① 급성장염에서 이행, 결핵이나 기생충, 궤양성 대장염, 직장암 등으로 일어난다.
② **증 상** : 식욕부진, 복통, 복부팽만감, 흡수장애로 인해 영양상태가 악화되고 빈혈이 일어나기 쉽다.

(2) 식사요법
① 만성장염은 식사요법과 함께 약물요법 (소화제, 지사제, 항상제) 을 병행
② 장점막계에 기계적, 화학적, 온도의 자극을 피한다.
③ 소량으로도 영양가가 높고 소화흡수가 잘 되는 식품을 선택한다.
④ 양질의 단백질과 비타민, 무기질을 충분히 공급한다.

5. 변 비

변비증은 결장 안에 대변이 일정시간 이상(24~72 시간) 머물러 있는 상태를 말한다. 종류로는 이완성 변비, 경련성 변비, 장해성 변비가 있다.

1. 이완성 변비

(1) 원인 및 증상

① 직장의 예민성 부족이나 활동의 느림으로 생긴다(노인, 임산부, 비만증, 수술 후의 환자).
② 부적당한 음식 섭취, 불규칙적인 식사시간과 배변시간, 운동부족, 약물복용으로 인한 부작용 등이 원인이다.
③ 증 상 : 식욕부진, 구토, 두통, 복부팽만감, 하복부의 통증과 불쾌감 등

(2) 식사요법

규칙적인 식습관, 균형된 식사, 충분한 수분(8~10 컵)·섬유질(채소, 과일 등 약 800 g) 공급, 난소화성 다당류(pectin, mannan, agarose)의 섭취증가(보수성을 높인다), 유기산, 지방, 탄산음료 등이 효과가 있다.

2. 경련성 변비

이완성 변비와 반대로 대장이 과민상태에 있고, 신경말단이 지나치게 수축되어 있다.

(1) 원 인

① 감정의 불안정, 스트레스, 과로, 불면 등
② 매우 거친 음식의 섭취
③ 커피, 홍차, 알코올, 콜라 등의 과음
④ 다량의 하제, 항생제 복용
⑤ 장의 감염과 나쁜 환경 등

(2) 증 상

복부의 통증, 메스꺼움, 변비·설사가 번갈아서 일어나기도 한다.

(3) 식사요법

장관의 점막을 흥분시키지 않는 것으로, 정제된 곡류, 잘게 다진 고기, 생선, 가금류, 저섬유소의 채소, 과일 등 저잔여식(low residue diet)을 권장한다. 카페인, 알코올, 탄산가스가 많은 음료는 장을 자극하므로 금한다.

3. 장애성 변비

암, 종양, 장의 점착 등에 의해 장 내용물의 이동이 방해되거나 막혀서 생기는 변비를 말하며, 이는 원인제거를 하면 된다. 수술 치료가 필요한 경우가 많다.
장애가 심하면 유동식을 주고, 경련성 변비증과 같은 식사요법을 하며, 변을 만드는 물질이 최소가 되도록 하고, 가끔 정맥주사로 영양을 공급하기도 한다.

6. 게실염 (diverticulitis)

섬유소를 소식한 경우 발생된다. 장에 외형주머니(게실)가 생겨 염증, 궤양, 천공 등의 증세를 일으킨다. 증상은 통증이 심하고 구토, 메스꺼움, 심하면 열도 난다.

식사요법으로 과거에는 저섬유소 식사를 권장했으나, 근래에는 고섬유질 식사를 권장한다. 심하면 수술한다.

7. 설 사

1. 원 인

(1) 소화불량성 설사
- 식사의 원인 : 과식, 난소화성 음식, 유지류의 과식, 저작부진, 소화액 감소, 알레르기성 식품, 신경과민 등
- 발효성, 소화성 설사 : 탄수화물의 소화흡수장애
- 부패성, 소화성 설사 : 단백질의 소화흡수장애

(2) 세균성 설사
- 세균성 : 살모넬라, 장염 비브리오균
- 독소형 : 포도상구균, 중금속이나 약물 등

2. 식사요법

원인을 제거하며, 일반적으로 장관에 잔여물을 거의 남기지 않는 식사로 저섬유소 식사를 제공한다.

(1) 급성설사
① 휴식을 위해 24~48시간 절식
② 감염성 설사인 경우 항생제나 장내 살균제를 사용하고, 비감염성 설사인 경우 원인을 제거한다.
③ 정맥주사로 손실된 영양소, 액체보충(포도당, 비타민 B 복합체, 전해질 용액) → 48시간 이상 계속되면 단백질 가수분해물 첨가
④ 식사요법 : 처음에는 저섬유소 유동식으로 수분, 염분을 공급 → 채소, 과일즙, 미음 등 → 전유동식 → 연식 → 경식 → 일반식으로 단계식을 한다. 사과소스는 2~4시간마다 섭취한다.

(2) 만성설사
① 원 인 : 대장 기능 약화, 바이러스, 세균, 기생충 등의 감염에 의한 염증
② 식사요법 : 도정된 곡류와 빵을 이용하고 더운 음료 이용, 해조류, 견과류, 콩류, 우유 및 유제품, 강한 향신료와 조미료를 제한한다.

③ 설사가 2주 이상 계속되는 상태로 흡수에 손상을 일으켜서 전해질, 무기질, 단백질 등의 손실이 크다.
④ 항생제 사용 시에는 엽산, 니아신, 비타민 B_{12} 등이 결핍되므로 보충이 필요하다.
⑤ 일반적으로 체중과 조직 단백질의 급격한 감소를 막기 위해 고열량(3,000 kcal 이상), 고단백질(150 g)식으로 저섬유소 식사를 공급한다. 수분과 전해질을 비경구적으로 공급한다.

8. 지방변증(steatorrhea)

정상적인 변증에는 지방이 2~5 g이나, 지방변은 지방이 60 g 이상이 되는 수도 있다.

(1) 원 인 : 췌장에서 여러 소화효소가 분비되지 않을 때, 담즙이 분비되지 않을 때, 스프루(sprue) 및 장염 등의 질병으로 소화 흡수되지 않을 때

(2) 식사요법
① 증세 치료로 MCT oil을 사용하도록 권장
② 체중감소를 예방 : 고열량, 고단백질, 비타민 D, K, 철분, 칼슘의 충분한 섭취 권장
③ 당질과 지방 제한
④ 거대적아구성 빈혈 시 : 비타민 B_{12}, 엽산 섭취

4. 간장과 담낭·췌장 질환

1. 간의 기능

① 모든 영양소 대사에 관여
② 담즙 생성, 지방소화에 관여
③ 영양소의 저장, 소모
④ 영양소를 간으로 흡수 → 다른 곳으로 운반
⑤ 노폐물 처리
⑥ 여러 단백질 합성, 당질 합성, 요소·케톤체 합성
⑦ 혈액성분을 만들고, 혈액순환 조절
⑧ 유독성분 : 해독작용
⑨ 체온유지

(1) 탄수화물 대사
① 혈당조절 : glycogen 합성, 저장

② 포도당신생 (gluconeogenesis)에 의해 glucose 합성
③ glucose 산화
④ 흡수된 당질은 일단 간으로 간다.
⑤ 단당류 중 galactose, fructose → glucose 로 전환

(2) 단백질 대사
① 탈아미노작용 (deamination) : 에너지원, 케톤체 생성, 당 생성
② 아민기의 전이작용 (transamination) : 비필수 아미노산 생성
③ 여러 체단백 합성 : albumin, globulin, fibrinogen, prothrombin, lipoprotein
④ ammonia, urea 생성

(3) 지질대사
① cholesterol, 인지질, 지단백 (lipoprotein), 담즙산 합성
② 지방산 합성·분해
③ 지방산에서 중성지방 (TG) 합성, ketone body 합성
④ 간의 항지방성 인자인 choline, methionine, lecithin 등에 의해 지방간 예방

(4) 비타민 대사
① β-carotene : 비타민 A 로 전환
② 비타민 K : prothrombin 합성
③ 비타민 A, D, B_1, B_2, 엽산, B_{12} 등의 저장과 활성화

(5) 무기질 대사
① 철분이 간에서 ferritin 으로 저장
② 구리 저장

(6) 담즙의 분비
① 간에서 담즙생산은 1 일 약 1L로, 담즙의 대부분은 담낭에 3 배 정도 농축저장 → 십이지장에서 지방의 유화
② 담즙성분 : bilirubin, 담즙산, cholesterol, 지방, 요산, lecithin, 염류
③ 혈중의 bilirubin 축적 → 얼굴색이 노랗다 (황달) → 담즙산도 축적하여 피부의 가려움증 등을 일으킨다.
④ 담즙의 역할 : 콜레스테롤의 용해작용, 노폐물, 기타 생체 이물질 배설, 소장 상부에서 비정상적인 세균의 번식 억제, 소장 운동 촉진, 지용성 비타민 흡수, 지방 소화흡수 촉진작용

(7) 해독작용
　유독물질을 독성이 적은 물질로 바꾸어 소변 또는 담즙 같은 배설하기 쉬운 수용성 물질로 만든다.

2. 간 질 환

1. 급성 간염 (viral hepatitis)

(1) 분 류

① 감염성 간염 : A 형 Infectious hepatitis(IH) - 잠복기 2~6 주
② 혈청간염 : B 형 Serum hepatitis(SH) - 잠복기 10~17 주

(2) 원 인

① A 형 간염 : 환자의 변, 오염된 물, 음식물, 오물오염 등 위생과 관련이 크고, 발병률의 60%를 차지한다.
② B 형 간염 : 수혈, 소독이 불충분한 주사기에 의한 감염으로 발병률의 25%를 차지한다.

(3) 증 상

① 증상은 거의 같으며, 발열, 두통, 오른쪽 상복부 통증, 식욕감퇴, 피로, 토기, 구토, 간비대, 비장비대 등이다.
② A 형은 급격히 발병 : 정도가 가벼우며, 5% 정도이고, 5~7 일경에 황달이 나타나며, 2 개월 후에 정상으로 된다.
③ B 형은 완만하게 발병 : 지속적이고 정도가 심해서 급성 뇌성간염으로 진전되고, 75~80%가 사망한다. 5~10% 정도는 만성으로 진전된다.

(4) 치료법

간염치료는 첫째가 절대안정이고, 둘째가 식사요법, 셋째로 약제사용(corticosteroid 제)이며, 장기적 치료를 요한다. 부종과 복수가 있을 경우 염분과 수분 섭취량 제한, 알코올 금지, 충분한 비타민과 무기질 섭취, 적당량의 지방 섭취, 간질환의 종류와 정도에 따라 단백질 양 조절, 충분한 열량 섭취를 실천한다.

(5) 식사요법

① 고열량식(High colone diet) : 1 일 3,000 kcal 이상을 충분히 취한다.
② 고단백식(High protein diet) : 1 일 100g 이상을 취한다. 간세포의 재생과 lipoprotein 합성 및 촉진을 위한 식사이며, 지방간을 예방한다.
③ 고당질식사(High carbohydrate diet) : 간에 glycogen 을 충분히 저장하여 간을 보호한다. 1일 400g 이상 섭취하며, 과량의 당분섭취는 식욕을 억제하므로 유의한다.
④ 중등지방(moderate fat) : 황달과 위장장애가 있는 급성초기에만 제한하고, 회복됨에 따라 적당량(50~60 g/day)으로 증가시킨다.
⑤ 비타민을 충분히 섭취할 것
⑥ 기호식품 고려 (찬 음식, 향 첨가)
⑦ 물을 충분히 섭취하여 탈수방지와 식욕증진을 도모한다.
⑧ 알코올 금지

⑨ 정맥주사도 병행하여 치료기간을 단축시킨다.

2. 만성간염

급성간염에서 이행될 때가 많으며, 처음부터 만성화되는 경우도 있다. 주로 B형 간염에서 이행된다. 치료는 간경변증에 준한다.
① 원 인 : 바이러스성, 약물독성, 대사성, 자가면역성 등
② 증 세 : 특징적 자각증세가 없고 전신권태, 피로감, 식욕부진, 구역질, 상복부 팽만감 등이 있으며 간이 커져 딱딱하게 만져지고 압통이 있다.
③ 식사요법 : 적극적인 영양공급에 의해 간세포의 활동능력을 증진시키기 위해 장기간 고열량, 고단백, 고비타민식을 계속한다. 충분한 열량과 양질의 단백질을 공급하는 것이 원칙이나, 질환의 정도와 상태에 따라 단백질의 양을 조절

3. 간경변증(liver cirrhosis)

간장의 상해와 퇴화 등의 최종적 상태이며, 간세포가 파괴되어 딱딱해지고, 간이 퇴색되며, nodule이 많이 생긴다.

(1) 원 인
만성 알코올 중독이 가장 많으며, 만성 영양결핍증, 약물 또는 독물에 의한 것 등

(2) 증 상
피로, 황달, 위장장해, 식욕부진 등 초기 증상으로 시작하여 복수, 위, 식도정맥류 파열 등이 온다.

(3) 식사요법
고에너지, 고단백질, 고비타민 식이, 지방제한(MCT oil 권장), 복수부종 시는 나트륨제한, 간성혼수 시는 저단백 또는 무단백 식사.

4. 지방간(fatty liver)

(1) 원인 및 증상
간에 지방이 축적된 것으로, 간경변으로 진전되기도 한다. 간에서는 지방을 합성하지만 저장하지는 않는다(lipoprotein을 합성할 protein과 lipotropic factor가 부족하기 때문). alcoholism, 당뇨병 환자, 소모성 질환(결핵), 영양실조자 등이 걸리기 쉽다.

(2) 식사요법
고단백질, 고칼로리식, 알코올 금지

5. 그 밖의 질환 및 합병증

(1) 원인 및 증상

① 식도 및 위정맥류(esophageal and gastric varices) : 만성간염이나 간경변증을 오래 앓은 환자에게 오는 합병증으로, 위나 식도의 혈관벽에 자극을 주지 않는 연식 또는 저섬유 식사가 좋고, 수분을 충분히 공급한다. 변비예방을 위해 충분한 양의 K 섭취를 권장한다.

식도의 용혈현상이 있을 때는 관급식을 시도한다. 액체 상태의 음료, 유동식, 차, 육즙 등을 1시간 간격으로 제공한다. 뇌질환 예방을 위해 젖당을 소량씩 자주 투여한다.

② 간성혼수(Hepatic coma) : 암모니아가 간질환으로 인한 문맥순환의 감소로 간으로 들어가지 못하고 순환회로로 들어가서 혈중 암모니아가 상승되므로 중추신경계의 중독을 일으킨다. 그러므로 urea를 합성할 수 없다. 특히 뇌세포에 영향을 일으켜 의식이 이상해지거나 혼수(coma)가 온다. 즉, 소화기관에서 bacteria에 의해 ammonia가 형성된 것을 장에서 흡수해 혈액에 흐르게 하는데, urea를 형성하지 못하면 유독성을 나타낸다.

(2) 식사요법

① 간기능 저하로 단백질을 제한한다. 30~40 g/day(심할 때는 20 g 이하)
② 비경구적 액체 공급시 : 유화지방을 사용할 것
③ 과량의 당질은 지방성 간을 초래하므로 유의해야 한다.
④ 혼수가 없어지면 차츰 단백질의 양을 증가시킨다.
⑤ 열량은 충분히 줄 것(체단백, 체지방이 분해되지 않을 정도)
⑥ electrolyte balance, 수분의 balance를 유지할 것

(3) 치 료

① ammonia source를 없애야 한다(저단백 식사).
② 장내 bacteria를 없애야 한다(항생제 투여).
③ 장내 출혈을 방지해야 한다.

3. 담낭염 및 담석증

1. 담 즙

담낭은 간에서 생성한 담즙을 저장하는 곳이다.

담즙은 황색 액체로 지질의 흡수와 소화를 돕고, 지용성 비타민(A, D, E, K)의 용해·소화·흡수, 대변의 배설(하제의 역할), 장내 발효를 저하시킨다.

(1) 빌리루빈 (Bilirubin)
  ① 황갈색의 담즙색소로 혈액 중 정상치는 0.3~1.0 mg/dL이다.
  ② 과잉 존재시에 황달(Toundice)을 일으킨다.
  ③ 간기능은 bilirubin 함량으로 측정이 가능한다.
  ④ 장내로 들어온 bilirubin은 장내 세균에 의해 urobilirubin으로 환원되어 장관배설되고, 혈중으로 이행된다.

(2) 콜레스테롤 (cholesterol)
  ① 저영양 상태에서는 ↓, 육식↑
  ② fatty liver에서는 혈청 cholesterol ↑
  ③ 담석의 주성분

(3) 담즙산 (Bile acid)
  ① 담즙산은 간 → 담관 → 장(흡수) → 문맥 → 간 → 담관 등의 장간 순환
  ② cholesterol을 용해시키는 역할
  ③ 지질을 micell로 만들어 장으로 흡수 촉진
  ④ 지용성 비타민 흡수 촉진

2. 담낭염 (cholecystitis)

(1) 원 인 : 세균감염, 체중과다, 임신, 변비, 부적당한 식사, 소화관의 이상 등

(2) 증 상 : 통증, 구토, 메스꺼움, 복부 팽만감, 황달

(3) 식사요법 : 간의 보호, 저항력 증강, 담즙분비와 배설 및 담낭운동 조정
  ① 저지방식(cholesterol도 제한) : 30 g~40 g/day 탈지우유, cottage cheese, 난백, 기름기 없는 고기, 생선, 소화하기 쉬운 음식 등을 권장한다.
  ② 저열량식 : 체중 줄이기 위해 열량을 줄일 것(비만자가 많기 때문)
  ③ 가스발생식품 제한(gas forming foods↓) : whole grain, 생채소 및 과일, 섬유질이 많은 음식 등의 제한으로 가스발생의 억제
  ④ 적정한 단백질, 당질(당질은 정제된 곡류, gelatin, 과일주스, 과일넥타 등)
  ⑤ 증상이 심할 때는 회복할 때까지 지질 및 가스발생식품을 절대 제한하여야 한다.

3. 담석증

(1) 원 인

  담낭 속에 농축된 담즙이 정체되었거나, 담즙성분에 이상이 생겼을 때, 담도염이 생겼을 때, 비만, 임신, 담낭부위의 압박, 코르셋 등이 담석증을 일으키기 쉽다. 또 여자에게 더 많이 생긴다.
  결석은 cholesterol을 많이 함유하고 있으며, 콜레스테롤 결석, 빌리루빈 결석, 탄산칼슘 결석 등이 있다.

(2) 증 상

상복부의 심한 통증, 토기, 구토, 열, 가벼운 황달 등이 있다. 때로는 무증상의 경우도 있다.

(3) 식사요법

담낭염의 식사요법과 거의 동일하다. 처음 하루는 단식하며, 열량이 적은 식사는 cholesterol을 만드는 acetyl화 인자를 감소시킨다. 담석증 제거수술을 했을 경우는 회복하는 6~7개월 동안에 저지방식을 해야 한다.

(4) 식단구성

① 담석증 발작이나 담낭염의 급성 증세가 있을 때 하루 동안 절식
② 음식물 섭취가 가능하게 되면 전유동식으로부터 저열량의 연식, 회복식, 일반식으로 진행
③ 담석증과 만성 담낭염은 지방 제한

4. 췌장염 (pancreatitis)

(1) 급성췌장염

① 원 인 : 담낭염, 담석증, 세균감염, 지질음식의 과식, 알코올 음료의 과음 등
② 식사요법
- 발병 후 3~5일간 절식한다.
- 췌장분비를 억제해야 하므로 당질을 중심으로 한 단백질, 지방을 제한하고, 알코올 음료, 커피, 향신료 등 가스발생 식품을 제한하고, 부드러운 형태로 급식한다.

(2) 만성췌장염

① 원 인 : 급성췌장염이 진전되기도 하고, 만성 알코올 중독이 주된 원인이다.
② 식사요법

처음에는 급성췌장염과 마찬가지로 당질을 주로 한 식사를 공급하다가 단백질, 지방의 양을 늘리며, 주식은 진밥 정도로 연식사나 경식 형태로 준다. 계피 등의 향신료를 주어 식욕을 돋우고 강한 조미료는 제한한다.

당뇨병이 발병했을 때는 당뇨병 치료식에 준한다.

5. 비만증과 체중부족

1. 비 만

체지방량이 표준체중보다 비정상적으로 증가한 상태를 말한다 (10% 이상 : 과체중, 20% 이상 : 비만)

1. 원 인

(1) 단순성 비만 : 제일 많은 비율을 차지한다 (90%).
과식, 식습관과 식사행동, 사회환경 인자
(2) 유 전(체질) : 양쪽 부모가 모두 비만일 경우에 자녀의 80%가 비만, 한쪽 부모일 경우는 40%, 양쪽 부모 모두 정상일 경우는 10% 비만
(3) 운 동 : 육체적 활동이 적은 사람(열량소모가 적기 때문)
(4) 내분비성 : 갑상선 기능저하증(hypothyroidism), 부신피질호르몬 분비증가, 생식기 제거수술, 갱년기 후, 인슐린분비 부족 등
(5) 정신·심리적 인자 : 시상하부의 종양 손상, 섭식중추의 항진, 만복중추장해, 정신불안, 욕구불만 등

2. 체조직 분류에 따른 비만

신체조직은 지방, 수분, 고형물로 구성되어 있고, 비만인 경우에 지방량이 정상인보다 훨씬 많다.

(1) 지방세포 비대형 (hypertrophicy type)
성인비만으로 지방세포의 크기가 증가한 것
(2) 지방세포수 증가형 (hyperplastic type)
임신 후기~유아기, 소아기에 집중적으로 지방세포수 증가(소아비만)
(3) 혼합형 (combined type)
사춘기 비만으로 지방세포수 증가와 지방세포 크기 증가

3. 지방분포 부위에 따른 분류

(1) 상반신 비만(upper body obesity = android obesity)
waist hip ratio 가 높은 경우이며, 남자에게 많다. 혈청지질이 높아서 당뇨병, 고지혈증 등을 유발하며, 성인병 발병률이 높다.
(2) 하반신 비만(lower body obesity = gnoid obesity)
W/H ratio 가 낮은 경우이고, 여자에게 많다.
(3) 내장지방형 비만
장기 사이에 지방이 많이 낀 경우, 당지질대사에 이상이 생겨 성인병 발병률이 높다.
(4) 피하지방형 비만
외형으로 피하지방이 축적된 경우

4. 비만과 질병과의 관계

비만은 외형이 흉할 뿐만 아니라 수명이 단축되고, 사고력이 저하되며, 행동이 느리게 된다. 또한 당뇨병, 고혈압, 심장병, 간장염, 신경통, 관절염, 뇌졸중 등 많은 합병증을 유발한다.

5. 비만의 판정

다음과 같은 방법으로 비만을 측정 및 판정한다.

(1) 신체계측

① Broca 법

$$\text{비만도(\%)} = \frac{\text{실제체중(kg)} - \text{표준체중(kg)}}{\text{표준체중(kg)}} \times 100$$

② 일 본 : (신장(cm) − 100)×0.9 = 체중(kg)

(2) 체적지표 (body mass index : BMI quetelet index[kg/m²])

체지방량과의 상관계수가 0.7~0.8 이다.

바람직한 체적 지표 (Body Mass Index)

연 령(세)	체적 지표 (kg/m²)		연 령(세)	체적 지표 (kg/m²)	
	여 자	남 자		여 자	남 자
19~24	19~24	19~24	45~54	22~27	20~25
25~34	20~25	20~25	55~64	23~28	20~25
35~44	21~26	20~25	65 이상	24~29	20~25

(3) Kaup 지수

Kaup 지수(Davenport−kaup index)는 출생 후 만 5세까지의 어린이에게 적용된다.

$$\text{Kaup 지수} = \frac{\text{체중(g)}}{(\text{신장 cm})^2} \times 10$$

너무 마른편 ⇐ 마른편 ⇐ 정상 ⇒ 뚱뚱함 ⇒ 너무 뚱뚱함
　⇩　　　　⇩　　　　⇩　　　⇩　　　　⇩
(13 이하)　(13~15)　(15~19)　(19~22)　(22 이상)

(4) 체지방률 산출법

비만의 정도를 체성분 중 지방의 양이 몇 %인가로 판정하는 방법이다. 피하지방의 두께를 caliper 로 측정하여 산출한다.

$$\text{체지방률(\%)} = \frac{4.201}{\left(1.0913 - 0.0016 \times S\right)} - 3.813 \times 100$$
$$S : \text{피하지방의 두께}$$

체지방률의 판정기준

(단위 : %)

	정 상	경 계	이 상	심한 이상도
성인 남자	8~16	17~20	21~30	31 이상
성인 여자	20~25	26~30	31~35	36 이상

(자료 : 일본 후생성)

(5) 비흉위 $= \dfrac{흉위}{신장} \times 100$

(6) röhrer 지수 $= \dfrac{체중(kg)}{신장(cm^3)} \times 107 = \dfrac{체중(kg)}{신장(cm^3)} \times 104$

6. 비만생리

① 비만은 지질 단독섭취보다 당질과 함께 과잉섭취할 때에 더 많이 발생한다.

② 비만인 경우는 공복 시에 혈중 인슐린이 높거나 식후 또는 OGTT(oral glucose telerence test) 후 인슐린 분비가 많아서 식욕중추를 자극해 음식의 과잉섭취가 되는데, 인슐린이 작용하지 못하거나 receptor에 의한 인슐린 저항이 생겨 인슐린 이용이 잘 안된다. 인슐린 증가 시에 포도당은 지방세포의 투과성이 높아져서 TG(중성지방) 합성이 많아진다(흡수된 포도당의 약 30~40%).

③ chylomicron, VLDL 등은 lipoprotein pool로 운반되어 인슐린 작용으로 LDL이 활성화되어 지방세포에 TG를 축적시킨다. 비만인은 정상인보다 소장의 길이가 더 길어, 흡수 표면적의 증가로 음식물의 흡수가 빨라지므로 공복감을 더 빨리 느낀다.

7. 식사요법

비만은 음식물의 과잉섭취에 의한 것이 많으므로 치료와 예방에는 식사요법이 가장 바람직하고 부작용이 없다고 본다. 식사조절은 단시일 내에 체중조절을 위한 일시적인 식사, 제약회사나 식품회사에서 공급되는 처방식사, 기아나 단식요법, 열량제한식사 등이 있다. 체중조절 시는 일정한 목적을 가지고 열량을 제한하는 것이 바람직하다.

(1) **열 량** : 체지방의 열량가는 kg당 7,700 kcal 이다. 체중은 1주일에 0.5~1 kg 정도 줄이는 것이 적당하다. 매일 1,000 kcal를 줄인다면 1주일에 7,700 kcal로 체중 1kg을 줄일 수 있다. 일반적으로 열량섭취는 표준열량의 20%를 감량하고, 다음 단계로 40~50%의 열량을 감한다. 열량 제한 시 기초대사량의 90% 미만으로 내려가는 것을 피하며, 저열량 식사와 함께 유산소운동, 근력운동을 병행한다.

(2) 단백질 : 단백질은 열량 제한식에도 질소균형을 유지하기 위하여 질 좋은 단백질을 충분히 주어야 한다. 일반적으로 체중 kg 당 1~1.5 g 정도를 권장한다(총열량의 20% 정도).

(3) 당질과 지방 : 당질은 단백질의 열량소모를 방지하고, 고요산 혈중 케톤체(ketonebody), 신장의 Na 재흡수 장해를 유발하지 않을 정도의 당질(100 g 이상)을 섭취해야 한다. 총 열량의 50% 정도가 적당할 것으로 본다. 지방은 만복감을 오래 지속시키고, 음식의 맛과 지용성 비타민의 흡수와 필수지방산의 공급을 위하여 적당한 섭취는 권장한다. 총 열량의 30% 정도가 적당할 것으로 본다.

(4) 무기질과 비타민 : 열량을 제한하는 식사는 무기질, 비타민의 섭취가 소홀해지기 쉽다. 무기질, 비타민 섭취를 위해 우유, 채소, 과일, 해조류, 버섯류 등 열량이 적고, 포만감을 갖는 식품을 권장한다. 염분은 식욕을 촉진하므로 싱겁게 먹도록 한다.

(5) 수 분 : 다른 합병증이 없는 한 수분은 제한하지 않는다.

(6) 알코올 : 알코올은 지방처럼 열량이 높아, 1 g 당 7 kcal 를 낸다. 비만 조절 시는 알코올은 금하도록 한다.

(7) 저열량 식사의 식사 계획과 식품 선택
 ① 주 식 : 싱겁게 조미, 무밥이나 보리밥 등 섬유질이 많은 밥, 죽, 국수 등 이용
 ② 국 : 채소를 이용하고 싱겁게 조미한 국은 만복감을 준다.
 ③ 채소 및 해조류 : 섬유소가 많은 채소와 해조류를 많이 섭취하도록 함
 ④ 음 료 : 커피, 탄산음료, 술을 습관적으로 마시면 열량 섭취가 과잉되므로 주의

8. 비만증의 예방지침

(1) 식사조절 : 하루의 활동량에 맞게 규칙적이고, 만복감을 줄 수 있는 것을 소량으로 자주 먹는 것이 좋다. 중년 이후는 의식적으로 식사량을 줄인다.
 (1 일 800~1,200 kcal 정도)

(2) 운동요법 : 섭취한 것을 소모할 수 있는 육체적인 일이나 운동을 일정하게 한다. 매일 30 분~1 시간 정도로 6~8 주 계속하여 체중을 줄인다. 혈중 지방산을 에너지원으로 쓰려면 최대 산소 소모량의 60~80%를 유지하면서 30~60분 운동한다.

(3) 약물요법
 ① 식욕억제제 : 자율신경을 자극하면 중추신경의 시상하부의 만복중추가 자극을 받아서 배고픔을 적게 하여 식욕이 저하된다(NEP, dopamin 관여).
 ② 대사항진제 : 갑상선호르몬 기능이 항진되면 산소(O_2)의 소비가 커져서 대사속도가 촉진되므로 비만이 방지된다. 또한 성장호르몬도 대사속도가 촉진되므로 비만이 방지된다.

(4) 소화흡수 방해제
 ① cholestyramine : 담즙산을 격리 ⇒ 혈청지질을 낮추는 약물(담즙산과 스테롤류의 결합) → 대변의 양을 많게 한다.

② amylase inhibitor 나 sucrose polyester 결합에 의해 당질의 소화·흡수력을 낮춘다.

(5) 수술요법

비만치료의 최종 수단으로서 소화관을 짧게 하는 것, 미주신경을 절단하여 식욕을 억제시키는 것, 입에서 저작운동을 못하게 하는 것, 지방제거수술 등이 있다.

2. 체중부족

체중부족은 영양불량의 하나로, 정상체중보다 10~15% 적은 경우를 말하며, 20% 이하일 경우는 수척하다고 한다.

1. 원 인

① 과로하여 식욕이 없는 경우(근육활동 과다, 신경과민, 긴장하는 경우)
② 식품의 양과 질의 불충분(소화기계, 정신계 질환)
③ 날씬한 것을 동경하거나 비만을 혐오하는 경우
④ 간뇌의 식욕중추 이상
⑤ 과보호 가정, 간섭이 많은 경우
⑥ 여러 가지 내분비 장애(대사이상, 소모성 질환 등)

2. 증 상

① 심한 수척
② 체온이 낮고 저혈압
③ 무월경(여성)
④ 변비
⑤ 대인 관계 : 고립, 우울, 신경과민 등
⑥ 신체적 움직임이 많음

3. 치 료

① 신경 안정, 대인관계 개선
② 위장, 소화기 장해시에는 치료가 우선이다.
③ 식사요법 : 체지방 축적을 위해 1일에 500~1,000 kcal 정도 열량을 증가시키고, 양질의 단백질을 충분히(체중 10 g 당 1.5 g), 적당한 당질, 소화가 잘 되고 유화된 지질을 충분하게, 식욕을 증진시키기 위해 비타민 B 등을 증가시켜야 한다. 고열량 식품 섭취, 식후 아이스크림이나 케이크 등을 먹으며 간식으로는 땅콩, 사탕, 과자, 바나나 등을 이용한다.

6. 심장순환계통 질환

1. 심장의 구조와 기능

(1) 심장의 구조
① 심장은 흉곽 속에 있으며, 하나의 2중 펌프이고, 혈액순환의 원동력이다.
② 내강은 우심방, 우심실, 좌심방, 좌심실로 나뉘어져 심방의 벽은 얇고, 심실의 벽은 두껍다(특히, 좌심실벽이 두꺼움).
③ 결체조직이 있다(동결절, 방실결절, His' bundle, purkinje fiber).
④ 심방과 심실 사이에 방실판이 있어, 혈액의 역류를 방지한다.
⑤ 관상동맥, 관상정맥

(2) 심장의 기능
① 소순환계(우심실 → 폐동맥 → 폐 → 폐정맥 → 좌심방)와 대순환계(좌심실 → 대동맥 → 전신 → 대정맥 → 우심방)에 관여한다.
② 자동성 보유
③ 혈액순환을 하여 말초조직까지 혈액을 운반하는 펌프작용
④ 심장에 관상동맥이 있어서 산소 및 영양소 대사물 등이 운반된다.

2. 심장병의 종류

(1) 류머티스성 심장질환
(2) 동맥경화에 의한 협심증 또는 심근경색
(3) 고혈압에 의한 심장병
(4) 세균감염에 의한 심장병
(5) 선천성 심장병

3. 심장병의 원인 및 증상

(1) 원 인
식사는 가장 중요한 요인이며, 흡연 및 운동 등의 복합 요인이다.

(2) 증 상
① 부 종 : 심장기능의 약화로 울혈과 세뇨관에서 나트륨의 흡수가 증가되어 나트륨과 물이 조직에 체류되기 때문이다.
② 폐와 순환계의 울혈
③ 고혈압
④ 호흡곤란
⑤ 복부의 울혈

4. 심부전(cardiac failure)의 영양관리

(1) 울혈성 심부전의 특징

① 원 인
- 심장판막증, 심내막염, 심근질환, 관동맥질환, 심막질환, 부정맥 등의 심장기능장애가 있을 때 발병한다.
- 심장혈관계에 장애가 생기면 심장은 전신으로 혈액을 충분히 수송하지 못하여 심기능부전이 생긴다.
- 정맥측에서 심장으로 혈액이 충분히 되돌아오지 못하기 때문에 혈액이 뭉쳐서 울혈이 생긴다.

② 증 상
- 심부전으로 송혈량(送血量)이 감소되면 신장의 혈류량이 감소되어 나트륨과 물의 배설이 감소되고, 순환혈액량이 증가되며, 정맥압이 상승한다.
- 좌심부전 : 호흡곤란과 폐수종
- 우심부전 : 경동맥과 장압정맥의 긴장
- 복부의 울혈

(2) 식사요법

심장질환의 식사요법은 심장의 부담을 최소로 하며, 근육에 자극을 주면서 부종 제거 및 적정한 영양유지가 목적이다.

① 열 량 : 비만환자는 1,000~1,200 kcal 정도로 열량을 제한한다(신체생리기능을 유지할 정도의 저열량식).
② 단백질 : 신체조직의 정상기능을 유지하기 위하여 양질의 단백질을 공급한다. 체중 1 kg 당 0.8~1 g
③ 당질과 지질 : 사용될 당질과 지방의 종류 및 양에 따라 결정하며, 불포화지방산 섭취를 증가시키고, 총 지방의 섭취량을 제한한다.
④ 무기질 : Na 을 제외한 모든 필요한 무기질을 정상 공급하며, Na 의 제한은 의사의 처방에 따라 감량한다.
⑤ 비타민 : 모든 비타민이 함유된 식품을 선택한다.
⑥ 식사의 횟수 : 5~6 회 소량씩 잦은 급식을 하며, 고섬유식사나 가스 발생식품, 발효식품 등을 제한한다.
⑦ 나트륨의 제한 : 질병 정도에 따라 중염식(mild salt diet), 저염식(low salt diet), 무염식(salt free diet)으로 나눈다.
 - 무염식 : 하루에 나트륨 400 mg (식염 1 g) 이하로 엄격히 제한한다. 자연식품 중 나트륨 함량이 높은 우유, 어육류, 근대, 쑥갓, 시금치 등의 사용도 제한되며, 조미료, 소금 및 간장을 전혀 사용하지 못한다.
 - 저염식 : 하루에 나트륨 2,000 mg(소금 5 g) 공급
 - 중염식 : 가벼운 나트륨 제한 식사로 하루 3,000~4,000 mg(소금 8~10 g) 제공

⑧ 나트륨의 급원
- 식품조리 시에 첨가되는 소금, 간장, 된장, 고추장 등
- 그 밖의 나트륨 화합물 : 베이킹 파우더, MSG
- 자연식품에 함유된 나트륨 : 우유, 치즈, 달걀, 고기, 가금류, 콩, 푸른콩, 셀러리, 케일, 당근, 무, 시금치
- 음료수 중의 나트륨

(3) 허혈성 심장 질환

① 허혈성 심장 질환의 정의

관상동맥은 심장 자체에 영양분과 산소를 공급하여 심장을 먹여 살리는 기관으로, 관상동맥 질환은 이러한 관상동맥이 좁아지거나 막히게 되어 심장근육에 충분한 혈액 공급이 이루어지지 못할 때 나타나는 병이다.

관상동맥 질환이 바로 허혈성 심장 질환이며, 임상적으로는 협심증, 심근경색증 또는 급사(심장돌연사)로 나타난다.

② 허혈성 심장 질환의 위험 요인

관상 동맥이 좁아지는 원인은 혈관벽에 콜레스테롤과 같은 지방질이 쌓이는 죽상경화증과 이에 동반된 혈전 때문이며 위험인자로는 고지혈증, 흡연, 고혈압, 당뇨병, 비만 등이 있다.

③ 심근경색, 심장마비의 식사요법
- 즉각적인 조치 : 소금과 카페인 및 식사의 열량을 제한하고, 한 번에 공급하는 음식이나 음료의 양을 줄인다.
- 장기적인 식사요법 : 고지혈증, 고혈압, 비만, 당뇨 등에 맞춰서 하며, 식사는 천천히 하고, 식사 전후에는 심한 운동을 하지 않도록 한다.

5. 급성 심장질환의 식사

(1) 인체에 필요한 최소량의 영양이 공급되도록 양을 감소한다.
(2) karrel diet : 1866년에 제시한 식사로, 매일 800 mL의 우유를 4회에 나누어 공급하는 심장병의 식사요법이다. 약 800 kcal 열량과 500 mg 의 나트륨이 함유되어 이뇨작용, 심근의 기능, 증세변화에 대한 효과, 발병 후 4~7일 동안만 사용된다.

6. 만성 심장질환의 식사

만성심장병에서 심근과 심장판막이 손상되기 쉽다.

(1) 회복단계 : 환자체중을 이상체중보다 10% 감소시키면 심장의 부담을 감소시키고, 심기능의 능률이 증가될 수 있다.
(2) 악화단계 : 엄격한 식사관리를 하며, 단백질은 60~80 g 을 유지한다.

7. 혈관계 질환

혈관질환은 고혈압성 질환, 여러 형태의 동맥경화증, 대동맥 질환, 말단혈관의 이상 등으로 분류한다.

1. 고혈압

1. 고혈압의 분류

(1) **본태성(1차성) 고혈압** : 원인이 분명치 않고, 대부분(90%)의 환자가 여기에 속한다.
(2) **속발성(2차성) 고혈압** : 원인이 되는 질환을 수반한다. 신장질환(80%) 부신, 중추신경계 및 혈관계 질환이 원인으로 발생한다.

2. 고혈압의 진단

수축기 혈압이 140 mmHg 이상, 확장기 혈압이 90 mmHg 이상일 때 고혈압으로 규정한다.

3. 고혈압의 일반 증상

가벼운 고혈압은 자각증세가 없으나 어느 정도 계속되면 두통, 어지러움, 귀울림, 불면증, 피로가 일어난다. 더욱 진행되면 뇌·심장·신장의 장애가 생기고, 심하면 뇌출혈, 뇌연화, 중풍이 되기도 하며, 사망하기도 한다.

4. 고혈압의 원인

(1) **신경성** : 정신의 중압감, 스트레스
(2) **내분비** : 부신수질에서 에피네프린, 노르에피네프린이 분비되어 혈압이 상승하고, 부신피질에서도 알도스테론이 분비되어 혈압이 상승한다.
(3) **신 성(腎性)** : 신장에서 만들어지는 renin이 혈중으로 들어가서 혈압을 상승시킨다.
(4) **대상성 인자** : 식사와 밀접한 관계가 있고, 과식, 육식, 과다열량식, 식염 과다 섭취 등이 있다.
(5) **염류대사** : 식염 과량 섭취 → 나트륨 이온이 체내에 과잉 축적 → 세포외액량의 증가 → 혈압상승
(6) 유전과 환경, 연령, 체격, 성별, 칼륨, 칼슘, 마그네슘, 포화지방, 운동, 기타(중금속, 에스트로겐과 프로게스테론이 함유된 피임약) 원인으로 혈압 상승

5. 식사요법

(1) **식사요법의 원칙**
  ① 적절한 체중유지

② 이뇨제나 심장약제 복용 시 부작용 고려 : 이뇨제가 칼륨의 배설촉진으로 저칼륨혈증 유발
③ 나트륨의 제한

(2) 열량의 제한
① 본태성 고혈압에서는 비만증이 일반적이므로 열량을 제한(1,000~1,200 kcal 권장)
② 저지방 식사를 권장

(3) 단백질 : 질소평형을 유지하기 위하여, 신장이 정상적으로 단백질 분해물인 질소를 배설하기 위해서는 양질의 단백질을 공급해야 한다.

(4) 물의 제한 : 너무 많은 음료수는 금지

(5) 알코올 음료의 제한 : 하루에 10~20 g 이하의 알코올 섭취를 권장

(6) 소금의 제한
① 염분의 제한이 고혈압 환자의 혈압을 강하시킨다.
② 약물의 사용시에 저칼륨혈증 유발을 주의해야 한다.

(7) 식이섬유소 섭취

Kempner rice diet : 1944년 kempner가 고혈압성 혈관질환과 신장질환의 치료식으로 고안했다. 쌀(300 g), 설탕과 생과일 또는 통조림과일로 열량은 2,000 kcal, 단백질 15~30 g, 지방 4~6 g이며, 나트륨(소금)은 엄격히 제한하여 100~150 mg을 공급한다.

2. 저혈압

혈압이 낮아진 상태로 최고 100 mmHg 이하, 최저 60 mmHg 이하이며, 원인불명의 본태성 저혈압이 주로 발생한다.

(1) 증 상
① 수족이 차고 겨울에 추위를 탄다.
② 정신적 자극에 예민하다.
③ 뇌빈혈증
④ 피로감이 쉽게 온다.

(2) 식사요법
① 충분한 영양소 공급으로 고열량식
② 소화되기 쉬운 고단백식
③ 무기질 및 비타민을 충분히 섭취
④ 식욕 증진

3. 동맥경화증

1. 원 인

심혈관계 질환의 위험인자.

(1) **고혈압** : 혈액 내 지질의 양이 증가되고, 혈압이 높을 때 촉진된다.
(2) **흡 연** : 흡입된 일산화탄소는 저산소증을 유발시키고, 혈청 지질농도의 증가를 초래한다.
(3) **연 령** : 남성 45세 이상, 여성 55세 이상
(4) **관상동맥질환의 가족력** : 부모, 형제 중 관상동맥질환이 남성 55세 미만, 여성 65세 미만에서 발병한 경우
(5) **고콜레스테롤 혈증**

고지방식사를 하여 혈청 콜레스테롤 농도가 높은 경우를 말한다. 고콜레스테롤 혈증을 유발하는 요인으로 다음과 같은 것이 있다.

① 식사에 의한 요인 : 고지방식사, 다량의 당질 섭취, 식사섬유질(pectin 은 혈청 콜레스테롤 농도를 저하시킴), 아연과 구리비율의 체내 불균형
② 비식사요인 : 운동과 직접적인 연관, 성호르몬(특히 여성호르몬이 보호인자), 열, 감염, 정서적 흥분, 피로, 스트레스, 비만

2. 증 상

① 동맥벽이 두꺼워지는 현상으로 좁아진 혈관으로 인해 협심증, 심근경색(일명 심장마비) 등의 허혈성 심장 질환, 뇌경색과 뇌출혈 등의 뇌졸중(일명 중풍), 신장 기능 저하로 신부전 및 허혈성 사지 질환이 나타난다.
② 동맥과 세동맥의 내벽에 작고 노란 덩어리인 콜레스테롤, 인지질, 칼슘 등을 함유한 물질이 혈관에 축적되어 굳어진 플라크(plaque)의 섬유상 덩어리가 생긴다.
③ 동맥경화증은 주로 심장, 신장, 뇌로 향한 순환을 방해한다.

3. 동맥경화와 지질대사

동맥경화증은 혈중 지질대사에 장애를 준다.

① 총 지질량 증가
② 콜레스테롤 증가
③ 인지질 증가
④ 콜레스테롤/인지질 비 상승
⑤ β-lipoprotein 증가
⑥ β/α-lipoprotein 상승

⑦ 중성지방(TG)의 상승
⑧ 유리지방산 증가
⑨ lipoprotein lipase 감소

4. 동맥경화증의 식사요법

① 혈압과 고지혈증 조절
② 운동과 금연
③ 지방섭취량, 특히 포화지방산 감소
④ 적정 체중 유지
⑤ 충분한 양질의 단백질 섭취

4. 고지혈증 (Hyperlipidemia)

혈중 지질은 4종류로 콜레스테롤, 중성지방, 인지질 및 유리지방산이 있다. 이들 중 하나 또는 2 이상의 농도가 비정상적으로 증가한 상태를 고지혈증이라 하고, 공복시 혈청 콜레스테롤 220 mg/dL 이상, 중성지방 150 mg/dL 이상으로서 HDL 콜레스테롤이 40 mg/dL 이하인 경우를 고지혈증으로 진단한다.

1. 고지혈증의 분류

고지혈증	혈청지질	혈청지단백질	원 인	증 상
I	Cholesterol ↑ TG ↑↑↑	chylomicron ↑	lipoprotein lipase 결핍	급성복증, 췌장염, 황색종 등
IIa	Cholesterol ↑ TG →	LDL ↑	LDL receptor 이상 LDL 합성항진	허혈성 심장질환, 황색종 등
IIb	Cholesterol ↑ TG ↑	VLDL ↑ LDL ↑	LDL receptor 이상 VLDL·LDL 합성항진	IIa 형과 같음
III	Cholesterol ↑ TG ↑	VLDL ↑ IDL ↑ VLDL/TG 비 > 0.4	아포단백질 E 이상으로 간에서의 IDL 결합저하 VLDL 합성항진	IIa 형과 같은 황색종, 말초동맥경화증
IV	Cholesterol → TG ↑	VLDL ↑	VLDL 처리장애 VDL 합성항진	허혈성 심장병, 저 HDL 혈증
V	Cholesterol ↑ TG ↑↑↑	chylomicron ↑ VLDL ↑	chylomicron·VLDL 의 처리장애	I 형과 같음, 허혈성 심장질환

2. 고지혈증의 식사요법

	I 형태	IIa 형태	IIb 와 III 형태	IV 형태	V 형태
식사 처방	저지방(25~35 g, 어린이를 위해서는 10~15 g)	저콜레스테롤, 다가 불포화지방산을 증가시킴	저콜레스테롤, 단백질 : 총열량의 20% 지방 및 당질 : 총열량의 40%	중정도의 콜레스테롤, 당질은 총열량의 45%	중정도의 콜레스테롤 지방 : 총열량의 30% 당질 : 총열량의 50%
열량	제한 없음	제한 없음, 비만의 경우 열량 제한	정상체중을 달성하고 유지시킴	정상체중을 달성하고 유지시킴	정상체중을 달성하고 유지시킴
단백질	제한 없음	제한 없음	고단백질	제한 없음	고단백질
혈청 지단백질	고 chylomicron	고 LDL 혈증	IIb 고 LDL 혈증 고 VLDL 혈증	III 고 IDL 혈증	고 chylomicron 혈증 고 VLDL 혈증
지방	25~35 g 으로 제한, 지방의 종류는 중요치 않음	포화지방산 섭취 제한, 다가불포화지방산 섭취는 권장	총열량의 40%로 조절한다(다가불포화지방산을 권장).	제한 없음 (다가불포화지방산을 권장)	총열량의 30%로 제한(다가불포화지방산은 권장)
콜레스테롤	제한 없음	저 콜레스테롤 (30 mg/일 이하)	저 콜레스테롤 (30 mg/일 이하)	300~500 mg 까지 중정도로 제한	300~500 mg 까지 중정도로 제한
당질	제한 없음	제한 없음	저당질(농축된 단음식은 제한).	저당질(농축된 단음식은 제한)	저당질(농축된 단음식은 제한)
알코올	금한다	신중히 사용될 수 있다.	2 회 제공으로 제한 (당질을 대신하여 사용)	2 회 제공으로 제한(당질을 대신하여 사용)	제한한다

* 자료 : Fredrickson, D.S., et al : Dietary Management of Hyperlipoproteinemia DHEW Publ. No.(NIH), pp. 75~110. 13 ethesda, Md., National Heart & Lung Institute 1974.
  LDL cholesterol = total cholesterol − (TG/5 + HDL)

5. 뇌졸중

(1) 정 의 : 뇌기능의 부분적 또는 전체적으로 급속히 발생한 장애가 상당 기간 이상 지속되는 것

(2) 분 류 : 뇌혈관이 막혀서 발생하는 뇌경색(허혈성 뇌졸중)과 뇌혈관의 하혈로 인해 뇌 조직 내부로 혈액이 유출되어 발생하는 뇌출혈(출혈성 뇌졸중)

(3) 증　상: 반신마비, 반신 감각장애, 언어장애(실어증), 발음장애, 운동실조, 시야, 시력장애, 복시, 치매, 연하장애, 어지럼증, 의식장애, 두통 등
(4) 식사요법:
  ① 발작 직후에는 탈수되므로 물과 전해질을 공급, 단백질 공급
  ② 경구섭취로 이행할 때에는 2~3일 관찰 후 연하운동 확인되면 유동식 제공
  ③ 씹거나 삼키기가 어려울 때에는 연식이 무난하다.
  ④ 뇌졸중을 예방하려면 열량, 지방, 소금의 함량을 줄이고 금주한다.
  ⑤ 환경요인을 고려한다.

8. 빈　혈

적혈구의 크기와 수, 용적 및 이들이 운반하는 hemoglobin의 농도 등이 건강인보다 낮은 상태를 말한다.

1. 빈혈의 종류

(1) **소적혈구성 저색소성 빈혈** (microcytic hypochromic anemia) : 혈구의 크기가 정상보다 작고, 색소농도가 엷은 상태이며, 세포수는 정상인 적혈구 질병이다.
(2) **급성 출혈로 인한 빈혈** : 심한 출혈에 의하여 hemoglobin량의 회복되는 속도가 늦어져 일어나는 빈혈
(3) **영양성 빈혈** : 철분, 단백질, 일부 비타민(B_{12}, 엽산, C), 구리 등의 불충분한 흡수에 의한 빈혈

2. 철분결핍성 빈혈

전체 빈혈의 60~80%를 차지하고, 여성에게 많으며, 소적혈구 저색소성 빈혈로 hemoglobin의 농도가 감소된다.

(1) 원　인 : 식사성 철분섭취 부족, 위절제, 무산증, 성장, 임신과 수유기의 체내요구량의 증가
(2) 증　상 : 허약, 창백, 극도의 피곤, 두통, 발한 등이 나타난다.
(3) 치료법 : 철분의 투여가 효과적
(4) 식사요법 : 고열량식, 고단백식(양질의 동물성 단백질), 고철분식, 고비타민식 등의 균형있는 식사
(5) 철분함량이 높은 식품 : 간, 콩팥, 고기, 내장, 난황, 말린과일(살구, 오얏, 건포도), 땅콩, 녹색채소, 당밀

3. 단백질 결핍 빈혈

(1) **원 인**: 적혈구가 생성되는 골수의 자극 감소로 적혈구 생성이 안 된다.
(2) **식사요법**: 동물성 단백질(핵단백질)의 섭취 권장

4. 구리와 기타 중금속 결핍성 빈혈

(1) **원 인**: 구리와 기타 중금속이 hemoglobin 생성에 관여하는 데 있어서 부족된 빈혈
(2) **식사요법**: 보통 일반식사로 충분히 공급된다.

5. 비타민 결핍성 빈혈

(1) **원 인**: 엽산, 비타민 B_{12}, 아스코르브산의 부족으로 적혈구가 정상적으로 발달되지 않는다. 간경화, 임신, 유아기 등에 따른 요구량 증가, 항경련성약, 경구 피임약 복용으로 엽산의 흡수나 대사가 장애를 받는 경우
(2) **증 상**: 기형아 출산과 관련이 깊다.
(3) **식사요법**: 충분한 열량, 고단백식, 엽산(거대 적혈구 빈혈: 채소류와 간에 풍부), 비타민 C (대적혈구성 빈혈: 녹황색 채소, 과일에 풍부)

6. 악성 빈혈

(1) **원 인**: 비타민 B_{12} 결핍, 위액의 내인적 인자(intrinsic factor)의 결여로 거적혈구성 고색소성 빈혈
(2) **식사요법**: 고단백질 식사(체중 kg 당 1.5 g), 철분, 비타민 보강 식사와 비타민 B_{12}의 약제 혼용이 효과적인 치료법이다.

9. 비뇨기계통 질환

1. 신장의 기능

① 체내 노폐물의 배설
② 소변의 생성
③ 체내의 수분량 조절
④ 무기이온의 배설과 재흡수에 의한 삼투압의 평형유지
⑤ 과잉의 산 및 염기의 배설로 산 및 염기 평형
⑥ 체내의 대사 및 혈압조절
⑦ 신장의 재흡수와 배설기능은 신경, 뇌하수체 후엽 호르몬, 부신피질 호르몬, 부갑상선 호르몬에 의하여 조절

⑧ 혈류 중에서 사구체 여과액은 매분 100~200 mL (혈류량의 약 20%)이므로 하루에 160L가 여과된다.
⑨ 물의 재흡수는 원위곡세뇨관에서 조절되며, 항이뇨호르몬(ADH)에 의하여 촉진된다.
⑩ 수분, 포도당, 단백질과 무기염류는 선택적으로 재흡수된다. 그러나 요소, 요산, 암모니아 등은 세뇨관에서 분비된다.
⑪ 하루의 배설량은 1,500~2,000 mL

2. 신장질환의 일반적인 증상

(1) 단백뇨
① 단백뇨는 사구체에서 여과되는 혈액에서 흘러나오는 단백질이다.
② 정상인의 경우에는 하루에 약 20 mg 정도가 배설된다.
③ 신장질환이 있을 때는 사구체 여과막의 구조가 나빠져서 단백질이 여과되어, 그 양은 10 g 이상 나오는 경우도 있다.
④ 단백질 외에도 적혈구(출혈), 백혈구(염증, 화농), 세균(세균성 감염) 등이 나타나기도 한다.

(2) 부 종
① 안면에 제일 먼저 발생한다. 신염에서는 혈압이 높아지면서 심장의 부담이 가중되어 심장성 부종이 유발된다.
② 네프로제 부종인 경우는 단백뇨가 다량 발생되어 혈액의 단백질이 감소하므로 전신에 부종이 생긴다.
③ 급성신염 : 얼굴에 부종(주로 눈 주위)
④ 부종은 체액이 세포에 모인 상태로, 보통 4L 정도의 체액이 모이면 외관으로 나타난다.

(3) 혈 압
① 신성고혈압증 : 신장병 환자는 고혈압이 된다.
② 원인은 불명확하나 신장병이 되면 혈압의 변화가 현저히 나타난다.
③ 고혈압이 계속되면 신장 내부의 혈관에 동맥경화가 일어나며, 신장이 점차 작아지고 굳어져서 신경화증을 유발한다.

3. 신장질환

신장병의 식사요법은 액체와 전해질의 평형 및 균형, 산과 알칼리의 평형, 질소평형 등을 고려하여 약물치료, 혈액투석(hemodialysis), 복막투석(peritoneal dialysis), 신장 이식을 염두에 두고 영양관리를 한다.

(1) 신장질환 검사
  ① **혈액 검사** : 크레아티닌, 알부민, 칼륨, 혈액 요소질소, 인, 나트륨과 칼슘 수준 등의 혈중 지표를 통해 신장기능 부진의 정도를 측정한다.
  ② **소변 배설상태와 소변검사** : 소변이 배설되지 않거나 감소되는 것은 신장장애가 있을 때 나타나며, 소변검사는 가장 기본적이고 중요하며 단백뇨, 요비중, 적혈구, 백혈구, 세균 등을 검사한다.
  ③ **방사선 검사** : 신요로 및 방광 촬영과 신장 초음파 촬영을 통해 수신증과 신장 공간 점유 병소의 진단, 신요로계의 결석 유무 등을 알 수 있다.

(2) 신장질환 식사요법의 일반적인 목적
  ① 병들고 상해된 신장의 작업량 감소
  ② 신장기능의 장애로 손실된 영양소량의 보충
  ③ 질소분해물과 나트륨 체내 축적 유발물질을 식사에서 제외
  ④ 정상체중과 영양유지
  ⑤ 식욕증진, 사기향상

1. 신 부 전

(1) 증 상
  ① **만성신부전** : 임상 증상은 creatinine 과 요소제거율의 감소, 혈청 내의 creatinine 농도와 요소질소의 증가
  ② **급성신부전**
   • 단백질, 열량의 불량 및 면역능력과 상관이 있다.
   • 질소평형 유지에 중점을 둔다.

(2) 신부전 질환의 식사요법
  ① **단백질 제한**
   외인성 단백질 : 요소로 배설
   내인성 단백질(조직성 단백질) : 크레아티닌으로 배출
    • 사구체 여과율(GFR)을 기초로 하여 단백질 제한의 양을 결정한다.
    • 사구체 여과율이 분당 5~10 mL 로 저하되면 하루 30~40 g 의 단백질을 준다 (저단백식사).
   저단백 식사의 극단적인 예 : kempner 식사, 하루 20 g 의 식물성 단백질 투여(rice & fruit diet)

  ② **열 량**
   충분한 열량을 주어서 단백질 제한 식사를 하는 신장질환자의 체단백 분해를 막는다. 체중 kg 당 35~50 kcal 가 요구된다.

③ 나트륨 섭취의 제한

사구체에서 여과된 나트륨의 99%는 재흡수되나, 신장기능이 저하됨에 따라 재흡수 능력이 감소되고 섭취한 나트륨의 대부분이 축적됨으로써 부종, 고혈압, 울혈성 신부전을 일으킨다.
- 하루에 2~3 g 정도로 나트륨을 제한한다.
- 가공식품은 피하고 신선한 식품을 이용한다.
- 음식에 소금 대신에 다른 조미료(식초, 설탕, 후추)를 이용한다.

④ 수분섭취
- 수분의 필요량은 신장질환의 종류와 병세에 따라 다양하다.
- 하루에 1,500~3,000 mL로 증세에 따라 수분을 섭취한다.

⑤ 칼륨(K)의 섭취
- 칼륨 보유를 막기 위하여 칼륨 제한 식사를 한다.
- 하루에 40 mEq 이하로 섭취한다.
- 육류, 우유, 채소류, 과실류는 칼륨함량이 높기 때문에 피해야 한다.
- 칼륨 제한은 신장질환의 후기에 필요하다.
- 단백질, 나트륨, 수분제한도 같이 처방된다.

2. 신 염

신염에는 만성과 급성이 있다.

(1) 급성 사구체 신염
- 생체의 항원 항체반응의 증세
- 편도선염, 인후염, 감기 등의 후유증으로 1~2 주 후에 발병된다.
- 어린이와 젊은 사람에게 발생된다.

① 증 세
- 부 종 : 눈 가장자리
- 혈압증 : 수축기혈압 140~180 mmHg
- 부소변의 변화 : 부종이 심한 경우에 소변량이 줄고(결뇨), 부종이 줄어들면 소변량은 증가한다. 혈뇨가 보인다(단백뇨, 혈뇨).
- 부신기능 장애 : 질소화합물(요소, 크레아틴, 크레아티닌, 암모니아) 증가

② 식사요법

수분조절, 무기질(Na, K, Cl의 조절), 결뇨가 있으면 증세의 경중에 따라 수분을 800~1,000 mL로 줄인다.

(2) 만성 사구체 신염
- 급성 신염에서 이행
- 자각증상 없이 처음부터 만성신염으로 발병된다.
- 안정과 보온이 필요(감기에 걸리면 안 됨)하다.
- 피부의 청결(신장의 배설작용의 부담을 덜어 줌)을 요한다.

① 증　상
  - 다뇨, 혈압의 상승
  - 감뇨 시에 혈중 요소 질소의 증가
  - 요중 알부민의 배설
  - 부종
② 식사요법
  - 단백질 : 고단백식 (albuminuria 와 부종이 있는 경우 : 100~150 g)
  - 나트륨과 물 : 부종의 존재 여부에 따라 제한
  - 비타민 : 적당한 비타민 섭취
  - 저염, 고단백질 식사의 예 : 열량 2,200 kcal, 단백질 100 g, Na 2,000 mg, K 3,000 mg, 수분 1,600 mL

3. 네프로제 (Nephrotic syndrome)

성인의 사구체 신염과 관련이 있고, 세뇨관의 변성질환(퇴행성 Bright 병)이며, 주로 어린아이에게 발병(15세 미만이 80%)한다.

(1) 증　상

① 단백뇨, 부종
② 저단백혈증 : (5 g/dL 이하), 저알부민혈증(1 g/dL 이하)
③ 부종
④ 혈청지질의 증가(혈청 cholesterol 과 지질의 상승)
⑤ 기초대사율의 저하

(2) 식사요법

① 고단백식(혈장 albumin 보충)
② 저염식 : 나트륨 500 mg 이하
③ 중등지방(혈장 콜레스테롤 저하)

4. 신경화증

신장의 세동맥의 경화증이며, 만성사구체 신염의 말기현상이고, 노인에게 주로 발병한다.

(1) 증　상

① 고혈압
② 신장기능의 손상으로 혈중의 요소질소가 높다.

(2) 식사요법 : 정상식사

5. 신 결 석

요의 성분이 굳어져서 결석이 된 것을 말하고, 여성보다 남성에게 많다.

(1) 원 인 : 부갑상선 호르몬, 비타민 A 결핍증, 감염성 질환, 비뇨기관의 질병, 식사, 유전

(2) 증 상 : 통증, 혈뇨, 발열, 구토, 허리의 통증

(3) 분 류
① 유기물성 결석   ② 알칼리성 결석   ③ 수산칼슘 결석

(4) 식사요법
① 수산칼슘 결석 : 수산함량이 높은 식품(아스파라거스, 시금치, 초콜릿, 코코아, 무화과)과 칼슘 급원식품의 제한 및 금지
② 인산칼슘 결석 : 칼슘과 인 함유 식품의 제한
③ 요산 결석 : 알칼리성 식사
④ 시스틴 결석 : 황함유 아미노산 제한 및 물(3,500 ml)을 공급하며, 알칼리성 식사를 한다.

4. 투석요법

(1) 혈액투석 (hemodialysis)

이화과정인 혈액의 여과를 기계를 이용하여 인공적으로 실시한다.

- 식사요법
① 단백질은 체중 1 kg 당 1~1.2 g 의 양질의 단백질
② 염분과 수분의 섭취제한
③ 칼륨(K)과 인(P)의 양을 고려
④ 고비타민식

(2) 복막투석

높은 삼투성 용액으로 혈액을 인공적으로 여과하는 방법이다.

- 식사요법
① 고단백식사 : 체중 1 kg 당 1.0~1.2 g
② 고열량식
③ 나트륨 : 1 일 2~3 g
④ 칼륨 2 g, 인 1 g 허용
⑤ 수분량은 환자 상태에 따라 조절

10. 감염 및 호흡기질환

1. 영양과 저항력

1. 영양과 면역

영양불량은 질병에 대해 저항력도 약하고 면역능력이 감소된다.
면역반응의 형태를 보면 다음과 같다.

(1) 세포성 면역

T 세포를 갖고 있으며, 항원이 세포에 들어가면 어떤 물질(lymphokine)을 배출해서 면역이 작용한다. 즉, 세포가 직접 작용한다(암면역, 이식면역, 감염 기타). 폐결핵은 T 세포의 기능만을 필요로 한다.

T 림파구는 골수에서 생성된 간세포(stem cell)에서 분화하여 성숙된 후에 흉선(thymus)에서 더욱 분화되며, 바이러스와 박테리아 감염에 대항하는 역할을 한다.

(2) 체액성 면역

B 세포가 있으며, 예방주사나 질병을 앓은 후에 항원이 몸으로 들어와서 T 세포의 도움에 의해 T_H 세포가 노출되어, 항체생산세포의 자극으로 혈장세포에서 항원(Ag)에 대응하는 여러 가지 물질(항체=Ab)을 만든다. 폐렴은 B 세포 기능에 달려 있다.
항체는 immunoglobulin(Ig)이라 불리는 γ-globulin으로 IgA, IgH, IgG, IgE, IgD 등 다섯 가지가 있다.

① IgM : 가장 먼저 증가하여 1차 면역반응에 관여하고, 항체 5개가 $-S-S-$ 결합하며, 혈청 Ig 중 가장 크다.
② IgG : 2차적 반응에서 가장 많이 합성되며, 신생아 혈액에서 모체의 IgG가 발견된다.
③ IgA : 주로 외분비액(타액, 유즙, 눈물, 콧물, 기관지 분비액, 위장 분비물)의 Ig 조성에 중요한 분획 – SIgA
④ IgD : 주로 임파구에 존재하고, 항원수용체로 작용(B 세포 분화와 기억세포기능)한다.
⑤ IgE : 주로 allergy 반응이며, helminthic disease(기생충증)에 강한 면역반응이 작용한다.

2. 감염의 대사

(1) 감염 시에 많은 호르몬의 분해 촉진 : growth H, glucagon, glucocorticoids, insulin 반응 증가
(2) 골격근육에서 이화작용이 일어나서 아미노산 방출
(3) 급성기 후 호르몬이 정상으로 돌아올 때 혈당강하, 케톤체 증가, 질소 배설량 감소

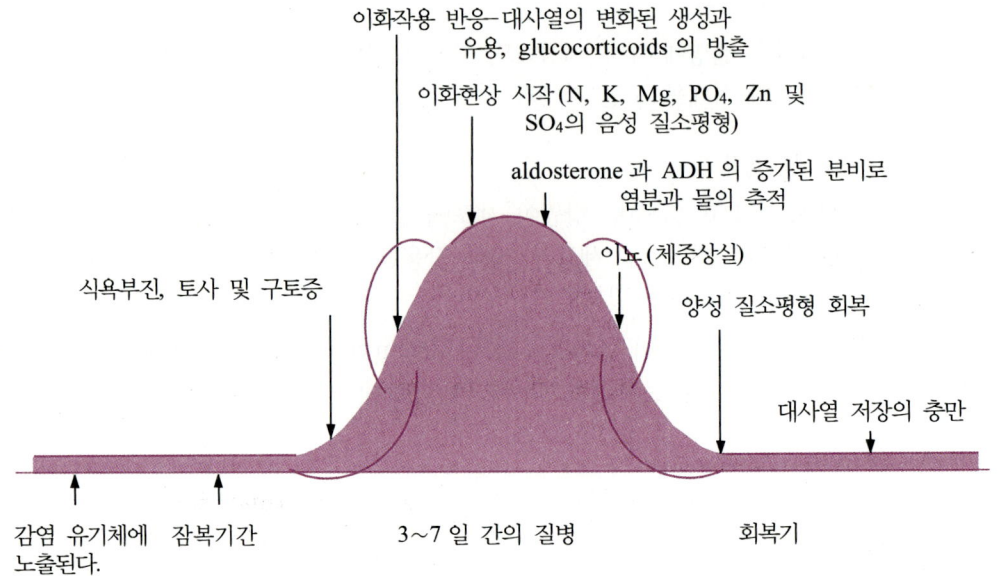

감염에 따른 이화작용 반응의 변화

자료 : Nutrient Requirements in Adolescence. Cambridge, MA, MIT Press, 1986, p. 259.

3. 발열시의 대사

(1) 체온이 1℃ 증가하면 대사속도는 13% 증가, 독성 10% 가산 : 근육활동 30% 증가
(2) 단백질대사 증가 : 장티푸스, 말라리아, 콜레라를 앓은 경우에 더욱 심하다. 요소로 인해 신장에 부담을 준다.
(3) 배설물과 발한량의 증가로 수분손실이 증가된다.
(4) NaCl 과 K 배설이 증가된다.
(5) 위액분비가 감소되며, 소화흡수력이 감소된다.
(6) 체내 glycogen 의 저장이 감소된다.

2. 급성감염성 질병

급성감염성 질병은 고열이 나는 경우가 많고, 병의 진도가 급격하며, 앓는 기간이 짧다.

(1) 감염성 질병
　① 급성 질병 : 폐렴, 장티푸스, 류머티스열, 회백수염, 콜레라
　② 만성 질병 : 폐결핵
　③ 회기성 질병 : 말라리아, 기종 등
(2) 급성감염성 질환자의 식사
　① 수　분 : 수분대사의 평형을 유지하기 위하여 1일에 3,000~3,500 mL의 물을 공급한다. 공급수단으로 구강 또는 정맥주사(식염수)를 이용한다. 유동음료는 그리 달지 않은 lemonade 나 lactose 가 좋다.
　② 열량과 단백질 : 급성감염병 환자에게 2 g/kg 의 단백질과 3,000~4,000 kcal 의 에너지 공급
　③ 당　질 : 고당질식은 glycogen 을 저장하고, gluconeogenesis 와 ketosis 를 방지한다. 농축된 당분은 장의 팽창을 유발한다. 젖당은 다른 당보다 느리게 용해되고 소장에서 발효를 촉진시켜 설사를 일으키므로 섭취를 조절한다.
　④ 지　질 : 유화된 지방으로 충분히 섭취한다.
　⑤ 비타민 : 비타민 B 복합체, 아스코르브산, 비타민 A 의 양 증가
　⑥ 무기질 : 급성 발열단계에서는 Na 및 K 의 손실이 크므로 보충해야 한다.

3. 각종 급성감염성 질병

1. 폐 렴 (pneumonia)

폐가 충혈되고, 심장이 과격한 부담을 받으며, 신진대사가 정상시보다 20~50% 상승한다.
탈수와 전해질의 균형을 위해 유동식으로 가볍게 주며, 자주(2~3 시간마다) 급식함으로써 심장의 부담을 덜어 준다.

2. 장티푸스 (typhoid fever)

원인균이 *salmonella typhosa* 로, 불결한 음료수와 음식물이 매개체이다.
(1) 증　세
　심한 고열, 두통, 복부발진, 설사, 장의 궤양 및 출혈, 간, 담낭, 담관에 이상이 온다.
(2) 식사요법
　① 고열량식 : 체중 kg 당 50~60 kcal(신진대사율 40~50% 증가)
　② 고단백식 : 체중 kg 당 2~3 g(단백질 파괴 약 3 배)
　③ 고당질식 : 체단백질 소모방지
　④ 무기질, 비타민을 충분히 섭취하도록 한다.
　⑤ 섬유질이 적고 장을 자극하지 않는 저잔사식
　⑥ 열이 심할 때는 유동식 → 연식 → 일반식

3. 류머티스열 (Rheumatic fever)

(1) 증 상

심장 판막에 연쇄구균 (*streptococcus*)이 감염되어 증상을 일으킨다(관절염과 증상이 비슷함). 아이들, 청소년에게 일어나는 질병으로 빨리 발견하지 못하면 심장에 영구적인 상처를 유발한다.

약제로는 cortisine, corticotropin (ACTH)이 있다. 급성질환의 기간단축, 심장병 침입방지의 효능이 있으나, 부작용으로 Na, water를 체내에 보유하기 때문에 Na 제한식사를 한다.

(2) 식사요법

① 급성단계 : 급성감염병 식사요법
② 아스코르브산의 섭취 증가 : 감귤류, 과즙
③ 단백질 : 열량이 충분하여야 한다.
④ 식욕을 돋우는 식사 : 입원의 장기화로 식욕부진화를 회복

4. 회백수염 (poliomyelitis)

세균성 감염으로 중추신경계에 장해를 가져온다.

환자의 10% 정도는 영구적인 장애가 온다. salk vaccine 의 도입으로 건강 백신이 있으나 성장기 어린이 및 청년들은 사망하기 쉽다.

(1) 종 류

① 척수 회백수염(spinal poliomyelitis) : 근육 골격이 마비되는 것
② 연수 회백수염(bulbar poliomyelitis) : 근육, 뇌세포가 붓거나 마비되는 것

(2) 식사요법

① 열이 심할 때는 유동식 및 연식을 공급한다.
② 빠른 조직파괴를 보충하기 위해 고단백질, 고열량, 고비타민식을 공급한다.
③ 언어장애를 가진 연수 회백수염 환자의 식사문제가 심각하다(4 단계식).

5. 콜레라 (cholera)

아시아 지역에서 많이 발생하고 수분과 전해질 손실과 대량의 설사를 동반하는 전염병으로, 수 시간 내에 사망하는 경우도 있다. 치료법으로는 항생제 투여, 포도당, 전해질을 공급한다.

4. 폐결핵 (tuberculosis)

만성 호흡기질환으로 아직도 사망률이 높다.

(1) 원 인 : 빈곤, 비위생, 과로, 영양실조에 따른 저항력 약화, 교육이 부족한 곳

(2) 증　세 : 권태감, 가래, 혈담, 객혈 또는 발열, 체온의 급격한 상승, 피로, 체중감소, 기침, 상기된 얼굴 등
(3) 치　료(약물요법) : isonia id (INH), streptomycin, pyrazinamide, ethionamide, capreomycin 등이 50% 정도 치료를 단축시킨다.
(4) 예　방 : BCG 접종
(5) 식사요법
　① 열　량 : 급성폐결핵은 급성 감염성질환 식사와 동일하게 고단백, 고열량 액체음식 (고열시 2,500~3,000 kcal)으로 하고, 만성일 때는 정상 체중을 유지하도록 열량을 2,000~2,500 kcal 로 하며, 영양소는 균형에 맞게, 조리법은 단순하고 소화되기 쉽게 한다.
　② 단백질 : 활동성 결핵은 질소배설이 현저히 증가하므로 고단백 식사를 해야 한다. 체단백질의 소모가 현저한 경우는 1 일에 100 g 이상(체중 kg 당 1.5 g 이상)의 섭취를 권장하며, 동물성 단백질은 전체 단백질의 1/2 ~ 1/3 정도를 공급한다.
　③ 무기질 : Ca, Fe, Cu 등의 섭취는 충분히 할 것
　　• Ca 급원 - 우유, 유제품, 멸치, 건어물
　　• Fe 급원 - 간, 난황, 육류, 굴, 콩, 김, 엽채류
　　• Cu 급원 - 어패류, 김
　　• Ca 는 골격의 석회화, 세균에 대한 저항력 증강
　　• Fe, Cu 는 조혈에 유효하다.
　④ 비타민 : 비타민 C, A, D, B_6 등의 섭취는 충분히 하여야 한다.
폐결핵 치료에는 휴식, 항생제, 신선한 공기, 충분한 영양보충 등 4 가지가 필요하며, 균형된 영양식사로 단축할 수 있다.

5. 회기성 감염병

1. 말라리아(Malaria)

말라리아는 학질 모기가 매개체이며, 풍토병으로 간이 확대되고, 기능이 손상된다. 4,000 kcal 이상의 고열량, 고단백질, 고당질, 중등지방이 추천되고 있다.
　biotin 의 결핍은 말라리아에 더 민감하다.

2. 기　종(Emphysema)

(1) 증　세 : 숨이 차고 씹고 삼키는 것이 어려울 때는 식품섭취가 불가능하다. 체중감소, 조직소모, 복부의 통증, 위궤양
(2) 식사요법 : 농축된 식품을 소량으로 자주 주도록 하고, 열량이 높은 연식(섬유질, 고기 - 씹는 데 에너지를 요구하므로 피한다)을 공급한다.

11. 선천성 대사장애

대사장애는 정신둔화, 근육쇠약, 신부전, 빈혈 등을 포함한 다양한 증상을 가지고 있는 질병이다.

1. 식사 개선으로 치료되는 대사성 장애의 종류

영양소 대사	질 병	결 핍
당 질	• 갈락토오스혈증(galactosemia : galactose가 대사되지 못하고 혈액에 축적되어 있는 상태) • 글리코겐(glycogen) 저장 질병 • 1차적 젖당(lactose) 결핍증 • 유전성 과당 불내증 • 이당류의 소화불량증	• Galactose-1-phosphate uridylyltransferase 의 결핍 • 소장 lactase 의 결핍 • Fructose-1, 6-diphosphatase 의 결핍 • Disaccharidase 의 결핍
아미노산	• 페닐케톤뇨증(phenylketonuria) • 시스틴뇨(cystinuria ; 시스틴 결정이 소변 중에 배설되는 유전병) • 호모시스틴뇨증(homocystinuria) • 단풍 단밀뇨증(maple syrup urine disease)	• 간성 phenylalanine hydrolase 의 결핍 • Cystine 분해의 장애 • Methionine 대사장애
지 방	• 과지질 단백혈증(hyperlipoproteinemia ; 유전성 고(高)콜레스테롤혈증, 혹은 지방 과식에서 오는 고중성 지방혈증과 글리세린혈증(hyperglycerinemia)	
무기질	• 선단피부염(acrodermatitis) • 장질병(enteropathica) • 윌슨씨병(Wilson's disease)	• 아연 흡수의 결여 • 구리 대사의 장애
기 타	• 낭포성 섬유증(cystic fibrosis) • 통풍(gout) • 유기성 산혈증(organic acidemia) • 과암모니아혈증(hyperammonemia)	• 췌장 부전 • 요산 대사의 이상 • 측쇄 아미노산 대사의 장애 • 요소 회로에서 여러 단계의 지장

2. 대사장애의 질환

(1) 페닐케톤뇨증 (phenylketonuria ; PKU)

① 원 인

필수아미노산인 phenylolanine 을 tyrosine 으로 전환하는 효소인 phenylketone hydroxylase 가 선천적으로 결핍되어 혈중 또는 요중에 phenylketone 체가 현저히 증가한다.

② 증 상

성장저하, 백색피부, 금발, 지능 저하 등

③ 식사요법
- phenylalanine 의 양을 60 mg/100 mL → 2~6 mg/100로 줄이도록 한다 (허용한도 : 200~500 mg/day).
- 저온살균우유, 육류, 생선류, 알류, 치즈, 과실, 채소류 등도 제거하여야 한다.
- PKU 어린이의 영양관리
  - 식사 중 phenylalanine 의 엄격한 제한
  - 성장 발육을 위해 phenylalanine, tyrosine 함유 단백질의 제한
  - 충분한 열량과 비타민, 무기질의 사용

(2) 갈락토오스혈증 (Galactosemia)

① 원 인

galactose 가 glucose 로 전환되지 못하는 질환으로 galactose-1-phosphate uridylyl-transferase 가 결핍되거나 양이 적은 경우에 발생한다.

② 증 상
- galactose-1-p 가 적혈구, 간, 비장, 안구의 렌즈, 신장, 심장, 근육, 뇌수, 뇌피질에 축적된다.
- 어린이는 위와 장에 장애를 일으키고, 체중이 줄며, 황달이 온다. 초기에 치료되지 않으면 6~12 개월 후에 정신장애를 일으킨다.
- 유전적 galactokinase 결핍증은 다량의 galactose 가 축적되며, 백내장을 일으켜서 시력을 잃기도 한다.

③ 식사요법

galactose 를 제한, 즉 우유, 탈지유, 카제인, 유장, 유장제품 등을 제한한다. 카제인 가수분해물, 젖산, lactoalbumin 은 젖당이 들어 있지 않아서 무관하다.

(3) 과당 불내증 (Fructose intolerance)

① 원 인
- 본태성 과당뇨증
- Fructose-1-phosphatase 결핍증
- 유전적 과당 불내증

② 증 상 : 심한 토사, 저혈색소성 빈혈, 저혈당증, 황달, 간종

③ 식사요법
- 과당 및 설탕의 섭취를 제한한다.
- 비타민 C 보충 (과일의 섭취를 제한하므로)
- 전화당, sorbitol, levulose 를 비경구적으로 공급하여서는 안 된다(심한 토사, 저혈당증 유발→ 사망).

(4) 통 풍(Gout)

① 원 인

통풍은 핵산을 구성하는 주요한 물질의 하나인 퓨린(purine)의 대사 이상으로 고뇨산혈증에 의한 것이다. 즉, 요산분해작용의 감퇴, 요산배설기능의 감퇴, 요산생성의 증가에 의한다.

② 증 상
- 요산염 결정 유발성 관절염, 신수질 기능장애의 임상증상이다.
- 통풍은 요산의 결정이 연골, 관절낭 및 주위의 연부조직에 침착되어 자극을 주어 통증을 느낀다.

③ 식사요법
- 표준체중을 유지하기 위해 열량섭취 조절
- 극단적인 고단백식, 고지방식을 피할 것
- 신장이나 심장장애가 없으면 수분을 충분히 섭취할 것
- 알코올의 과음은 삼갈 것
- 소금의 섭취 제한
- 알칼리성 식품을 섭취할 것
- 퓨린체가 다량함유된 식품의 장기간 섭취를 삼갈 것
- 열 량 : 비만의 예방으로, 비만인 경우 1개월에 체중 1~2 kg 정도를 줄이도록 할 것. 체중은 가능한 표준체중이나 약 5~10% 정도를 내리도록 한다.

1일 이상체중 1 kg 당 남자는 30~35 kcal, 여자는 25~30 kcal가 적당하다.
- 단백질 : 과량의 단백질 섭취나 과도한 제한도 피해야 한다.

체중 kg 당 1~1.2 g 정도가 적당하다.

식품에 포함된 퓨린체는 장내 세균에 의해 많이 분해된다. 퓨린함량이 많은 간, 콩팥, 골, 육수, 멸치젓 등의 섭취는 금한다.
- 지 방 : 심장병과 고지혈증이 많으므로 지방에서 섭취하는 열량이 적도록 한다 (20~25% 정도). 불포화지방산의 섭취를 증가시킨다.
- 당 질 : 설탕을 과잉섭취하면 TG 합성을 일으켜서 비만이 되므로 당질의 과잉섭취는 삼간다.
- 알코올은 되도록 적게, 수분은 충분히 섭취한다.

12. 당뇨병

1. 당뇨병의 병리적 특징

당뇨병은 인슐린의 상대적 또는 절대적 부족으로 일어나는 대사성 질환이다.

1. 당뇨병

(1) **당질대사장해** : 혈당상승(hyperglycemia)과 요당배출(Hyperglycosuria)은 만성으로 진행되어 산독증(acidosis), 탈수(dehydration), 혼수(coma) 등의 합병증으로 사망한다.
(2) **지방, pectin** : 전해질 대사장해

2. 혈당의 조절

정상 혈당치 70~100 mg/dL

(1) 정상적인 혈당을 위해 흡수된 포도당이 인슐린에 의해 간에 저장되었다가(glycogen 저장) 기아나 돌발사고 시에 glucose를 생성하여 해당 cycle로 들어간다.
(2) 지방조직, 일반조직 ┌ 지방합성 → 여분은 조직에 glycogen으로 저장
　　　　　　　　　　　└ TCA cycle → energy + H_2O 생성

3. 인슐린이 제대로 작용하지 못할 경우

(1) 인슐린이 분비되지 못한다.
(2) 인슐린이 정상인보다 많은 경우, 인슐린의 질이 나쁘거나 인슐린의 작용을 방해하는 물질이 있는 경우, 즉 인슐린이 인슐린 수용기(insulin receptor)와 결합하지 못하거나 세포에 인슐린 수용기가 없는 경우, insulin과 receptor가 결합능력이 약할 때
(3) **혈당상승 호르몬** : adrenalin, glucagon, ACTH, glucocorticoid, Thyroxine, growth H 등
(4) **혈당강하 호르몬** : insulin
(5) 인슐린 결핍 때
　① 당　질 : glucose 유입↓ ⇒ serum glucose↑ ⇒ glycosuria ⇒ 수분재흡수↓ ⇒ 요양↑ ⇒ 전해질 소모 ⇒ 탈수
　② 단백질 : 이화작용(catabolism)↑ ⇒ 혈장아미노산↑, 소변에 N 손실
　③ 지　질 : 지방분해↓ ⇒ 혈장유리지방산↑, ketone body↑

4. 인슐린의 기능

(1) 근 육

　① glucose↑, K^+ 유입↑ ⇒ 혈당↓
　② glycogen 합성↑ ⇒ glycogen↑, glacose level↓
　③ aminoacid 유입↑, ribosome의 단백질 합성↑ ┐ blood a.a↓
　④ protein 분해↓, aminoacid 배출↓ ─────────┘
　⑤ ketone 유입↑ ⇒ glucose가 에너지 대사에 쓰이지 못할 때

(2) 지방조직

① glucose 유입↑, K⁺유입↑, ⇒ 혈당↓
② glycerol phosphate 합성↑, 지방산 합성↑, lipoprotein 의 활성도↑ ⇒ 혈중 fatty acid↓, glycerol 방출↓ ⇒ TG 축적↑
③ TG 축적↑

(3) 간 (liver)

① cycle AMP↓, glyconeogenesis↓ ┐ 혈당↓
② glycogen 합성 증가 ───────┘
③ lipid↑, protein 합성↑ ┐ VLDL 합성↑
④ ketogenesis↓ ──────┘

2 당뇨병의 발병원인 및 임상증상

1. 당뇨병의 원인

(1) 유 전 : 부모 중 당뇨병을 가진 사람의 발병률이 높다. 일란성 쌍생아의 당뇨병 발병의 합치율이 60%, 이란성 쌍생아는 13% 정도이다.
(2) 연령과 성별 : 15 세 미만의 어린이는 유전적인 인자에 관여하는 소아당뇨병이 많다. 25 세까지는 성별관계가 없으나 25 세 이후는 여성의 당뇨병 발생이 높다(우리나라는 남자가 여자보다 3 배 가량 높다).
(3) 비 만 : 당뇨병 환자는 식습관에서 보면 탄수화물, 지방분이 많은 식사를 즐기며, 과식하여 비만을 초래하고, 발병률을 높인다. 당뇨병 환자의 60%가 체중과다이다.
(4) 운동부족 : 근육운동이 부족하면 체중과다가 되기 쉽다.
(5) 정신적 영향 : 직업상 스트레스와 과로를 하는 정신적 노동에 종사하는 사람에게 발병률이 높다.
(6) 감염 및 약물 : 세균이나 바이러스에 감염된 경우, 약물 중 부신피질 호르몬제, 고혈압 치료제로 쓰이는 이뇨제 등은 당뇨병을 유발시키거나 악화시킬 수 있다.

2. 당뇨병의 종류

(1) 진성 당뇨병 (Diabetes Mellitus)

진성 당뇨병은 구강 당내성 시험에서 공복시의 고혈당증 (fasting hypergly cemia)이나 상승된 혈장 포도당치를 기준으로 한다.
정상인 공복 시의 혈당 70~100 mg/dL, 식후 30 분 120~130 mg/dL, 2 시간 후에 정상이 된다. 혈당이 170 mg/dL 이상이 되면 요중으로 빠져 당뇨가 된다.

① 제 1 형 : 인슐린 의존성 당뇨병 (Insulin Dependent Diabetes Mellitus : IDDM)
   • 당뇨병 환자의 약 20% 정도이다.
   • 인슐린 분비가 되지 않아 insulin 주사가 필요하다.

- 아동기나 젊은층에 많기 때문에 소아성 당뇨(Juvernileonset DM)라고도 한다.
- 증세가 심하고, 진단이 빠르며, 진전이 빠르고, 병세가 심하다(ketosis, coma).
- 자기 면역에 의해 Langerhans 섬 공격 → 췌장이 Langerhans 섬에 대한 자기 항체를 만들어 항체가 세포를 공격해서 세포기능이 저하되고, 따라서 인슐린도 저하된다.

② 제2형 : 인슐린 비의존형 당뇨병(Noninsulin Dependent Diabetes Mellitus : NIDDM)
- 유전적 요인이 제1형보다 더 많이 작용하여 쌍생아는 거의 100% 나타난다.
- 대부분이 비만 : 체중을 감소시키면 혈당이 정상으로 돌아오는 경우가 많다.
- 치료시에 인슐린은 꼭 필요로 하지 않는 경우가 많다.
- β-cell 에는 문제가 없고, 혈중 인슐린의 양이 보통보다 더 높은 경우가 많다. 이는, 세포의 인슐린 receptor 수가 적거나 인슐린과 receptor 의 결합력이 약하기 때문이다.
- NIDDM 의 경우, 80% 정도가 40 대 이상(이 중 90% : 비만)에서 발생한다.

③ 이차성 당뇨병(Diabetes Secondary to other conditions)

병의 원인은 하수체 호르몬·부신호르몬의 과잉분비, 췌장염, 간질환, 신장염, 약물(이뇨제, 피임제, 갑상선호르몬, catecholamin 등) 사용 등에 의하며, 근래에는 인슐린 수용체의 이상 등에 인한다.

(2) 손상된 당내성(Impaired Glucose Tolerance : IGT)

공복시의 혈당치는 진성당뇨병(DM)보다 적고(140 kg/dL), 당내성 시험에서도 정상인과 DM 환자의 중간 정도이다.

(3) 임신당뇨병(Gestational Diabetes)

임신기간 중 포도당 불내성을 나타내는 경우로, 임신 후반기에 나타난다. 임신기간에 잘 조절하면 출산 후 정상으로 돌아간다. 이러한 경우에 중년이 되면 제2형 DM 이 되기도 한다. 그 밖에 심장, 신장, 췌장 질환에 의해 DM 이 발병되는 경우도 있다.

3. 임상증상

(1) 인슐린 의존성 당뇨병(IDDM)

IDDM 은 내인성 인슐린의 절대적 결여와 ketosis 로 인해 쉽게 발병하는 특징이 있다. 혈중의 당을 조직으로 이동시키지 못해서 혈당이 높아진다.

① **다뇨증(polyuria)** : 혈당이 너무 높아 세뇨관에서 재흡수할 정도 이상이므로 배설한다. 소변의 횟수가 많고 양도 많다.
② **다갈증(polydipsia)** : 요의 삼투압이 높아지므로 물을 많이 배설하여 체액을 잃게 되어 목이 마르다.
③ **다식증(polyphagia)** : 식욕이 증진되어 과식을 하게 되며, 심한 공복감을 느낀다.
④ **체중감소** : 많이 먹지만 포도당이 조직 속으로 들어가지 못하고 혈중에 있다가 배설되어 열원으로 쓰이지 못하여 체지방, 근육 단백질을 소모하므로 체중이 준다.

⑤ ketosis : 혈중에 저급지방산의 축적을 나타내기 때문에 소변으로 ketone 체를 배설하는 증상이다. acidosis, dehydration, 최후에는 coma 를 일으킨다.

(2) 인슐린 비의존성 당뇨병 (NIDDM)

NIDDM 은 IDDM 보다 인슐린 분비의 결핍이 심하지 않고, 다뇨, 다갈, 다식, 체중 감소 등의 여러 증상이 나타나지 않을 수 있다. ketosis 를 일으키는 일도 적다.

① 당 뇨 (glycosuria) : 소변에 비정상적인 포도당이 존재한다. 진성 당뇨는 포도당 재흡수 불능에서 오는 결과이다.

② 고혈당증 (hyperglycemia) : 식사 후 12 시간이 경과한 다음에도 높은 양의 당이 혈중에 존재한다. FBS(fasting blood sugar)가 140 mg/dL 이상이면 DM 으로 판정된다.

정상성인의 경구내성시험시 혈장과 혈액의 포도당 농도

	정 상	손상된 포도당 내성(mg/dL)	당 뇨 병
공복시			
혈 액	<100	<120	≧120
혈 장	<115	<140	≧140
30 분, 1 시간, 1 시간 30 분 후			
혈 액	<180	≧180	≧180
혈 장	<200	≧200	≧200
2 시간 후			
혈 액	<120	120~180	≧180
혈 장	<140	140~200	≧200

제 1 형과 제 2 형 당뇨병의 주요 임상 증상

	제 1 형	제 2 형
발병연령	아동기	35 세 이상
발병형태	돌 연	항상 서서히 발병된다.
가 족 력	positive	positive
영양상태	영양섭취 부족	비만증
임상증상	다뇨증, 다갈증, 다식증	별로 없음
간 종	많이 있다.	드물다.
안 정 성	인슐린량과 감염성에 넓은 유동성	제 1 형에 비해 혈당 변동은 작다.
조 절	어렵다.	쉽다.
ketosis	잦다.	드물다.
혈장인슐린	0~극소량	적정량 아니면 과량 혹은 서서히 감소하나 결여되어 있지는 않다.
혈관합병증	드물다.	잦다.
식 사	모든 환자에게 필수	조절한다. 그리고 저혈당식은 필요없다.
인 슐 린	모든 환자에게 필요	20~30% 환자에게 필요
구 강 약	드물게 효과가 있다.	효과가 있다.

③ 경구 내당성 시험(oral glucose tolerance test) : 이 시험은 매일 150 g 의 당질을 포함한 식사를 3 일간 실시하여 신체가 포도당을 이용하는 능력을 측정한다.
④ ketonuria : 지방산이 불완전하게 산화될 때 케톤체가 배설되는데, 이 경우는 드물다.

3. 당뇨병의 치료

당뇨병은 치료하기 어려우나 가능한 한 정상적인 건강상태, 영양상태를 유지하도록 조절하여 정상적인 생활을 하도록 최선을 다하는 것이다. 또한 합병증을 유발하지 않고 수명을 연장할 수 있도록 유의한다.

제 1 형은 증세가 없어지기 어려우나, 제 2 형은 체중조절 등에 의해 증세가 없어지기도 한다.

치료법으로 약물요법, 식사요법, 운동요법이 있다. 식사요법과 운동요법은 누구나 시행해야 한다.

1. 약물요법

(1) 혈당 강하제 (Hypoglycemic agent)

① 제 2 형에 많이 쓰인다(췌장에서 인슐린을 합성할 능력은 있는데, 분비를 못하는 사람).
② tolbutamide, acetohexamide, chlopropamide 등은 혈당이 높을 때 인슐린을 분비하게 한다.
③ 환자가 이용하기는 편하지만 부작용이 많다 (구토, 소화불량, 신트림, 간손상, 신장병 유발).
④ 혈당수준 및 조절
 • 정상인의 혈당 수준 : 공복 시 70~100mg/dL 유지, 식후 30분에는 120~130mg/dL 까지 상승한다. 식후 2시간에는 정상 수준으로 되돌아간다.
 • 혈당의 공급 : 탄수화물 식으로부터 간을 통해 들어오는 포도당, 간에서 단백질이나 지방으로부터 합성되는 포도당 (당신생 포도당), 간 글리코겐의 분해로 얻어진 포도당
 • 혈당 공급의 과잉 방지 : 간이나 근육에서 저장 글리코겐으로 전환 (glycogenesis), 지방조직에서 지방의 합성 (lipogenesis), 모든 조직 세포에서 산화하여 에너지로 전환 (glycolsis) 등

(2) 인슐린 주사

인슐린은 단백질로 소화관에서 가수분해되어 비활성화되기 때문에 주사하며, 제 1 형 당뇨병 환자에게 많이 쓴다.

IDDM 의 치료법으로는 인슐린과 식사요법 두 가지를 병행한다.

① 속효성 인슐린(short-acting insulin) : Regular insulin 이라고도 하며, 주사 후 5~7시간 효과가 지속되고, 최대 효과시간은 2~4시간이므로 매끼마다 주사가 필요하다. 수술할 때, 혼수상태 때, 급성감염병, 당내 응력 변동이 클 때 사용하며, 주사를 여러 번 맞는 것이 문제이다.
② 중도적 인슐린(medium-acting insulin) : 인슐린에 아연(Zn)과 단백질을 포함시키는데, 대개는 18~24시간 지속되며, 하루를 유지하는데 대개 아침먹기 30분 전에 주로 주사한다. 종류는 NPH(Neutral protamine Hagedorn), Globin Insulin, Lente, Semilente, Ultralente Insulin 등이 있다.
　제일 많이 사용하는 인슐린이다 (NPH, globin, lente insulin).
③ 지속성 인슐린(long-actiy insulin) : protamin zinc insulin은 효과가 18~72시간 지속된다. 위급할 때 빨리 효과를 내지 못하는 결점이 있다.

각종 인슐린의 작용 내용

인슐린 (insulin)	시 작 (시간)	정 점 (시간)	평균 효율적인 기간 (시간)	최대효율시간 (시간)
동 물				
Regular	0.5~2.0	3~4	4~6	6~8
NPH	4~6	8~14	16~20	20~24
Lente	4~6	8~14	16~20	20~24
Ultralente	8~14	최 소	24~36	24~36
사 람				
Regular	0.5~1.0	2~3	3~6	4~6
NPH	2~4	4~10	10~16	14~18
Lente	3~4	4~10	12~18	16~20
Ultralente	6~10	?	18~20	20~30

자료 : American Diabetes Association. Physician's Guide to Insulin Dependent(Type I) Diacetes : Diagnosis and Treatment. Alexandra, VA. American Diabetes Association, 1988, Table 6.

(3) 인슐린을 이용할 경우, 당질섭취의 배분
① 인슐린을 사용하지 않는 경우
　아침 1/3 : 점심 1/3 : 저녁 1/3 (아침에 혈당이 높으면 1/5 : 2/5 : 2/5)
② 속효성 regular insulin을 사용할 경우 : 인슐린을 사용하지 않는 경우와 동일
③ 지속성 protamin zine insulin의 경우
　아침 1/5 : 점심 2/5 : 저녁 2/5 (야식 필요)
④ regular insulin과 protamin zine insulin을 사용할 경우
　아침 2/5 : 점심 1/5 : 저녁 2/5
⑤ 중도적 인슐린을 사용할 경우
　아침 1/6 : 점심 2/6 : 오후 간식 1/6 : 저녁 2/6
⑥ NPH와 lente insulin을 사용할 경우 ③과 같이 한다.

(4) 기본 목표
  ① 정상에 가까운 혈당을 유지한다
  ② 적절한 혈중 지질 농도를 유지한다.
  ③ 적정 체중을 유지한다.
  ④ 합병증을 예방하거나 최대한으로 지연시킨다.
  ⑤ 적절한 영양 상태를 유지한다.

2. 식사요법

DM 에서는 식사조절이 기본이므로 체내 insulin level 에 맞게 식사계획을 세워야 한다 (식품교환표를 이용하는 것이 편리함).

체내대사 이상에서 과부족된 영양소를 조절해주고, 합병증이 있을 때는 합병증에 적절한 식사요법이 필요하다.

(1) 열 량
  ① 표준체중을 유지할 수 있도록 한다. 제 1 형 DM 에는 성장기의 체중감소량이 크므로 열량을 많이 주고, 제 2 형에서는 열량 제한이 필요할 것이다.
  ② 저에너지식을 사용하면 인슐린 필요량이 감소한다.
   • 저에너지식 계산방법 : 표준체중 × 활동별 에너지
   • 표준체중 남 : 신장$(m)^2 × 22$
              여 : 신장$(m)^2 × 21$
   • 저에너지식

적은 활동	표준체중 × 25~30 kcal
보통 활동	표준체중 × 30~35 kcal
많은 활동	표준체중 × 35~40 kcal

(2) 단백질 : 부족한 열량 보충으로 단백질 소모가 있을 수 있으므로 총 열량의 20% 정도를 권한다.
(3) 당 질 : 당질은 너무 제한해도 혈당조절에 큰 변화가 없다. 당질섭취는 가능한한 복합당으로 총 열량의 50~60% 정도 (단순당으로는 10% 미만)를 권한다.
(4) 지 방 : 당뇨병 환자는 동맥경화증, 고혈압 등 심장우려 때문에 P/S 의 비율은 2 : 1 정도가 바람직하다. 지방은 총 열량의 20~30% 정도가 좋다.
(5) 무기질과 비타민 : 필요량은 정상인과 같이 준다. 무기질 중 인슐린 합성을 위해 Zn, glucose tolerance 에 필요한 Cr^{++} 등의 섭취를 권한다.
    수분대사와 관계되는 Na, K, Cl 섭취를 잘 조절해야 한다. 신장질환이 합병증으로 오기 쉬우므로 싱겁게 먹는 것이 좋다.
(6) DM 환자에게는 조리시에 설탕 대신으로 인공감미료를 소량 사용할 수 있다.
  ① solbitol : 맛이 좋기 때문에 아이들이 잘 적응한다 (당도 : 설탕의 50~70%).
     4 kcal/g, 혈당 변동없음
  ② xylitol : 많이 쓸 경우에 설사증, 혈당 변동없음

③ saccharin : 설탕의 약 500 배, 암 유발 우려
④ aspartame : 설탕의 약 200 배
⑤ fructose 는 체내 이용 시에 인슐린을 필요로 하지 않으나, 혈중 TG 의 상승 때문에 사용을 삼가야 한다.

3. 운동요법

운동을 하면 glucose 에 대한 세포의 감수성 (sensitivity)이 높아져서 glucose 사용량이 많아진다.
제 1 형 DM 은 너무 심한 운동은 삼가고, 제 2 형의 경우는 체중감소가 되어 효과적이다.

4. 당뇨병의 합병증

1. 저혈당증 (hypoglycemia)

대개 insulin shock 에서 기인된다 (인슐린 주사를 맞는 DM 환자는 설탕을 휴대하고 다니다가 응급조치, 기절했으면 포도당 정맥주사).
① 인슐린 주사를 맞고 식사를 하지 않았을 때
② 심한 운동을 했을 때 glucose 가 35~50 mg/100mL 정도면 혼수가 온다.

2. 당뇨성 혼수 (Diabetic coma)

인슐린의 부족으로 혈당이 높아져서 coma 가 온 경우 (즉시 인슐린 주사를 투여해야 함)이다.
① 인슐린 주사를 정해진 시간에 맞지 않았을 때
② 당질 식품을 너무 많이 먹었을 때
③ ketosis 가 생긴다 (ketoacidosis).

그 밖에 동맥경화, 신경장해, 신장질환, 심장혈관질환, sorbitol 장해, 망막증 등의 합병증을 초래한다.

13. 수술과 알레르기

1. 수술시의 영양

대개 수술을 하기 전에 수술에 대한 스트레스를 받으면 체단백 분해가 빨라져서 negative N balance 를 보이고 빨리 회복되지 않는다.

체내 단백질의 이용을 위해 열량을 충분히 공급하고, 수분은 충분히 섭취하도록 한다. 수분은 땀 분비가 많고, 출혈이 있으며, 체액손실이 많다. 그러므로 많이 공급하는 것이 좋지만, 섭취량이 많지 못하다. 비타민은 상처회복과 지혈에 관계되는 비타민 A, K, C 등을 충분히 섭취하도록 한다.

2. 수술 후 환자 식사

장운동이 정상적으로 돌아올 때까지 최소한 24~48 시간 동안 음식물 섭취를 금한다. 상처의 빠른 회복을 위해 열량은 35~45 kcal/kg, 단백질은 1~2 g/kg 으로 충분히 공급한다. 또한 상처회복과 지혈에 관계되는 비타민 A, K, C 등을 충분히 섭취한다. 수술 후 환자는 구강으로 다량의 물을 섭취하지 못하므로 정맥주사, 피하주사 또는 직장으로 수분을 공급한다.

3. 화 상

화상은 신체가 받을 수 있는 가장 심각한 외상 중의 하나이다. 화상환자는 화상으로 인한 합병증과 감염을 예방하고 세포재생과 영양대사를 촉진시키기 위해서 충분한 열량, 양질의 단백질과 티아민, 아스코르브산 등을 섭취해야 한다.

화상부위를 통해 증발되는 수분 손실량을 보충하기 위해 충분한 양의 수분을 공급하고 구강으로 급식이 어려운 경우 경관급식이나 TPN, PPN 으로 공급한다.

4. 알레르기성 질환

체외에서 유해물질(항원-Ag)이 들어오면 체내의 임파구(lymphocyte)에서 항체(Ab)가 만들어져 항원을 무해하게 한다. 즉, 감각된 개체가 다시금 접촉하면 2 가지의 면역응답이 일어남과 동시에 조직장애가 나타나는데, 이를 과민반응(hypersensitivity) 또는 알레르기(allergy)라고 한다.

(1) 알레르기의 형태 및 증상

① 알레르기의 형태

알레르기 반응은 4 가지 형태로 분류되는데 이중 I, II, III 형은 B 세포의 항체에 의하여, IV 형은 T 세포에 의하여 반응한다.

알레르기 반응의 형태

분 류	반응형태	항 원	항 체	관련질환, 증세
Type I	Anaphylaxis 형 (즉석 감각성과도형)	식품 내 단백질, 다당류, 핵산 등, 또는 꽃가루, 먼지, 곰팡이, 동물의 털 등	IgE	기관지 천식, 화분증, 두드러기, 구토, 설사, atopy 성 피부염, 대부분의 식품 알레르기
Type II	세포용해형	적혈구, 약물 등	IgG, IgM^+ 보체	혈액형 부적합 수혈반응, 자가면역성 용혈, 약물 알레르기

Type III	Arthus 형 (면역복합형)	세균, 바이러스, 일부 식품 내의 성분	IgG(IgM)$^+$ 보체	사구체신염, 폐렴, 대장염, 출혈성 장염과 흡수불량증 등의 일부 식품알레르기
Type IV	지연형, 또는 세포 매개과민형	조직세포, 화장품, 페이트 등의 성분, 결핵균 등	sensitized T cell (lymphokines 분비)	이식거부기전, 접촉성 피부염, tuberculin 반응, 단백질 손실성 장질환, 궤양성 결장염, 소아 지방변증

② 알레르기 증상
- **전신증상**: 페니실린 주사 시에 주사 후 수분 뒤 식은 땀, 어지러움, 구토, 호흡곤란, 설사 등이 수반되며, 쇼크나 심하면 사망에까지 이른다.
- **장기증상**: 호흡기, 피부, 소화기, 눈, 귀, 코, 신경계, 혈액 등이 각각 알레르기 증상을 나타낸다(두드러기, 습진 등).

(2) 진 단 법

식습관 조사(diet history)와 식사기록법 외에 피부검사가 있다.

- **긁는 시험법(scratch test)**: 팔, 등을 긁고 의심되는 항원용액을 떨어뜨려 알레르기 반응여부를 검사한다.
- **밀착 시험법(patch test)**: 의심되는 항원을 피부의 일정한 장소에다 놓고 셀로판을 덮은 다음 2~4일 후에 검사한다.
- **피내 시험(intradermal test)**: 식품추출물 용액을 피부의 표면 등에 주입하는 것이다.

(3) 치 료 법

① 항원을 제거하는 방법
② 음식에 이물질을 가하여 알레르기 증상을 소멸하는 방법

(4) 식사요법

의심스러운 식품이 있으면 그 식품을 식사에서 제거하여 증상이 개선되는가를 확인한다.

각종 식품의 알레르기

```
곡   류 : 토란, 메주콩, 옥수수, 빵, 메밀, 국수
과   실 : 딸기, 귤, 바나나
육   류 : 돼지고기, 쇠고기, 햄, 소시지, 베이컨
알   류 : 달걀
어개류 : 고등어, 가다랭이, 다랑어, 전갱이, 청어, 새우, 오징어, 낙지, 조개류
유제품 : 우유, 아이스크림
견과류 : 땅콩, 호두
채소류 : 가지, 토마토, 죽순, 시금치, 버섯, 양파, 고사리 등
주   류 : 맥주, 청주, 위스키 등
```

식품 알레르기일 경우 식품선택법

제한해야 할 식품	피해야 할 식품	대 체 식 품
우 유	치즈, 아이스크림, 요구르트, 크림수프, 버터	커피, 두유, 우유가 없는 식품, 코코아
달 걀	커스터드, 푸딩, 마요네즈, 기타 달걀이 함유된 식품	달걀없이 구운 빵, 스파게티, 쌀, 달걀 대체물(라벨을 읽고)
밀	밀가루로 만든 식품, 크래커, 마카로니, 스파게티, 국수 등	밀이 없는 빵과 크래커, 옥수수, 쌀, 팝콘, 호밀, 고구마
두 류	콩가루, 두유, 채실류, 콩소스, 콩버터	너트우유, 코코넛 우유
옥수수	팝콘, 콘시럽	밀가루, 고구마, 쌀가루
초콜릿	캔디, 코코아	설탕
쇠고기	쇠고기 수프, 쇠고기 소스	식품성 쇼트닝
돼지고기	베이컨, 소시지, 핫도그, 돼지고기로 만든 소스	쇠고기 핫도그, 식품성 쇼트닝

(5) 각종 알레르기성 질병

① 기관지 천식　　② 두드러기
③ 꽃가루증　　　 ④ 약물 알레르기 등

5. 피부질환

(1) 건 선

지방 대사의 장애에 의해 일어난다. 부신피질자극호르몬(ACTH)과 cortisone 은 일시적인 치료 효과가 있다. 식사는 무지방, 저단백 식사, 비타민 A 와 B, 아스코르빈산도 치료효과가 있다.

(2) 여 드 름

피지선에 염증을 일으키는 만성질환이다. 당질 중 초콜릿, 흰빵이 가장 큰 원인물질이다.

식사요법은 살코기, 과일, 채소 등은 허용한다. 그러나 캔디, 단 음료와 같은 과량의 당질섭취, 초콜릿, 튀김음식, 땅콩 등의 지방성 식품을 제외하는 것이 좋다.

(3) 아토피성 피부염

① 정 의: 만성적으로 재발하는 심한 가려움증이 동반되는 피부 습진 질환. 어린이에게 많으며 나이가 들면서 점점 빈도가 줄어들지만 소아, 청소년, 성인에 이르기까지 호전 악화를 보이며 만성적인 경과를 보이기도 한다.

② 원 인 : 환자의 유전적인 소인과 환경적인 요인, 환자의 면역학적 이상과 피부 보호막의 이상 등 여러 원인이 복합적으로 작용한다.
③ 예방 및 식사요법
- 예 방 : 알레르기 발생이 높은 식품의 노출을 막는다.
- 식사요법 : 모유수유, 화학조미료 사용 금지, 충분한 수분 섭취, 매운 음식, 짠 음식과 단 음식 제한. 가공 식품 섭취 제한, 환경 호르몬 유발 제품 사용 제한 등

14. 암 환 자

일반적으로 암이란 악성종양을 의미한다. 악성종양은 조직에 침입한 후 신체의 다른 부위로 옮겨져서 이차성장, 또는 전이하여 숙주의 정상조직에 대해 기계적 압력과 장애, 조직파괴, 용혈, 감염, 빈혈, 호르몬 이상, 근육약화, 악액질(cachexia) 등의 변화를 일으킨다.

1. 암 발생의 원인

(1) 외적 환경인자

암 발생원인의 80~90%. 흡연, 음주, 음식물, 전리방사선, 대기오염, 약물, 자외선, 바이러스, 감정적 스트레스

(2) 내적 환경인자

유전적 소인, 노화, 면역기능, 호르몬 대사 등

2. 암의 종류와 식생활

각종 암과 식생활의 상관성

암의 부위	위 험 요 인	억 제 요 인
식도암 구강암	뜨거운 음료와 식품, 단백질, 비타민, 무기질이 부족한 식사, 알코올, 흡연, 곰팡이독	야채와 과일 (비타민·무기질이 풍부한 식품), 양질의 단백질
위 암	고염식, 훈제식품, 고질산 함유식품, 뜨거운 음식, 과식, 불규칙한 식사, 탄음식, 알코올	우유 및 유제품, 신선한 녹황색 채소, 과일
대장암	고지방식, 저섬유식, 맥주 (직장암), 어육류 조리시 생성되는 heterocyclic amines	고섬유식 (곡류, 야채와 과일) 양질의 단백질 (치즈, 쇠고기, 어패류, 두류)
간 암	곰팡이독, 알코올, 단백질 부족, 식품첨가물 (방부제, 보존제), 오염된 식품	양질의 단백질 식품, 비타민, 미량원소가 많은 식품
폐 암	흡연 (오염된 공기, 고지방식)	녹황색 야채 (시금치, 당근) 비타민 A(retionoids, β-carotene)
유방암	고지방식, 고열량식, 저섬유소식	저지방식, 저열량식, 야채와 과일
자궁암	고지방식, 고열량식, 저섬유소식	비타민 A

3. 암의 방어 인자

무기질, 비타민 결핍이 대체로 암의 유발을 촉진시킨다고 본다.

(1) 아스코르빈산 : 독성을 예방, 둔화, 회복시킨다.
(2) 비타민 A : 암세포의 발전을 둔화시키나 치료효과는 거의 없다. 많이 섭취하면 과잉증이 문제된다.
(3) 셀레늄 : 발암과정을 환원시키는 효과가 있다. 많이 섭취하면 독성이 강하다.
(4) 암 예방 식이요법
  ① 규칙적으로 균형있는 식생활
  ② 지방섭취를 적게(설탕도 억제 → TG 생성하므로) 한다.
  ③ 섬유소를 충분하게(녹황색 채소↑) 공급한다.
  ④ 짜고 자극성 있는 식품을 적게 공급한다.
  ⑤ 탄음식을 기피한다.
  ⑥ 동곡류 → 혼합곡으로
  ⑦ 알코올, 흡연을 줄인다.
  ⑧ 적당한 운동

4. 암의 치료

암은 조기발견만 하면 치료가 가능하나, 조기진단이 어렵다.

(1) 수술요법 : 암의 초기에는 수술로서 완전히 제거될 수 있다.
(2) 방사선 치료
(3) 약물치료
(4) 면역학적 방법

식사요법 핵심문제 해설

■■■■■ 1. 식사요법의 개요

1. 식사요법에 대한 설명 중 옳지 않은 것은?
 ㈎ 식사요법이란 치료의 목적을 달성하는 데 이용되는 식사과정을 말한다.
 ㈏ 식사요법은 치료 목적을 달성하기 위하여 다른 치료법에 우선할 수도 있다.
 ㈐ 식생활에 의한 질환이나 식사와 관계가 있는 질환 등의 치료 또는 치료 후 재발방지를 위하여 식사요법은 필요하다.
 ㈑ 식사요법은 의사의 적절한 진단에 의한 물리화학적 요법, 간호, 영양교육 등의 조화가 요구된다.
 ㈒ 식사요법은 대개 단기간에 질병치료의 목적으로 이용되는 경우가 많다.

2. 각 식품의 1교환단위 영양가를 바르게 나열한 것은?

> ① 우유(저지방) : 당질 10g, 단백질 6g, 지방 7g, 열량 125kcal
> ② 달걀 : 단백질 8g, 지방 5g, 열량 75kcal
> ③ 쇠고기(홍두깨살) : 단백질 8g, 지방 2g, 열량 50kcal
> ④ 감자 : 당질 22g, 단백질 3g, 열량 100kcal

 ㈎ ①, ②   ㈏ ①, ④   ㈐ ②, ③
 ㈑ ②, ④   ㈒ ③, ④

3. 다음 중 환자의 영양상태를 평가하는 과정이 아닌 것은?
 ㈎ 대사영양 프로필   ㈏ 영양판정
 ㈐ 영양상태 선별검사   ㈑ 영양상담
 ㈒ 임상증상 자료 수집

4. 다음 중 영양판정 방법에 해당되지 않는 것은?
 ㈎ 생화학적 검사   ㈏ 신체계측법
 ㈐ 대사영양 프로필   ㈑ 임상증상 조사법
 ㈒ 식이섭취 조사법

정답 1. 식사요법의 개요   **1.** ㈒   **2.** ㈐   **3.** ㈑   **4.** ㈐

5. 골다공증 환자의 영양섭취 방안으로 적절한 것은?

① 단백질을 권장량 이상 충분히 공급한다.
② 칼슘은 1,200~1,500mg/day 정도 섭취한다.
③ 비타민 D는 식사를 통해 공급한다.
④ 우유 및 유제품 등 식사를 통해 칼슘을 섭취하되, 식습관에 따라 보충제를 복용해도 된다.

(가) ①, ② (나) ①, ④ (다) ②, ③
(라) ②, ④ (마) ③, ④

2. 병인식의 종류

6. 병원 급식의 종류에 속하지 않는 것은?
(가) 연식　　(나) 유동식　　(다) 일반식
(라) 경관급식　(마) 검사식

7. 다음 중 검사식 또는 시험식인 것은?
(가) 잠혈반응 검사식　(나) 무염식
(다) Ca 제한식　　　(라) 요오드 제한식
(마) 고에너지 저단백식

> **7.** 검사식은 지방변 검사식, 레닌 검사식, 바륨식, 분변잠혈 검사식, 갈색 세포증 검사식, 5-HIAA 검사식, 호흡 수소농도 검사식 등이 있다.

8. 맑은 유동식(clear liquid diet)에 대하여 옳게 설명한 것은?
(가) 장기간 공급할 수 있다.
(나) 1일 3식 이외에 따로 공급할 필요가 없다.
(다) 수술 후에 주로 이용한다.
(라) 우유의 공급이 가능하다.
(마) 각종 영양소의 공급을 목적으로 한다.

> **8.** 맑은 유동식은 수술 후에 전해질과 수분만을 공급하기 위한 식사이다. 따라서 각종 영양소가 결핍되기 때문에 짧은 기간 공급해야 한다. 또 지방섭취는 안 되므로 우유는 탈지유를 사용한다.

9. 다음 중 일반적으로 수술한 입원 환자의 일반식 진행 단계는?
(가) 상식 – 유동식 – 연식　(나) 유동식 – 상식 – 연식
(다) 연식 – 유동식 – 상식　(라) 유동식 – 연식 – 상식
(마) 상식 – 연식 – 유동식

정답　**5.** (라)　**2. 병인식의 종류**　**6.** (마)　**7.** (가)　**8.** (다)　**9.** (라)

10. 전유동식사(full liquid diet)에 대하여 옳게 설명한 것은?

(가) 전유동식사는 모든 환자에게 줄 수 있는 식사이다.
(나) 전유동식사는 모든 영양소, 특히 소화성이 좋은 단백질, 철분, 비타민 B 복합체가 충분하여야 한다.
(다) 전유동식사 환자는 소화기능이 나쁘므로 보리미숫가루 등으로 급식한다.
(라) 전유동식사 환자는 식사를 하루에 3회로 제한해야 한다.
(마) 소화기능이 약한 환자에게 주므로 장기간 줄 수 있다.

10. 전유동식은 상온(20℃)이나 체온(37℃)에서 액체로 되는 모든 음식을 말한다. 수술 후에 의식장애로 음식을 삼키기 곤란한 환자, 급성간염환자, 극도의 전신쇠약자, 구강, 식도 등에 장애가 있는 환자, 위장질환이 심한 환자 등에게 공급한다.

11. 유동식에 대한 설명으로 옳은 것은?

① 맑은 유동식은 주로 수술 후 수분공급을 목적으로 제공되는 식사형태이다.
② 맑은 유동식에는 보리차, 맑은 주스, 우유 등이 속한다.
③ 전유동식은 수술 후 환자의 회복을 위해 영양이 부족하지 않도록 고기국물 등 단백질과 지방이 풍부한 액체형태로 제공한다.
④ 전유동식은 구강이나 식도 등에 장애가 있거나 수술 후 음식을 삼키기가 곤란한 환자에게 제공한다.

(가) ①, ②   (나) ①, ④   (다) ②, ③
(라) ②, ④   (마) ③, ④

12. 다음 중 연식 환자에게 생으로 줄 수 있는 과일은 무엇인가?

(가) 익은 바나나   (나) 배
(다) 사과   (라) 토마토
(마) 키위

13. 다음 중 기질적 연식에 적합한 음식이 아닌 것은?

(가) 유부   (나) 달걀찜
(다) 토스트   (라) 순두부
(마) 호박죽

정답 **10.** (나) **11.** (나) **12.** (가) **13.** (가)

14. 경관급식(tube feeding)에 대한 설명으로 맞지 않은 것은?
   (가) 경구적으로 식사를 하는 것이 어려울 때 영양혼합 유동식을 공급하는 것이다.
   (나) 경관급식은 지방질 또는 설탕을 충분히 포함하여야 한다.
   (다) 음식물은 흡수되기 쉬운 형태이어야 하며, 수분을 충분히 공급하여야 한다.
   (라) 음식물은 점조도가 낮아야 한다.
   (마) 음식물은 구토나 설사 등 위장합병증의 유발이 적어야 한다.

15. 비경구적 영양(TPN)에 대한 설명으로 바르지 않은 것은?
   (가) 열량 또는 영양소가 더 많이 요구되는 경우에 적용시킬 수 있다.
   (나) 경구적 급식이 가능한 경우라도 완전한 영양공급을 위하여 사용한다.
   (다) 장을 통한 영양섭취가 어려운 경우에 사용한다.
   (라) 영양보다 주입과정에 따른 위험성이 더 클 때도 사용한다.
   (마) 환자의 상태를 관찰하여 부작용이 발생하기 전에 바로잡는다.

16. 완전정맥영양(TPN)의 특징을 바르게 설명한 것은?

> ① TPN 실시기간이 5일 이내이거나 본 수술에 방해가 되지 않을 때 사용한다.
> ② 비타민과 무기질은 고농도로 응축하여 권장섭취량 이상 충분히 공급한다.
> ③ TPN은 고농도의 영양액이므로 박테리아의 번식으로 인한 패혈증이 발생할 우려가 있다.
> ④ 위장관 기능이 저하된 심한 영양불량 환자에게 실시한다.

   (가) ①, ②   (나) ①, ④   (다) ②, ③
   (라) ②, ④   (마) ③, ④

17. 경관급식 영양에서 나타나는 부작용이 아닌 것은?
   (가) 구토   (나) 설사   (다) 복부팽만감
   (라) 빈혈   (마) 변비

정답 14. (나) 15. (라) 16. (마) 17. (나)

18. 경관급식을 실시할 때 주의해야 할 점은?

① 환자의 체온유지를 위해 체온보다 뜨겁게 하여 공급한다.
② 경관급식은 구강으로 음식을 섭취할 수 없는 환자에게 실시하는 급식법으로 위장관 기능이 비정상적인 경우는 피해야 한다.
③ 지방은 총 에너지의 5~10% 비율로 제공한다.
④ 당, 지방, 오염균 등에 의해 설사를 유발할 수 있으므로 주의한다.

㈎ ①, ② ㈏ ①, ④ ㈐ ②, ③
㈑ ②, ④ ㈒ ③, ④

19. 일반식의 식단작성 시 유의할 점은?

① 튀김요리와 육어패류의 생회도 허용된다.
② 식품첨가물과 원료가 애매한 가공식품 등의 사용에 유의한다.
③ 보통 식사구성 단위를 일주일로 하며, 영양배분을 일주일 단위로 배정한다.
④ 계속 먹으면 소화장애를 일으키거나 식품위생상 위험성이 있는 식품은 피한다.

㈎ ①, ②, ③ ㈏ ①, ③ ㈐ ②, ④
㈑ ④ ㈒ ①, ②, ③, ④

20. 다음 사항 중 옳은 것은?

① 입원환자의 일반식은 가정에서와 같이 튀김요리나 향신료를 사용해도 좋다.
② 전유동식은 수술 후 수분과 영양을 공급하기 위한 식사로 맑은 고기국물이나 채소즙만을 준다.
③ 경관급식은 음식을 삼키기 곤란한 자에게 포도당, 아미노산, 염분 등을 정맥주사로서 공급하는 식사요법이다.
④ 비경구적 영양법은 소화관을 통한 영양소 흡수가 불가능한 경우에 중심정맥을 통해 단백질 가수분해물 및 포도당을 공급하는 영양법이다.

㈎ ①, ②, ③ ㈏ ①, ③ ㈐ ②, ④
㈑ ④ ㈒ ①, ②, ③, ④

정답 18. ㈑ 19. ㈐ 20. ㈑

식사요법 핵심문제 해설 79

21. 환자의 식사계획에 대한 설명이 옳은 것끼리 조합된 것은?

> ① 환자의 질병과 관련된 영양소 외에는 전체적인 영양의 균형을 도모함으로써 영양부족이 없도록 한다.
> ② 소화흡수가 쉽도록 영양섭취능력에 적합한 식사와 분량, 식품선택, 조리법을 고려한다.
> ③ 정상인을 기준으로 하여 환자의 질병에 따라 특정 영양소를 조절한다.
> ④ 음식의 색, 모양, 식기 등의 다양한 변화를 시도한다.

(가) ①, ②, ③   (나) ①, ③   (다) ②, ④
(라) ④   (마) ①, ②, ③, ④

22. 다음은 중년 여성의 임상 및 식습관 조사결과이다. 이 여성은 갑상선종으로 의심된다. 이를 확인하기 위해 더 필요한 검사로 옳지 않은 것은? 〈영양교사, 2011년 기출문제〉

> ○ 증상 및 증후
> • 권태감과 무기력을 느끼며, 추위에 민감하고 생리불순을 호소한다.
> • 목 주위가 비대해져 있다.
> ○ 식습관
> • 해조류나 해산물보다 육류를 즐긴다.
> • 무청, 콜리플라워 같은 채소를 좋아한다.
> • 양배추는 익힌 것보다 샐러드 형태로 먹는 것을 좋아한다.
> • 설파아제(sulfa-drug)를 먹고 있다.

(가) 혈청 티록신(T_4, thyroxine) 농도측정
(나) 혈청 레보티록신(levothyroxine) 농도측정
(다) 동위원소를 이용한 갑상선 요오드 흡수율측정
(라) 혈청 트리요오드티로닌(T_3, triiodothyronine) 농도측정
(마) 혈청 갑상선자극호르몬(TSH, thyroid stimulating hormone) 농도측정

22. 갑상선종은 갑상선이 비대해지는 증상으로 가장 흔한 원인은 요오드 결핍이다. 갑상선 혈청 레보티록신은 갑상선 기능 저하를 개선하는 데 쓰이는 치료제이므로 갑상선 질환에 걸린 사람, 즉 이미 갑상선 질환의 확인이 끝난 사람에게 사용할 수 있다.

정답 **21.** (마) **22.** (나)

23. 다음은 12세 남학생인 연우와 경수가 1주일 간 섭취한 에너지의 1일 평균값이다. 이 결과에 따라 영양교사가 영양지도를 계획할 때 두 학생에 대해 각각 두 가지 조사만 실시한다면 조사항목이 가장 잘 선택된 것은?

⟨영양교사, 2011년 기출문제⟩

학생	신장 (cm)	체중 (kg)	에너지 섭취량(kcal)/일 평균 ± 표준편차	에너지 섭취비율(%) 탄수화물 : 단백질 : 지질
연우	160	56	2,300 ± 1,200	55 : 20 : 25
경수	161	51	2,250 ± 180	45 : 20 : 35

(가) 연우와 경수는 모두 식품섭취빈도와 신체활동량 조사가 필요하다.
(나) 연우와 경수는 모두 폭식 및 결식, 스트레스 여부 조사가 필요하다.
(다) 연우는 식품섭취빈도와 신체활동량 조사, 경수는 식습관과 생활습관 조사가 필요하다.
(라) 연우는 폭식 및 결식과 스트레스 여부 조사, 경수는 식품섭취빈도와 식습관 조사가 필요하다.
(마) 연우는 식습관과 신체활동량 조사, 경수는 폭식 및 결식, 스트레스 여부 조사가 필요하다.

23. 연우는 하루 에너지 섭취량이 3,200 ± 1200(kcal)으로 표준편차가 아주 크다. 그런데 12~14세 남자의 에너지 권장량은 2,400kcal이다. 따라서 그 차이를 줄여야 하기 때문에 폭식 및 결식과 스트레스 여부 조사가 필요하다.

또, 경수는 에너지 섭취비율이 탄수화물 45%, 단백질 20%, 지질 35%이다. 그런데 12~14세 남자의 에너지 섭취 권장비율은 탄수화물 55~70%, 단백질 7~20 %, 지질 15~30 %이다.

따라서 탄수화물 섭취가 적고 지질의 섭취가 많은 영양소 섭취 패턴을 바로잡아 주기 위해 식품섭취빈도와 식습관 조사가 필요하다.

24. 맑은 유동식에 대한 설명으로 엮어진 것은?

① 수술 후의 1 단계 식사로 많이 이용된다.
② 조직의 수분공급과 환자의 갈증을 막기 위하여 짧은 기간 동안 공급된다.
③ 최소한의 잔사와 가스를 발생시키지 않는 식품으로 구성된다.
④ 이 식사는 차게 먹는다.

(가) ①, ②, ③   (나) ①, ③   (다) ②, ④
(라) ④   (마) ①, ②, ③, ④

25. 맑은 유동식을 위한 식단으로 바람직한 것은?

(가) 맑은 과일주스, 미음, 우유, 젤라틴으로 만든 묵
(나) 콩나물국, 소금 약간 첨가한 크림수프, 아이스크림
(다) 끓여서 식힌 물 또는 얼음, 콩나물 국물, 연한 홍차
(라) 된장 국물, 채소 으깬 것, 우유
(마) 미음, 맑은 된장국, 옥수수차

정답 23. (라) 24. (가) 25. (다)

26. 전유동식에 대한 설명으로 엮어진 것은?

① 전유동식사 환자는 소화기능이 약하므로 하루에 식사를 3회 이상하면 안 된다.
② 전유동식사 환자에게 영양부족이 되지 않도록 단백질 및 지방을 충분히 공급한다.
③ 전유동식사는 유동식 이외의 다른 음료는 절대로 주어서는 안 된다.
④ 전유동식사는 모든 영양소가 충분하도록 배합하며, 특히 단백질, 철분, 비타민 B 복합체가 부족되지 않도록 해야 한다.

(가) ①, ②, ③ (나) ①, ③ (다) ②, ④
(라) ④ (마) ①, ②, ③, ④

27. 전유동식사(full liquid diet)에서 허용되는 식단이 아닌 것은?

(가) 사과주스, 미음, 우유, 젤리수프
(나) 연한 된장국물, 미음
(다) 바닐라 아이스크림
(라) 보리미수, 스크램블드 에그
(마) 크림수프, 채소 으깬 것, 포도주스

28. 유동식에서 정상식사로 옮겨가는 과정의 식사로 허용되지 않는 식품은?

(가) 우유 (나) 조개류 (다) 으깬 감자
(라) 과일통조림 (마) 크림수프

29. 연식(soft diet)에서 사용할 수 있는 식품으로 옳은 것은?

(가) 진밥, 크래커, 감자튀김, 푸딩
(나) 잣죽, 호두, 두부, 꿀, 마멀레이드
(다) 흰죽, 곱게 다진 쇠고기, 흰살생선, 반숙달걀, 식혜
(라) 감자, 도넛, 겨자, 달걀프라이
(마) 토스트, 밥, 아이스크림, 카레라이스

30. 무자극성 연식 환자에게 줄 수 있는 음료는 어느 것인가?

(가) 뜨거운 커피 (나) 콜라 (다) 우유
(라) 냉커피 (마) 생강차

정답 26. (라) 27. (라) 28. (나) 29. (다) 30. (다)

식사요법

31. 다음의 조건이 구비되어야 하는 병원식사는?

- 투여하기 쉬운 액체이며, 충분한 수분을 공급하는 것
- 오심, 구토, 설사, 변비 등의 위장관 합병증이 적은 것
- 유동성이 있고 영양가가 높을 것
- 지방질 또는 당질의 농도가 높지 않은 것(구토방지)

(가) 맑은 유동식사 (나) 전유동식사
(다) 경관급식 (라) Sippy diet
(마) Karell diet

32. tube 영양의 합병증으로 발생할 수 있는 현상은?

① 설사   ② 인후두염   ③ 변비   ④ 고혈당

(가) ①, ②, ③ (나) ①, ③ (다) ②, ④
(라) ④ (마) ①, ②, ③, ④

32. 합병증
- **기계적** : 심한 구토, 식도궤양
- **위장관** : 오심, 구토, 설사, 변비
- **대사적** : 이수화현상, 탈수현상, 영양소 불균형

33. 다음 중 정맥영양과 비교할 경우 경장영양의 장점이 아닌 것은?

(가) 정맥영양으로 초래되는 합병증을 증가시킬 수 있다.
(나) 영양소의 대사 효율이 높다.
(다) 소장세포와 융모의 정상적 기능 유지와 활성을 돕는다.
(라) 면역학적으로 유리하다.
(마) 경제적이다.

33. 경장영양의 장점
- 경제적이다.
- 소장세포와 융모의 정상적인 기능유지 및 성장, 활성에 도움이 된다.
- 경장영양 자체가 체내 이화반응의 속도를 완화시킨다.
- 면역학적으로 유리하다.
- 정맥영양 시 초래되는 합병증을 줄일 수 있다.

34. 경관급식을 행할 때 설사를 유발하는 이유는?

① 너무 빠른 주입속도   ② 미생물 번식
③ 높은 삼투압   ④ 비타민의 결핍

(가) ①, ②, ③ (나) ①, ③ (다) ②, ④
(라) ④ (마) ①, ②, ③, ④

정답 31. (다) 32. (마) 33. (가) 34. (가)

35. 경관급식을 행하여야 하는 경우로 옳은 것은?

① 소화관으로 음식이 통과하는 데 장애가 있는 사람
② 위장관 수술환자
③ 장염증 환자
④ 비교적 장기적인 의식장애에 의해 영양섭취가 불가능한 환자

(가) ①, ②, ③ (나) ①, ③ (다) ②, ④
(라) ④ (마) ①, ②, ③, ④

36. 경관급식에 제공되는 영양에 대한 설명으로 옳은 것으로 조합된 것은?

① 혼합영양액의 에너지는 1.5 kcal/mL 정도가 적당하다.
② 단백질은 가수분해된 형태나 유리아미노산의 형태로 제공한다.
③ 유당불내증이 있는 환자는 유당을 제한한 처방식을 한다.
④ 지방은 총 에너지의 10% 이하로 낮추어 공급한다.

(가) ①, ②, ③ (나) ①, ③ (다) ②, ④
(라) ④ (마) ①, ②, ③, ④

37. 검사식은 질병의 진단 및 질병의 회복과정 판정에 필요한 임상검사를 목적으로 한 시험식을 말한다. 검사식의 종류가 아닌 것은?

(가) 분변 잠혈검사식   (나) 갑상선 기능 검사식
(다) 지방변 검사식   (라) 열량 검사식
(마) 레닌검사식

38. 다음 중 환자식사 메뉴와 식품이 맞게 짝지어진 것은?

(가) 연식 – 튀김   (나) 전유동식 – 달걀프라이
(다) 저콜레스테롤 식사 – 간   (라) 저나트륨 식사 – M.S.G
(마) 저칼륨 식사 – 쌀

정답 35. (마) 36. (가) 37. (라) 38. (마)

39. 다음 설명 중 옳은 것은?

① 상식은 식욕이 있고 소화능력이 안정된 경우에 사용되기 때문에 식사내용을 제한하지 않는다.
② 연식의 주식은 일상의 밥이고, 부식은 소화기 계통에 기계적 자극이 적고 소화흡수가 쉬운 것이다.
③ 유동식은 저영양상태 예방이나 소화흡수장애의 경우에 경구영양법으로 투여되는 식형태이다.
④ 병인식은 크게 일반병인식과 치료식사로 구분할 수 있다.

(가) ①, ②, ③   (나) ①, ③   (다) ②, ④
(라) ④   (마) ①, ②, ③, ④

40. 수술 전후의 영양보급에 사용되는 성분영양에 대한 올바른 설명은?

① 성분영양은 섬유질을 함유하지 않고 당질은 올리고당을 주성분으로 한다.
② 성분영양의 단백질원은 결정아미노산을 사용한다.
③ 성분영양은 무지방에 가깝지만 필수지방산 결핍방지를 위해서 리놀레산을 배합시키고 있다.
④ 성분영양은 고칼로리수액에 비하여 미량원소의 결핍을 가져오기 쉽다.

(가) ①, ②, ③   (나) ①, ③   (다) ②, ④
(라) ④   (마) ①, ②, ③, ④

41. 치료식에서 제한하거나 허용하는 식품을 바르게 선택한 것은?

① 저퓨린식 – 육즙, 멸치 등을 제한한다.
② 고칼륨식 – 오렌지, 코코아, 감자 등을 충분히 섭취한다.
③ 고철분식 – 간, 달걀흰자, 푸른잎 채소 등을 충분히 섭취한다.
④ 글루텐 제한식 – 메밀, 오트밀, 귀리, 강낭콩 등을 제한한다.

(가) ①, ②   (나) ①, ④   (다) ②, ③
(라) ②, ④   (마) ③, ④

42. A는 식빵 1쪽(35 g)과 우유 1컵(200 cc)을 간식으로 먹었고, A가 섭취한 열량과 영양소들은 다음과 같다. 옳은 것은?

① 열량 220 kcal, 단백질 8 g ② 열량 225 kcal, 지방 6 g
③ 당질 30 g, 지방 8 g ④ 당질 34 g, 단백질 8 g

(가) ①, ②, ③   (나) ①, ③   (다) ②, ④
(라) ④   (마) ①, ②, ③, ④

43. 다음 식품의 1 교환 단위의 중량이 옳게 짝지어진 것은?

(가) 백미 – 70 g   (나) 보리밥 – 70 g
(다) 식빵 – 70 g   (라) 흰떡 – 70 g
(마) 국수 삶은 것 – 70 g

44. 다음 야채 중 당질 함량이 가장 높은 것은?

(가) 상추   (나) 당근   (다) 배추
(라) 오이   (마) 시금치

45. 다음 중 가스를 발생하는 식품이 아닌 것은?

(가) 무   (나) 수박   (다) 빵
(라) 풋고추   (마) 고구마

46. 다음 중 저잔사식에 줄 수 있는 식품은?

(가) 현미   (나) 콩
(다) 과일통조림   (라) 야채주스
(마) 감자

47. 채소류 1 교환단위의 양으로 옳은 것은?

① 물미역 70 g, 당질 3 g, 단백질 2 g
② 싸리버섯 60 g, 당질 5 g, 단백질 2 g
③ 깻잎 50 g, 당질 3 g, 단백질 2 g
④ 부추 50 g, 당질 5 g, 단백질 2 g

(가) ①, ②, ③   (나) ①, ③   (다) ②, ④
(라) ④   (마) ①, ②, ③, ④

정답 42. (다) 43. (나) 44. (나) 45. (다) 46. (라) 47. (나)

48. 채소 1 교환 단위의 목측량으로 옳은 것은?

> ① 연근 70 g ② 오이 100 g
> ③ 무 70 g   ④ 도라지 70 g

㈎ ①, ②, ③   ㈏ ①, ③   ㈐ ②, ④
㈑ ④   ㈒ ①, ②, ③, ④

49. 1인 1회 분량으로 적당한 식품의 양은?

㈎ 쌀 200 g   ㈏ 쇠고기 100 g
㈐ 생선 70 g   ㈑ 야채 170 g
㈒ 아이스크림 300 g

50. 과일군의 1 교환단위의 영양가로 옳은 것은?

㈎ 당질 10 g, 단백질 2 g, 열량 50 kcal
㈏ 당질 12 g, 단백질 —, 열량 50 kcal
㈐ 당질 10 g, 단백질 —, 열량 40 kcal
㈑ 당질 8 g, 단백질 2 g, 열량 40 kcal
㈒ 당질 18 g, 단백질 2 g, 열량 80 kcal

51. 과일군 1 교환단위의 양과 영양가가 옳은 것은?

> ① 건포도 10 g, 당질 12 g, 단백질 2 g
> ② 귤 80 g, 당질 12 g
> ③ 딸기 100 g, 당질 12 g, 단백질 2 g
> ④ 사과 100 g, 당질 12 g

㈎ ①, ②, ③   ㈏ ①, ③   ㈐ ②, ④
㈑ ④   ㈒ ①, ②, ③, ④

52. 다음 중 식품교환표를 이용한 1일 식단 작성에서 가장 마지막에 하는 것은?

㈎ 대상자의 영양필요량 산정
㈏ 1일 교환단위 수의 끼니별 배분
㈐ 1일 끼니별 조리선택 및 식단 작성
㈑ 각 식품군별 교환단위 수 결정
㈒ 교환단위별 해당 식품 선정

정답 48. ㈏ 49. ㈐ 50. ㈏ 51. ㈑ 52. ㈐

53. 과일군의 1 교환단위 중량으로 옳은 것은?

① 건대추 20 g   ② 생대추 60 g
③ 감 80 g   ④ 사과 100 g

(가) ①, ②, ③ (나) ①, ③ (다) ②, ④
(라) ④   (마) ①, ②, ③, ④

54. 다음 중 저지방 어육류에 해당되는 것은?

(가) 소시지   (나) 햄   (다) 쇠고기
(라) 고등어   (마) 검정콩

55. 다음은 식품교환표에서 이용할 어육류 1 교환단위의 양과 영양소 함량을 나타낸 것이다. 맞는 것은?

(가) 두부 80 g : 단백질 8 g, 지방 2 g, 열량 50 kcal
(나) 달걀 50 g : 단백질 8 g, 지방 5 g, 열량 75 kcal
(다) 검정콩 50 g : 단백질 8 g, 지방 5 g, 열량 75 kcal
(라) 조기 50 g : 단백질 8 g, 지방 5 g, 열량 75 kcal
(마) 낙지 80 g : 단백질 8 g, 지방 2 g, 열량 50 kcal

56. 다음 생선 중 소화기능이 약한 환자에게 가장 적합한 것은?

(가) 오징어   (나) 병어   (다) 꽁치
(라) 고등어   (마) 삼치

57. 다음 중 병인식의 식사순서로 맞는 것은 어느 것인가?

(가) 유동식 - 5 분죽 - 경식 - 상식
(나) 유동식 - 7 분죽 - 상식 - 경식
(다) 유동식 - 3 분죽 - 상식 - 경식
(라) 3 분죽 - 5 분죽 - 7 분죽 - 상식
(마) 3 분죽 - 7 분죽 - 유동식 - 경식

정답 53. (마) 54. (다) 55. (나) 56. (나) 57. (가)

58. 중심정맥영양(TPN) 용액에 함유된 성분은?

① 포도당　　② 아미노산
③ 비타민　　④ 전해질

(가) ①, ②, ③　(나) ①, ③　(다) ②, ④
(라) ④　(마) ①, ②, ③, ④

58. 포도당과 단백질 및 지방을 포함한 완전정맥영양이 가능하다.

59. 대정맥까지 카테터를 삽입하여 주로 고농도의 영양소를 함유한 액을 주입하는 영양법은?

(가) 경장영양　(나) 중심정맥영양　(다) 경구영양
(라) 경관급식영양　(마) 말초정맥영양

■■■■ 3. 소화기계질환

60. 위산분비에 대하여 옳지 않은 것은?

(가) 쇠고기의 살코기는 위산분비를 촉진시킨다.
(나) 지방은 위산분비를 억제시킨다.
(다) 찰떡을 먹으면 위산의 분비가 증가된다.
(라) 콘소메는 위산분비를 촉진시킨다.
(마) 꿀은 위산분비를 억제시킨다.

61. 급성위염의 원인 중에서 내인성 요인에 해당하는 것은?

(가) 부패식품의 섭취　(나) 불규칙한 식습관
(다) 알코올 섭취　(라) 세균 감염
(마) 과식

62. 위산과다증 환자에게 줄 수 있는 요리는?

(가) 감자 크림수프　(나) 고등어 자반
(다) meat ball　(라) 맥주
(마) 오이지

정답 58. (마)　59. (나)　3. 소화기계질환　60. (마)　61. (라)　62. (가)

63. 식도역류증 환자의 식사요법으로 옳지 못한 것은?

① 잠들기 전 식사나 야식은 피하되 영양공급을 위해 간식은 꼭 챙겨먹도록 한다.
② 식도점막을 자극할 수 있는 신 음식, 차거나 뜨거운 음식은 피한다.
③ 저지방 단백질 식품이나 저지방 당질식품 위주로 섭취하도록 한다.
④ 가스를 몸 밖으로 배출하기 위해 양파나 마늘 등을 꾸준히 섭취한다.

㈎ ①, ② ㈏ ①, ④ ㈐ ②, ③
㈑ ②, ④ ㈒ ③, ④

64. 급성 위염 환자의 식사방법을 바르게 설명한 것은?

① 급성 위염의 경우 통증완화 및 구토방지를 위해 절식한다.
② 갈증이 나면 수분은 꾸준히 공급하되 많은 양을 주지 않는다.
③ 절식 후 연식부터 시작하여 미음, 죽 등으로 환자 상태에 맞게 급식한다.
④ 증상이 심하면 구토가 잦아지므로 부드러운 음식을 자주 공급한다.

㈎ ①, ② ㈏ ①, ④ ㈐ ②, ③
㈑ ②, ④ ㈒ ③, ④

65. 다음 중 위에서 분비되는 성분끼리 나열된 것은?

㈎ 담즙산, 염산, 트립신
㈏ 프티알린, 콜레스테롤라제, 리파아제
㈐ 담즙산, 리파아제, 트립신
㈑ 펩신, 위산, 항악성 빈혈(내적인자)
㈒ 무기물질, 점액, 트립시노겐

정답 63. ㈏ 64. ㈎ 65. ㈑

66. 무산성 위염의 식사요법으로 옳지 않은 것은?
- (가) 식사를 규칙적으로 한다.
- (나) 멸치국물, 죽, 채소, 과일 등을 먹는다.
- (다) 지방을 주체로 한 식사를 취한다.
- (라) 소화성이 좋은 양질의 단백질을 섭취한다.
- (마) 음식물은 충분히 씹고 천천히 먹는다.

67. 위하수증의 식사요법 중 옳지 않은 것은?
- (가) 1회 식사량을 줄이고 횟수를 늘린다.
- (나) 고열량, 고단백식을 섭취한다.
- (다) 위의 기능이 약하므로 식사횟수를 줄인다.
- (라) 소화가 잘 되며, 위에 오래 머무르지 않는 음식이 바람직하다.
- (마) 자극성이 너무 강한 식품은 피한다.

67. 위의 긴장과 운동이 약해져서 소화능력이 떨어질 뿐만 아니라, 위의 내용물을 장으로 내보내는 힘도 약해져서 자주 소화불량으로 속이 더부룩하게 되므로 식사량을 소량으로 하고, 식사횟수를 늘림으로써 영양을 보충한다.

68. 위암환자의 식사로서 바람직하지 않은 것은?
- (가) 우유
- (나) 커피
- (다) 버터
- (라) 반숙달걀
- (마) 민어찜

69. 위궤양 환자의 증상 중 옳지 않은 것은?
- (가) 체중감소
- (나) 빈혈증
- (다) 칼로리와 단백질 결핍증
- (라) 알칼리 혈증(alkalosis)
- (마) 피부염

69. 위궤양의 증상은 공복시에 상복부 통증, 토기, 구토, 혈청단백질량 감소, 위벽의 출혈, 빈혈 등이다. 장기화될 때 체중감소가 나타난다.

70. 위궤양 발생에 대한 설명 중 옳지 않은 것은?
- (가) 단백질의 부족은 위궤양을 일으키기 쉽다.
- (나) 맵거나 뜨거운 음식을 즐기는 식습관은 위궤양의 유발과 관계가 있다.
- (다) 만성화된 자극적인 식사는 위궤양을 일으키기 쉽다.
- (라) 지나친 음주 또는 알코올 중독은 위점막을 손상시키므로 위궤양의 원인이 된다.
- (마) 위궤양의 발생은 단백질과는 관계가 없다.

정답 66. (다) 67. (다) 68. (나) 69. (마) 70. (마)

71. 위궤양 식사 중 옳지 않은 것은?

(가) Lenhartz 식사
(나) Meulengracht 식사
(다) Kempner 식사
(라) Sippy 식사
(마) Anderson 식사

72. 다음 중 연하곤란을 일으키는 원인으로 볼 수 없는 것은?

(가) 십이지장 궤양
(나) 폐쇄 또는 식도암
(다) 신경계 질환 등에 의해 연하중추가 손상된 경우
(라) 식도의 외과적 수술
(마) 뇌졸중, 뇌종양, 머리손상 등

73. 위궤양 환자의 식사요법 기본 원칙 중 옳지 않은 것은?

(가) 위액의 산도를 감소시키기 위하여 식사를 자주한다.
(나) 위액의 산도를 감소시키기 위하여 저단백식사를 한다.
(다) 자극성이 있는 음식을 피한다.
(라) 비타민 C를 충분히 섭취시킨다.
(마) 단백질 및 철분이 풍부한 식품을 준다.

74 위궤양 환자에게 줄 수 있는 것은?

(가) 흰죽, 아이스크림, 콩국수, 우유
(나) 흰죽, 달걀 프라이, 민어찜, 라면
(다) 흰밥, 김치, 치즈, 도넛
(라) 흰밥, 햄, 소시지, 딸기
(마) 흰죽, 양배추, 산자, 자장면

75. 다음 소화성 궤양(peptic ulcer)에 대한 설명 중 옳지 않은 것은?

(가) 우유는 위산을 중화시키거나 시간이 지나면 위산분비를 촉진시킨다.
(나) 소화가 용이한 조리법을 사용한다.
(다) 손상된 조직의 회복을 위하여 적절한 단백질을 공급한다.
(라) 잦은 급식은 위산의 분비를 자극하므로 바람직하지 않다.
(마) 유화된 지방을 공급하는 것이 좋다.

71. 위궤양 식사에는 시피식, 렌하르쯔식, 모일렌그라하트식, 앤더슨식이 있고, 켐프너식은 고혈압성 혈관질환과 신장질환의 치료식사이다.

72. 연하곤란의 원인
• 기계적 원인 : 식도의 외과적 수술, 종양, 폐쇄 식도암, 분문암, 식도염 등
• 마비적 원인 : 뇌졸중, 뇌종양, 머리손상 등에 의해 연하중추가 손상된 경우

73. 상처를 빨리 회복시키기 위하여 양질의 단백질이 많은 식품을 권장한다.

74. 경질식품, 섬유질 식품, 자극성이 강한 조미료, 향신료, 산미가 강한 식품은 피하고, 위액분비를 촉진시키는 육즙, 콘소메 등을 제한한다.

정답 **71.** (다) **72.** (가) **73.** (나) **74.** (가) **75.** (라)

76. 소화성 궤양 환자에게 줄 수 있는 식품은?

㈎ 고기국물, 흰죽, 샐러드
㈏ 감자 으깬 것, 무채국물, 반숙달걀
㈐ 흰죽, 베이컨, 우유
㈑ 밥, 초콜릿, 시금치나물
㈒ 빵, 겨자, 가자미구이

77. 소화성 궤양 환자의 식사를 준비할 때 유의할 점은?

> ① 우유는 단백질과 칼슘이 많아 위산의 분비를 증가시키므로 절대 제공하지 않는다.
> ② 강한 조미료나 카페인 함유식품 등은 위산분비를 촉진하므로 제한한다.
> ③ 단백질은 위산분비를 촉진하지만 상처의 회복을 도우므로 공급을 중단하지 않는다.
> ④ 멸치국물이나 고기국물 같은 유동식을 조금씩 자주 공급한다.

㈎ ①, ②   ㈏ ①, ④   ㈐ ②, ③
㈑ ②, ④   ㈒ ③, ④

78. 위 절제수술 후의 영양관리로 옳지 않은 것은?

㈎ 수술 직후에 1~2일 간은 아무것도 먹이지 않는다.
㈏ 최소의 양으로 효율적인 영양보급을 한다.
㈐ 식사는 유동식으로 시작하여 단계적으로 증량시킨다.
㈑ 환자의 소화기능이 나쁘므로 식사 횟수를 줄이고 전해질을 많이 공급한다.
㈒ 지방은 유화된 상태로 섭취시키고 자극적인 음식을 피한다.

79. 위 절제수술 후에 나타나는 대사에 대하여 옳지 않은 것은?

㈎ 고단백혈증이 나타난다.
㈏ 체내 수분의 상승 경향을 보인다.
㈐ 나트륨의 저류 경향을 보인다.
㈑ 질소대사가 항진되고 질소의 요중 배설량이 증가한다.
㈒ 칼륨의 요중 배설량이 증가한다.

정답 76. ㈏   77. ㈐   78. ㈑   79. ㈎

식사요법 핵심문제 해설   93

80. 위 절제수술 후의 식단을 준비할 때 고려해야 할 사항은?

> ① 위의 부담을 줄이기 위해 비타민 B_{12} 함유식품인 어패류, 참치 등을 제한한다.
> ② 농축당은 피하고 단순당이나 저당질식을 제공한다.
> ③ 위산 부족으로 철분이 부족해지기 쉬우므로 간이나 녹황색 채소를 많이 사용한다.
> ④ 섬유소는 고혈당을 방지하여 후기 덤핑증후군을 방지하므로 충분히 제공한다.

(가) ①, ② (나) ①, ④ (다) ②, ③
(라) ②, ④ (마) ③, ④

81. 덤핑증후군 환자의 식사요법으로 옳지 않은 것은?

(가) 고단백식을 준다.
(나) 당분함량이 높은 음식을 준다.
(다) 한 끼의 식사량을 줄이고 여러 번으로 나누어 준다.
(라) 흰살생선, 균질육, 그라탱 등을 준다.
(마) 전체 열량의 30~40%를 중등지방으로 공급한다.

81. 덤핑증후군(dumping syndrome)은 위의 절제수술 후에 당분이 많이 들어 있는 음식을 섭취했을 때 나타나는 현상으로, 위에 오래 머무를 수 있는 고단백, 중등지방을 준다.

82. 이완성 변비의 식사요법으로 옳지 않은 것은?

(가) 공복 시에 차가운 우유 및 야쿠르트 공급은 효과가 있다.
(나) 현미나 보리밥, 콩류나 감자류 등의 식품이 좋다.
(다) 가끔 밀기울이나 자두, 살구를 먹는다.
(라) 채소는 삶은 것이 효과적이다.
(마) 알코올은 배변에 도움을 주므로 효과적이다.

82. 채소나 과일은 날것으로 먹으며, 과일은 껍질째 그대로 먹는다.

83. 경련성 변비에 대하여 옳지 않은 것은?

(가) 저잔사식사가 바람직하다.
(나) 우유, 달걀, 기름, 생선 등이 바람직하다.
(다) 증상이 심할 때는 과일보다 과즙이 좋다.
(라) 기계적·화학적 자극이 있는 식품이 바람직하다.
(마) 체중이 적고 신경질적인 사람에게 많이 나타난다.

83. 대장이 과민한 상태에 있고, 신경말단이 지나치게 수축되어 있으므로 기계적·화학적 자극이 있는 식품은 피해야 한다.

정답 **80.** (마) **81.** (나) **82.** (라) **83.** (라)

84. 변비환자에게 권장하는 식사요법은?

> ① 경련성 변비환자는 장운동을 촉진시킬 수 있도록 섬유소가 많은 음식을 섭취한다.
> ② 이완성 변비환자가 공복 시 수분을 섭취하면 효과가 있으나 탄산 및 알코올음료로 섭취하는 것은 금지한다.
> ③ 경련성 변비가 심하면 저잔사식을 제공한다.
> ④ 꿀은 배변운동을 촉진하는 당분과 유기산이 많이 함유되어 있어 이완성 변비에 효과적이다.

(가) ①, ②　　(나) ①, ④　　(다) ②, ③
(라) ②, ④　　(마) ③, ④

85. 설사 환자의 식사요법으로서 옳지 않은 것은?
(가) 체내의 수분과 염분의 손실을 보충하는 것이 가장 중요하다.
(나) 만성설사의 경우는 고단백, 고지방식을 공급한다.
(다) 장내에서 당질의 소화흡수가 나쁠 때에는 사탕이나 전분을 주어서는 안 된다.
(라) 설사의 경우에는 펙틴을 함유하는 식품을 충분히 준다.
(마) 지나치게 뜨거운 음식을 피한다.

86. 발효성, 소화성 설사의 식사요법으로 적당한 것은?
(가) 섬유질이 많은 식품을 준다.
(나) 결체조직이 있는 동물성 식품을 준다.
(다) 당질의 섭취를 증가시킨다.
(라) 당질의 섭취를 감소시킨다.
(마) 음료는 자유로이 준다.

86. 발효성, 소화성 설사는 당질의 과잉섭취로 소화가 불충분하여 장에서 세균에 의해 발효되어 산과 탄산가스가 생기므로 장을 자극해서 설사가 발생한다.

87. 다음 중 위궤양과 십이지장 궤양의 식사요법으로 옳은 것은?
(가) 양질의 단백질 식품과 부드럽게 하는 조리법을 선택한다.
(나) 위의 위산분비를 촉진하는 고섬유질 식품을 먹는다.
(다) 영양을 충분히 섭취하고 식욕촉진을 위해 약간 맵고 짜게 먹는다.
(라) 위액분비를 자극하는 알코올 음료 등을 마신다.
(마) 고추나 카레 등의 식품을 자주 먹는다.

정답　**84.** (마)　**85.** (라)　**86.** (라)　**87.** (가)

88. 글루텐과민성 장질환의 증상으로 옳지 않은 것은?
- (가) 설사변에는 지방이 적고 악취가 난다.
- (나) 탄수화물, 단백질, 지방, 철, 비타민류의 흡수 장애를 일으킨다.
- (다) 칼슘, 엽산이 체내에서 손실된다.
- (라) 설사변을 자주 보게 된다.
- (마) 장점막에 손상이 온다.

89. 젖당 불내성(lactose intolerance)을 맞게 설명한 것은?
- (가) 우유의 장기 중단은 lactose 활성의 퇴화를 유발한다.
- (나) 젖당 부족증이다.
- (다) 전분질과 함께 푸딩, 크림수프 등으로 섭취하는 것이 좋다.
- (라) 장내에서 lactase 가 부족하여 유당의 분해가 잘 안되는 현상이다.
- (마) 유당불내증 환자는 찬 우유를 천천히 마시는 것이 좋다.

89. 젖당불내성이란 장 내에 lactase 의 부족에 의해 젖당이 단당류로 가수분해되지 못해서 생기는 증상이다.

90. 유당불내증에 대한 설명으로 옳은 것은?

> ① 우유를 단독으로 마시는 것보다 전분을 포함한 푸딩, 케이크 등의 형태로 먹으면 증상을 완화시킬 수 있다.
> ② 유당 10g을 섭취한 후 설사나 경련 등의 유무를 확인하는 유당내성 검사로 확인할 수 있다.
> ③ 유당이 함량된 치즈와 요구르트의 섭취도 제한한다.
> ④ 유당불내증 환자의 경우 우유 대신 두유를 섭취하도록 한다.

- (가) ①, ②
- (나) ①, ④
- (다) ②, ③
- (라) ②, ④
- (마) ③, ④

91. 다음 중 급성위염이 발생할 수 있는 원인이 아닌 것은?
- (가) 소식과 만성적 위산 과다분비
- (나) 알레르기성 식품
- (다) 알코올 중독
- (라) 과식 및 급한 식사
- (마) 약물중독

정답 **88.** (가) **89.** (라) **90.** (나) **91.** (가)

92. 스프루(sprue)의 특징이 아닌 것은?

(가) 엽산의 결핍 (나) 영양소의 흡수장애
(다) 부종 (라) 지방성 변
(마) 거대혈구성 빈혈

93. 지방변증 환자의 식사요법으로 옳지 않은 것은?

(가) 고단백 식사를 한다.
(나) 저열량 식사를 한다.
(다) 중등지방 식사를 한다.
(라) Ca 과 Fe 의 섭취를 증가시킨다.
(마) 비타민, 특히 D 와 K 를 중점적으로 공급한다.

93. 체중감소를 예방하기 위하여 고열량, 고단백질, 비타민 D, K, 철분, 칼슘 등의 충분한 섭취를 권장한다.

94. 다음은 대학생 민호의 식습관과 최근 신체증상이다. 민호에게 가장 우려되는 건강 문제점에 대한 식사요법으로 옳지 않은 것은?

〈영양교사, 2011년 기출문제〉

> 민호는 신장 175cm, 체중 85kg이다. 평소 육류 위주의 서구식 식생활을 즐기는 편이며, 아침을 자주 거르고 식사시간도 불규칙하다. 최근 학과 일로 스트레스를 심하게 받고 있어 흡연횟수가 많아졌고, 과음으로 토하는 일이 잦았다. 이후 가슴 부위에 타는 듯한 통증을 자주 느끼고, 신물이 넘어오거나 신트림이 나온다.

(가) 가스발생 식품을 제한한다.
(나) 과식을 피하고, 소량씩 자주 섭취한다.
(다) 하부식도 괄약근을 이완시키는 식품을 섭취한다.
(라) 지방 함량이 적은 당질식품과 단백질 식품을 권장한다.
(마) 감귤류 및 감귤류 주스, 토마토제품 등의 섭취를 제한한다.

94. 민호의 식습관과 최근 신체증상의 내용으로 볼 때, 역류성 식도염(GERD)이 의심된다. 그 주요원인은 위식도 괄약근(GES)의 이완에 있다.
이에 영향을 미치는 식사습관은 많은 양의 음식을 먹거나 먹은 후에 곧바로 눕는 것이다.
그러므로 하부식도 괄약근을 수축시키는 식품을 먹어야 한다.

95. 궤양성 대장염에 대한 설명 중 옳지 않은 것은?

(가) 우유의 섭취를 금한다.
(나) 고열량, 저단백 식사를 한다.
(다) 장내에서 발효하는 식품과 고잔사식사를 억제한다.
(라) 설사가 주증상이며, 발열, 혈변 등을 수반한다.
(마) 증세가 지속되면 저단백혈증이 나타난다.

정답 92. (다) 93. (나) 94. (다) 95. (나)

96. 만성 췌장염의 식사요법으로 옳지 않은 것은?

(가) 지방의 제한 (나) 고섬유질 식품의 제한
(다) 규칙적인 식사 (라) 과식을 피함
(마) 고지방식사의 권장

97. 연하곤란에 대한 식사요법으로 옳은 것은?

① 실온상태의 부드러운 음식을 공급한다.
② 식사시 엉덩이와 의자의 각도는 30°가 되도록 한다.
③ 입천장에 붙는 끈적끈적한 식품을 피하고 되도록 매끈한 음식을 먹는다.
④ 열량 보충을 위해 간식으로 떡을 준다.

(가) ①, ②, ③   (나) ①, ③   (다) ②, ④
(라) ④   (마) ①, ②, ③, ④

97. 식사 시 엉덩이와 의자의 각도는 90°가 되어야 한다.

98. 위액분비와 위운동을 촉진하는 인자는?

① ACTH ② 과실이나 채소와 같은 섬유성 식품
③ 조미료, 농축된 당 ④ 스트레스

(가) ①, ②, ③   (나) ①, ③   (다) ②, ④
(라) ④   (마) ①, ②, ③, ④

99. 이완성 변비일 때의 식사요법으로 옳은 것은?

① 섬유질이 많은 식사를 한다.
② 꿀의 유기산은 배변운동을 촉진하므로 변비에 효과가 있다.
③ 해초의 갈락탄은 수분을 많이 흡수해서 장운동을 촉진한다.
④ 지방의 지방산은 대장의 점막을 자극하여 배변작용을 촉진한다.

(가) ①, ②, ③   (나) ①, ③   (다) ②, ④
(라) ④   (마) ①, ②, ③, ④

정답 96. (마) 97. (나) 98. (마) 99. (마)

100. 경련성 변비에서 피해야 할 것은?
㈎ 잘 익힌 채소
㈏ 연한 쇠고기
㈐ 잘 정제한 곡식
㈑ 섬유소가 많은 식품
㈒ 죽이나 미음

101. sprue 환자에게 제한해야 할 영양소는?
㈎ 단백질　　㈏ 당질　　㈐ 비타민
㈑ 지방　　　㈒ 무기질

102. 비열대성 아구창의 식사요법으로 맞는 것은?
㈎ 고지방식사를 한다.
㈏ 저단백식사를 한다.
㈐ 글루텐 제한식사를 한다.
㈑ 우유, 달걀, 과일, 고기, 생선을 제한한다.
㈒ 밀, 귀리, 보리 등을 충분히 공급한다.

103. 유당불내증(Lactose Intolerance)이란 무엇을 말하는가?
㈎ 유당부족증
㈏ 유당 200 g을 섭취한 후에 설사가 나는 상태
㈐ 장내 락타아제 과잉으로 유당분해가 너무 빨리 되는 것
㈑ 장내에서 락타아제가 부족하여 유당분해가 잘 안되는 것
㈒ 건강한 어린이, 청년, 성인에게서는 볼 수 없는 현상

104. 만성위염의 식사요법으로 옳지 않은 것은?
㈎ 식사를 규칙적으로 한다.
㈏ 소화성이 좋은 양질의 단백질을 섭취한다.
㈐ 지방을 주체로 한 식사를 한다.
㈑ 멸칫국물, 육진액, 우동, 죽을 먹는다.
㈒ 음식물을 충분히 씹고 천천히 먹는다.

정답 100. ㈑　101. ㈑　102. ㈐　103. ㈑　104. ㈐

105. 다음 설명 중 옳은 것은?

① 위하수증 환자는 위의 운동이 약하므로 섬유질이 많은 채소를 공급하여 위운동을 촉진시킨다.
② 위암 환자는 위산분비가 많으므로 알칼리 약제와 Sippy diet 를 실시한다.
③ 무산성위염 환자는 위산분비를 시키기 위해 고섬유질 및 고지방을 공급한다.
④ 위궤양 환자는 제산제와 함께 소화되기 쉬운 단백질을 공급한다.

(가) ①, ②, ③   (나) ①, ③   (다) ②, ④
(라) ④   (마) ①, ②, ③, ④

4. 간장과 담낭·췌장 질환

106. 간기능이 저하된 환자의 식사로 옳지 않은 것은?

(가) 고당질, 고단백질
(나) 고지질, 고열량
(다) 고단백질, 중등지방
(라) 고단백질, 고칼로리
(마) 고비타민, 저염식

107. 다음 중 궤양성 대장염의 식사요법에 해당되지 않는 것은?

(가) 단백질, 비타민, 무기질의 충분한 공급
(나) 당질 위주의 영양공급
(다) 장내 발효성 식품의 제한
(라) 섬유질의 제한
(마) 저자극식 실시

108. 간질환 환자의 식사요법으로 가장 적절한 것은?

(가) 열량을 최소한도로 제한
(나) 튀김음식의 제공
(다) 단백질 제한
(라) 고지방 식사
(마) 지방은 유화된 형태(우유, 크림, 버터)로 제공

정답 105. (라)   4. 간장과 담낭·췌장 질환   106. (나)   107. (나)   108. (마)

109. 간질환에 적합한 식사요법을 고른 것은?

> ① 지방은 유화지방의 형태로 섭취하여 소화를 용이하게 한다.
> ② 간의 부담을 덜어주기 위해 단백질과 알코올의 섭취를 제한한다.
> ③ 간 보호를 위해 식욕을 돋우는 자극적인 음식이라도 많이 먹는다.
> ④ 단백질을 절약하고 간기능을 보호하기 위해 고당질의 식사를 한다.

(가) ①, ②　　(나) ①, ④　　(다) ②, ③
(라) ②, ④　　(마) ③, ④

110. 간질환 환자에게 제한하지 않아도 좋은 식품은?
(가) 기름에 튀긴 전　(나) 초콜릿　(다) 잣
(라) 꿀　(마) 라드

111. 간염의 식사요법으로 옳지 않은 것은?
(가) 탄수화물 섭취의 제한(200 g 이하)
(나) 고단백질(하루 100~150 g) 섭취
(다) 고열량(3,000 kcal 이상) 섭취
(라) 중등 정도의 지방섭취
(마) 비타민 B 등의 충분한 섭취

112. 급성 간염환자의 요와 혈청 변화 중 옳은 것은?
(가) 요 중 bilirubin의 증가
(나) 요 중 bilirubin의 감소
(다) 혈청 중 GOT와 GPT의 감소
(라) 혈청 중 bilirubin의 감소
(마) 혈청 내 알부민과 글로불린의 비(A/G)의 증가

113. 급성 간염환자에게 권할 수 있는 음식은?
(가) 생선튀김, 파이, 건포도
(나) 잡곡밥, 어묵, 북어무침
(다) 카레라이스, 건조과일, 채소
(라) 우유, 달걀, 마요네즈
(마) 오트밀, 전, 포도

111. 간에 글리코겐을 충분히 저장하여 간을 보호하여야 하므로 고당질 식사를 해야 한다(1일 400 g 이상 섭취). 반면에 과량의 당분섭취는 식욕을 억제하므로 유의한다.

113. 장에서 가스를 발생시키는 잡곡종류를 제한한다. 그리고 건조과일, 섬유질이 많은 채소, 기름이 많은 식품 등도 제한한다.

정답 109. (나)　110. (라)　111. (가)　112. (가)　113. (라)

114. 간염환자의 영양관리에 대해 바르게 설명한 것은?

> ① 급성 간염환자의 경우 장내 나쁜 성분을 배출하기 위해 가스를 발생시키는 잡곡류를 골고루 섭취한다.
> ② 하루 100~150g의 고단백 식단을 통해 양질의 단백질을 충분히 섭취한다.
> ③ 체내 단백질 소모를 막기 위해 튀김, 육류 등의 섭취를 통해 열량섭취를 늘린다.
> ④ 섬유질이 많은 식사는 제한하도록 한다.

(가) ①, ②　　(나) ①, ④　　(다) ②, ③
(라) ②, ④　　(마) ③, ④

115. 지방간(fatty liver)의 원인으로 가장 중요한 것은?

(가) 당질 부족　　(나) 지방의 과잉섭취
(다) 단백질 부족　　(라) 비타민 A 부족
(마) 비타민 B_1 부족

116. 간경변증의 원인이 아닌 것은?

(가) choline 부족　　(나) 알코올 중독
(다) 영양결핍　　(라) 과로
(마) 지방섭취 부족

116. 간경변증의 원인은 만성적인 알코올 중독, 영양결핍, choline의 부족 등이다.

117. 지방간에 대하여 옳지 않은 것은?

(가) 알코올 중독은 지방간의 원인이 될 수 있다.
(나) methionine, choline, 비타민 E, Se은 항지방간 인자이다.
(다) 간의 지방조성 중 인지질이 증가한다.
(라) 고단백질, 저지방 식사를 한다.
(마) 간경변증으로 진전될 우려가 있다.

117. 지방간은 간의 지방조성 중 중성지방이 증가한 것이다. 음식섭취에서 오는 지방간은 항지방간 인자(methionine, choline, 비타민 E, Se)의 부족, 저단백식, 고지방식 등이 영양장해로 나타난다.

118. 다음 중 단백질을 권장량보다 많이 공급해야 하는 질환은 무엇인가?

(가) 고지혈증　　(나) 만성 위염　　(다) 급성 신부전
(라) 간질환　　(마) 골다공증

정답　114. (라)　115. (가)　116. (마)　117. (다)　118. (라)

119. 지방간에 관한 설명이 틀린 것은?

> ① 고단백, 고지방성 식단이 원인이다.
> ② 지방간 환자의 식사요법은 공통적으로 열량과 당질을 적게 제공하는 것이다.
> ③ 정상인의 간에는 약 3~5%의 지방이 저장되어 있다.
> ④ 알코올 중독자의 경우 중성지방이 지단백을 만들지 못하고 간에 저장되어 지방간을 유발한다.

(가) ①, ②　　(나) ①, ④　　(다) ②, ③
(라) ②, ④　　(마) ③, ④

120. 간경변증 환자의 단백질 대사로서 옳은 것은?

(가) 혈장 알부민의 증가
(나) 혈장 글로불린의 증가
(다) 피브리노겐의 상승
(라) 알부민과 글로불린의 비가 증가
(마) 알부민과 글로불린의 비가 감소

121. 간경변증 환자의 지방대사로서 옳은 것은?

(가) 지방산의 산화와 인지질의 합성이 나빠진다.
(나) 지방산의 산화가 촉진된다.
(다) 인지질의 합성이 촉진된다.
(라) 지방산의 산화는 촉진되나, 인지질의 합성은 나빠진다.
(마) 혈중의 콜레스테롤에스테르와 총 콜레스테롤의 비가 높아진다.

122. 간경변 특유의 문맥압항진으로 정맥류가 발생했을 때의 식사요법은?

(가) 고열량식 공급　　(나) 고단백질식 공급
(다) 고섬유식 공급　　(라) 저지방식 공급
(마) 감염식 공급

122. 간경변의 문맥압항진은 간내 혈관폐쇄로 문맥압항진이 되어, 내장정맥압항진으로 복강액 재흡수가 저하되어 복수가 일어나게 된다.

123. 간경변증에 수반되는 비타민 결핍증은?

(가) 피부염　　(나) 다발성 신경염　　(다) 괴혈병
(라) 구루병　　(마) 자간증

123. 비타민 중에서도 특히 티아민이 부족하여 다발성 신경염을 유발한다.

정답　119. (가)　120. (마)　121. (가)　122. (마)　123. (나)

식사요법 핵심문제 해설

124. 만성췌장염 환자의 식사요법으로 옳지 않은 것은?

㈎ 에너지원으로는 주로 당질을 사용한다.
㈏ 지방은 버터나 크림으로 공급한다.
㈐ 강한 조미료를 공급한다.
㈑ 단백질은 부드러운 육류나 흰살생선 등으로 공급한다.
㈒ 소화가 잘 되는 식품을 공급한다.

125. 췌장염 환자의 식사준비 시 고려할 점으로 옳은 것은?

① 급성 췌장염 환자는 급성기에 3~5일간 절식하고 이후 당질 중심의 유동식부터 급식한다.
② 채소나 과일 등 섬유질이 풍부한 식품은 만성 췌장염 환자에게 급식하지 않는다.
③ 급성 췌장염 환자는 단백질을 제한하고 지방을 충분히 제공한다.
④ 만성 췌장염 환자는 당질을 주 열량원으로 하여 제공한다.

㈎ ①, ②　　㈏ ①, ④　　㈐ ②, ③
㈑ ②, ④　　㈒ ③, ④

126. 담석증 환자의 급성기가 지났을 때 식사요법으로 옳은 것은?

㈎ 고열량, 고단백질, 고지방, 고비타민 연식
㈏ 고열량, 고단백질, 저지방, 고비타민 연식
㈐ 고열량, 저단백질, 저지방, 고비타민 연식
㈑ 저열량, 고단백질, 저지방, 고비타민 연식
㈒ 저열량, 저단백질, 저지방, 고비타민 연식

127. 담석증 환자의 식사요법에 대한 설명으로 옳은 것은?

① 가스를 발생시키는 콩, 배추, 무, 사과 등의 식품섭취를 제한한다.
② 저지방 식단을 유지하다가 회복되면 소화가 잘 되는 지방을 점차 증량하여 제공한다.
③ 단백질은 담즙분비를 억제하므로 고단백 식단을 제공한다.
④ 물을 많이 섭취하되 열량은 제한한다.

㈎ ①, ②　　㈏ ①, ④　　㈐ ②, ③
㈑ ②, ④　　㈒ ③, ④

정답 124. ㈐　125. ㈏　126. ㈏　127. ㈎

128. 담낭수술환자에게 줄 수 있는 식품은?
   ㈎ 초콜릿   ㈏ 커스터드   ㈐ 달걀
   ㈑ 잣죽   ㈒ 꿀차

129. 담낭염 환자에게 적당하지 않은 식사요법은?
   ㈎ 양질의 단백질을 공급한다.
   ㈏ 급성기에는 지방섭취를 제한한다.
   ㈐ 가스를 발생시키는 음식을 제한한다.
   ㈑ 맵고 짠 자극성 식품을 피한다.
   ㈒ 지방식품을 열량원으로 공급한다.

129. 식품 중의 지방과 지방산은 담낭을 자극하여 담관이 수축하는 데 영향을 끼치며, 가스발생식품은 극심한 복통을 유발한다.

130. 담석증 환자의 식사요법의 주목적으로 옳은 것은?
   ㈎ 담석의 생성억제
   ㈏ 고지방식으로 담낭의 수축 촉진
   ㈐ 단백질의 다량 공급
   ㈑ 자극성 식품으로 식욕 촉진
   ㈒ 고콜레스테롤 식품의 공급

130. 담석의 생성을 억제시키기 위해 콜레스테롤이 많은 지방식은 피하고, 단백질도 담즙분비를 촉진하므로 다량공급은 피한다.

131. 담석증 환자의 식사요법으로 옳지 않은 것은?
   ㈎ 동물성 식품의 섭취를 제한하고 물은 많이 섭취시킨다.
   ㈏ 수술 후에 회복될 때까지 지방은 제한한다.
   ㈐ 자극성이 강한 것은 통증을 유발하므로 금한다.
   ㈑ 가스를 발생시키는 음식은 피한다.
   ㈒ 무를 많이 먹게 하여 수분을 보충시킨다.

132. 다음 중 급성 간염환자의 식사요법으로 가장 알맞은 것은?
   ㈎ 중등지방, 고열량, 고단백, 고비타민, 저염식
   ㈏ 중등지방, 고열량, 중단백질, 고비타민, 저염식
   ㈐ 저지방, 고열량, 저단백질, 고비타민, 저염식
   ㈑ 중등지방, 고열량, 저단백질, 고비타민, 저염식
   ㈒ 저지방, 저열량, 고단백, 고비타민, 저염식

정답 128. ㈒   129. ㈒   130. ㈎   131. ㈒   132. ㈎

133. 영양 교사와 학생의 상담 내용에 대한 설명으로 옳은 것은?

〈영양교사, 2010년 기출문제〉

- 18세 남자 고등학생이다.
- 키 170cm, 몸무게 87kg이다.
- 평소 고지방과 고당질의 식사를 하였다.
- 본인은 어릴 때부터 소아비만이었다.
- 부모가 모두 비만이다.
- 영양교사는 체중 감량을 위해 식사요법, 운동요법 및 행동수정을 제시하였다. 또한 표준체중 63kg을 최종 목표로 하루에 500kcal의 에너지 섭취량 감소를 조언하였고, 식사의 내용과 구성에 대하여 자세히 알려 주었다.

(가) 공복감을 해소하기 위해 간식으로 감자를 권한다.
(나) 정해진 시간에 소량의 식사를 자주 하면 인슐린 분비를 줄일 수 있다.
(다) 제시한 대로 에너지 섭취를 줄이면 표준체중이 될 때까지 7개월 정도 걸린다.
(라) 지방세포 비대형 비만(hypertrophic obesity)이므로 성인 비만보다 치료가 어렵다.
(마) 식사요법으로 저열량, 저당질 식사를 장기적으로 하면 기초 대사율이 증가하므로 체중감소에 효과적이다.

Guide

133. 상담내용으로 보아서 문제의 학생은 '소아비만'이다. 이런 학생은 비만의 정도에 따라 저열량, 저탄수화물, 정상지질, 고단백질 식이요법이 원칙이므로 탄수화물인 감자는 간식으로 적합하지 않다. 1일에 500kcal를 감소한다면 1개월에 약 2kg를 감소시킬 수 있으므로 24kg을 감소시키는 데에 12개월 정도가 소요된다.
소아비만은 지방세포 증식형 비만(hyperplastic obesity)이므로 성인비만보다 치료가 까다롭다. 저열량, 저당질 식사를 하면 기초대사율이 감소한다. 비만인 사람은 인슐린 작용에 덜 민감하며 혈중 인슐린 농도가 상승되어 있다.

5. 비만증과 체중부족

134. 과체중에 속하는 범위는?

① 체질량지수 23~25 사이
② 정상체중에서 10~20% 초과
③ Broca 지수 100~119 사이
④ 정상체중에서 20~30% 초과

(가) ①, ② (나) ①, ④ (다) ②, ③
(라) ②, ④ (마) ③, ④

정답 133. (나) 5. 비만증과 체중부족 134. (가)

식사요법

135. 어떤 섭식장애의 전형적인 사례이다. 이 섭식장애의 설명으로 옳은 것만을 〈보기〉에서 있는 대로 고른 것은?

〈영양교사, 2012년 기출문제〉

```
○○○○년 ○월 ○일 ○요일    ○ ○ 신  문    제○○○○호 ○○판

지난달 ○일에 모델 지망생인 16세 여고생이 신장 기능 저하로 입원 치료
를 받다가 결국 사망하였다. 이 여고생은 지나친 다이어트를 하여 신장
175 cm와 체중 37 kg의 깡마른 몸매를 가지게 되었다. 그럼에도 자신이
뚱뚱하다고 느껴 식사 섭취량을 계속 줄여왔고 사망하기 수 개월 전부터
월경이 중단되었다.
```

〈보기〉
① 기초대사량이 저하되고 맥박수가 감소한다.
② 탈모, 철 결핍성 빈혈, 골다공증 등이 나타난다.
③ 장 비우기 후 자책감으로 인한 심리적 스트레스의 폐해가 크다.
④ 잦은 구토, 하제사용 및 과도한 운동으로 체중 변화폭이 크다.
⑤ 자신의 식습관에 문제가 있는 것을 알면서도 고칠 수 없음을 두려워한다.

(가) ①, ②　　　(나) ①, ④　　　(다) ①, ②, ⑤
(라) ②, ③, ⑤　　(마) ③, ④, ⑤

135. • 신경성 식욕부진증 (거식증) : 자신이 비만하다고 믿고 극도로 수척해질 때까지 식사를 거부하는 증세로 사춘기 소녀에게서 주로 발생한다. 장기간 지속되면 무월경, 골다공증, 빈혈 등의 생리적 변화와 함께 질병에 대한 저항력 감소도 유발할 수 있다.

• 마구먹기장애 (폭식증) : 체중조절에 실패한 경험이 있는 비만인에게서 주로 나타나며, 자신의 행동이 비정상임을 인지하고 식품섭취에 죄의식을 느껴 폭식과 장 비우기를 번갈아 반복하는 증상이다.

136. caliper (皮厚計)란 무엇인가?

(가) 피하지방성분을 측정하는 기구
(나) 두위를 측정하는 기구
(다) 피하지방두께를 측정하는 기구
(라) 가슴둘레를 측정하는 기구
(마) 흉위의 두께를 측정하는 기구

정답 **135.** (가)　**136.** (다)

137. 비만의 원인으로 옳은 것이 모두 조합된 것은?

> ① 정신적인 스트레스가 원인이다.
> ② 체질적 인자가 비만 원인의 전부이다.
> ③ 과잉섭취, 운동부족에서 온다.
> ④ 토질학상 특정 지역 주민에게 생긴다.

(가) ①, ②, ③　　(나) ①, ③　　(다) ②, ④
(라) ④　　(마) ①, ②, ③, ④

138. 24세 여성인 A, B의 하루 식사에 대하여 5가지 영양소와 식품군의 다양성을 분석한 결과는 다음과 같다. A, B의 식생활을 평가한 내용으로 옳은 것은? 〈영양교사, 2010년 기출문제〉

항목		A	B	1일 권장섭취량
영양소별 섭취량	칼슘(Ca)	630mg	450mg	700mg
	철분(Fe)	9.8mg	11.2mg	14mg
	비타민 A	325μg RE	650μg RE	650μg RE
	비타민 C	90mg	120mg	100mg
	비타민 B_1	0.88mg	0.99mg	1.1mg
GMDFV (Grain, Meat, Dairy, Fruit, Vegetable)		10110	11011	—

(가) A보다 B에게 시금치, 당근, 양배추 섭취가 더 필요하다.
(나) B의 평균적정섭취비율(Mean Adequacy Radio, MAR)은 0.86이다.
(다) A가 B보다 식품섭취 다양성 점수(Dietary Diversity score, DDS)가 높다.
(라) B가 섭취한 비타민 C의 적정섭취비율(Nutrient Adequacy Ratio, NAR)은 1.2이다.
(마) A가 섭취한 철분의 적정섭취비율(Nutrient Adequacy Ratio, NAR)은 0.8이다.

138. (가) '시금치', '당근', '양배추'는 비타민 A의 함량이 크다.
(다) 식품섭취 다양성 점수는 섭취한 식품군 1가지당 1점씩 더하므로 A는 3점이고 B는 4점이다.
(라) 적정섭취비율은 1 이상이 나왔을 때 1로 통일한다.
(마) 철분의 적정섭취비율은 식사량/1일 권장섭취량이므로 A는 9.8 / 14 = 0.7이다.
(나)에서 평균 적정섭취비율 = 각 영양소 적정섭취비율의 합/영양소수이므로 B는 칼슘 0.6, 철분 0.8, 비타민 A는 1, 비타민 C는 1, 비타민 B_1은 0.9이므로 평균 적정섭취비율은 4.3/5 = 0.86이다.

정답　137. (나)　138. (나)

139. 1일 에너지 필요량이 2,100kcal인 25세 여성의 아침 식단을 A와 B에서 선택할 경우, 그에 대한 설명으로 옳은 것을 〈보기〉에서 모두 고른 것은? (단, 달걀 1교환단위는 55g으로 함)

〈영양교사, 2010년 기출문제〉

A

음식명		분량	목측량
토스트	식빵	70g	2쪽
	버터	6g	1.5작은술
달걀반숙	달걀	55g	1개
햄구이	햄	40g	8×6×0.8cm
우유		200mL	1컵
바나나		60g	중 1/2개

B

음식명		분량	목측량
보리밥		210g	1공기
쇠고기무국	쇠고기(사태)	20g	6×5×0.3cm
	무	35g	익혀서 1/6컵
콩나물무침	콩나물	70g	익혀서 1/3컵
	참기름	5g	1작은술
달걀찜	달걀	55g	1개
배추김치		70g	
사과		100g	중 1/2개

〈보기〉

① 지방 함량은 A가 B보다 10g 많다.
② 단백질 함량은 A가 B보다 5g 많다.
③ 당질 함량은 A가 B보다 19.5g 적다.
④ A의 단백질 함량은 1일 권장 섭취량의 약 57.8%이다.
⑤ B의 전체 에너지에 대한 당질 에너지 비율은 약 58.7%이다.

(가) ①, ④   (나) ①, ⑤   (다) ②, ⑤
(라) ①, ③, ④   (마) ②, ③, ④

Guide

139. 단백질 함량은 A가 26g이고 B가 23g이므로 A가 3g 많다. B의 전체에너지에 대한 당질에너지의 비율을 구하자면, B의 당질 함량이 88.5g이므로 에너지로환산하면 88.5(g)×4(kcal)=354(kcal)이다.
  B의 전체 열량이 54.5(kcal) 이므로 354 / 545×100 = 64.9%이다.
  지방함량은, A가 21g이고 B가 11g이므로 A가 10g 많다. 당질함량은 A가 69g이고 B가 88.5g이다. 그러므로 B가 A보다 19.5g 많다.
  A의 단백질 함량은 26g이고 1일 권장 섭취량은 45g이다. 그러므로 그 비율(%)은 26/45×100=57.8(%)이다.

140. 절식하면 체조직 단백질이 감소하는데, 다음 조직 중 단백질 감소가 가장 빠르게 일어나는 곳은?

(가) 뇌   (나) 근육   (다) 피부
(라) 간장   (마) 신장

정답 139. (라) 140. (라)

141. 비만인에 있어서 운동에 대한 설명 중 옳은 것이 모두 조합된 것은?

① 열량제한에 비해 운동에 의한 열량소비는 쉽지 않다.
② 운동의 효과는 즉효성은 적으나 장기적으로 계속할 때 유효성이 나타난다.
③ 적당한 운동은 스트레스를 감소시켜 음식섭취를 조절할 수 있다.
④ 격한 운동으로 에너지를 단시간에 소비시킨다.

(가) ①, ②, ③   (나) ①, ③   (다) ②, ④
(라) ④   (마) ①, ②, ③, ④

142. 비만증 식사요법에는 저칼로리 식사를 주어 체중의 감소를 기하는 것이 원칙이다. 이때 단백질이 비교적 많은 식품을 선택하는 데 그 이유는?

(가) 식염을 제한할 필요 때문에
(나) 체단백질의 이화작용이 증가하므로 이것을 보충하기 위하여
(다) 지방이나 탄수화물을 제한할 필요 때문에
(라) 단백질은 지방 및 탄수화물과 비교하여 단위중량 당 열량이 낮기 때문에
(마) 단백질은 체중감소를 촉진하기 때문에

143. 출생 후부터 만 5세까지의 어린이에게 주로 사용되는 신체계측 지수는?

(가) Broca 지수   (나) Kaup 지수   (다) Röhrer 지수
(라) Vervaek 지수   (마) Bornhardt 지수

144. 비만 환자에게 좋은 음식은?

① 현미밥, 미역국, 무생채
② 돈까스, 크림수프, 과일샐러드
③ 보리밥, 콩나물국, 더덕구이
④ 비빔밥, 곰국, 꽁치튀김

(가) ①, ②, ③   (나) ①, ③   (다) ②, ④
(라) ④   (마) ①, ②, ③, ④

정답 141. (가)   142. (나)   143. (나)   144. (나)

145. 비만의 판정법에 속하는 것은?

① 체질량지수 (BMI)   ② 브로카 (Broca) 지수
③ 체지방량 (%) 측정   ④ 헤마토크리트치 측정

(가) ①, ②, ③ (나) ①, ③ (다) ②, ④
(라) ④ (마) ①, ②, ③, ④

146. 38세 성인 남자 A의 건강검진 결과와 관련된 설명으로 옳은 것은? 〈영양교사, 2010년 기출문제〉

- 신체 계측치
  - 키 : 175cm
  - 몸무게 : 98kg
- 수축기 혈압 : 150mmHg, 이완기 혈압 : 90mmHg
- 혈액지표
  - 알부민 (albumin) : 3.8g / dL
  - 중성지방 (triglyceride) : 210mg / dL
  - 고밀도 (HDL) 콜레스테롤 : 30mg / dL
  - 저밀도 (LDL) 콜레스테롤 : 180mg / dL
- 임상 증상 : 두통, 이명, 피로

(가) BMI (Body Mass Index)가 약 30.2이므로 비만이다.
(나) 체중 감량을 위해 단백질을 체중 kg당 0.5g으로 섭취한다.
(다) HDL − cholesterol치를 증가시키려면 적당한 운동을 해야 한다.
(라) 식사 중 나트륨 / 칼륨 (Na/K)의 비는 1 이상이 되도록 권장한다.
(마) 고 (high) LDL − cholesterol 혈증이므로 옥수수유, 팜유를 섭취하는 것이 바람직하다.

6. 심장순환계 질환

147. 심장병의 식사요법으로 적당하지 않은 것은?

(가) 저칼로리 식사
(나) 나트륨 제한 식사
(다) 충분한 비타민과 무기질 공급
(라) 고단백질 식사
(마) 포화지방산 과잉섭취

146. BMI=몸무게/키²이므로 95/(1.75×1.75)=32이다. 이때, 25 이상은 비만, 30 이상은 고도비만이다.
　내용으로 보아서 고도비만인 A는 심혈관계 질환이 의심되므로 열량과 지방을 줄여야 하지만 단백질 섭취는 줄일 필요가 없다. 식사에 있어서 나트륨 섭취는 제한하고 칼륨 섭취는 늘려 나트륨과 칼륨의 비가 1 정도가 되게 한다.
　HDL−콜레스테롤 농도가 보통(40~60mg/dL)보다 낮아서 죽상동맥경화의 위험이 있고, LDL−콜레스테롤농도가 보통(160mg/dL)보다 높아서 고 LDL 혈증이 있다고 볼 수 있다. 그러므로 포화지방산인 옥수수유나 팜유 섭취는 제한해야 한다.

147. 심장질환의 식사요법은 심장의 부담을 최소로 하여, 근육에 자극을 주면서 부종제거 및 적정한 영양유지가 목적이다.

정답 145. (가) 146. (다) 6. 심장순환계 질환 147. (마)

148. 심근경색 환자의 식사요법을 바르게 설명한 것은?

① 심장에 무리가 가지 않도록 에너지 섭취를 줄인다.
② 포화지방산 및 콜레스테롤이 많은 식품은 가능한 섭취를 줄이도록 한다.
③ 식사는 세 끼 모두 규칙적으로 먹도록 한다.
④ 식염이나 커피의 섭취에는 제한받지 않는다.

(가) ①, ② (나) ①, ④ (다) ②, ③
(라) ②, ④ (마) ③, ④

149. 나트륨 제한 식사는 어떤 환자에게 주는 것인가?

① 심부전   ② 고혈압
③ 급성 신장염   ④ 위궤양

(가) ①, ②, ③ (나) ①, ③ (다) ②, ④
(라) ④   (마) ①, ②, ③, ④

■■■■■ 7. 혈관계 질환

150. 다음 콜레스테롤에 대한 설명 중 옳지 않은 것은?

(가) 여자의 혈중 콜레스테롤량은 어릴 때나 중년기에는 남자보다 높다.
(나) 성인의 혈청 콜레스테롤 함량은 100 mL 당 200 mg 전후이다.
(다) 콜레스테롤의 대사와 관계가 깊은 장기는 간장이다.
(라) 식사에 다불포화지방산이 많으면, 혈중 콜레스테롤은 감소한다.
(마) 코코넛 기름은 식물성 유지이므로 콜레스테롤치의 감소에 효과가 있다.

151. 고혈압의 원인과 가장 관계가 먼 것은?

(가) Na의 정상섭취   (나) 고열량식
(다) 고지방식   (라) 임신중독증
(마) 비만이나 스트레스

정답 148. (가) 149. (가) 7. 혈관계 질환 150. (마) 151. (가)

152. 스포츠 센터에서 만난 두 친구의 대화이다. 밑줄 친 내용 중 옳은 것만을 있는 대로 고른 것은? 〈영양교사, 2012년 기출문제〉

> A : 너 임신 중인데 운동하고 있네.
> B : 응, 출산 후에 비만이 된 친구들이 임신 중에도 방심하지 말고 최대한 운동하라고 해서.
> A : 음…. 그런데 ① 심한 운동으로 근육이나 피부로 가는 피가 많아지면 태아에게 가는 산소와 영양소 양이 줄어들 수 있다던데? 그 정도로 심하게는 안 할 거지?
> B : 물론이지. 난 임신성 당뇨병은 없지만 운동을 하면 혈당이 내려간대. ② 혈당이 내려갈수록 태아 성장에 좋다고 해.
> A : 글쎄…. 그래도 체온 상승은 태아 기형까지 초래할 수 있다던데? ③ 임신부가 음주를 심하게 하면 태아가 기형이 될 수 있는 것처럼 말야. 그러니 몸이 너무 더워질 정도로 지나치게 운동하지 않도록 해.
> B : 그래, 맞아! 임신부가 담배를 많이 피워도 선천성 기형아를 출산할 가능성이 높아진다지?
> A : 임신부가 담배를 피우면 ④ 담배 연기의 아세트알데히드 (acetaldehyde)가 헤모글로빈에 영향을 주어 태아가 잘 자라지 못한다더라.

(가) ①, ③   (나) ①, ④   (다) ②, ④
(라) ①, ③, ④   (마) ②, ③, ④

152. 저혈당은 임산부에게 두근거림, 어지러움, 떨림, 식은 땀 등의 불편감을 주고 심한 경우에는 분만 시기를 조절하는 등 태아에게 간접적으로 해가 될 수 있으므로 정상 혈당을 유지해야 한다.
아세트 알데히드는 알코올 분해 생성물이며, 담배 연기에서는 일산화탄소가 헤모글로빈과 결합하여 혈액 속 산소공급을 방해해 태아의 산소부족으로 이어져 조산, 저체중아 출산의 위험을 초래한다.
태아 알코올 증후군은 임신부의 음주로 태아의 성장 지연, 안면 기형, 정신지체 등이 유발되는 것이다.

153. 다음 중 고혈압의 식사요법으로 올바른 것은?

(가) 칼슘과 단백질 제한
(나) 수분과 단백질 제한
(다) 지방과 단백질 제한
(라) 에너지와 식염 제한
(마) 수분과 칼륨 제한

154. 고혈압 환자의 식사요법으로 옳지 않은 것은?

(가) 변비는 혈압을 항진시키므로 채소를 다량 섭취한다.
(나) 폭음과 폭식을 피하고 짠 음식도 피한다.
(다) 단백질, 지방, 비타민, 무기질을 제한한다.
(라) 부종이 있는 경우에는 물과 염분을 제한한다.
(마) 비만인 경우에는 열량을 제한한다.

정답 **152.** (가)   **153.** (라)   **154.** (다)

155. 다음 식품 중 고혈압 환자에게 적당하지 않은 것은?
   ㈎ 우유, 과일　　㈏ 달걀, 장조림
   ㈐ 무, 마요네즈　㈑ 흰밥, 버섯
   ㈒ 흰살생선, 난백

156. 다음 중 본태성 고혈압 환자에 대한 식사요법으로 옳지 않은 것은?
   ㈎ 자극성 식품의 제한
   ㈏ 염분의 제한
   ㈐ 불포화지방의 섭취 권장
   ㈑ 칼륨(K) 섭취의 엄중 제한
   ㈒ 양질의 단백질 섭취

156. K은 Na을 체외로 배설시켜 혈압상승을 억제한다.

157. 동맥경화증에 있어서 혈장 지질의 변화로 옳지 않은 것은?
   ㈎ 인지질의 증가
   ㈏ 콜레스테롤의 증가
   ㈐ β-lipoprotein 의 감소
   ㈑ β/α-lipoprotein 비의 상승
   ㈒ 유리지방산의 증가

157. 동맥경화증의 혈장 지질의 변화로는 총 지질량의 변화, TG, 콜레스테롤, 총 지방산량, 인지질, 유리지방산, β-lipoprotein 의 증가, lipoprotein lipase 의 감소, 그리고 β/α-lipoprotein 비의 상승 등이 있다.

158. 동맥경화증의 발생과 가장 관계가 적은 혈청 지질은?
   ㈎ 유리지방산　　㈏ 콜레스테롤
   ㈐ 중성지방　　　㈑ β-lipoprotein
   ㈒ lecithin

159. 동맥경화증의 원인으로서 가장 관계가 적은 것은?
   ㈎ 식사성 섬유소 섭취　㈏ 고혈압
   ㈐ 과다한 흡연　　　　㈑ 스트레스
   ㈒ 고콜레스테롤 혈증

160. 동맥경화증의 식사요법으로 옳은 것은?
   ㈎ 단백질과 지방이 많은 식품
   ㈏ 단백질, 지방, 콜레스테롤이 적은 식품
   ㈐ 단백질과 당질이 많은 식품
   ㈑ 단백질, 비타민, 무기질이 많은 식품
   ㈒ 단백질과 불포화지방산이 많은 식품

정답 155. ㈏　156. ㈑　157. ㈐　158. ㈒　159. ㈎　160. ㈒

161. 동맥경화증에 적합한 식사요법은?

> ① 동맥경화증은 지방 대신 당질을 충분히 섭취하여 영양을 보충한다.
> ② 동맥경화증 예방에 도움을 주는 영양소는 비타민 C, E, 식이섬유 등이 있다.
> ③ 콩기름, 참기름 등의 식물성 기름도 동맥경화를 악화시키므로 제한한다.
> ④ 달걀을 먹어야 할 경우에는 노른자를 제거하고 흰자만 섭취하도록 한다.

㈎ ①, ②　　㈏ ①, ④　　㈐ ②, ③
㈑ ②, ④　　㈒ ③, ④

162. 다음 설명 중 옳은 것은?

㈎ 동맥경화증에는 혈중 지질에 대한 청정인자(clearing factor)가 상대적으로 풍부하다.
㈏ kempner 식사는 고혈압 치료에 쓰이는 것으로 저콜레스테롤, 고지방, 저나트륨 식사이다.
㈐ 동맥경화증 환자에게는 설탕을 특별히 제한할 필요가 없다.
㈑ Atheroma(죽상 동맥경화증)는 동맥 내막에 인지질, 콜레스테롤, Ca 등이 침착한 것이다.
㈒ 동맥경화증의 예방에 도움이 되는 영양소로는 비타민 C, 비타민 B_1, 비타민 E, Ca, 식사성 섬유 등이 있다.

162. 죽상 동맥경화증은 동맥에 경화를 초래하는 것으로, 적당량의 양질의 단백질과 필수지방산을 적당량 섭취함으로써 예방이 가능하다.

163. 동맥경화증을 일으키는 원인이 되는 혈중 지질 중 옳지 않은 것은?

㈎ β-lipoprotein　　㈏ α-lipoprotein
㈐ pre-β-lipoprotein　　㈑ triacylglycerol
㈒ chylomicron

164. 다음 중 동맥경화증 환자에게 권장해야 할 사항이 아닌 것은?

㈎ 동물성 단백질 제한　　㈏ 지속적 유산소 운동
㈐ 금연　　㈑ 포화지방산과 콜레스테롤 제한
㈒ 혈압의 조절

164. 동맥경화증의 식사요법
• 충분한 양질의 단백질 공급
• 적정체중 유지
• 포화지방산 섭취 줄임
• 운동, 금연, 혈압 조절
• 고지혈증 조절 등

정답 161. ㈑　162. ㈑　163. ㈏　164. ㈎

165. 고지혈증에 관한 설명으로 바르지 않은 것은?

> ① 고지혈증을 예방하기 위해서 염분섭취를 제한하고 지방섭취량을 조절한다.
> ② 고지혈증의 type Ⅳ는 고열량, 고콜레스테롤, 고포화지방산에 의해 유도된다.
> ③ 고지혈증 type Ⅱ a, b는 고중성지방혈증이 나타난다.
> ④ 식이섬유는 비만을 방지하여 고지혈증 예방에 도움이 된다.

㈎ ①, ②   ㈏ ①, ④   ㈐ ②, ③
㈑ ②, ④   ㈒ ③, ④

166. 당질을 많이 섭취했을 때 나타나는 고지단백혈증의 양상은?

㈎ 제 1 형 (chylomicron 의 증가)
㈏ 제 2 형 (LDL 과 VLDL 의 증가)
㈐ 제 3 형 (LDL 의 증가)
㈑ 제 4 형 (VLDL 의 증가)
㈒ 제 5 형 (chylomicron 과 VLDL 의 증가)

167. 동맥경화의 고지혈증에서 중성지방이 증가한 경우의 식사요법에서 특히 제한하여야 할 것은?

㈎ 당질   ㈏ 지질   ㈐ 단백질
㈑ 비타민   ㈒ 콜레스테롤

168. 다음 중 혈압상승의 요인이 되는 것은?

㈎ 혈량감소   ㈏ 부신피질호르몬의 감소
㈐ 혈중 HDL 증가   ㈑ 부신수질호르몬 증가
㈒ 말초혈관확장

169. 다음 고혈압의 치료방법 중 가장 효과적인 것은?

㈎ 혈압강하제 복용   ㈏ 식사요법과 수술
㈐ 식사요법과 약물요법 ㈑ 식사요법과 운동요법 병행
㈒ 운동요법과 수술 병행

166. 극저비중 저단백혈증 (VLDL ; very low density lipoprotein)은 혈장에 중성지방량이 증가하는 것으로, 과량의 당질섭취 시 많이 나타난다. 성인당뇨 환자, 알코올 과다 복용자, 정신노동자에게 많이 보이며, 대부분이 비만이다.

정답 165. ㈐ 166. ㈑ 167. ㈎ 168. ㈑ 169. ㈑

170. 고혈압환자를 위한 식사요법으로 틀린 것은?

(가) 에너지섭취량은 표준체중 유지를 목표로 하는데 대체로 1,500~2,200 kcal의 범위이다.

(나) 단백질은 과잉 섭취하기 쉬우므로 체중 1 kg 당 0.5 g 정도로 한다.

(다) 지질은 총에너지의 20~30 %의 범위 내로 하고 p/s 비는 1~2 정도로 한다.

(라) 당질은 총에너지의 55~60% 정도로 하고, 서당, 과당을 다량 함유한 과자, 과일, 기호식품 등을 지나치게 섭취하지 않도록 한다.

(마) 염분의 제한량은 고혈압 정도나 합병증에 따라 다르다.

171. 고혈압 환자의 영양섭취에 대해 바르게 설명한 것은?

① 통조림, 훈연제품, 해산물 등 다량의 염분이 함유된 식품을 피한다.
② 동물성 지방 섭취를 줄이고 식물성 지방으로 대체한다.
③ 지방은 과잉섭취하기 쉬우므로 총 열량의 10% 정도로 제한한다.
④ 저열량 식사로 섭취열량을 줄여야 하므로 단백질 섭취는 0.5g/kg으로 제한한다.

(가) ①, ②   (나) ①, ④   (다) ②, ③
(라) ②, ④   (마) ③, ④

172. 동맥경화증에 관한 설명이다. 옳은 것은?

① 동맥경화증은 지질대사 이상에 의해 동맥벽에 콜레스테롤이 침착되는 것을 말한다.
② 원인은 확실하지 않지만 유전적 소인, 연령, 성 내분비인자 등이 관여한다.
③ 동맥의 한 가운데 층에 칼슘 등이 침착하여 동맥이 굳어지는 것을 중막동맥경화라 한다.
④ 동맥경화의 위험인자에는 동맥경화를 일으키기 쉬운 부위가 있다.

(가) ①, ②, ③   (나) ①, ③   (다) ②, ④
(라) ④   (마) ①, ②, ③, ④

정답 170. (나), (다)　171. (가)　172. (마)

173. 동맥경화의 원인으로 묶인 것은?

① 청정제(clearing factor)의 감소
② β-lipoprotein 의 증가
③ β-lipoprotin/α-lipoprotein 의 증가
④ α-lipoprotein 의 증가

(가) ①, ②, ③ (나) ①, ③ (다) ②, ④
(라) ④   (마) ①, ②, ③, ④

174. 중성지방을 가장 많이 포함한 지단백질은?

(가) HDL   (나) IDL   (다) VLDL
(라) LDL   (마) chylomicron

175. 정상 체중의 45세 남성 A씨는 건강 검진 후 영양사로부터 아래와 같은 식사요법 지침을 받았다. A씨의 혈액검사 결과로 옳은 것은? 〈영양교사, 2012년 기출문제〉

175. 정상수치
- 당화혈색소 : 4~6%
- 중성지방 : 0~200mg/dL
- 혈청알부민 : 3.4~4g/dL
- 총콜레스테롤 : 0~240mg/dL

〈식사요법 지침〉

• 1일 총에너지	현재 체중을 유지하는 범위
• 총지방량	총에너지의 15~20%
– 포화지방산	〃 6% 이하
– 다불포화지방산	〃 6% 이하
– 단일불포화지방산	〃 10% 이하
• 당질	〃 60 ~ 65%
• 단백질	〃 15 ~ 20%
• 콜레스테롤	100mg/1,000kcal 미만 (200mg/일 미만)

	당화 혈색소 (HbA1C, %)	중성지방 (mg/dL)	혈청 알부민 (g/dL)	총콜레스테롤 (mg/dL)
(가)	6.5	130	4.5	160
(나)	6.5	350	2.0	190
(다)	7.0	140	3.5	310
(라)	7.0	420	2.5	320
(마)	11.0	420	2.0	190

정답 173. (가) 174. (다) 175. (다)

176. kempner 식사에서 허용되는 식품은?

㈎ 우유　　㈏ 생선　　㈐ 달걀
㈑ 과일　　㈒ 설탕

8. 빈 혈

177. 빈혈에 대해 설명한 내용 중 틀린 것은?

> ① 거대적아구성 빈혈과 악성 빈혈은 비타민 B_{12}와 엽산 부족으로 발생한다.
> ② 철 결핍성 빈혈은 철, 아연과 비타민 E 등의 부족으로 발생한다.
> ③ 난황의 철은 흡수율이 높기 때문에 빈혈이나 임신 시 많이 섭취하도록 한다.
> ④ 철 결핍성 빈혈 초기에는 철의 흡수율이 증가한다.

㈎ ①, ②　　㈏ ①, ④　　㈐ ②, ③
㈑ ②, ④　　㈒ ③, ④

178. 빈혈을 판정하는 기준으로 옳지 않은 것은?

㈎ Hematocrit 치　　㈏ 평균 적혈구수
㈐ Quetlet 지수　　㈑ 평균 적혈구 용적
㈒ 평균 적혈구 혈색소량

179. 악성빈혈의 원인이 되는 영양소는?

㈎ 비타민 B_{12}　　㈏ 비타민 B_2
㈐ 비타민 C　　㈑ 비타민 K
㈒ Fe

180. 빈혈이 가장 발생하기 쉬운 연령군은?

㈎ 이유기　　㈏ 신생아
㈐ 성인　　㈑ 임신분만기 및 이유기
㈒ 노년기

179. 악성빈혈은 비타민 B_{12}, Folic acid가 결핍됨으로써 나타나는 거대적아구성 빈혈이다.

정답 176. ㈒　8. 빈 혈　177. ㈐　178. ㈐　179. ㈎　180. ㈑

181. 어린이, 임신부, 수유부와 같이 특수군에서 발생빈도가 높은 빈혈은?

㈎ 출혈성 빈혈 ㈏ 철 결핍성 빈혈
㈐ 비타민 B₁₂ 결핍성 빈혈 ㈑ 악성 빈혈
㈒ 저색소성 빈혈

Guide

181. 철 결핍성 빈혈은 임신과 수유기의 체내요구량 증가로 일어나는 것으로, 철분의 투여가 효과적인 치료법이다.

182. 철 결핍성 빈혈에 대해 바르게 서술한 것은?

① 사춘기 소녀들은 1회 월경주기를 통해 20mg 정도의 철이 손실되므로 철 결핍성 빈혈의 발생빈도가 높다.
② 헤모글로빈이 정상수준으로 회복될 때까지 철분치료를 지속해야 한다.
③ 홍차, 녹차 등의 차에는 철의 흡수를 방해하는 tannin이 있으므로 섭취를 제한한다.
④ 하루 철분제 복용량을 여러 차례 나눠 복용하면 부작용을 줄일 수 있다.

㈎ ①, ② ㈏ ①, ④ ㈐ ②, ③
㈑ ②, ④ ㈒ ③, ④

183. 저색소성 빈혈환자에게 줄 수 있는 식품은?

㈎ 무, 오이, 배추
㈏ 시금치, 미나리, 양파
㈐ 감자, 오이, 양배추
㈑ 사과, 귤, 밤
㈒ 간, 콩, 굴

184. 빈혈환자에게 푸른 채소를 권장하는 이유로서 옳은 것은?

㈎ 푸른채소의 철분은 체내에 쉽게 흡수되므로
㈏ 푸른채소의 철분은 체내에 일부만 흡수되므로
㈐ 푸른채소에는 철분이 낮으므로
㈑ 비타민 C가 체내에서 철분의 이용을 촉진시키므로
㈒ 비타민 C가 체내에서 철분의 이용을 억제시키므로

정답 181. ㈏ 182. ㈒ 183. ㈒ 184. ㈑

185. 습성 각기(wet beriberi)에 대한 설명으로 옳은 것은?

 (가) 손, 발과 입 주위가 저리고 지각이 마비된다.
 (나) 세포 수분의 축적으로 하반신에 부종이 생긴다.
 (다) 비타민 B_6의 결핍증이다.
 (라) 만성질환의 하나이다.
 (마) 최저혈압은 변하지 않으나, 최고혈압은 변한다.

186. 비타민 B_1 결핍환자의 식사요법으로 옳지 않은 것은?

 (가) 영양적으로 균형잡힌 식사를 준다.
 (나) 식사요법과 함께 비타민 B 복합체를 준다.
 (다) 우유 및 보리 등을 많이 준다.
 (라) 백미의 편식만 피하면 문제가 되지 않는다.
 (마) 동물성 식품을 많이 준다.

187. 비타민 B_1 결핍환자에게 가장 권장할 만한 것은?

 (가) 돼지고기, 콩   (나) 소의 내장, 백미
 (다) 밀국수, 무   (라) 감자, 빵
 (마) 당근, 완두콩

188. 비타민 B_2 결핍환자에게 가장 권장할 만한 것은?

 (가) 빵, 사과, 생선   (나) 딸기, 감, 사과
 (다) 간, 우유, 콩   (라) 토마토, 당근, 오이
 (마) 밀가루, 배추, 무

189. 비타민 B_6 결핍환자에게 가장 권장할 만한 것은?

 (가) 밀국수, 무, 연근   (나) 고구마, 감자, 토란
 (다) 쌀, 보리, 밀   (라) 사과, 복숭아, 감
 (마) 돼지간, 표고버섯, 낙화생

정답 185. (나) 186. (라) 187. (가) 188. (다) 189. (마)

190. 다음 중 잘못 연결된 것은?
- (가) 악성빈혈 – 비타민 B_{12}
- (나) Addison's disease – 비타민 A
- (다) pellagra – 니아신
- (라) 구루병 – 비타민 D
- (마) 구각염 – 비타민 B_2

191. 다음 중 잘못 연결된 것은?
- (가) marasmus – 열량과 단백질 섭취부족
- (나) toxic goiter – thyroxine
- (다) simple goiter – 요오드
- (라) kwashiorker – 단백질 결핍
- (마) 골연화증 – 산성식품

192. 빈혈의 정의를 옳게 설명한 것은?
- (가) 적혈구의 크기와 수, 용적, 헤모글로빈 농도 등이 정상값에 비해 낮아진 상태
- (나) 적혈구 수의 증가 상태
- (다) 혈액량이 감소된 상태
- (라) 백혈구 수의 감소 상태
- (마) 빈혈과 용혈은 똑같은 것이다.

193. 빈혈 치료에 관여하는 영양소는 어떤 것들이 있는가?
- (가) 엽산, 철분, 비타민 B_{12}, 비타민 A
- (나) 엽산, 철분, 피리독신, 비타민 C, 비타민 B_{12}, 단백질
- (다) 철분, 단백질, 비타민 E, 비타민 D
- (라) 엽산, 비타민 E, 비타민 D, 비타민 C
- (마) 철분, 비타민 K, 단백질

194. 조직 내 철분 저장정도를 알아보기 위한 지표로 옳은 것은?
- (가) 적혈구 수
- (나) 헤모글로빈 농도
- (다) 혈중 페리틴 농도
- (라) 요중 철 배설
- (마) 대변 중 철 배설

190. Addison's disease는 부신피질호르몬 결핍증이다.

191. 골연화증은 성인구루병이라 할 수 있고, 비타민 D의 결핍에 의한 질병이다.

정답 190. (나) 191. (마) 192. (가) 193. (나) 194. (다)

195. 빈혈은 조혈기능저하, 용혈증가, 출혈 등 다양한 원인에 의해 발생되므로 치료를 위해서는 원인에 따른 적절한 식사요법이 필요하다. 다음 중 빈혈의 종류에 따른 식사요법으로 옳은 것을 〈보기〉에서 고른 것은? 〈영양교사, 2011년 기출문제〉

――― 〈보기〉 ―――
① 겸상적혈구 빈혈에는 철과 비타민 C의 섭취를 제한한다.
② 영양성 철 빈혈 아동들에게 우유섭취량을 하루 3~4컵으로 늘린다.
③ 만성출혈로 인한 빈혈에는 철, 단백질, 비타민 C 등을 충분히 공급한다.
④ 장기 채식자나 위절제 환자에게는 엽산이 풍부한 콩, 호두 등을 보충한다.
⑤ 불포화지방산과 철이 풍부한 조제분유 섭취로 발생하는 영아 빈혈의 경우 비타민 E를 보충한다.

(가) ①, ②, ③　(나) ①, ②, ⑤　(다) ①, ③, ⑤
(라) ②, ④, ⑤　(마) ③, ④, ⑤

195. 영양성 철 빈혈에 있어서 우유 등의 유제품은 철 함량과 흡수율이 낮고 우유 속의 칼슘이 많이 섭취될 때는 철분의 흡수가 현저히 저하되기 때문에 우유 섭취량을 늘리는 게 불리하다. 또, 장기 채식자나 위를 절제한 환자에게는 비타민 B₁₂의 결핍이 오기 때문에, 비타민 B₁₂가 풍부한 동물성 단백질인 소고기, 달걀, 소의 간, 돼지의 간 등을 보충해 주는 것이 좋다.

196. 철 결핍성 빈혈의 원인에 해당되는 내용은?

① 위절제, 무산증, 흡수불량증후군
② 소화성 궤양에 의한 출혈
③ 식사성 철 섭취량의 부족
④ 성장, 임신, 수유, 월경 등에 의한 체내 수요량 증가

(가) ①, ②, ③　(나) ①, ③　(다) ②, ④
(라) ④　(마) ①, ②, ③, ④

197. 철 결핍성 빈혈 환자식의 기본 방침은?

① 고열량식　　② 고단백질식
③ 비타민 C 권장　④ 고철분식

(가) ①, ②, ③　(나) ①, ③　(다) ②, ④
(라) ④　(마) ①, ②, ③, ④

정답 195. (다)　196. (마)　197. (마)

198. 철 결핍성 빈혈환자를 위한 조리에 적합한 감미료는?
  ㈎ 각설탕   ㈏ 백설탕   ㈐ 당밀
  ㈑ 과당   ㈒ 콘시럽

199. 간을 싫어하는 빈혈환자에게 좋은 간 조리방법은?

  ① 소금에 담가 피를 완전히 뽑은 후 조리한다.
  ② 향신채소나 소스에 무쳐 조리한다.
  ③ 고추나 겨자를 이용하여 조리한다.
  ④ 간전유어, 간 페이스트를 만든다.

  ㈎ ①, ②, ③   ㈏ ①, ③   ㈐ ②, ④
  ㈑ ④   ㈒ ①, ②, ③, ④

200. 거대적아구성 빈혈에 대한 설명으로 틀린 것은?

  ① 일명 악성빈혈이라 한다.
  ② 비타민 B_{12}, 엽산의 결핍과 위액의 내적인자 결여에 의해 발생한다.
  ③ 골수 속에 보통 크기보다 큰 적혈구가 생긴다.
  ④ 적혈구 세포의 핵산합성에 장애가 발생하는 빈혈이다.
  ⑤ 간, 육류, 달걀을 많이 섭취한다.

  ㈎ ①, ②, ③   ㈏ ①, ③   ㈐ ②, ④
  ㈑ ④   ㈒ ①, ②, ③, ④, ⑤

201. 재생불량성 빈혈 환자식으로서 적합한 형태는?
  ㈎ 고단백, 고비타민 B_{12}, 고비타민 C, 고엽산식
  ㈏ 저단백, 고비타민 B_{12}, 고비타민 C, 고엽산식
  ㈐ 고단백, 고비타민 A, 고비타민 C
  ㈑ 저단백, 고철분식, 고비타민 K, 고열량식
  ㈒ 고단백, 저철분식, 고비타민 B_{12}, 저열량식

202. 재생불량성 빈혈의 원인으로 거리가 먼 것은?
  ㈎ 기생충 감염   ㈏ 비타민 B_{12} 결핍
  ㈐ 엽산 부족   ㈑ 화학물질
  ㈒ 암

202. 적혈구 합성에 꼭 필요한 비타민 B_{12}, 엽산, 철분 결핍, 호르몬 부족, 적혈구 생성과정 방해 시, 특히 X선, 화학물질, 약물, 암 등에 의해 골수 기능 저하 시 발생

정답 198. ㈐   199. ㈐   200. ㈒   201. ㈎   202. ㈎

203. 비타민 B_1 결핍증 환자의 식사요법으로 적당한 것은?

> ① 식사요법과 함께 비타민 B 복합체를 준다.
> ② 우유, 통밀, 보리를 많이 준다.
> ③ 동물성 식품을 많이 준다.
> ④ 소화기 장애가 있으므로 백미를 주는 게 좋다.

(가) ①, ②, ③   (나) ①, ③   (다) ②, ④
(라) ④   (마) ①, ②, ③, ④

204. 다음 중 철분함량이 높은 식품으로 임신부나 수유부에게 권장하는 식품은 어느 것인가?

(가) 달걀 흰자, 우유, 라면   (나) 달걀 노른자, 시금치, 소 간
(다) 파프리카, 버섯, 자몽   (라) 배추, 도라지, 건포도
(마) 멸치, 생선, 식빵

205. 저색소성 빈혈에 어떤 식품을 권장하면 좋겠는가?

(가) 간, 대추, 굴   (나) 사과, 감, 밤
(다) 감자, 고구마, 닭고기   (라) 오이, 배추, 시금치
(마) 쇠고기, 미나리, 양파

9. 비뇨기계통 질환

206. 신장환자의 요중 배설로 부종을 일으키는 것은?

(가) gliadin   (나) albumin   (다) casein
(라) globulin   (마) hordein

206. 혈청단백질인 albumin이 요로 배설되어 저단백혈증으로 인한 부종이 발생한다.

207. 신장질환에 대용소금(KCl)을 사용하지 않는 이유로 옳은 것은?

(가) 지방 대사와 관련이 있다.
(나) 당질 대사와 관련이 있다.
(다) 비타민 대사와 관련이 있다.
(라) 무기질 대사와 관련이 있다.
(마) 단백질 대사와 관련이 있다.

207. 결뇨가 계속해서 일어나면 요중에 칼륨이 상승하는데, KCl에는 칼륨이 많으므로 사용하지 않는다.

정답 203. (가)   204. (나)   205. (가)   9. 비뇨기계통 질환   206. (나)   207. (라)

208. 다음 중 신장병의 일반증상으로 거리가 먼 것은?
　㈎ 부종　　㈏ 빈혈　　㈐ 고혈압
　㈑ 단백뇨　㈒ 혈뇨

208. 신기능 장애가 생기면 신사구체 여과량 감소, 사구체를 통과하지 못하는 물질의 통과, 사구체 통과혈류량 감소, 부종, 단백뇨, 혈뇨와 고혈압 등의 증상이 나타난다.

209. 신장병의 Na 대사에 대하여 옳은 것은?
　㈎ 급성신염에 의하여 Na의 배설량이 많으면 부종이 생긴다.
　㈏ 경사구체신염은 Na의 배설과 함께 소변의 배설량이 많다.
　㈐ 만성신염으로 부종이 없으면 Na의 보유능력이 낮아진다.
　㈑ 만성신염으로 부종이 없으면 Na의 보유능력이 높아진다.
　㈒ 만성신염으로 부종이 있으면 Na의 보유능력이 낮아진다.

210. 신장질환에 이뇨제를 사용하는 경우, 가장 주의하여 관찰해야 하는 영양소는?
　㈎ 당질　　㈏ 지질　　㈐ 단백질
　㈑ 무기질　㈒ 비타민

211. 신염(nephritis)의 식사요법으로 옳은 것은?
　㈎ 고당질과 고지방식
　㈏ 고단백식
　㈐ 부종이 없는 경우, 수분의 다량 공급
　㈑ 부종 유무에 관계없이 소금 제한
　㈒ 부종이 있는 경우, 수분과 Na 제한

211. 신염의 급성기에는 단백질 제한, 회복기에는 정상적인 단백질 필요량을 공급한다.
부종이 있을 때에는 수분과 Na을 제한하고 자극성이 있는 식품을 피한다.

212. 신장병 환자의 식사요법으로 옳은 것은?
　㈎ 중증에는 모든 향신료를 금한다.
　㈏ 간에는 비단백성 질소화합물이 있으므로 신장병에 좋은 식품이다.
　㈐ 두부, 우유, 달걀, 젓갈류 등을 준다.
　㈑ Na을 제한하고 수분도 제한한다.
　㈒ 당질과 비타민을 제한한다.

정답 208. ㈏　209. ㈐　210. ㈑　211. ㈒　212. ㈎

213. 신장질환 환자의 식사요법에서 단백질 사용에 대하여 옳지 않은 것은?

㈎ 에너지를 충분히 주면서 단백질 효율을 높인다.
㈏ 극단적인 고단백질식은 신장기능 장해의 원인이 될 수 있다.
㈐ 식염을 제한할 경우에는 고단백질식을 취하기 어렵다.
㈑ 엄격한 저단백질 식사를 하여야 한다.
㈒ 단백질 제한이 엄격할수록 양질의 단백질을 공급하여야 한다.

214. 다음은 신장질환을 앓고 있는 중년 남성 환자의 검사 결과이다. 부종, 고혈압, 빈혈 등의 증세를 나타내고 있는 이 환자에게 알맞은 식사요법을 〈보기〉에서 고른 것은? 〈영양교사, 2011년 기출문제〉

- 사구체 여과율(GFR)   14mL/분
- 크레아티닌 제거율   30mL/분
- 전일 소변배설량   500mL
- 혈압   180/105mmHg

검사 항목	결과치	정상수치	검사 항목	결과치	정상수치
헤모글로빈(g/dL)	11.2	13~17	나트륨(mEq/L)	149	135~145
포도당(mg/dL)	103	70~115	염소(mEq/L)	110	98~106
혈액요소질소(mg/dL)	47	4.0~30.0	칼륨(mEq/L)	6	3.5~5.0
요산(mg/dL)	9	3.4~8.5	칼슘(mg/dL)	7.8	8.5~10.5
크레아티닌(mg/dL)	5	0.8~1.4	인(mg/dL)	6.5	2.5~4.5

(제시된 정상수치는 판정 기준에 따라 차이가 있을 수 있음)

〈보기〉
① 단백질 섭취량을 하루 0.6~0.8g/체중kg으로 제한한다.
② 바나나, 오렌지 주스, 시금치 등의 식품을 제공한다.
③ 꿀, 사탕, 푸딩, 잼과 같은 식품으로 열량을 보충한다.
④ 우유와 유제품, 탄산음료, 잡곡류 등의 식품을 제한한다.
⑤ 나트륨 섭취량을 줄이기 위해 저염소금(염화칼륨)을 사용한다.

㈎ ①, ②, ③   ㈏ ①, ③, ④   ㈐ ①, ④, ⑤
㈑ ②, ③, ⑤   ㈒ ②, ④, ⑤

214. 검사결과를 살펴보면 혈액요소질소, 요산, 크레아티닌, 나트륨, 칼륨, 인은 정상수치에 비해 높다. 그리고 헤모글로빈, 칼슘은 정상수치에 비해 낮다. 또, 사구체 여과율은 정상수치 100~125 mL에 비해 낮고 크레아틴 제거율도 낮다. 전일 소변배설량은 500mL로 핍뇨이며 혈압 또한 높다.
그러므로 하루 단백질 섭취량을 제한하고, 열량을 보충하며, 고지혈증 때문에 우유와 유제품, 탄산음료, 잡곡류 등의 식품도 제한해야 한다.

정답 213. ㈑ 214. ㈏

215. 신장병의 식사요법에서 열량의 공급원으로 옳은 것은?

(가) 당질과 지방질   (나) 당질
(다) 지방질   (라) 단백질
(마) 당질, 지방질과 단백질

216. nephrosis 의 식사요법의 주요 목적은?

(가) 충분한 수분의 보충
(나) 충분한 열량의 보급
(다) 혈장 콜레스테롤의 저하
(라) 알부민 보완
(마) 충분한 지질의 보급

> **216.** nephrosis 는 신장의 세뇨관에서 장해를 일으키며, 수분과 염분의 배설이 좋지 못하고, 알부민이 다량 오줌으로 배설된다.

217. 다음 중 신부전에 있어 혈중 무기질 변화에 대한 설명으로 옳은 것은?

(가) Na 증가   (나) Ca 증가   (다) K 감소
(라) K 증가   (마) Ca 감소

218. 단백뇨가 심하고 nephrosis 가 있을 때의 식사요법은?

(가) 고열량 공급   (나) 저단백질 공급
(다) 고단백질 공급   (라) 고지방 공급
(마) 저지방 공급

> **218.** 고단백, 저염식으로 하루 150g 이상의 단백질을 섭취하여야 한다.

219. 네프로시스의 식사요법으로 옳은 것은?

(가) 수분 섭취량을 엄격히 제한하여 부종을 막는다.
(나) 당질을 엄격히 제한하여 신장에 부담을 주지 않도록 한다.
(다) 단백질을 초기에 엄격히 제한한다.
(라) 지방질을 충분히 공급한다.
(마) 소금은 초기에 엄격히 제한하고 Na 식사를 1~2 일간 행한다.

> **219.** 고단백식, 저염식, 중등지방으로 식사를 한다.

220. 네프로시스의 증세 중 옳지 않은 것은?

(가) 부종   (나) 혈뇨
(다) 혈청 지질의 증가   (라) albuminuria
(마) hypoproteinemia

정답 215. (가)   216. (라)   217. (라)   218. (다)   219. (마)   220. (나)

221. 네프로제에 관한 설명 중 틀린 것은?

> ① 네프로제는 사구체와 세뇨관의 퇴행성 변화이다.
> ② 다량의 고단백 식이는 신장을 손상시키고 단백질 배설을 촉진하므로 단백질은 최대한 제한한다.
> ③ 포화지방산과 콜레스테롤을 조절하되, 충분한 열량을 공급한다.
> ④ 부종 시 나트륨과 수분을 제한해야 한다.

(가) ①, ② (나) ①, ④ (다) ②, ③
(라) ②, ④ (마) ③, ④

222. 칼슘 수산염 결석환자에게 이로운 식품들은?

> ① 배추   ② 도라지   ③ 아스파라거스   ④ 시금치

(가) ①, ② (나) ②, ③ (다) ③, ④ (라) ④ (마) ①, ③, ④

223. 다음 중 급성 신부전 발생초기 환자에 필요한 영양공급 방법으로 옳은 것은?

(가) 경구영양법을 이용한다.
(나) 경장영양법을 이용한다.
(다) 표준 아미노산 용액을 주사한다.
(라) 투석을 한다.
(마) 칼륨 제한 식이를 제공한다.

224. 다음 중 수산결석 환자에게 줄 수 있는 것은?

> ① 초콜릿   ② 코코아   ③ 시금치
> ④ 근대   ⑤ 아스파라거스   ⑥ 커피
> ⑦ 자두   ⑧ 배추   ⑨ 무
> ⑩ 딸기

(가) ①, ②, ③ (나) ④, ⑤, ⑧ (다) ⑥, ⑦, ⑧
(라) ⑧, ⑨, ⑩ (마) ⑤, ⑦, ⑧

244. 수산함량이 높은 식품(아스파라거스, 시금치, 코코아, 초콜릿, 커피, 무화과)과 칼슘급원 식품을 제한하거나 금지한다.

정답 221. (다) 222. (가) 223. (다) 224. (라)

225. 다량의 수분섭취를 필요로 하는 비뇨기 질환은?
  (가) 급성신염 (나) 네프로시스
  (다) 사구체신염 (라) 요독증
  (마) 신결석증

226. 정상적인 신사구체에서 여과되지 않는 물질은?
  (가) 요소 (나) 크레아틴 (다) 알부민
  (라) 칼슘 (마) 포도당

227. 급성 사구체신염에 관한 설명으로 옳은 것은?

> ① 소아, 특히 학동기에 이환율이 높다.
> ② 발병 초기에는 고혈압을 동반하는 경우가 많다.
> ③ 편도선염, 인후염, 감기 등을 앓고 난 후 1~3 주의 잠복기를 거쳐 발병된다.
> ④ 발병 당시에는 염분, 단백질을 제한한다.

  (가) ①, ②, ③ (나) ①, ③ (다) ②, ④
  (라) ④ (마) ①, ②, ③, ④

228. 급성 사구체신염에서 제한하는 영양소는?
  (가) 당질, 염분 (나) 당질, 수분 (다) 단백질, 염분
  (라) 지방, 단백질 (마) 무기질, 비타민

229. 급성 신염이나 간성혼수환자에게 저단백 식사요법을 하는 이유나 방법으로 타당성이 없는 것은?
  (가) 체내에서 단백질의 분해가 높아지기 때문에
  (나) 혈액 중 암모니아, 아민류의 증가로 혼수상태에 빠질 우려가 있으므로
  (다) 혈장단백을 적게 하고 부종의 원인이 되므로
  (라) 요로 비단백성 질소가 배설되기 어렵기 때문에
  (마) 우유, 콩 등 양질의 단백질을 공급하여 단백가를 높여 주므로

230. 급성 신장병의 식사요법으로 옳지 않은 것은?
  (가) 단백질제한 식사 (나) 식염제한 식사 (다) 열량제한 식사
  (라) 칼륨제한 식사 (마) 수분제한 식사

정답 225. (마) 226. (다) 227. (마) 228. (다) 229. (가) 230. (다)

231. 만성 사구체신염의 식사요법으로 맞는 것은?

> ① 충분한 비타민을 섭취한다.
> ② 말기에 식욕부진, 구토 등이 있을 때는 단백질 가수분해물을 사용한다.
> ③ 주된 열량원은 당질이며, 지방은 적당량 권한다.
> ④ 수분 섭취량은 제한없이 준다.

(가) ①, ②, ③   (나) ①, ③   (다) ②, ④
(라) ④   (마) ①, ②, ③, ④

232. 급성 신부전 환자에 대한 설명으로 옳은 것이 모두 조합된 것은?

> ① 초기에는 사구체 여과율 감소로 무뇨의 증상을 보인다.
> ② 핍뇨에서 H^+의 배설부전으로 산중독증이 나타난다.
> ③ K^+의 배설부족으로 혈중 농도가 상승하여 고칼륨혈증이 나타난다.
> ④ 혈중 요소나 크레아틴 등 질소노폐물의 축적으로 요독증이 나타난다.

(가) ①, ②, ③   (나) ①, ③   (다) ②, ④
(라) ④   (마) ①, ②, ③, ④

233. 네프로제의 대사적 특성에 대한 설명으로 옳은 것은?

> ① 단백뇨가 심하여 저단백혈증 (5g/dL 이하), 저알부민혈증 (1g/dL 이하)이 발생된다.
> ② 원인은 명확하지 않으나 저콜레스테롤혈증이 나타난다.
> ③ 혈장 내의 교질삼투압이 감소되어 부종이 나타난다.
> ④ 이뇨제의 연속적인 사용으로 칼륨 손실이 증가되어 저칼륨혈증을 유발한다.

(가) ①, ②,   (나) ①, ③   (다) ②, ④
(라) ④   (마) ①, ②, ③, ④

정답 231. (가)   232. (마)   233. (나)

234. 혈액투석을 실시하는 목적은?

(가) 신장결석의 치료
(나) 무기질의 평형유지
(다) 혈액 내 중성지방질의 감소
(라) 요독증의 방지
(마) 단백질의 배설감소

235. 복막투석 환자의 식사요법으로 틀린 것은?

(가) 수분은 제한하지 않는다.
(나) 인의 섭취를 제한할 필요가 없다.
(다) 칼륨의 섭취는 제한할 필요가 없다.
(라) 단백질의 섭취는 제한할 필요가 없다.
(마) 지방의 섭취는 제한할 필요가 없다.

236. 다음은 신결석증에 관한 설명이다. 옳은 것이 모두 조합된 것은?

① 칼슘을 함유한 결석이 90% 이상을 차지하며 그 중에서도 특히 수산칼슘결석이 대부분이다.
② 요산결석은 통풍의 발현과도 관계가 깊다.
③ 결석증의 재발 예방은 결석 조성을 불문하고 수분을 많이 먹는다.
④ 시스틴결석의 경우 퓨린(purine)을 제한한다.

(가) ①, ②,   (나) ①, ③   (다) ②, ④
(라) ④   (마) ①, ②, ③, ④

237. 저칼륨식사를 위한 적절한 방법은?

(가) 채소는 썰어서 물에 담갔다가 씻어 삶아서 조리한다.
(나) 곡류는 정제되지 않은 현미 등을 선택한다.
(다) 육류, 우유, 채소류, 과일류 등을 선택한다.
(라) 유제품으로는 치즈와 연유가 좋다.
(마) 하루 90 mEq 정도의 칼륨을 공급한다.

정답 234. (라) 235. (나) 236. (가) 237. (가)

238. 요독증에 대한 설명으로 옳은 것은?

① 급성, 만성 사구체 신염 시에도 핍뇨가 계속되면 요독증이 발생한다.
② 신장기능이 정상의 1/5~1/10 이하로 떨어진다.
③ 혈중 요소의 농도가 60 mg/dL 이상이 된다.
④ 네프론의 55%까지 손상되었다.

(가) ①, ②, ③   (나) ①, ③   (다) ②, ④
(라) ④   (마) ①, ②, ③, ④

239. 요독증 환자의 혈장에 축적되는 것은?
(가) Na   (나) Ca   (다) K
(라) 요소   (마) 인산

240. K 성분이 적은 식품은?
(가) 코코아   (나) 커피   (다) 소시지
(라) 케일   (마) 백미

241. 요독증 환자에게 저단백질 식사를 권장하는 이유는?
(가) 요독증 환자의 단백질 필요량은 정상인보다 적으므로
(나) 대부분의 요독증 환자는 간장에도 질환이 있어 단백질대사에 지장이 있으므로
(다) 단백질을 많이 섭취하면 다른 합병증을 유발하기 쉬우므로
(라) 단백질을 많이 섭취하면 요소의 합성이 많아지고 이것이 신장에 부담을 주게 되므로
(마) 단백질을 많이 섭취하면 암모니아 중독에 걸리기 쉬우므로

242. 수산결석에 줄 수 있는 식품의 조합은?

① 초콜릿, 커피   ② 닭고기, 해바라기씨
③ 근대, 코코아   ④ 무, 땅콩

(가) ①, ②, ③   (나) ①, ③   (다) ②, ④
(라) ④   (마) ①, ②, ③, ④

정답 238. (가)   239. (라)   240. (마)   241. (라)   242. (다)

243. 신장질환의 일반적인 증상은?

① 부종　　　　　② 단백뇨
③ 고혈압　　　　④ 질소혈증

(가) ①, ②, ③　　(나) ①, ③　　(다) ②, ④
(라) ④　　　　　(마) ①, ②, ③, ④

244. 요산결석 시 제한해야 할 식품은?

(가) 우유　　(나) 토마토　　(다) 달걀
(라) 멸치　　(마) 고구마

245. 나트륨 엄중제한 식사에 사용할 수 있는 것은?

① 식초　　　　② 계핏가루
③ 설탕　　　　④ MSG

(가) ①, ②, ③　　(나) ①, ③　　(다) ②, ④
(라) ④　　　　　(마) ①, ②, ③, ④

10. 감염 및 호흡기 질환

246. 열병의 식사요법으로 적절한 것은?

① 신장에 부담을 주는 고단백질 식단은 피한다.
② 열병 환자는 열량 요구량이 늘어나므로 고열량식을 제공한다.
③ 고열량식을 제공하되 농축된 형태로 제공하는 식품은 피한다.
④ 수분의 손실이 크기 때문에 5,000cc 이상의 충분한 수분을 공급한다.

(가) ①, ②　　(나) ①, ④　　(다) ②, ③
(라) ②, ④　　(마) ③, ④

정답 243. (마) 244. (라) 245. (가) 10. 감염 및 호흡기 질환 246. (라)

247. 감염에 의한 발열 시의 대사에 대하여 옳은 것은?

(가) 발열에 의해 체온이 1℃ 상승할 때 기초대사는 약 23% 증가한다.
(나) 체내에 수분의 축적이 증가한다.
(다) 체내 glycogen의 저장량은 영향을 받지 않는다.
(라) 체단백질의 소모가 감소한다.
(마) NaCl과 K의 배설이 감소한다.

248. 장티푸스의 식사요법으로 적당하지 않은 것은?

(가) 고열량식을 준다.   (나) 저잔사식을 준다.
(다) 충분한 수분을 준다.   (라) 무자극식을 준다.
(마) 수분섭취를 제한한다.

249. 류머티스 열의 식사요법으로 옳지 않은 것은?

(가) 고열량 식사   (나) 열량제한 식사
(다) 단백질권장 식사   (라) Na 제한 식사
(마) 비타민 C 다량섭취

250. 결핵환자의 식사요법으로 옳지 않은 것은?

(가) 항생제(isominazid)를 사용할 때는 비타민 B_6를 충분히 공급한다.
(나) 고단백 식사를 하되, 1/3 이상은 동물성 식품으로 한다.
(다) 고비타민 식사를 한다.
(라) 충분한 우유를 공급한다.
(마) 무기질 중 Ca을 제한한다.

251. 다음은 무슨 병의 식사요법인가?

- 농축열량식품의 공급
- 충분한 염분의 공급
- 충분한 당질 공급
- 3,000~3,500 cc의 수분공급
- 하루에 100~150 g의 고단백질식 공급

(가) 비만증   (나) 네프로젠   (다) 열병
(라) 변비   (마) 신결석

247. 세균에 의한 감염에 의해 단백질 대사가 증가되어 체단백질의 소모가 커지며, 수분과 전해질의 손실이 증가하고, 저장 glycogen은 감소한다. 체온 1℃ 상승에 약 13%의 기초대사가 증가한다.

248. 장티푸스는 고열, 탈수 등으로 많은 체력이 소모되기 때문에 충분한 수분을 공급해야 한다.

250. 결핵은 만성 감염성 질환으로서 고단백, 고비타민(특히 비타민 C), 고무기질 식사가 중요하다. 칼슘은 tubeiculos mode의 석회화에 중요하므로 우유는 중요한 식품이다.

252. 열병일 때의 식사는 어떻게 하는가?
    (가) 일반 식사와 동일하다.
    (나) 칼로리가 높은 유동식을 준다.
    (다) 열이 내릴 때까지 절식시킨다.
    (라) 물을 제한한다.
    (마) 채소즙이 제일 적당하다.

253. 체온이 1℃ 오를 때 기초대사율은 얼마나 증가하는가?
    (가) 약 5%   (나) 약 8%   (다) 약 10%
    (라) 약 13%   (마) 약 15%

254. 발열시 대사작용의 변화에 대한 설명으로 옳은 것은?

> ① 단백질 대사속도가 증가된다.
> ② 배설물과 발한량의 증가에 의한 수분손실이 증가된다.
> ③ Na, K 의 배설이 증가한다.
> ④ 체내 글리코겐 저장량이 증가된다.

   (가) ①, ②, ③   (나) ①, ③   (다) ②, ④
   (라) ④   (마) ①, ②, ③, ④

255. 장티푸스 환자에게 적합한 식사요법은?

> ① 충분한 수분섭취   ② 고열량식
> ③ 고단백질   ④ 고섬유소식

   (가) ①, ②, ③   (나) ①, ③   (다) ②, ④
   (라) ④   (마) ①, ②, ③, ④

256. 류머티스열의 식사요법으로 틀린 것은?
    (가) 고열량 식사   (나) 열량제한 식사
    (다) 고단백 식사   (라) 고비타민 식사
    (마) 나트륨제한 식사

정답 252. (나) 253. (라) 254. (가) 255. (가) 256. (나)

257. 폐결핵의 식사요법으로 적절한 것은?

> ① 비타민 C의 함량을 증가시켜 준다.
> ② 단백질은 정상치보다 약간 높게 공급한다.
> ③ 항생제인 isoniazid를 사용할 경우 비타민 B_6를 증가시켜야 한다.
> ④ 고열인 경우에는 저열량을 시행한다.

(가) ①, ②, ③ (나) ①, ③
(다) ②, ④ (라) ④
(마) ①, ②, ③, ④

258. 다음 중 고열량과 충분한 단백질 공급이 필요한 질병은?

(가) 신장염 (나) 동맥경화증
(다) 폐결핵 (라) 류머티스열
(마) 당뇨병

259. 폐결핵 환자의 식이조절로 적절하지 못한 것은?

> ① 폐결핵은 소모성 질환이므로 고단백, 고지방, 고에너지로 충분한 영양을 공급한다.
> ② 저항력을 키우기 위해 비타민 C를 더 공급한다.
> ③ isoniazid를 항결핵제로 사용할 경우 비타민 B_6을 보충해야 한다.
> ④ 열이 심한 경우 저열량식을 조금씩 제공한다.

(가) ①, ② (나) ①, ④ (다) ②, ③
(라) ②, ④ (마) ③, ④

260. 폐결핵 환자에게 어느 식품을 권장하면 좋겠는가?

(가) 감자, 옥수수, 고구마
(나) 사과, 밤, 대추
(다) 우유, 오이선, 감
(라) 생선, 콩나물, 파
(마) 불고기, 두부, 우유

정답 257. (가) 258. (다) 259. (나) 260. (마)

식사요법 핵심문제 해설

261. 발열이 심한 질병의 식사요법으로 적당한 것은?

① 2~3L 의 수분을 공급하는 것이 좋다.
② 소금은 충분히 공급하는 것이 좋다.
③ 지방은 30 g 정도로 식물성 지방을 많이 공급하는 것이 좋다.
④ 열량은 3,500~5,000 kcal 정도로 공급하는 것이 좋다.

㈎ ①, ②, ③   ㈏ ①, ③
㈐ ②, ④   ㈑ ④
㈒ ①, ②, ③, ④

262. 다음 각 영양소의 결핍을 판정하기 위한 생화학적 검사법이 옳게 연결된 것은? 〈영양교사, 2011년 기출문제〉

㈎ 칼슘 결핍 – 혈청 칼슘 측정
㈏ 비타민 D 결핍 – 혈청 1,25 (OH)$_2$D$_3$ 측정
㈐ 철분 초기 결핍 – 혈액 헤모글로빈 (hemoglobin) 측정
㈑ 단백질 초기 결핍 – 혈청 프리알부민 (prealbumin) 측정
㈒ 비타민 B$_{12}$ 결핍 – 적혈구 트랜스케톨라아제 (transketolase) 활성 측정

262. 비타민 D 결핍은 혈청 25-(OH)-D$_3$의 농도측정이고, 혈액 헤모글로빈 측정은 철분결핍이 진행된 후 빈혈이 왔을 경우의 측정지표이며, 단백질 영양평가에는 단백질 효율, 생물가, 아미노산가 등이 있다. 그리고 비타민 B$_{12}$ 결핍은 혈청 비타민 B$_{12}$ 농도의 측정이 적합하다.

263. 35세 여교사의 평상시 1일 영양소 섭취량이다. 2010년에 개정된 한국인 영양섭취기준에 따라 평가한 것으로 옳은 것은? 〈영양교사, 2012년 기출문제〉

에너지	비타민 C	나트륨	식이섬유	칼슘	철
2,000kcal	1,600 mg	4.9g	25g	2,700ng	11 mg

㈎ 비타민 C : 상한섭취량을 넘으므로 섭취를 줄여야 한다.
㈏ 나트륨 : 목표섭취량에 가까우므로 현재 섭취수준을 유지한다.
㈐ 식이섬유 : 충분섭취량에 못 미치므로 더 섭취하는 것을 권장한다.
㈑ 칼슘 : 상한섭취량을 넘지 않으므로 현재의 섭취수준을 유지한다.
㈒ 철 : 평균필요량보다 높지만 권장섭취량에 못 미치므로 더 섭취할 것을 권장한다.

263. 30~49세 여성의 영양섭취기준량은 에너지 1,900 kcal, 식이섬유 충분섭취량 20g, 나트륨은 1.5 (충분), 2.0g (목표섭취량), 비타민 C 의 필요·권장·상한섭취량은 각각 75, 100, 2,000mg이며 철은 각각 10.5, 14, 45mg이다.

정답 261. ㈐ 262. ㈎ 263. ㈒

264. 단백질 섭취량이 55g이고, 요, 변 및 기타 질소 배설량의 합이 10g일 때 나타나는 질소 균형(nitrogen balance) 상태로 옳은 것을 〈보기〉에서 고른 것은? 〈영양교사, 2012년 기출문제〉

〈보기〉
① 성장 중
② 감염상태
③ 질병으로부터 회복 중
④ 발열이나 화상이 있음
⑤ 오랫동안 병상에 누워 있음
⑥ 인슐린 및 성장호르몬 분비가 증가하는 상황

(가) ①, ③, ④　　(나) ①, ③, ⑥　　(다) ②, ③, ⑤
(라) ②, ④, ⑤　　(마) ②, ⑤, ⑥

264. 일반적으로 완전히 성장한 동물은 단백질 섭취량과 배설량이 거의 같다. (균형)
• 부의 출납(−): 배설량 > 섭취량. 절식, 외상, 골절, 발열, 화상, 수술, 단백질 섭취부족 등으로 체단백질이 분해된 상태.
• 정의 출납(+): 배설량 < 섭취량. 성장기, 임신기, 수술 후 회복기 등 체단백질이 축적된 상태(인슐린, 성장호르몬, 테스토스테론 분비 시)

■■■■ 11. 선천성 대사장애

265. 갈락토오스 혈증(galactosemia)에 줄 수 있는 것은?
(가) 우유　　(나) 카제인　　(다) 젖산
(라) 탈지유　　(마) 유장

265. 우유, 탈지유, 카제인, 유장, 유장제품 등을 제한한다. 카제인 가수분해물, 젖산, lactoalbumine은 젖당이 들어 있지 않기 때문에 식사가 가능하다.

266. 다음 중 페닐케톤뇨증(phenylketonuria)과 관계되는 것은?
(가) cystine 분해의 장애
(나) tyrosine 합성의 장애
(다) methionine 합성의 장애
(라) lactose 합성
(마) glycogen 합성 장애

267. 다음 중 대사성 질환으로 거리가 먼 것은?
(가) 통풍　　(나) 요붕증
(다) 갈락토세미아　　(라) 페닐케톤뇨증
(마) 티로신혈증

정답 264. (라)　11. 선천성 대사장애　265. (다)　266. (나)　267. (나)

268. 페닐케톤뇨증(PKU)에 대해 바르게 설명한 것은?

① 멜라닌 색소 저하로 피부, 머리색, 안구의 빛깔이 퇴색된다.
② 단백질이 적거나 거의 없는 식품으로 식단을 구성한다.
③ 류신, 이소류신, 발린의 대사장애이다.
④ 페닐알라닌 히드록실라아제의 결핍이 원인이므로 고페닐알라닌식을 권장한다.

㈎ ①, ② ㈏ ①, ④ ㈐ ②, ③
㈑ ②, ④ ㈒ ③, ④

269. 과당 불내증(fructose intolerance)에 줄 수 있는 당은?

㈎ honey ㈏ levulose ㈐ sorbitol
㈑ lactose ㈒ sucrose

270. 통풍(gout)에 대하여 옳지 않은 것은?

㈎ 체내 요산의 증가 ㈏ purine 대사의 장해
㈐ 심부전 ㈑ 관절통
㈒ 연조직에 요산나트륨의 침착

270. 통풍은 핵산을 구성하는 주요한 물질의 하나인 퓨린의 대사 이상으로 고뇨산혈증에 의한 것이다. 요산분해작용의 감퇴, 요산배설기능의 감퇴, 요산생성의 증가에 의한다.

271. 통풍의 요산대사에 대하여 옳은 것은?

㈎ 식품의 purine 체와 요산대사는 무관하다.
㈏ 혈중 요산은 외인성과 내인성에 의한다.
㈐ 통풍은 선천성 질환의 하나이다.
㈑ purine 체가 낮은 식품을 섭취하면 혈중 요산치는 감소한다.
㈒ 고단백질 식사를 해도 혈중 요산치는 영향을 받지 않는다.

272. 통풍의 식사요법으로 옳은 것은?

㈎ 고칼로리 식사
㈏ 식염과 수분의 증가
㈐ Na과 K은 요산의 침전을 촉진하므로 식염을 제한
㈑ 고 purine 식품의 공급
㈒ 고지방, 저단백 식사

정답 268. ㈎ 269. ㈑ 270. ㈐ 271. ㈏ 272. ㈐

273. 우리나라 사람들에게 많이 나타나는 통풍의 원인으로 거리가 먼 것은?

  (가) 요산생성 감소
  (나) 육류 과다섭취
  (다) 폭음
  (라) 비만
  (마) 과식

274. 통풍 환자의 식이요법으로 적절하지 않은 것은?

> ① 퓨린 함량이 적더라도 치즈, 우유, 달걀 등을 매일 급식해서는 안 된다.
> ② 고당질, 저지방의 식단과 함께 다량의 수분을 섭취한다.
> ③ 곡류나 채소를 포함한 식단을 구성한다.
> ④ 알칼리성 음료인 우유나 오렌지 주스 등의 섭취를 제한한다.

  (가) ①, ②   (나) ①, ④   (다) ②, ③
  (라) ②, ④   (마) ③, ④

275. 통풍 환자에게 줄 수 있는 식품은?

  (가) 우유, 달걀, 오렌지주스
  (나) 쇠고기, 치즈, 달걀
  (다) 쇠간, 꽁치, 시금치
  (라) 닭고기, 멸치, 홍차
  (마) 아이스크림, 곱창, 버섯

275. 통풍환자의 혈액에는 purine의 최종대사산물인 요산 수치가 높으므로 퓨린체가 낮은 식품을 공급하여야 한다. 어란, 정어리, 멸치, 고기국물 등은 제한하고, 우유, 치즈, 달걀, 채소 등을 충분히 섭취하도록 한다. 또 술은 금하여야 한다.

276. 페닐케톤뇨증(PKU)에 대한 설명으로 옳은 것은?

> ① phenylalaine hydroxylase 효소의 부족으로 발생
> ② 멜라닌 색소형성 저하로 머리카락이 적색으로 변화
> ③ tyrosine의 합성감소로 성장저하
> ④ 혈당 및 혈압상승

  (가) ①, ②, ③   (나) ①, ③   (다) ②, ④
  (라) ④   (마) ①, ②, ③, ④

정답 273. (가) 274. (나) 275. (가) 276. (가)

277. PKU 환자의 식사요법으로 적당한 것은?

① 성장기에는 고단백식을 한다.
② 뇌발육이 왕성한 영유아기는 엄격히 phenylalanine 을 제한한다.
③ phenylalanine 은 캔디, 잼, 당밀 등에 다량 함유되어 있다.
④ 저 phenylalanine 식사를 한다.

(가) ①, ②, ③   (나) ①, ③   (다) ②, ④
(라) ④   (마) ①, ②, ③, ④

12. 당뇨병

278. 당뇨병의 증상에 해당되지 않는 것은?

(가) 전해질 불균형
(나) 산중독 (acidosis)
(다) 알칼리 혈증 (alkalosis)
(라) 계속적인 갈증 (polydipsia)
(마) 무기력증

279. 당뇨병 환자의 식사요법으로 적당하지 않은 것은?

(가) 전체 열량에 대한 당질, 지방, 단백질의 비율은 매일 거의 같도록 한다.
(나) 당질의 양을 엄격히 제한한다.
(다) 무기질과 비타민은 정상인과 같은 수준으로 공급한다.
(라) 적당한 체중유지를 위하여 열량을 정상인과 같게 또는 약간 적게 공급한다.
(마) 지방 식품은 체중과다가 아니면 적절히 공급한다.

279. 당뇨병의 식사요법은 이상적인 체중유지를 위하여 열량, 지방, 단백질, 비타민, 무기질을 정상인과 같은 수준으로 공급하고, 당질은 총 열량의 60%를 기준으로 한다.

정답 277. (다) 12. 당뇨병 278. (다) 279. (나)

280. 당뇨 환자에게 적절한 식이요법은?

① 복합당질은 포도당으로 분해되는 속도가 느려 혈당을 서서히 높이므로 단당류나 이당류보다 복합당질로 섭취하는 것이 좋다.
② 열량을 정상인 섭취기준의 50~60% 정도로 제한하여 공급한다.
③ 성인 당뇨병 환자의 경우 단백질 결핍이 초래될 수 있으므로 양질의 동물성 단백질을 총 단백질 필요량만큼 준다.
④ 당질 섭취가 100g 이하로 너무 적으면 케토시스를 유발할 수 있으므로 주의한다.

(가) ①, ② (나) ①, ④ (다) ②, ③
(라) ②, ④ (마) ③, ④

281. 당뇨병 환자의 당질대사에 대한 다음의 설명 중 옳지 않은 것은?

(가) 포도당 내성이 감소한다.
(나) 간에서 혈액으로의 포도당 방출이 감소한다.
(다) 말초조직에 포도당의 이동이 낮아진다.
(라) 혈중 pyruvate 와 lactate 가 상승한다.
(마) TCA 회로가 장애를 받아서 에너지 생성이 낮아진다.

282. 당뇨병 환자의 지방대사에 대한 다음의 설명 중 옳지 않은 것은?

(가) 지방대사의 이상으로 고지혈증을 일으킬 수 있다.
(나) 지방의 산화가 촉진되어 ketosis 를 일으킨다.
(다) 다량의 ketone 체가 생성되어 대부분 열량원으로 이용된다.
(라) 지방의 분해가 촉진된다.
(마) 입김에서 아세톤체 냄새가 난다.

정답 280. (나) 281. (나) 282. (다)

283. 다음 사례에서 남자 중학생 근석이가 받은 식사관리 교육내용으로 옳은 것만을 〈보기〉에서 있는 대로 고른 것은?

〈영양교사, 2012년 기출문제〉

> 3년 전 제1형 당뇨병으로 진단받은 근석이는 현재 신장 170cm, 체중 65kg이다. 일주일 전 친구들과 축구를 하다가 정신을 잃었으며 이때 혈당은 40mg/dL이었다. 응급 처치 후 운동, 약물 치료 및 식사 관리 교육을 받았다.

〈보기〉
① 혈당은 식사요법과 함께 경구 혈당강하제로 관리해야 한다.
② 운동 전 측정한 혈당의 수치가 300mg/dL가 넘으면 운동을 삼가야 한다.
③ 운동 전 혈당이 80mg/dL 이하인 경우에는 빵, 과일 등의 간식 섭취가 필요하다.
④ 수면 중 저혈당을 예방하기 위해서는 취침 전에 오렌지주스, 사탕, 꿀물 등을 먹도록 한다.

(가) ①, ② (나) ①, ④ (다) ②, ③
(라) ①, ②, ④ (마) ②, ③, ④

283. 경구혈당강하제 : 당뇨병으로 인한 혈당을 내리기 위해 먹는 약이다. 당뇨병 환자들이 식이요법과 운동요법을 시행한 뒤에도 혈당수치가 떨어지지 않는 경우에 보조요법으로 사용한다.
　그리고 수면 중 저혈당을 예방하기 위해서는 흡수 속도가 느린 단백질이 포함된 우유, 샌드위치 등의 야식을 섭취한다.

284. 다음 A의 상태를 통해 알 수 있는 내용을 〈보기〉에서 모두 고른 것은?

〈영양교사, 2010년 기출문제〉

> A는 제 1형 당뇨병으로 진단받고 관리하고 있었으나 근래에 갈증, 식욕부진, 호흡곤란 증세를 보이다가 갑자기 혼수상태로 응급실에 실려 갔다. 소변검사에서 요당 양성반응이 나왔다.

〈보 기〉
① 단백질 합성이 촉진되며 아미노산으로부터 당합성이 억제된다.
② 식사량은 지켰으나 인슐린을 시간에 맞추어 주사하지 않아서 나타난다.
③ 지방조직의 지방 분해가 증가되어 혈액으로 유리지방산 방출이 많아진다.
④ 혈당 농도를 높이기 위해 흡수가 빠른 가당 오렌지주스와 같은 당질을 신속히 섭취시킨다.
⑤ 지방이 에너지로 이용되는 과정에서 불완전하게 연소되어 케톤체 (ketone body)가 과다하게 생성된다.

(가) ①, ② (나) ②, ④ (다) ②, ③, ⑤
(라) ③, ④, ⑤ (마) ①, ③, ④, ⑤

284. A는 제1형 당뇨병으로 진단받은 후에 근래에는 케톤성 혼수 증세를 보였다. 지방과 단백질의 이화과정이 일어남으로써 당신생합성이 이용된다. 그러므로 아미노산으로부터 당합성이 촉진된다.
　이러한 케톤성 혼수는 너무 많은 당분을 섭취하기 때문에 발생하는 것이다. 그러므로 오렌지 주스와 같은 당질 섭취는 해롭다.

정답　**283.** (다)　**284.** (다)

13. 수술과 알레르기

285. 화상 환자에게 필요한 식이요법으로 옳은 것은?

① 고단백, 고열량 식사를 충분히 공급한다.
② 수분과 전해질을 충분히 공급한다.
③ 칼륨과 나트륨 수치가 높아지지 않도록 억제한다.
④ 비타민 A는 콜라겐 합성과 관련이 있으므로 치료 시 요구량이 증가한다.

㈎ ①, ② ㈏ ①, ④ ㈐ ②, ③
㈑ ②, ④ ㈒ ③, ④

286. 알레르기를 일으키는 식품에 대한 사항 중 틀린 것은?

㈎ 알레르기는 식품과 관련성이 높다.
㈏ 메밀, 옥수수 등의 곡류도 항원이 된다.
㈐ 담수어에 비해 해수어는 항원이 되는 일이 적다.
㈑ 붉은살 생선은 항원이 되기 쉽다.
㈒ 날것으로 먹을 때보다 익히면 반응을 덜 일으킨다.

287. 식품으로 인한 알레르기 반응은 면역반응과 비면역반응으로 나눌 수 있는데, 다음 중 면역반응으로 인해 발생하는 알레르기는?

〈영양교사, 2011년 기출문제〉

㈎ 달걀 알레르기
㈏ 알코올 알레르기
㈐ 유당 불내성 우유 알레르기
㈑ 타트라진(tartrazine) 착색 단무지 알레르기
㈒ 고추, 겨자 등의 향신료 알레르기

287. 때때로 큰 폴리펩티드가 흡수되면 신체의 면역체계가 위험을 느껴서 반응을 나타낸다.
  이를 '알레르기 반응' 또는 '식품 알레르기'라고 한다. 식품 알레르기는 주로 달걀, 우유, 땅콩, 대두, 밀 단백질에 의해 발생한다. 또, 식품에 따라서는 면역 시스템을 거치지 않고 그 식품에 함유된 화학물질의 직접 작용에 의하거나 불내성 등에 의하여 발생하기도 한다.

정답 13. 수술과 알레르기 **285.** ㈎ **286.** ㈐ **287.** ㈎

식사요법 핵심문제 해설   145

288. 영양교사를 위한 식품 알레르기 교육 자료이다. 옳은 내용만을 있는 대로 고른 것은? 〈영양교사, 2012년 기출문제〉

> **식품 알레르기**
> ① 식품 알레르기란 식품이나 식품 첨가물을 섭취한 후 면역학적 기전에 의해 발생하는 부적절한 반응을 의미합니다.
> ② 식품 섭취 후 알레르기 증상이 급성으로 나타나는 경우 혈중 면역 글로불린 A(IgA) 수치가 증가하게 됩니다.
> ③ 식품 알레르기를 유발하는 주요 원인 식품으로는 달걀, 우유, 갑각류, 견과류, 메밀, 과일 등이 있습니다.
> ④ 식품 알레르기의 예방을 위해서는 인공 수유보다 모유 수유를 하고, 알레르기 가족력이 있는 경우 이유식의 시작 시기를 늦추는 것이 좋습니다.
> ⑤ 식품 알레르기 치료를 위해서는 원인 식품의 섭취를 일생동안 피해야 합니다.

(가) ①, ③ (나) ②, ⑤ (다) ①, ②, ④
(라) ①, ③, ④ (마) ②, ③, ⑤

288. ② IgE : 혈액이나 조직에 존재하며 식품 알레르기 반응에 관여

식품 알레르기 치료법
- 항원 제거법
- 음식에 이물질을 가하여 증상을 소멸시키는 방법

289. 다음과 같은 발달 특성이 나타나는 시기의 식생활 지침으로 적절한 것을 〈보기〉에서 모두 고른 것은? 〈영양교사, 2010년 기출문제〉

- 식생활이 점차 독립적으로 발달된다.
- 음식 탐닉(food jags)이 나타나기도 한다.
- 식품의 기호가 형성되며, 식습관이 점차 확립된다.
- 성장 발육은 왕성하나 성장 속도는 비교적 완만하다.
- 먹으면서 말하기를 좋아하고, 수저 놓기 등을 도울 수 있다.

〈보기〉
① 푹 삶아 잘 으깨어 부드럽고 걸쭉한 상태로 제공한다.
② 인절미, 경단과 같은 쫄깃한 질감의 음식은 기도를 막을 수 있으므로 주의한다.
③ 정상적인 성장, 발육을 위해 1일 에너지 필요량의 25% 정도를 간식으로 제공한다.
④ 씹기 쉽게 조리한 고기완자나 달걀, 뼈를 제거한 생선, 두부 등의 식품을 권장한다.

(가) ④ (나) ①, ③ (다) ②, ③
(라) ②, ④ (마) ②, ③, ④

289. 유아기는 사물의 수용 또는 거부 의사와 취사선택 능력이 뚜렷하게 형성되고 편식, 식욕부진, 음식을 취하는 태도의 일관성 결여, 식사에만 집중하지 않고 다른 일을 하면서 식사하는 행동 등이 나타나며 식사 체험을 통해 음식의 이해와 기호가 몸에 배는 시기이다.
 푹 삶아 부드럽고 걸쭉한 상태는 영아기(이유기 초기)의 음식제공형태이고, 유아기의 간식은 하루 중 열량의 10~15%를 제공하는 것이 좋다.

정답 **288.** (라) **289.** (라)

14. 암

290. 다음 중 암과 원인식품으로 옳은 것은?

> ① 위암 – 자극성 식품　② 폐암 – 흡연
> ③ 간암 – 알코올　　　 ④ 대장암 – 저섬유소식

(가) ①, ②, ③　　(나) ①, ③　　(다) ②, ④
(라) ④　　　　　(마) ①, ②, ③, ④

291. 지방의 과잉섭취에 의해 생길 수 있는 암끼리 묶은 것은?

(가) 식도암, 유암　　(나) 대장암, 폐암
(다) 식도암, 위암　　(라) 간암, 유암
(마) 대장암, 유암

정답　14. 암　**290.** (마)　**291.** (마)

영양교육

❷ 영양교육

영양교육은 정확한 영양실태조사에 따른 효과적인 교육방법 및 영양교육 방법에 따른 특성과 그 내용을 주로 다루는 학문입니다.

시대가 발전함에 따라 영양결핍보다는 과잉섭취에 따른 성인병과 비만 등에 비중을 두고 식생활과 생활환경 개선의 내용과 문제선택이 더욱 중요합니다.

영양사 국가고시 총 300문제 중 20문제 출제

영양교육

1. 영양교육의 개념

1. 영양교육이란?

(1) 영양교육의 정의

교육대상자들이 자기들의 의지로 행동하는 의욕을 갖고 바른 식생활을 실행할 수 있도록 뒷받침해 줌. 영양개선을 통한 건강증진을 하기 위한 수단

(2) 영양교육의 내용
① 식생활에 대한 올바른 이해와 인식에 관한 내용
② 영양부족 또는 영양과잉의 문제(식생활과 건강과의 관계)
③ 영양섭취에 대한 실태와 식품소비 유형의 변화
④ 일상 식생활의 결함(편식, 잘못된 식습관의 건강 피해)
⑤ 식품낭비와 손실의 방지
⑥ 식량의 생산과 배분에 대한 문제

2. 영양교육의 목적과 목표

(1) 영양교육의 목적
① 영양개선
② 건강 증진
③ 질병예방
④ 의료비용 절감
⑤ 체위향상과 국가경제안정 도모
⑥ 국민의 복지와 번영에 기여

(2) 영양교육의 목표
 ① K (지식의 이해) : 올바른 식생활을 위한 구체적 지식과 기술의 습득
 ② A (태도의 변용) : 잘못된 식생활을 개선하는 것에 흥미와 의욕을 일으키도록 하는 것
 ③ B (식행동 변화) : 실천을 통해 식생활을 적절하게 변화시키고 이것을 지속시켜서 습관화시키는 것

3. 영양지도자 및 영양교육 실시자의 업무
① 식품의 영양에 따른 합리적인 소비
② 영양 효과의 충분한 급식 실시
③ 급식 지도자의 영양에 관한 의식과 지식 향상
④ 식품의 영양효과를 위한 조리방법 개선에 필요한 지도 실시
⑤ 주민의 영양 상태 개선

4. 영양교육의 실시과정
(1) 실태파악 : 영양상태 파악
(2) 문제발견 : 문제점 발견
(3) 문제진단 : 정리·분석
(4) 대책수립 : 계획 수립의 방안
   경제성, 긴급성, 실현가능성 기준으로 수립
(5) 영양교육 실시 : 계획적·조직적·반복적 지도
(6) 효과판정
 ① 교육방법의 적부 파악을 위해 한 가지 방법 사용 후 반드시 효과판정해야 함
 ② 기록수집, 분류, 정리해서 통계 처리함
 ③ 효과를 얻지 못했을 경우 : 문제를 다시 진단해서 새로운 계획을 실시한 후 효과판정을 되풀이함

5. 영양교육의 곤란성
① 영양교육의 대상이 단일하고 획일적이 아니다.
② 식생활의 균형과 기호가 다르다.
③ 식습관이 보수적이어서 개선이 무척 힘들다.
④ 경제와 식생활이 직결되어 있다.
⑤ 영양교육에 대한 인식과 적극성이 적으므로 실행하는 데 곤란을 겪게 된다.
⑥ 식품과 영양의 결함으로 야기되는 해독이나 위험은, 단시간에 판단되고 인식되는 것이 아니다.

6. 영양교육의 효과

(1) 영양교육의 효과
① 육체적으로 발육증진, 건강향상, 체질개선, 치료의 촉진, 질병감소, 사망률 저하
② 식량정책으로서는 식량의 생산과 소비, 식품의 강화에 관여
③ 사회정책으로서는 노동임금을 안정시키며, 생계비의 합리화 및 능률의 증진
④ 정신적으로는 도덕심을 높임

(2) 영양교육 효과에 요구되는 기술
① 문제점이 무엇인지 정확한 실태의 파악이 요구된다.
② 지도대상을 정하고 실제적인 계획을 세운다.
③ 지도를 하여 실행하고자 하는 방법을 구체적으로 검토한다.
④ 여러 가지 방법을 조사한 후에 계획된 것을 작성하여 실시한 결과에 의해 효과가 있는지를 평가한다.

2. 영양교육의 역사적 배경 및 기초지식

1. 영양사의 역사

(1) 식 의(食醫)
고려시대와 조선에 오늘날 영양사의 임무를 담당했던 직책. 세조는 「의약론」에서 식의의 임무를 가르침

(2) 식품위생법에서의 영양사에 관한 규칙 제정 : 1963. 6. 12
한국영양사회 창립 : 1969

2. 영양섭취기준

1. 영양섭취기준 활용분야

(1) 일정한 지역 또는 국가의 식품수급정책 수립의 기초자료로 이용 – 국가 또는 지역 사회에 거주하는 인구 집단 및 개인의 식품영양정책수립 또는 식사 계획에 사용
(2) 일정지역에 거주하는 인구의 영양상태 판정의 자료로 활용
(3) 영양교육 지침서로 활용
(4) 식단작성, 식품개발 및 관리를 위해 활용

2. 한국인 영양섭취기준 (dietary reference intakes ; DRI)

한국인의 건강을 최적의 상태로 유지할 수 있는 영양소 섭취수준으로, 2005년 새로 개정된 한국인 영양섭취기준에서는 만성 질환이나 영양소의 과다섭취 예방을 위하여 다음의 네 가지 수준으로 섭취기준을 제시한다.

(1) 평균필요량 (estimated average requirements : EAR)

대상집단을 구성하는 건강한 사람들의 절반에 해당하는 사람들의 일일 필요량을 충족시키는 영양소량이다. 에너지의 경우 평균필요량 대신 건강하고 적정활동을 수행하며 정상체격을 지닌 사람이 에너지 평형을 유지하는 데 필요한 에너지 필요추정량만을 산정하였다.

(2) 권장섭취량 (recommended intakes : RI)

인구집단의 97.5%에 해당하는 대부분의 사람들의 필요량으로, 평균필요량에 표준편차의 2배를 더하여 정하였다. 만일 평균필요량에 대한 표준편차의 충분한 자료가 없을 시에는 변이계수를 적용하여 권장섭취량을 정하였다.

(3) 충분섭취량 (adequate intakes : AI)

영양소 필요량에 대한 정확한 자료가 부족하거나 필요량의 중앙값 또는 표준편차를 구하기 어려워 권장섭취량을 정할 수 없는 경우에 제시한다. 주로 역학조사에서 관찰된 건강한 사람들의 영양소 섭취수준을 기준으로 한다.

(4) 상한섭취량 (tolerable upper level : TUL)

인체건강에 유해한 현상이 나타나지 않을 것으로 추정되는 최대영양소 섭취수준이며, 과량섭취시 건강에 유해위험성이 있다고 확인된 경우에 설정하게 된다. 특히 비타민과 무기질은 질병예방과 건강유지를 목적으로 무분별하게 섭취할 가능성이 많아 위험성을 확인하는 용량-반응 관계검사 등을 통하여 상한섭취량을 결정하였다.

3. 영양교육의 방법

1. 영양교육의 이론

1. 합리적 행동 이론 (Theory of reasoned action)

(1) 사회적 행위나 건강과 관련된 행동 시 자신의 의지로 결정한다는 이론
(2) 합리적 행동이론의 구성요소
  ① 행동의도 : 어떤 특정한 행동에 대한 의도가 그 행동을 결정하는 직접적 요인
  ② 행동에 대한 태도 : 행동에 대한 긍정적인 태도를 갖거나 또는 부정적인 태도를 갖는 것
  ③ 행동결과에 대한 신념 : 행동을 수행할 때 나타나는 결과에 대한 신념

④ **행동결과에 대한 평가** : 행동을 수행할 때 나타나는 결과에 대한 평가
⑤ **주관적 규범** : 대부분의 사람이 자신의 행동을 인정할 것인가에 대한 신념
⑥ **규범적 신념** : 각각의 준거인이 자신의 행동을 인정할 것인가에 대한 신념
⑦ **순응동기** : 준거인의 의사를 따를 것인가에 대한 동기

2. 계획적 행동 이론

(1) 행동에 대한 태도와 주관적 규범 및 인지된 행동조절력
(2) 계획적 행동이론의 구성요소
  ① **통제신념** : 행동수행의 촉진요인이나 장애요인의 유무에 관련된 신념
  ② **인지된 영향력** : 행동을 촉진하거나 방해하는 요인의 영향력
  ③ **인지된 행동 통제력** : 행동을 통제할 수 있는가에 대한 인식

3. 건강신념 모델

(1) 행동변화에 대한 이론으로, 신념이나 태도가 행동이나 생활양식을 바꾸는 필수적인 동기부여를 해준다는 이론
(2) 인간의 건강 행동은 이성적 사고에 근거하여 이루어진다고 가정
(3) 건강신념모델의 주요 개념
  ① **인지된 민감성** : 질병에 걸릴 가능성에 대한 개인적인 인식으로 위험에 있는 인구집단과 위험수준의 판정, 성격이나 행동에 근거한 개인의 위험을 판정
  ② **인지된 심각성** : 질병으로 야기되는 여러 어려움에 대한 개인의 인식으로 질병의 결과를 상세하게 설명
  ③ **인지된 이득** : 가장 좋은 행동을 실천한 후 얻을 수 있는 이익에 대한 개인의 인식으로 기대되는 긍정적 효과를 제시
  ④ **인지된 장애** : 행동을 수행할 때 지불되는 물질적·심리적 비용에 대한 인식으로 교정, 보상, 재확인을 통해 장애를 확인하고 감소
  ⑤ **행동계기** : 행동을 수행하게 하는 전략으로 방법에 대한 정보의 제공, 인식의 촉진, 독려 편지를 이용
  ⑥ **자아효능감** : 행동수행에 관한 자신감을 나타내며 행동수행에 필요한 훈련과 지도, 언어적인 강화를 제공하며, 불안을 감소시키며, 점진적인 목표를 설정하며 바람직한 행동의 시범

4. 사회학습이론

(1) 한 개인의 행동은 개인과 환경사이의 끊임없는 상호작용에 의해서 결정되며 이루어짐
(2) 상호결정론이라고도 부르며 행동의 변화는 모든 요인들이 변화될 때 이루어지기 쉽다.
(3) 사회학습이론의 요소
  ① **관찰을 통한 학습** : 개인은 다른 사람의 행동, 성공 등을 보고 관찰함으로써 적절한 행동을 배울 수 있고 그에 관한 긍정적 강화는 행동을 지속할 수 있는 가능성 제고

② **자기효능감** : 특정행동을 성공적으로 할 수 있다는데 대한 개인의 신념을 말하며 주어진 일에 어느 정도의 노력을 기울일 것인지, 어떤 수준에 도달할 것인지를 결정
③ **자기조절** : 행동변화를 유도하기 위한 교육 프로그램에서 유용하게 이용될 수 있는 관찰학습, 목표설정, 기술습득, 자기관리기술 등과 같은 교육적 접근법을 나타냄

5. 사회인지이론

(1) 사회학습이론에서 발전된 이론으로 행동적 요인으로는 행동능력과 자기통제력, 환경적 요인으로는 환경, 관찰학습, 강화 등을 제시
(2) 사회인지이론의 중요개념
  ① **결과기대감** : 어떤 행동을 했을 때 나타나는 결과에 대한 신념을 나타내며 바람직한 행동의 긍정적인 모델을 제시
  ② **환 경** : 개인의 행동에 영향을 미칠 수 있는 공간 등의 물리적 환경과 가족, 친구와 같은 사회적 환경
  ③ **기 대** : 특정 행동을 했을 때 나타나는 결과에 대하여 개인이 부여하는 가치. 부정적인 결과가 나타나는 행동은 하지 않으려 하므로 영양교육의 실시 시에는 어떤 결과에 긍정적인 가치를 두는가를 분석 후 그 결과를 강조
  ④ **행동능력** : 어떤 행동의 수행을 위하여 필요한 지식과 기술은 훈련을 통해서 증진
  ⑤ **자기통제력** : 인간의 행동은 스스로의 기준과 평가에 의해 영향을 받기도 하는데 자기통제력을 높이기 위해서는 스스로의 행동을 모니터링하여 행동의 규범과 목표를 명확히 설정
  ⑥ **관찰학습** : 다른 사람의 행동을 관찰하고 그 역할모델의 행동을 모방함으로써 새로운 행동을 배우며 행동의 변화를 시도
  ⑦ **강화** : 바람직한 칭찬 혹은 긍정적인 보상이 따르면 그 행동이 점차 강화되므로 처음엔 외부적인 강화를 해주고 점차 수행에 대한 내부강화를 함

6. 행동변화단계

(1) 행동은 여러 단계에 걸쳐 일어나는데 각 단계별로 일직선상으로 진행되는 것이 아니며, 개인의 준비도에 따라 각 단계를 설정할 수 있고 단계별로 영양교육을 함.
(2) 행동변화의 단계
  ① **전고려단계** : 문제에 대한 인지가 부족하며 변화에 대해서 생각해보지 않은 단계 – 위험을 개별화하여 개인적으로 실감이 되도록 하며 대상자의 말을 잘 들어준다.
  ② **고려단계** : 행동을 변화하고자 하는 의향이 있지만 그 의지를 밝히지는 않은 상태 – 자신의 신뢰를 증진시켜주며 행동변화에 대해 동기부여를 해 준다.
  ③ **준비단계** : 빠른 시일 내에 행동을 변화를 하려는 단계이며 일부분의 행동을 시도해보는 단계 – 현실적인 목표를 세울 수 있도록 도와준다.
  ④ **실행단계** : 특별히 계획된 행동을 실천하며 많이 노력하고 있는 단계 – 대상자의 상황에 대해 공감하고 지원해주어야 하며 격려와 칭찬을 아낌없이 해주어야 한다.
  ⑤ **유지단계** : 장기간 행동을 수정하고 있으며 이러한 행동변화를 유지하며 퇴보하지 않으려고 노력하고 있는 단계

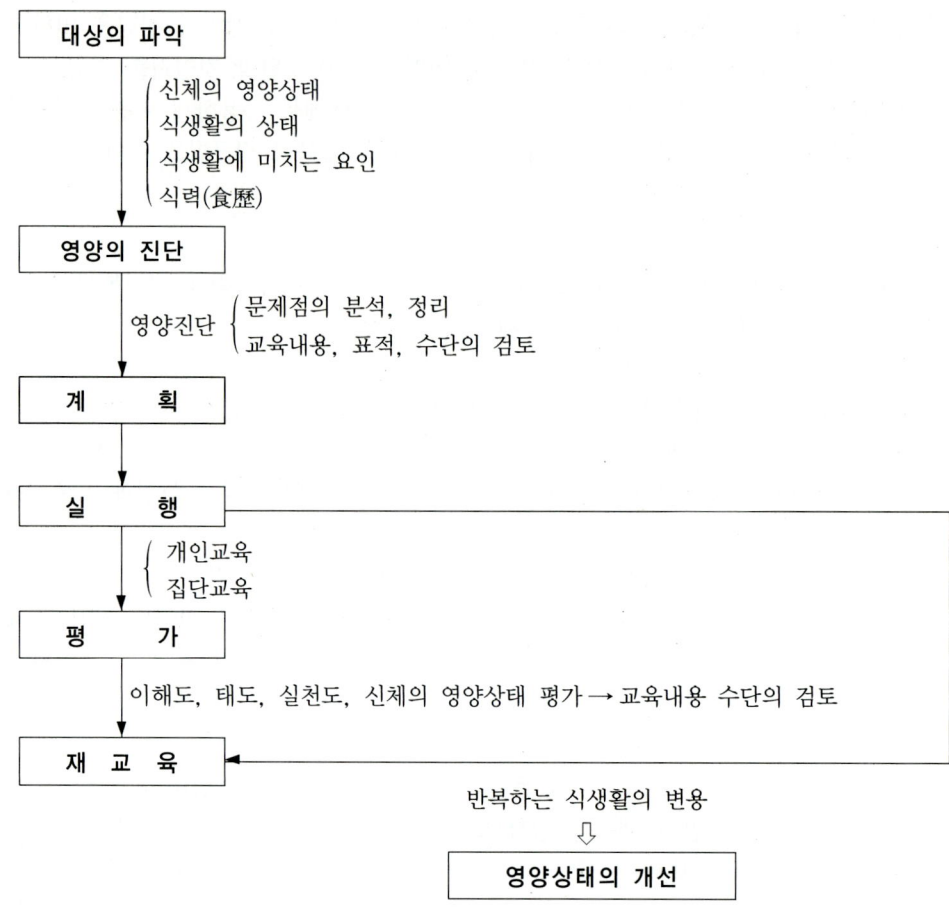

영양교육의 방법

2. 개인지도

1. 개별 지도방법의 특징

방 법	장 점	단 점	적용 및 유의점
가정방문	개별요구에 맞는 상담 가능 대상자 이해 도움 사회조사의 공정성이 크다	시간, 경비, 노력이 큼 대상자 부재 사전준비 필요 (기후대비, 휴대품)	사전통보(통반장) 사전계획
방문자 상담 (소 집)	가정방문보다 시간, 경비, 노력이 적게 들어 효과가 크다	대상자의 선택성 (적극성이 있는 사람)	사전소집
전화상담	편리하고 능률적이다	간단한 정보 교환만 가능 대상이 제한됨	사전 및 추후조사와 지도
서신지도	사전준비가 필요하고, 시간·경비가 든다	대상이 제한됨	

2. 개인지도를 할 때 면담자가 갖추어야 할 태도

(1) 성실한 태도를 갖고 안정감과 신뢰감을 주어야 한다.
(2) 인내력을 갖고 부드럽게 감정을 잘 수용해야 한다.
(3) 언제나 객관성이 있어야 한다.
(4) 상대방의 입장을 이해하고 공감대를 갖도록 노력해야 한다.
(5) 중립적 입장을 유지하면서 친절해야 한다.
(6) 상대방의 표정을 예리하게 파악하되, 충고나 지시는 삼간다.
(7) 결과를 잘 안 후에 잘못된 것을 고친다.

3. 집단지도

1. 집단지도의 전달방법

영양교육에 있어서 학습목표를 달성하기 위한 교육보조자료(Teaching aid or material)로서 인쇄물·칠판·TV·Slide·Video·실물·Chart·Poster·사진·모형·융판·라디오를 들 수 있는데, 이 교육보조매체를 알맞게 활용하면 교육에 실효를 거둘 수 있다.

2. 집단지도자가 유념할 점

(1) 한 사람에게 말을 독점시키지 않는다.
(2) 한 가지 주제가 끝나면 그 주제에 대한 결론을 분명히 맺고 난 후에 다음 주제로 넘어간다.
(3) 남의 의견을 무시하거나 비판을 하여 무안을 주지 않는다.
(4) 주제에서 이탈하지 않도록 말을 유도하며, 이탈할 때에는 빨리 시정하여 준다.
(5) 토의내용을 종합하여 이의가 없는지를 확인한다.

4. 영양교육의 실제

1. 원탁식 토의법 (좌담회, Round table discussion)

① 참가자 전원이 발언을 하며, 상석과 말석의 의식이 없이 공동문제를 해결하는 것
② 좌장에 의해 통제, 서기 1명이 기록
③ 좌장은 중간에 적당히 끊어서 작은 결론을 내리면서 진행시키고, 이때 slide를 사용하거나 정리해 나가면서 변화를 주도록 연구하되, 독단적인 결론이나 해설은 삼간다.

2. 배석식 토의법 (Panel discussion)

① 강사 간의 좌담식 토의를 재료로 하여 사회자·강사진·참가자가 실시하는 대중토의로, 참가자와 강사 간의 질의 토론을 실시하고 혹은 추가발표를 하는 형식
② Panel은 외부에서 초청하지 않고 청중 중에서 대표자를 정해서 할 수 있다.
③ 사회자 유도로 강사(Panel) 간에 20~30분 정도 토의, 사회자가 청중의 발언을 함에 따라 강사와 청중 사이에 10~15분 정도 다시 토의
④ 강사(Panel)들의 대화가 중심이 됨

3. 공론식 토의법 (Debate forum)

① 한 가지 주제에 대해 서로 의견이 다른 강사들(2 명 정도)이 먼저 자기 의견을 발표하고, 발표 후 청중이 질문하며 청중의 질문을 받은 후에 강사는 다시 간추려 토의한다.
② 각 발표자의 의견 제시는 충분히 들을 수 있으나, 일정한 결론을 내리기 어렵다.
③ 사회자는 필요에 따라 두 사람의 대립되는 논점을 명확히 한다.

4. 강의식 토의법 (Lecture forum)

강사가 1 명으로, 강연 후나 강연 사이사이에 그 주제를 중심으로 일반 청중도 함께 참가하여 추가 토론을 할 수 있다. 다수인에게 단시간에 일정한 양의 지식을 전달할 수 있다.

(1) 장 점
① 짧은 시간에 많은 양의 지식과 정보를 전달시킬 수 있다.
② 같은 시간에 많은 사람을 교육하여 경제적이다.
③ 준비가 쉬우며, 간편하고 편리하다.

(2) 단 점
① 일방적인 설명과 강의를 학습하게 되어, 목적을 달성하는 데 소극적이 될 수 있다.
② 개인차를 무시한 획일적인 학습방법이 될 수 있다.
③ 추상적으로 전달되어, 이해가 힘들고 종합적으로 효과를 파악할 수 없다.

5. 강단식 토의법 (Symposium)

① 공개토론의 한 방법으로서 한 가지 주제에 대해 여러 각도로 전문 경험이 많은 강사의 의견을 듣고 일반 청중과 질의 응답하는 방법
② 강사 간에는 토의를 하지 못하도록 되어 있다.
③ 사회자는 논제설명, 강사소개 및 참석자에게 진행방법을 설명한다.
   한 사람의 강사에게 질문이 집중되지 않도록 조절하며, 각 강사의 발언시간을 5~10 분 정도로 조절한다.

6. 6·6식 토의법 (Buzz session, Six-six method)

① 분분식 토의법으로 6 명이 한 그룹이 되어 1 명이 1 분씩, 6 분간 토의하여 종합하는 것
② 주로 2 가지 의견에 대해 찬·반에 대한 의견을 물을 때 많이 사용
③ 출석자 수가 너무 많아서 일부의 사람만이 의견을 말하고, 다른 대부분의 사람들이 발언의 기회를 얻기 힘들 때 사용하는 방법

7. 연구집회 (Work-shop)

① 집단회합의 한 형태로, 생활체험과 직업 등을 같이 하는 사람들이 모여서 스스로의 문제나 지역사회의 발전계획 및 실천방향에 대해 서로 연구하고, 권위 있는 강사의 의견을 듣고 토의하여 문제를 해결해 나가는 방법

② 교육된 내용과 교육보조자료에 대한 안을 각 참여자가 직접 제공하고, 같이 검토 및 수정함으로써 공동의 교육자료를 개발하기에 가장 적합한 방법
③ 대중교육보다는 지도자교육으로서 더욱 적합한 방법으로, 성공적으로 진행하려면 사전계획과 조직적인 진행이 무엇보다도 중요하다.

8. 두뇌 충격법 (Brain storming)

(1) 개 념
① 제기된 주제에 대해 참가자 전원이 차례로 생각하고 있는 아이디어를 제시하고 그 가운데서 최선책을 결정하는 방법
② 아이디어, 문제 해결방법을 찾기 위한 일종의 회의

(2) 효 과
① 단시간에 많은 idea 가 나온다.
② 독창력 향상
③ 발언이 활발해진다.
④ 실천을 잘할 수 있어, 사기가 높아진다.
⑤ 단결이 잘 된다.

9. 역할연기법 (Role playing)

① 같은 문제에 대해서 연구를 하는 사람들이 참가하여 그 중에 몇 사람이 각각 역할을 담당하고, 단상에서 연기를 하여 연기가 끝난 후에 토의하고 비판·검토하는 방법
② 문제를 단시간에 볼 수 있는 것으로 하고, 토의 끝난 후 사회자에 의해 결론 내려진다.
③ 영양 상담에 도움

10. 사례연구 (Case problem)

어떠한 사례에 대한 실제적 경험을 토대로 장·단점을 토론하여 개선점을 찾아낼 수 있기 때문에 교육효과를 높일 수 있다.

11. 시범교수법 (Demonstration)

(1) 개 념
교육목적에 맞는 이론과 자료를 이용하여 참가자들에게 직접 보여줌으로써 실제로 경험하게 하는 영양교육방법

(2) 종 류
① **방법 시범교수법** : 참가자의 이해여부를 확인하며 단계적으로 실시
② **결과 시범교수법** : 실제활동, 경험담 등을 보여주고 설명하며 토의하는 방법

(3) 주의할 점

① 청중들이 집중해서 볼 수 있는 장소를 준비한다.
② 시범 전에 시범의 목적 및 내용, 절차에 관하여 간단히 설명한다.
③ 강조할 점을 시범 도중에 반복하여 보여준다.
④ 내용과 절차는 명확하고 이해하기 쉬워야 한다.

4. 영양교육의 매체

1. 매체의 의의

(1) 이해를 빠르게 하고 확실하게 한다.
(2) 습득의 속도를 빠르게 하고, 인상을 강하게 한다.
(3) 때로는 상대편의 기분을 변화시켜 준다.

2. 매체의 사용방법

(1) 대상의 종류·시간·장소와 지도내용을 생각하고, 그에 따른 적당한 매체의 종류를 선정하고, 적절한 사용법을 생각해야 한다.
(2) 교육의 보조재이므로 일방적으로 보이거나 들려주기만 하지 말고, 그것을 소재로 하여 대화가 이루어져야 한다.
(3) 여러 종류를 많이 준비한다.
(4) 효과 있는 사용방법을 연구한다.

3. 매체의 종류

1. 인쇄매체

(1) 팸플릿(pamphlet)

① 대상을 명확히 할 것
② 내용을 대상과 배포방법에 맞출 것
③ 문자 및 문체를 읽기 쉽게 할 것
④ 흥미를 갖도록 할 것
⑤ 아름답게 만들 것
⑥ 제목도 중요
⑦ 크기나 page를 적당히 할 것
⑧ 활자의 크기, color 인쇄도 연구할 것

(2) 리플릿 (leaflet)
  ① 한 장으로 된 것으로, 대개 접혀진 것이 많다.
  ② 내용을 집약해서 간결하고, 명확하게 설명
  ③ 보기 쉽고 아름다운 그림도 넣는 것이 효과적

(3) 광고지

(4) 포스터 (poster)
  ① 영양교육 매체로서 효과가 적다.
  ② 목적은 단 한 가지로 하고 너무 많은 것을 써 넣지 말 것
  ③ idea 가 신선하고 강력한 것일 것
  ④ 도안이나 글자의 배치, 색체와 배색을 연구해 인상에 남도록 할 것
  ⑤ 읽는 방향을 통일할 것
  ⑥ 내용이 구체적일 것

2. 게시매체

(1) 괘 도
  ① 강습회나 토의 도중에 설명의 보조재료와 토의자료로 쓰임
  ② 단순한 표현일 것
  ③ 한 장에 여러 가지를 넣지 말고 여러 가지 색채를 쓰거나 너무 진한 색을 쓰지 말 것
  ④ 해설을 위한 글을 적게 할 것

(2) 도 판
  ① 전시회장 같은 곳에 게시
  ② 논제를 명확히 일관성 있는 것으로 기획한다. 사진이나 그림, 통계도표도 상태에 따라 삽입할 것

(3) 통계도표

목 적	적당한 도표
단순한 수량비교	막대그래프, isotype
백분비	pie 도, 띠도표
수량의 시간적 변화	시간 경향선도, 대수도표
비율의 시간적 변화	대수도표
지역적인 분포 상황	분포도
도수분포	도수분포도
상관의 도수	상관 점도

(4) 융 판(flannel graph)
① 소수집단에서 효과적인 교육보조자료로 미리 준비한 그림을 자유로이 벽면에 붙이거나 이동시키면서 토의나 해설에 맞춰서 이용하는 것
② 이야기 진행에 따라 자유롭게 그림을 보이되, 한 번에 다 붙이는 것은 비효과적이다.
③ 그림의 위치를 쉽게 이동할 수 있다.
④ 부피가 크지 않기 때문에 가지고 다니기 간편하고 비용이 적게 든다.

(5) 표본·모형
① 영양면에서 단순히 식단표를 제시하는 것보다는 큰 효과를 낸다.

3. 영상으로 보는 매체

(1) 환 등
① slide film, overhead slide
② 미리 사용할 사진 및 그림 등을 준비함으로써 시간적으로 예정된 속도로 진행 가능

(2) 영 화
상연이 시작되면 설명없이 진행되므로, 이해가 잘 되었는지 또는 내용이 잘 전달되었는지 확인하기 어려우므로 효과가 적다.

4. 실연해서 보는 매체
(1) 요리실습
(2) 인형극
(3) 연극

5. 영양조사 및 연구기구

1. 국민영양조사

보건복지부장관이 국민의 건강상태, 식품섭취, 식생활 조사 등 국민의 영양에 관한 조사를 정기적으로 실시함으로써 국민영양개선을 위한 정책에 필요한 자료를 얻는 것

1. 조사시기
① 영양조사는 보건복지부장관이 3년마다 구역과 기준을 정하여 선정한 기구 및 가구원에 대하여 이를 행한다.
② 국민영양조사는 조사년도의 11월에 실시한다.

2. 조사항목

(1) 건강상태조사
  ① 신체상태
  ② 영양관계증후
  ③ 기타 건강상태에 관한 사항

(2) 식품섭취조사
  ① 조사가구의 일반사항
  ② 일정한 기간의 식사상황
  ③ 일정한 기간의 식품섭취상황

(3) 식생활조사
  ① 가구원의 식사 일반사항
  ② 조사가구의 조리시설과 환경
  ③ 일정한 기간에 사용한 식품의 가격 및 조달방법

3. 조사내용

(1) 건강상태조사 : 급성 또는 만성 질환을 앓거나 앓았는지 여부에 관한 사항, 질병·사고 등으로 인한 활동제한의 정도에 관한 사항, 혈압 등 신체계측에 관한 사항, 흡연·음주 등 건강과 관련된 생활태도에 관한 사항

(2) 식품섭취조사 : 식품의 섭취 횟수 및 섭취량에 관한 사항, 식품의 재료에 관한 사항

(3) 식생활조사 : 규칙적인 식사여부에 관한 사항, 식품섭취의 과다여부에 관한 사항, 외식의 횟수에 관한 사항, 2세 이하 영유아의 수유기간 및 이유보충식의 종류에 관한 **사항**

4. 영양조사원 및 영양지도원의 자격

(1) 영양조사원
  ① 시·도지사가 다음에 해당하는 자 중에서 임명
  ② 의사, 영양사, 간호사의 자격을 가진 자
  ③ 전문대학 이상의 학교에서 식품학 또는 영양학의 과정을 이수한 자

(2) 영양지도원
  영양사의 자격을 가진 자로 임명한다. 단, 영양사 자격을 가진 자가 없는 경우에는 의사 또는 간호사의 자격을 가진 자 중에서 임명

5. 영양지도원의 업무

(1) 시·도의 영양지도원
① 영양지도의 기획, 분석, 평가 및 영양상담
② 보건소의 영양업무 지도
③ 집단급식시설에 대한 급식업무 지도
④ 영양조사 및 효과측정
⑤ 홍보 및 영양교육
⑥ 기타 영양과 식생활개선에 관한 사항

(2) 시·군·구의 영양지도원
① 영양지도의 계획, 분석
② 지역주민의 영양지도 및 상담
③ 집단급식시설에 대한 현황파악, 급식업무 지도
④ 영양조사 및 지역주민의 영양평가 실시
⑤ 영양교육자료의 개발, 홍보 및 영양교육
⑥ 지역주민의 영양조사결과 자료활용
⑦ 기타 영양과 식생할개선에 관한 사항

2. 연구기구

(1) 세계보건기구(WHO)
① 모든 인류의 건강 및 영양향상을 위해 발족

(2) 식량농업기구(FAO)
① **설치목적** : 인류의 영양개선
② 식량의 생산증가, 식량의 분배개선, 생활수준의 향상 등이 수반되어야 한다는 기준 위에서 영양개선에 관한 큰 방침을 세워 각국의 영양행정에 영향을 주고 있다.
③ **FAO 한국협회** : 1962년 한국인 영양권장량 제정
④ 식품수급표(세계 각국의 영양수준의 비교검토와 식량자원의 공급 및 이용실태를 파악할 수 있는 간접적인 영양상태 평가자료)를 발행

(3) 국제아동긴급기금(UNICEF)
재해를 입은 지역의 아동과 임산부의 구제사업

6. 집단급식의 영양교육

1. 학교급식

(1) 학교급식 영양교육의 중요성
① 성장발육에는 균형식이 필요하며, 올바른 식습관을 빨리 교정시킬 수 있다.
② 감수성이 예민해서 빨리 감화를 받음으로써 곧 실행으로 옮길 수 있다.
③ 파급효과가 크며, 최소한의 비용으로 큰 효과를 얻을 수 있고, 반복교육이 쉽다.
④ 영양소와 지식을 빨리 알고, 식생활 개선에 큰 도움을 줄 수 있다.

(2) 학교급식의 효과
① 건강한 체격유지 및 건강증진에 이바지한다.
② 좋은 식습관을 키우며, 나쁜 편식을 빨리 고칠 수 있다.
③ 자신의 영양과 건강에 관심을 갖고 실천하고자 노력을 한다.
④ 급식과정을 이해하여 식단준비에 협조하는 노력을 갖게 된다.

2. 산업체 급식
① 근로자의 건강증진 및 식비의 경제적 부담을 감소시킨다.
② 근로의욕을 증진시키며, 직원 사이에 화목을 도모한다.
③ 영양은 질병과의 밀접한 관계를 인식하게 되며, 건강증진을 위한 식생활을 실행하게 하는 동기가 된다.
④ 영양의 불균형, 과식과 편식하는 식습관을 고칠 수 있다.

3. 지역사회 영양지도

(1) 지역사회 영양지도의 요령
① 도시 또는 농촌을 획일적 지도에서 대상에 따른 세부적 개별지도로 할 것
② 지도할 과제를 착상해서 선택할 것
③ 대상자의 생활환경, 생활조건, 경제를 고려할 것
④ 먼저 조사를 한 후, 대상을 선정해서 실태를 파악할 것
⑤ 질병예방 및 치료를 위한 영양지도를 할 것

(2) 지역사회의 교육효과를 위해 필요한 조건
① 지역의 생활방식 습관을 알고 경제상태 파악
② 지역주민의 현재 문제와 인식 상태를 조사
③ 지역사회의 지도자와 지도력을 파악
④ 지역의 전달방법을 알고, 협조를 구할 것
⑤ 지역의 식습관과 건강을 알고, 인구분포조사

4. 단체급식에서의 영양지도업무

① 영양계획 : 권장량에 맞고, 기호와 경제를 고려한 식단작성
② 식단업무 : 필요한 식단표에서 계절, 노동종류에 따라 식단을 조절하는 일을 작성
③ 확인조사와 평가 : 급식을 받은 대상자가 만족한지 또는 적당량으로 골고루 급식이 되는지 확인하며, 문제점을 보충한다.
④ 영양지도 : 정기적으로 영양에 대한 홍보책자를 제작하여 건강과 영양에 대한 지식을 지도한다.

5. 특수시기 대상별 특징과 영양지도 방법

기간 \ 구분	신체적 특성	개별 목표	영양지도의 요점
임신기	임신 중의 영양과 모체	식습관의 변화 빈혈, 임신중독	부족한 영양 건강관리
유아기	성장, 알맞은 영양관리	모유영양 필요성 이유기 영양보충 올바른 식습관	이유기 영양지도
학동기	정신발달, 운동	건강한 성장발육 편식, 비만, 운동부족 바른 식습관 학교급식	비만, 편식, 결식지도
청년	신체적 특성, 심신변화 영양소요	식생활의 독립화 식습관의 정착	균형식 권장 성인병 예방
성인	인생에 책임감, 가정에서 지주, 성인병 예방을 위한 식사	건강, 성인병 치료 가족건강	성인병 예방, 치료, 향토식 전승
노인	만성병, 치아·소화기능 퇴화	노화예방 수명연장	건강식품, 식욕감퇴 기호식품, 편식, 결식

영양교육 핵심문제 해설

■■■■■ 1. 영양교육의 개념

1. 영양교육의 의미는?

(가) 자기 자신의 의지로서 행동하게 하는 의욕을 일으킨다.
(나) 영양에 대한 지식을 습득시킨다.
(다) 식생활 전반에 걸친 개선을 하도록 교육한다.
(라) 식생활에 걸친 지식을 습득시킨다.
(마) 식생활을 영양적으로 합리화한다.

2. 영양교육에 대한 설명으로 옳은 것만을 〈보기〉에서 알맞게 고른 것은?

〈영양교사, 2012년 기출문제〉

〈보기〉
① 식행동은 사회적 환경에 의해 영향을 받는다.
② 영양 상담은 영양교육보다 포괄적 의미이며, 영양교육은 영양 상담에 비해 상호 의사소통적이다.
③ 지식의 습득이 긍정적 태도나 행동 실천을 유발하는 데 필요하기는 하지만 행동 변화를 의미하는 것은 아니다.
④ 영양교육은 교육 대상자가 가진 능력을 충분히 발휘하도록 교육 대상자를 학습시키고 그 구체적인 내용과 방법을 지도하는 것이다.

(가) ①, ② (나) ③, ④ (다) ①, ③, ④
(라) ②, ③, ④ (마) ①, ②, ③, ④

3. 영양교육의 주요 목적이 아닌 것은?

(가) 영양에 관한 지식보급으로 영양상태를 향상시킨다.
(나) 영양교육과 개선을 통해서 건강증진을 꾀한다.
(다) 체력 향상과 경제안정을 꾀한다.
(라) 높은 영양지식을 알게 한다.
(마) 영양교육의 최종 목표는 최선의 건강증진에 있다.

Guide

1. 영양교육은 사람들이 자기들의 의지로 행동하는 의욕을 갖고 실행할 수 있도록 뒷받침해 준다.

2. 영양교육은 식품과 영양에 대한 지식 및 기술을 이해시켜 교육대상자의 영양수준과 식생활 개선을 유도하는 것으로, 주로 교육자 중심의 정보전달 성격이 강하다. 반면 영양상담은 내담자의 이야기를 이끌어내도록 대화를 유도하고 질문하며, 명료하게 정리하는 등 상호 소통이 중시된다.

3. 영양교육의 목적은 국민의 영양상태 개선 및 이를 통한 건강상태의 증진을 꾀하고, 나아가서 국민체력을 증진시키는 데 있다.

정답 1. 영양교육의 개념   **1.** (가) **2.** (다) **3.** (라)

4. 영양교육의 최종 목표는?

　㈎ 식생활 개선
　㈏ 영양섭취
　㈐ 즐거운 식사
　㈑ 경제적인 식생활
　㈒ 건강증진

4. 질병예방과 건강증진, 체력향상에 목표를 두고 있다.

5. 영양교육의 실행을 어렵게 하는 요인으로 옳은 것은?

> ① 교육의 효과가 장기적이고 복합적이다.
> ② 대상자 개개인에 맞는 교육을 실시하여 효과 대비 비용이 높은 편이다.
> ③ 각 가정의 경제적 수준이나 식습관의 차이로 인해 대상자들의 구성이 다양하다.
> ④ 식생활 변화에 대한 대상자의 적극적 협조와 변화가 어렵다.

　㈎ ①, ②, ③　　　　　㈏ ②, ④
　㈐ ①, ③, ④　　　　　㈑ ③, ④
　㈒ ①, ②, ③, ④

6. 영양교육을 할 때의 효과와 상관성이 없는 것은?

　㈎ 식량생산, 소비증가
　㈏ 식생활 개선
　㈐ 발육의 선도, 건강강화
　㈑ 치료촉진, 질병의 감소
　㈒ 체질개선, 사망률 감소

정답 **4.** ㈒　**5.** ㈐　**6.** ㈎

7. 다음과 같은 영양교육을 실시한 후 나타나는 교육의 효과로 기대할 수 있는 것을 〈보기〉에서 고른 것은? 〈영양교사, 2011년 기출문제〉

―〈보기〉―
① 발효식품에 대한 이해와 기호도가 증가된다.
② 김치의 재료를 알고 담그는 과정을 설명할 수 있게 된다.
③ 식품을 활용한 체험학습으로 식행동이 바람직하게 변화된다.
④ 전통식품의 우수성을 인지하여 패스트푸드를 대체하는 데 도움이 된다.

(가) ①, ②, ④　　(나) ①, ②, ⑤　　(다) ①, ③, ⑤
(라) ②, ③, ④　　(마) ③, ④, ⑤

7. 문제의 교육내용으로 보아 '발효식품에 대한 이해도 증가'에 따른 '잔반 감소' 및 '바람직한 식행동' 등의 효과를 기대할 수 있다.

8. 영양교육의 효과 판정 시 수강자가 어떤 태도를 나타낼 때 가장 효과가 있다고 판단할 수 있는가?

(가) 교육 사항을 잘 이해한다.
(나) 교육 내용을 잘 이해하지는 못하였으나 그대로 실시하고 있다.
(다) 교육 사항을 다시 자신의 상황에 적용하여 실시하고 있다.
(라) 교육 사항에 의문을 갖고 옛날 그대로의 식사를 하고 있다.
(마) 교육 사항을 잘 이해는 하지만, 옛날 그대로의 식사를 하고 있다.

정답　**7.** (다)　**8.** (다)

9. 영양섭취기준에 대한 설명으로 옳은 것은?

① 영양섭취기준에는 평균필요량, 권장섭취량, 충분섭취량, 상한섭취량이 표시된다.
② 권장섭취량은 평균필요량에 표준편차값을 더하여 산출한 값이다.
③ 충분섭취량은 많이 섭취하여도 인체에 해가 없는 영양소에 대해 제시된 양이다.
④ 수분의 영양섭취기준은 모든 연령층에 충분섭취량으로 설정하였다.

(가) ①, ② (나) ①, ③
(다) ①, ③, ④ (라) ①, ④
(마) ②, ③, ④

10. 영양교육의 어려운 점을 설명한 것 중에 잘못된 것은?

(가) 영양교육의 필요성을 인식시켜야 한다.
(나) 조직을 이용하기 어렵기 때문이다.
(다) 사람들의 식생활이나 식습관은 쉽게 바꿀 수가 없다.
(라) 영양상의 결함은 쉽게 빠른 효과가 나타나지 않는다.
(마) 대상자가 식생활, 식습관, 경제상태, 지식 등에 있어서 차이가 심하다.

10. 영양교육은, 피교육자의 구성이 나이·성별·교육 정도에 따라 달라지는데, 식생활은 각자의 식습관이나 기호에 치우치는 경향이 있다.
 그러므로 피교육자에게 영양교육의 필요성을 인식시켜서 자기 스스로 할 수 있다는 의지를 심어 주어야 한다.

11. 영양사의 업무에서 벗어나는 것은?

(가) 식품의 영양상 합리적인 소비
(나) 고도의 영양지식에 관한 주입교육
(다) 급식 담당자의 영양지식 향상
(라) 주민의 영양개선을 위한 노력
(마) 주민의 식생활 개선과 영양지도

정답 9. (라) 10. (나) 11. (나)

12. 식사모형에 대한 설명으로 옳지 않은 것은?

> ① 식품구성탑의 형태에서 2010년 식품구성자전거 모형으로 바뀌었다.
> ② 곡류, 채소류, 유지·당류, 과일류, 고기·생선·달걀·콩류 등 5가지 식품군으로 구성되어 있다.
> ③ 유지·당류에는 땅콩, 설탕, 식용유, 마요네즈, 아이스크림 등이 포함된다.
> ④ 자전거 바퀴에서 각 식품군이 차지하는 비율만큼 섭취하면 된다.

(가) ①, ② (나) ①, ③ (다) ②, ③
(라) ②, ④ (마) ③, ④

13. 다음 중 식사구성안에 대한 내용으로 옳은 것은?

> ① 일반인들이 영양권장량을 충족시키는 식사계획을 할 수 있도록 도움을 준다.
> ② 각 식품군별로 꼭 필요한 식품들의 1인 1회 분량을 제시한 것이므로 매끼 식사계획에 제시된 식품을 꼭 한 가지 이상 포함시켜야 한다.
> ③ 곡류 및 전분류는 1회 300kcal의 열량을 낼 수 있는 분량을 맞추어 먹는다.
> ④ 1인 1회 섭취분량은 건강하고 활동량이 보통인 사람을 기준으로 작성되었으므로 개인의 건강상태나 활동량에 따라 분량을 조정해서 먹도록 한다.

(가) ①, ②, ④ (나) ①, ③, ④
(다) ①, ④ (라) ②, ④
(마) ①, ②, ③, ④

2. 영양교육의 역사적 배경 및 기초지식

14. 「의약론」에서 식의(食醫)의 임무를 중요하게 여긴 왕은?

(가) 세조 (나) 세종
(다) 선종 (라) 고려태조 왕건
(마) 태종

Guide

14. 세조(1455~1468)는 치병 및 용약의 근본원리를 설명한 의약론을 통해서 식이의 임무를 일러두었다. 고려 초기의 의사제도를 살펴보면 중앙정부와 지방제도에 상식국·영양국·사선국의 식의 관 관직이 있었다.

정답 12. (다) 13. (나) 14. (가)

15. 고려 때의 직제(職制) 중에서 오늘날의 영양사에 해당하는 것은 어느 것인가?

(가) 다방(茶房) (나) 상식국(尙食局)
(다) 식의(食醫) (라) 사선국(司膳局)
(마) 의녀(醫女)

16. 영양교육 시 대상자의 영양상태를 파악하는 방법에 대한 설명으로 옳은 것은?

> ① 식품기호도 조사 : 대상자의 선호·기피 식품을 체크하여 부족한 영양소를 파악
> ② 식품섭취 실태조사 : 대상자의 섭취식품과 그 영양소를 파악
> ③ 신체계측 : 신장, 체중, 체지방률, 혈액이나 요의 영양소 및 대사산물 농도 측정·분석
> ④ 임상진단 : 영양불량과 관련되어 나타나는 신체적 징후를 시각적으로 진단

(가) ①, ②, ③ (나) ①, ③
(다) ②, ③, ④ (라) ②, ④
(마) ③, ④

17. 다음 중 부식이 많기 때문에 풍부한 식생활을 나타내는 곡류열량비의 옳은 범위는?

(가) 54% 이하 (나) 64% 이하
(다) 74% 이하 (라) 84% 이하
(마) 94% 이하

18. 단백질비는 식생활의 모습을 판정하는 한 방법이다. 그 내용으로 옳은 것은?

(가) 총 단백질의 양(g)과 총 열량(kcal)의 비를 말한다.
(나) 총 열량(kcal)과 동물성 단백질의 양(g)의 비를 말한다.
(다) 동물성 단백질의 양(g)과 식물성 단백질의 양(g)의 비를 말한다.
(라) 총 단백질량(g)에 대한 동물성 단백질의 섭취량의 비를 말한다.
(마) 동물성 단백질 중의 아미노산 함유량을 비율로 나타내었다.

정답 **15.** (다) **16.** (라) **17.** (나) **18.** (가)

19. 풍족한 식생활을 나타내는 단백질비로 옳은 것은?
   (가) 3.5% 이상   (나) 3.0% 이상   (다) 2.5% 이상
   (라) 2.0% 이상   (마) 1.5% 이상

20. 영양교육 프로그램 실시 후 제출한 보고서이다. 이 보고서 내용에 대한 설명으로 옳은 것만을 〈보기〉에서 있는 대로 고른 것은?

   〈영양교사, 2012년 기출문제〉

   ▎보고서
   대상 · 대한초등학교 5-6학년 비만 아동 150명 중 50명 임의 선정
   방법
   · 12주간 매주 40분, 영양 지식과 식행동 등에 대한 영양 교육 실시
   · 영양 교육 실시 첫 날과 마지막 날에 체중과 신장, 영양 지식 및 식행동 점수 측정
   결과
   · 참여한 아동들의 체질량지수 10% 감소함.
   · 영양 지식 점수 12점 증가, 식행동 점수 차이 없음.
   결론
   · 이 영양 교육 프로그램은 비만 아동의 체중 감소 및 영양 지식 향상에 효과가 있었음.
   제언
   · 향후 2차 영양 교육 프로그램을 계획할 때는 대조군을 포함하는 것이 좋겠음.

   〈보기〉
   ① 체질량지수를 구하기 위하여 수집한 정보는 충분하였다.
   ② 영양교육 프로그램의 효과를 평가하기 위해 교육 전후(사전-사후)비교 연구 디자인을 적용한 것이다.
   ③ 영양교육 프로그램을 실시하는 동안 과정 평가를 하였으므로 비만도와 영양 지식 점수에 효과가 있었다.
   ④ 향후 비만 아동 영양교육 프로그램이 체중 감량에 미치는 효과를 평가하기 위해 대조군으로 영양교육 프로그램을 실시하지 않는 정상 체중 아동 50명을 포함하는 것이 좋다.

   (가) ③   (나) ①, ②   (다) ③, ④
   (라) ①, ②, ③   (마) ①, ②, ④

21. 15~18세 남자의 1일 칼슘 권장량은?
   (가) 500 mg   (나) 700 mg   (다) 800 mg
   (라) 900 mg   (마) 1,000 mg

20. 영양교육을 실시한 첫날과 마지막 날의 정보만을 측정하여 비교 평가한 것이므로 과정 평가는 이루어지지 않았다. 비만 아동에 대한 교육 효과를 평가하기 위한 대조군은 영양교육 프로그램을 실시하지 않는 비만아동으로 설정해야 한다.

정답 19. (가) 20. (나) 21. (라)

22. 다음 중 영양권장량의 책정목표로 옳지 않은 것은?
  (가) 국민의 식생활 개선에 도움
  (나) 국방력과 산업부흥에 필요한 인적자원 확보에 이바지
  (다) 식량생산과 공급계획에 도움
  (라) 국민보건과 체위향상을 위하여
  (마) 식료품 판매점 및 시장에 대한 지도

23. 영양출납표를 작성할 때, 다음 중 어느 것에 의하는가?
  (가) 식수통계표   (나) 식품사용일계표   (다) 식수표
  (라) 식단표   (마) 급식일지

24. 19~29세 남자의 1일 비타민 C 권장량은?
  (가) 100 mg   (나) 110 mg   (다) 75 mg
  (라) 80mg   (마) 85 mg

25. 다음의 설명 중 성인환산율을 가리킨 것은?
  (가) 성인여자의 섭취열량비와 소비열량비의 환산치이다.
  (나) 성인의 정상열량과 SDA의 비율이다.
  (다) 영양출납법에 의하여 환산된 성인의 영양출납상태이다.
  (라) 성인남자의 열량단백질의 영양소요량을 1.0으로 하여 산출한 각 성별, 연령별, 노동별의 영양소요량을 비율로 나타내었다.
  (마) 성인여자의 열량단백질의 영양소요량을 1.0으로 하여 산출한 각 성별, 연령별, 노동별의 영양소요량의 비율이다.

26. 다음은 성인에 대한 평균 헤모글로빈치이다. 빈혈로 말할 수 있는 수치는 어느 것인가?
  (가) 10 g% 이하   (나) 16 g% 이하
  (다) 19 g% 이하   (라) 14 g% 이하
  (마) 12 g% 이하

정답 **22.** (마) **23.** (라) **24.** (가) **25.** (라) **26.** (가)

27. 연관성 있는 사항을 서로 묶으려고 한다. 옳지 않은 것은?

㈎ hematocrit 치 – 빈혈의 진단
㈏ galactose – phenylketone
㈐ A/G 비 – 알부민에 대한 글로불린의 비
㈑ 혈청 총 cholesterol 치 – 동맥경화증
㈒ Kaup 지수 – 영유아의 비만

28. 다음은 caliper의 용도에 대한 설명이다. 맞는 것은?

㈎ 피하지방의 두께를 측정한다.
㈏ 머리둘레를 측정한다.
㈐ 앉은 키와 선 키를 측정한다.
㈑ 근육의 두께를 측정한다.
㈒ 가슴둘레를 측정한다.

28. Caliper는 자로 재기 힘든 물건의 외경·내경·두께·폭 등을 재는 데 쓰는 측정용 보조기구이다.
용수철로 연결된 구붓한 두 다리를 목적물에 댄 다음, 그것을 자로 잰다.

29. 개인이 평상시에 영양을 고려한 식생활을 하는지, 안 하는지를 조사하는 방법으로 가장 알맞은 것은?

㈎ 건강상태조사 ㈏ 체위조사
㈐ 섭취영양량조사 ㈑ 체력검사
㈒ 영양지식조사

30. 식사섭취 조사방법 중 하루 전날 먹은 음식을 기록하는 것은?

㈎ 식습관조사법 ㈏ 24시간 회상법
㈐ 섭취빈도조사방법 ㈑ 칭량법
㈒ 동일식품수거방법

30. 24시간 회상법에 대해 살펴보면
① 조사대상자에게 24시간 이내에 섭취한 식사의 내용을 듣고, 식사섭취량을 기록한다.
② 조사법은 간편하지만 정확도에 문제가 있다.
③ 조사자는 부담이 가볍고 폭넓은 연령층에 실시하기 쉽다. 경비, 시간이 격감된다.
④ 식품 모형, 실물, 실물 컬러 사진, 식기계량기 등을 사용해서 섭취량의 눈대중을 알게 한다.

31. 각국이 매 5년 내외마다 영양권장량을 설정하는데, 이를 활용하는 분야가 아닌 것은?

㈎ 국가의 식품수급정책 수립의 기초자료로 이용
㈏ 영양교육의 지침서로 활용
㈐ 조리사들이 새 메뉴를 개발하는 데 활용
㈑ 식단작성, 식품개발 및 관리를 위해 활용
㈒ 일정 지역에 거주하는 인구의 영양상태 판정자료로 활용

정답 27. ㈏ 28. ㈎ 29. ㈐ 30. ㈏ 31. ㈐

32. 우리나라의 영양정책에 있어서 근본적인 실시가 필요한 내용들이다. 옳은 것은?

(가) 부엌 개량을 실시한다.
(나) 식량생산의 합리화를 꾀한다.
(다) 단체급식소의 시설을 개량한다.
(라) 식습관에서 오는 영양문제를 해결한다.
(마) 농어촌의 공동취사장을 마련한다.

33. 영양교육 이론 중 행동 변화 단계 모델을 다음 사례에 적용하려고 한다. 밑줄 친 부분의 단계에서 영양 교사가 낸시에게 해줄 만한 일로 적절한 것을 〈보기〉에서 고른 것은? 〈영양교사, 2012년 기출문제〉

원어민 교사로 한국에 온 비만한 미국인 낸시에게 교장 선생님은 '한국에 왔으니 한식을 먹어 보라'고 권했다. 그러나 낸시는 한식에 익숙하지 않아 계속 미국식 식사를 하였다. 그러던 어느 날 낸시는 학교 영양 교사에게 '한국인은 미국인에 비해 비만율이 낮고 나물 반찬과 콩류를 자주 섭취한다'는 이야기를 들었다. 또한 낸시는 동료 미국인 피터에게 '한국에 와서 한식을 먹고 체중이 감소되었다'는 말을 듣고 한식이 채소 위주 식사여서 체중 감량에 좋을 것 같다는 생각이 들었다. 얼마 후 낸시는 영양 교사를 찾아가 '<u>내일부터 한식을 먹기로 하였다</u>'고 말하였다.

〈보기〉
① 피터처럼 한식을 계속 잘 먹도록 격려한다.
② 낸시 집에 가서 한식을 만들며 요리법을 가르쳐 준다.
③ 한식과 미국식 식사의 차이점과 한식의 우수성을 설명해 준다.
④ 체중이 감소한 멋진 모습을 상상하도록 날씬한 여배우 사진을 구해준다.
⑤ 한식 재료를 구매할 때 같이 가서 1회 섭취 분량에 맞는 구매 방법을 가르쳐 준다.

(가) ①, ②　　(나) ①, ③　　(다) ②, ⑤
(라) ③, ④　　(마) ④, ⑤

33. 낸시는 이미 행동변화의 의지를 나타낸 상태이므로 더 이상 설득하는 데 치중하지 않고 올바른 방향으로 행동의 변화를 실천할 수 있도록 방법을 알려주어야 한다.

정답 32. (나) 33. (다)

34. 영양교육의 과정 중 효과평가 단계에 대한 설명으로 옳지 않은 것은?

> ① 효과평가는 영양교육의 실시 전후 대상자의 건강상태를 비교하여 평가한다.
> ② 영양교육의 목표 및 목적 달성 여부를 확인하는 단계이다.
> ③ 영양교육의 실행 단계에 대한 평가를 진행한다.
> ④ 평가결과를 통해 교육대상자는 자신의 변화를 알고 교육에 적극 참여하게 된다.

(가) ①, ② (나) ②, ③
(다) ③   (라) ④
(마) ③, ④

35. 우리나라 사람의 thiamin 권장섭취량에 관한 내용으로 다음 중 옳지 않은 것은?

(가) 단백질 대사를 하는 데 직접적으로 관련을 맺고 있다.
(나) 성인 남자 권장섭취량은 1.2 mg/1 일이고, 성인 여자 권장섭취량은 1.1 mg/1 일로 되어 있다.
(다) 수유기간을 위한 권장섭취량을 1.5 mg/1 일로 하고 있다.
(라) energy 섭취하는 데 의존하고 있다.
(마) 조직에 대한 포화도를 보장하기 위한 thiamin 의 양을 0.5 mg 으로 간주하고 있다.

36 영양문제의 원인을 파악하고자 하는 대상집단에 대해 조사해야 하는 항목은?

> ① 운동습관
> ② 질병의 유전적인 소인
> ③ 식품 구매·소비 형태
> ④ 국민영양조사자료

(가) ①, ②   (나) ①, ③, ④
(다) ③, ④   (라) ②, ③, ④
(마) ①, ②, ③, ④

정답 **34.** (다) **35.** (가) **36.** (마)

37. 우리나라 사람의 단백질 권장량으로 임신·수유부를 위하여 적당한 양은?

㈎ 임신 후반기에 하루 35 g 을 더하고, 수유기간일 때는 하루 20 g 을 더한다.
㈏ 임신 후반기에 하루 30 g 을 더하고, 수유기간일 때는 하루 25 g 을 더한다.
㈐ 임신기 모든 기간을 통하여 하루에 30 g 을 더하고, 수유기간일 때는 하루 25 g 더한다.
㈑ 임신기 모든 기간을 통하여 하루에 35 g 을 더하고, 수유기간일 때는 하루 25 g 을 더한다.
㈒ 임신기 모든 기간을 통하여 하루에 15 g 을 더하고, 수유기간일 때는 하루 20 g 을 더한다.

37. 임신부가 단백질을 충분히 섭취하여야 하는 이유와 필요량을 설명하고, 부족하면 신체에 어떤 장애가 오는지 교육시켜야 된다. 단백질은 양보다 질에 신경을 써서 달걀·생선·고기·우유 등 동물성 식품을 많이 먹어야 한다.

38. 성인의 하루 단백질 권장량이 정해져 있다. 우리나라 19~29세의 사람인 경우에 알맞은 것은?

㈎ 남 : 60 g, 여 : 45 g ㈏ 남 : 55 g, 여 : 50 g
㈐ 남 : 75 g, 여 : 60 g ㈑ 남 : 70 g, 여 : 60 g
㈒ 남 : 80 g, 여 : 65 g

39. 영양교육 효과에 대한 내용으로 다음 중 옳지 않은 것은?

㈎ 식량생산 및 소비증가
㈏ 체질개선 및 사망률 저하
㈐ 치료촉진 및 질병의 감소
㈑ 발육의 선도 및 건강강화
㈒ 도덕심의 제고

40. 다음 중 면담요령에 대한 내용으로 옳지 않은 것은?

㈎ 좋은 분위기를 만든다.
㈏ 듣는 데 집중을 한다.
㈐ 선입관을 버린다.
㈑ 상대방의 입장과 기분을 파악한다.
㈒ 될 수 있는 한 말을 많이 한다.

정답 **37.** ㈏ **38.** ㈏ **39.** ㈎ **40.** ㈒

41. 영양상담의 설명에 대하여 옳은 것만을 〈보기〉에서 있는 대로 고른 것은?
〈영양교사, 2012년 기출문제〉

〈보기〉
① 상담자는 내담자에 비해 영양 전문 지식과 상담 경험이 많아도 내담자 중심으로 하여야 상담의 성공률이 높다.
② 내담자가 영양 상담을 통해 올바른 식습관을 형성하는 데에는 시간이 많이 걸리므로 반복적인 추후 관리가 필요하다.
③ 영양 상담의 최종 목표는 내담자가 식행동에 관한 문제점을 개선하기 위해 적절한 식행동 전략을 세우도록 하는 것이다.
④ 상담자는 영양상담 결과를 의사나 보건 의료진에게 알려주고 내담자의 건강을 미리 챙겨 준 다음 내담자에게 알린다.

(가) ①, ② (나) ①, ③ (다) ②, ④
(라) ①, ③, ④ (마) ②, ③, ④

Guide

41. 영양상담자는 내담자의 입장을 이해하고 공감하되 객관성을 유지해야 하며, 충고, 명령, 훈계 등 개별 상담 시의 오류를 범하지 않도록 주의해야 한다.

※ 영양상담의 실시 과정
자료수집-영양판정-목표설정-실행-효과판정

42. 외식빈도가 높은 청소년들을 대상으로 하는 영양교육 실시과정의 순서를 〈보기〉에서 골라 바르게 나열한 것은?
〈영양교사, 2010년 기출문제〉

〈보기〉
① 영양교육 활동을 설계하고 교안을 작성한다.
② 건강에 좋은 외식을 유도하는 영양교육을 실행한다.
③ 외식빈도가 높은 이유 및 관련된 요인들을 분석한다.
④ 건강에 좋은 외식을 하는 횟수 등으로 효과를 평가한다.
⑤ 외식빈도를 줄이고 건강에 좋은 외식을 하기 위한 목표를 설정한다.

(가) ①-③-⑤-④-②
(나) ①-⑤-②-③-④
(다) ③-①-⑤-②-④
(라) ③-⑤-①-②-④
(마) ⑤-④-①-③-②

42. 청소년들을 대상으로 하는 영양교육 실시 과정의 순서는 대상의 요구 진단→계획→실행→평가로 되어있다.
이 중 계획 단계에서는 큰 목표를 설정하고 세부 실천사항을 설계하는 것이 바람직하다.

정답 41. (가) 42. (라)

43. 영양지도를 할 때, 그 순서로 다음 중 가장 적당한 것은?

(가) 대책수립 - 지도실시 - 예비조사 - 효과판정
(나) 효과판정 - 예비조사 - 지도실시 - 대책수립
(다) 대책수립 - 효과판정 - 예비조사 - 지도실시
(라) 지도실시 - 예비조사 - 대책수립 - 효과판정
(마) 예비조사 - 대책수립 - 지도실시 - 효과판정

44. 다음 중 영양교육에 대한 효과를 높이는 데 가장 알맞은 일반적인 방법은?

(가) 조리에 중심을 두어서 지도함
(나) 먼저 영양가를 계산하는 방법을 이해시킴
(다) 일부분이라도 알 수 있도록 지도함
(라) 대상자가 충분히 이해하여 자주적으로 실행에 옮길 때까지 실시함
(마) 다음에 참고가 될 만큼 많은 자료를 제공함

45. 다음은 초등학교 5학년 A와 가족 간의 대화이다. A의 올바른 식행동에 행동강화요인으로 작용한 사람을 모두 고른 것은?

〈영양교사, 2010년 기출문제〉

```
 A : 엄마, 냉장고에 콜라가 없네요?
엄마 : 응, 사다 놓는 걸 깜박했어.
언니 : 콜라나 사이다 같은 탄산음료는 뼈에 좋지 않아.
 A : 난 그래도 콜라가 좋아.
언니 : 키가 크려면 콜라 대신 우유를 마시는 것이 좋지.
엄마 : 네 친구 B는 요즈음 키가 많이 컸지?
       우유를 좋아하고 잘 마신다고 B 엄마가 자랑하더라.
 A : 그래요? 난 B보다 더 크고 싶으니까 이제부터 콜라 대신 우유를 마실게요.
엄마 : 그러면 엄마가 콜라 대신 우유를 사다 놓을게.
엄마 : 애들아, 우유 사 왔다. 한 컵씩 마시자.
 A : 아, 맛있다.
아빠 : 잘했어. 우리 딸 키가 많이 크겠네.
엄마 : 우유를 마셔서 키가 커지면 멋져 보일 거야.
 A : 그렇겠죠? 앞으로는 우유를 매일 마실거에요.
```

(가) 엄마　　　(나) 아빠　　　(다) 언니, 엄마
(라) 엄마, 아빠　　(마) 언니, 엄마, 아빠

45. 행동강화요인은 행동의 변화가 지속되도록 강화하는 요인인데, 부모, 가족, 친구, 영양교사 등 주변 사람들의 영향을 받아서 행동이 강화되게 된다. 문제의 대화를 보면, 엄마와 아빠에 비해 언니는 긍정적 강화인 적극성이나, 칭찬 등이 없다.

정답 43. (마)　44. (라)　45. (라)

46. 다음의 영양사 영양교육업무 중 적당하지 않은 것은?
  (가) 환자의 영양상담 및 교육자료 개발
  (나) 일반국민들에게 식이처방교육
  (다) 최신 영양정보 입수 및 연구개발
  (라) 각종 연구 conference, seminar 에 참석
  (마) 실습생 및 수련 영양사 교육

46. 영양사에게는 질병과 상관성이 있는 질병에 대한 지식과 교육방법에 대한 요령이 요망된다. 영양사의 업무는 크게 급식관리업무, 영양관리업무, 영양교육업무로 나눌 수 있다. 식이처방교육은 의료관계자에게 실시한다.

3. 개인지도와 영양교육의 방법

47. 영양개선의 기본이론과 관계가 없는 것은?
  (가) 현재의 영양상태를 명확히 파악한다 (영양상태의 기초조사).
  (나) 피교육자의 실태를 파악하여 문제점을 발견하고 지도방법을 설정한다.
  (다) 영양교육의 실시는 대규모로 지속적으로 해야 된다.
  (라) 영양개선의 방법으로 실천방법에 따른 지도의 기술이 필요하다.
  (마) 효과판정의 반복지도를 하면서 확인한다.

48. 영양교육방법에 있어 개인지도방법의 특징으로 맞지 않는 것은?
  (가) 가정방문 : 시간, 경비, 노력이 크다는 단점이 있다.
  (나) e-메일 상담 : 회선이 제한되어 자세히 상담할 수가 없다.
  (다) 방문자 상담 : 시간, 경비, 노력이 적게 들어 효과가 크다.
  (라) 서신 상담 : 대상이 제한되어 있어 시간과 경비가 약간 든다.
  (마) 전화 상담 : 편리하고 능률적이지만 대상이 제한되고 간단한 정보교환을 할 수 있다.

정답 46. (나) 3. 개인지도와 영양교육의 방법 47. (다) 48. (나)

49. 영양교육의 특징이 아닌 것은?

① 임상방문은 보건소나 병원 측에서 환자나 대상자를 방문하여 교육한다.
② 집단지도는 교육하는 데 소요되는 인적 자원이나 경비가 많다.
③ 개인지도는 교육자와 대상자 간의 충분한 소통과 피드백이 이루어진다.
④ 가정지도는 가족의 공통적인 영양불량을 파악하고 개선할 수 있다.

(가) ①, ②   (나) ②, ③
(다) ②, ④   (라) ③, ④
(마) ①, ③, ④

50. 편식이 심한 어린이들과 학부모들을 대상으로 '편식 교정'이라는 주제의 영양교육을 하려고 한다. 적절한 영양교육 방법과 적용의 예시로 옳은 것은? 〈영양교사, 2010년 기출문제〉

(가) 연구집회(workshop) – 영양 교사들이 모여서 일정 기간 동안 어린이의 편식 교정 지도라는 주제 하에 경험하고 연구한 것을 발표하고 토의한다.
(나) 원탁식 토의(round table discussion) – 편식 교정에 대하여 서로 의견이 다른 3~4명의 학부모와 어린이들이 본인들의 경험을 발표한 후 토의한다.
(다) 강단식 토의(symposium) – 편식 교정에 성공하거나 실패한 어린이와 학부모들이 4~6명씩 한 팀을 이루어 편식 교정에 대한 경험담을 주고받는다.
(라) 결과 시범교수법(result demonstration) – 어린이 편식 교정의 성공 사례와 실패 사례를 들어 그 해결 과정을 살펴보면서 성공이나 실패의 요인을 알아본다.
(마) 패널 토의(panel discussion) – 편식이 심한 어린이들의 학부모들 중 일부가 단상에서 편식과 관련하여 가정에서 벌어지는 상황을 설정하고 역할 연기한 후 그것을 토의 주제로 삼는다.

50. 연구집회는 참가자가 전문가의 도움을 받으며 문제해결을 도모하는 일종의 협동연구이다. 이는 실천을 통해 타당성을 평가하게 된다.
원탁식 토의는 특성상 10~20명 정도가 알맞고, 자리의 차례가 없이 둥근 탁자에 둘러앉아 하는 회의이다.
강단식 토의는 특정한 주제에 대하여 몇몇 전문가가 자기의견을 간략하게 발표하고 참석자의 질문에 답하는 모임이다.
그리고 패널 토의는 참가자 대표 또는 강사를 3~5명 정도 선정해 특정문제에 대해 좌담형식으로 토론 후, 전체 참가자와 질문이나 의견을 교환하는 시간을 준다. 즉, 선정된 토론자들이 청중 앞에서 공공 문제에 관련된 주제를 가지고 벌이는 공식적인 토론이다.

정답 49. (가)   50. (라)

51. 개인지도를 할 때 필요한 요령이 아닌 것은?
- (가) 상대가 안심하고 상담할 수 있는 분위기를 조성한다.
- (나) 수시로 기록을 하여야 한다.
- (다) 상대방의 입장을 이해하도록 노력한다.
- (라) 반복해서 사후지도를 한다.
- (마) 성실하고 신뢰성이 있어야 한다.

52. 훌륭한 면담자가 갖추어야 할 자질이 될 수 없는 요건은?
- (가) 성실하고 인내성이 필요하다.
- (나) 친절하고 개성이 맞아야 한다.
- (다) 상대방의 입장을 이해하도록 노력해야 한다.
- (라) 상대방의 기분, 표정 등을 예리하게 파악할 줄 알아야 한다.
- (마) 언제나 문제해결에는 주관이 뚜렷해야 한다.

52. 면담자는 공정한 입장을 유지하면서 경험을 살리는 힘을 기르며, 문제해결에는 객관성이 있어야 한다.

53. 영양상담에 주로 쓰이는 상담기술에 대한 설명으로 옳지 않은 것은?

> ① 내담자의 말을 새로운 표현으로 다시 한 번 짚어주는 명료화
> ② 상담자가 내담자의 입장에서 이해하고 배려해 주는 공감
> ③ 내담자의 정보 욕구를 충족시켜 주는 조언
> ④ 상담자가 뚜렷한 주관과 목표의식을 가지고 내담자에게 하는 적절한 충고

- (가) ①, ②, ③
- (나) ①, ③
- (다) ②, ③
- (라) ②, ④
- (마) ①, ③, ④

54. 다음 중 영양지도자에게 요구되는 응용적인 면의 지도성이 아닌 것은?
- (가) 기능
- (나) 지각
- (다) 용기
- (라) 기억
- (마) 상상

정답 51. (나) 52. (마) 53. (라) 54. (다)

55. 다음은 상담자와 고도비만 주부와의 상담과정을 보여주는 두 가지 사례이다. 상담내용을 분석한 결과로 옳은 것은?

〈영양교사, 2011년 기출문제〉

55. 상담을 할 때는 무엇보다도 내담자가 믿도록 분위기를 조성하는 게 중요하다. 내담자를 다그치지 말고 신중하게 상담을 진행하며, 지시나 명령, 충고, 훈계 등은 피하는 게 좋다. 상담자 A는 내담자가 스스로 문제해결의 방법을 찾을 수 있도록 했다.

사례1	상담자A : 안녕하세요? 체중변화 그래프를 보니 이번주는 다이어트 하기 힘든 한 주를 보내신 것 같네요. 어떠셨어요? 내담자C : 예, 집안에 행사가 많아서 먹을 일도 많아 절제하기가 힘들었어요. 상담자A : 그러셨겠어요. 그런 일에 참석하지 않을 수도 없고, 어렵지요. 그러면 이런 경우 어떻게 할지 우리 한 번 생각해 볼까요? 내담자C : 그래도 선생님이 조리법에 따라 음식의 에너지가 달라진다고 지난번에 설명해 주셔서, 되도록 기름진 것은 안 먹고 구이와 무침 같은 것을 먹으려고 노력했지요. 상담자A : 예, 아주 잘하셨네요. 그렇게 노력하셔서 그래도 그다지 체중이 늘지는 않으셨나 봐요. 그런데 앞으로도 명절이나 생일 등 이런 저런 경우에 음식 유혹이 많을 겁니다. 그래서 대안이 필요한데, 제가 권하고 싶은 또 다른 방법은 '간식으로 도넛을 먹지 않겠다' 보다는 '간식으로 도넛 대신에 사과를 먹어야지' 처럼 스트레스를……(중략).
사례2	상담자B : 체중변화 그래프를 보니 이번 주는 다이어트가 잘 안 된 것 같아요. 오히려 더 느셨네요? 내담자D : 예, 집안에 행사가 많아서 먹을 일도 많아 절제하기가 힘들었어요. 상담자B : 아! 예, 어떤 행사였나요? 내담자D : 시어머님 칠순에 친정어머니 회갑까지 겹쳐 있었지요. 상담자B : 어머! 친정어머니께서 젊으셔서 좋겠어요. 저는 늦둥이로 태어나 벌써 여든이 넘으셨거든요. 그러나 저러나 10kg을 더 빼야 하는데 앞으로도 이런 행사가 더 있나요? 내담자D : 당분간은 없어요. 상담자B : 다행이네요. 앞으로도 10kg은 더 빼셔야 하는데……. 좀 더 자제를 하셔야겠지요? 그래서 다이어트가 힘든 것이니, 전인화씨나 장미희씨처럼 아름다운 중년기의 미래를 꿈꾸면서 더 노력해 보세요. 내담자D : 아! 예, 노력해 보지요. 상담자B : 예, 그래 주셔야 합니다. 다음 주는 좀 더 효과적인 한 주로 만드시기 바랍니다.

(가) 상담자 A는 내담자 중심으로 이야기하지 않았다.
(나) 상담자 B는 내담자의 문제를 이해하고 격려하며 해결책을 주었다.
(다) 상담자 A는 내담자가 문제해결을 위한 방법을 찾도록 노력했다.
(라) 상담자 B는 친밀한 상담환경을 위해 충분히 노력하지 않았다.
(마) 상담자 A와 B는 내담자에게 친절하게 충고하면서 대화를 진행하였다.

정답 55. (다)

56. 가정지도에서 주의할 점이 아닌 것은?
   (가) 사전에 통고없이 방문하지 말 것
   (나) 반복적으로 지도할 것
   (다) 어린이에게도 철저히 지도할 것
   (라) 친절하면서 성의 있게 지도할 것
   (마) 계획적인 지도를 할 것

57. 가정을 대상으로 영양지도를 실시할 때 잘못된 점은?
   (가) 수시로 방문하여 지도한다.
   (나) 가정의 실권을 가진 사람에게 지도한다.
   (다) 반복적으로 지도해야 한다.
   (라) 가족구성이나 생활실태를 미리 알아둔다.
   (마) 미리 방문이 가능한 시간을 허락받고 약속한 후에 방문한다.

58. 영양교육의 평가를 하는 데 가장 좋은 수단은?
   (가) 수용자세   (나) 유인물
   (다) 조사자료   (라) 교재 및 매체
   (마) 질의 및 토의

59. 영양지도의 활동에 대한 5대 요소가 될 수 없는 것은?
   (가) 누가 교육을 담당하는가?
   (나) 무엇에 관하여 교육하는가?
   (다) 피교육자의 동원 인원은 몇 명인가?
   (라) 어떠한 방법으로 교육하는가?
   (마) 어떠한 영향력을 미치고자 하는가?

59. 인원수보다는 누구를 대상으로 교육을 하는가 하는 파악이 필요하다.

60. 영양지도원의 임무 중 틀린 것은?
   (가) 영양결핍증후에 대한 치료
   (나) 식생활 개선
   (다) 영양교육
   (라) 집단급식시설 및 급식업무지도
   (마) 영유아, 임산부, 수유부 및 성인의 영양관리

60. 지도임무는 예방교육에 치중하며, 치료를 할 수 없다.

정답 56. (다) 57. (가) 58. (다) 59. (다) 60. (가)

61. 영양 교사가 민국이와 영양 상담을 하면서 나눈 대화이다. 영양 교사가 사용한 상담 기술에 대한 설명 중 옳은 것만을 〈보기〉에서 있는 대로 고른 것은?

〈영양교사, 2012년 기출문제〉

교사 : 민국아, 지난 비만 캠프에서 배운 대로 식사를 하고 있니?
민국 : 아니요.
교사 : 배운 대로 따라 하면 너에게 좋을 텐데….
민국 : 저는 빨리 살을 빼고 싶어서 자주 굶었어요.
교사 : 그러면 안 되지. 지난번에 선생님이 말했던 것처럼 식사는 규칙적으로 하면서 체중을 줄여야지.
민국 : 저는 뚱뚱해서 친구도 없고, 친구들도 저를 자꾸만 피해서 참 속상해요.
교사 : 그래도 굶어서 살을 빼는 것은 좋지 않아. 비만 캠프에서 배운 대로 채소 반찬은 많이 먹고 기름진 음식은 적게 먹어야 한단다. 우리 다시 한 번 시작해 보자.
민국 : 예, 어쨌든 저는 살을 빨리 빼고 싶어요.
교사 : 민국이는 잘 할 거야. 운동도 많이 해라.

───〈보기〉───
① 영양 교사는 상담 기술 중 '요약'을 사용하였다.
② 영양 교사는 상담 기술 중 '반영'을 사용하였다.
③ 영양 교사는 상담 기술 중 '조언'을 사용하였다.
④ 영양 교사는 상담 기술 중 '질문' 중 폐쇄형 질문을 사용하였다.

(가) ①   (나) ①, ②   (다) ②, ④
(라) ③, ④   (마) ②, ③, ④

Guide

61. ② 반영 : 내담자의 느낌이나 진술을 다른 동일한 의미로 바꾸어 부연설명하는 상담 기법

④ 폐쇄형 질문 : 예/아니오 등과 같은 특정하고 제한된 응답을 요구하는 질문

정답 **61.** (라)

62. 영양교육자가 되기 위해 필요한 자질로 옳은 것은?

> ① 남의 일을 내 일처럼 이해하고 배려해주는 자세
> ② 올바른 결단을 신속하게 내려줄 수 있는 정확한 판단력
> ③ 단시간에 효율적인 교육이 될 수 있도록 진행하는 추진력
> ④ 대상자를 올바른 방향으로 교육하기 위한 자신의 뚜렷한 주관과 냉철한 비판력

(가) ①, ② (나) ①, ②, ③
(다) ②, ③, ④ (라) ②, ④
(마) ③, ④

63. 지역사회의 영양교육을 할 때 실시방법보다 먼저 할 것은?

(가) 예비조사를 실시
(나) 지역사회 문제를 파악
(다) 지역사회 단체의 협조
(라) 단체의 지도자들과 영양문제를 토의
(마) 호응도를 높이기 위한 홍보활동

64. 아침 결식, 과식, 속식(速食)이나 간식 선택에 문제를 갖고 있는 어린이를 대상으로 영양교육을 하려고 한다. '영양 지식 증가 – 식태도 변화 – 식행동 변화'를 통해 식습관을 개선하고자 할 때 바르게 연결된 것은? <영양교사, 2010년 기출문제>

(가) 아침 식사의 중요성을 안다 – 아침 식사를 한다 – 아침 식사를 거르지 않는다.
(나) 적절한 식사 속도를 안다 – 식사를 천천히 한다 – 평소 15~20분 정도 식사한다.
(다) 규칙적인 식사의 중요성을 안다 – 제때에 식사를 하려고 결심한다 – 규칙적인 식사를 한다.
(라) 과식의 문제점을 안다 – 과식을 하지 않으려고 생각한다 – 아침 결식 후 점심에 과식하지 않는다.
(마) 건강에 좋은 간식의 종류를 안다 – 간식으로 도넛 대신 과일을 먹으려고 생각한다 – 아침 식사로 매일 과일을 먹는다.

64. 식습관 개선을 위한 '영양 지식 증가'는 어린이가 지니고 있는 문제(아침 결식, 과식, 폭식이나 간식 선택 등)를 아는 것이고, '식태도 변화'는 문제점을 개선하려는 태도의 변화(결심)와 흥미를 갖게 되는 단계이며 '식행동 변화'는 식생활 개선에 대한 실천으로 습관화를 이룩하는 단계이다.

정답 62. (가) 63. (가) 64. (다)

65. 보건소에서 영양상담을 지도하는 방법은?

(가) 시범교수 (나) 사례연구
(다) 집회지도 (라) 개인지도
(마) 집단지도

66. 평소 패스트 푸드 섭취량이 많은 중학생 A를 대상으로 행동변화단계 모델(stages of change model)을 적용하여 영양교육을 하려고 한다. 다음과 같은 A의 현재 행동 변화 단계에 적절한 영양교육 활동으로 옳은 것을 〈보기〉에서 모두 고른 것은?

〈영양교사, 2010년 기출문제〉

> A는 본인의 식행동에 문제가 있다는 것은 알고 있으나 1개월 내에 식행동을 수정하겠다는 의지는 밝히지 않았다. 그러나 앞으로 6개월 내에는 식행동을 수정하여 패스트 푸드 섭취량을 줄이려는 의향은 있다.

〈보기〉
① 패스트 푸드 코너에 가지 않도록 지도한다.
② 패스트 푸드 섭취량을 줄여야 하는 이유를 알아본다.
③ 식행동 수정을 위한 영양교육 프로그램에 참여시킨다.
④ 간식으로 패스트 푸드 대신 과일이나 우유를 먹도록 권한다.
⑤ 패스트 푸드 섭취량을 줄이는 것에 대한 장애 요인을 알아본다.

(가) ①, ② (나) ②, ⑤ (다) ①, ③, ④
(라) ②, ③, ⑤ (마) ③, ④, ⑤

66. 행동변화단계 모델(stages of change model)은 '무관심' → '심사숙고' → '준비' → '실행' → '유지' → '변화의 재순환'의 6단계로 되어 있다. 문제의 중학생 A는 '심사숙고 단계'이므로 다음단계인 '준비 단계'로 가려면 실질적인 행동을 가르치기 이전에 식생활 개선에 대한 확고한 의지를 심어주어야 한다.

67. 지역조직에서 활동할 때 맞지 않는 것은?

(가) 지역에서 열성과 의지력을 갖는 것이 사업을 성공시키는 한 가지 요인이 될 수 있다.
(나) 집단의 힘으로 식생활 개선에 대한 열성을 높이고 실천활동으로 유도한다.
(다) 주민의 필요보다는 지도자 쪽에서 활동주제를 만드는 것이 좋다.
(라) 주민의 적극적 참여와 전문가의 지도력이 결합되는 것이 중요하다.
(마) 사업이 끝난 후에도 생활화 할 수 있도록 유도한다.

정답 65. (라) 66. (나) 67. (다)

68. 영양교육을 진행할 때 가장 중요한 것은?

(가) 영양지식보급, 음식물 섭취, 휴식
(나) 영양지식보급, 계몽, 음식물 섭취
(다) 영양지식보급, 태도변용, 실행
(라) 영양지식보급, 음식물 섭취, 실행
(마) 영양지식보급, 계몽, 휴식

69. 조리실습을 통한 영양지도 방법으로 적당하지 못한 것은?

(가) 새로운 음식에 대한 맛
(나) 새로운 음식에 대한 질감
(다) 새로운 음식에 대한 냄새
(라) 새로운 음식에 대한 시각
(마) 새로운 가공식품의 영양가

69. 음식에 호기심을 갖도록 하기 위해서 시식을 하여 참여의식을 높인다.

70. 조리 강습회의 방법으로 적합하지 않은 것은?

(가) 조리에 의한 demonstration
(나) panel discussion 을 한다.
(다) 시연을 한다.
(라) 식단을 인쇄해서 배포한다.
(마) 수강자 각자에게 실습을 시킨다.

71. 영양교육의 효과를 올리는 데 가장 좋은 방법은?

(가) 조리를 중심으로 지도한다.
(나) 우선 영양가의 계산방법을 이해시킨다.
(다) 대강만이라도 이해될 수 있도록 지도한다.
(라) 대상자가 충분히 납득해서 스스로 실행할 수 있을 때까지 지도한다.
(마) 교육효과에 참고가 되는 자료를 충분히 제공해 준다.

정답 **68.** (다) **69.** (마) **70.** (나) **71.** (라)

72. 영양교육에서 행동변화의 단계를 나타낸 그림이다. 행동 수정에 대한 자신감 고취를 위하여 자아효능감 증진 방법을 쓰기에 가장 적당한 시점(㉠~㉢)과 ①과 ②에 들어갈 요인으로 옳은 것은?

〈영양교사, 2011년 기출문제〉

72. '실천하려고 시도하여', '자신감과 효능감을 갖고 반복하여 실천'하도록 하는 시점이 ㉡이다. 그리고 '지식의 증가'와 '태도의 변화'로 가기 위해서는 '동기부여 요인'이 있어야 하고, 변화가 지속되어 정착될 수 있도록 하기 위해서는 '강화요인'이 필요하다.

		①	②
(가)	㉠ :	식행동 변화를 위한 기술개발 요인	식사환경 변화를 위한 요인
(나)	㉡ :	식행동 변화를 위한 기술개발 요인	건강한 식행동 능력배양 요인
(다)	㉡ :	식행동 변화를 위한 동기부여 요인	식행동 변화 지속을 위한 강화 요인
(라)	㉢ :	식행동 변화를 위한 동기부여 요인	식행동 변화 지속을 위한 강화 요인
(마)	㉢ :	식행동 변화 가능성 강화 요인	의지와 신념의 변화를 위한 주변인의 지지 요인

정답 72. (다)

73. 식습관에서 오는 영양문제 중에서 개선할 점은?

(가) 채소의 과잉 섭취
(나) 단백질의 과잉 섭취
(다) 소금의 과잉 섭취
(라) 섬유질의 과잉 섭취
(마) 지방질의 과잉 섭취

74. 우리나라의 영양정책으로서 실행되어야 하는 것은?

(가) 농어촌의 공동취사장 마련
(나) 식품의 계획 생산
(다) 식습관에서 오는 영양문제 개선
(라) 단체급식소의 시설 개량
(마) 성인병 예방식

75. 최근의 경제성장으로 인하여 우리의 식생활에서 변화된 점은 무엇인가?

(가) 식습관의 변화가 없다.
(나) 녹황색 채소의 소비증가
(다) 전분식품의 소비증가
(라) 동물성 식품 및 기호식품의 소비증가
(마) 인스턴트 식품의 소비증가

76. 다음 중 집단전달방법이 아닌 것은?

(가) 상담에 의한 방법
(나) 전시에 의한 방법
(다) 인쇄물 배포에 의한 방법
(라) 벽보를 이용하는 방법
(마) TV 방송에 의한 방법

76. 대중적이고 집단적인 전달은 매체를 통하는 것이고, 상담은 개인적 설득으로 소수전달방법이다.

77. 영양교육방법 중 집회지도로 올바른 것은?

(가) 전시회, 면담, 연구회
(나) 강연회, 좌담회, 소책자
(다) 강연회, 좌담회, 연구회
(라) 전시회, 면담, 강연회
(마) 발표회, 전시회, 개인면담

정답 73. (다) 74. (나) 75. (라) 76. (가) 77. (다)

78. 강의식 토의법(Lecture forum)의 장·단점으로 옳지 않은 것은?

① 다수인에게 단시간에 일정한 양의 지식을 전달할 수 있다.
② 1인의 강사가 강연을 하는 방식으로, 일반 청중의 토론참여가 없는 일방적 방식이다.
③ 교육을 위한 많은 준비가 필요하여 어려움이 있다.
④ 개인차를 무시한 획일적인 학습방법이 될 수 있다.

(가) ①, ② (나) ①, ③
(다) ①, ④ (라) ②, ③
(마) ③, ④

79. 다음 영양교육방법 중에서 가장 효과가 적은 것은?
(가) 강연 (나) 토의 (다) 견학
(라) 영화 (마) 실습

79. 영화는 설명없이 진행되어 전달상태를 확인하기 힘들다.

80. 다음 집단지도의 종류 중 잘못 연결된 것은?
(가) 강제집단 – 교도소
(나) 생활을 중심으로 한 집단 – 학교, 회사, 공장 등
(다) 조직되어 있는 집단 – 지역집단, 청년회, 부인회 등
(라) 임의, 임시집단 – 시설 아동들, 기숙사생들

80. 임의, 임시 집단지도는 음악회, 강연회를 말한다.

81. 집회지도에 대한 다음 설명 중 잘못된 것은?
(가) 지식을 전달하면 된다.
(나) 대상의 필요에 따른다.
(다) 누구나 생각할 기회를 갖게 한다.
(라) 공통적인 문제에 대한 해결책을 갖는다.
(마) 누구나 희망을 말할 수 있고, 질문을 할 수 있게 한다.

82. 공론식 토의법의 설명 중 잘못된 것은?
(가) 강사의 의견제시를 충분히 들을 수 있는 토의법이다.
(나) 사회자는 1명이다.
(다) 청중은 많을수록 좋다.
(라) 반대 의견을 가진 강사를 초대한다.
(마) 강사들 사이의 토론이 끝나면 강사와 참가자 사이의 토론을 한다.

82. 공론식 토의법은 공청회와 같은 토의이며, 한 주제에 발표한 강사와 다른 청중의 의견을 받아서 토론하는 방법이다.

정답 78. (라) 79. (라) 80. (라) 81. (가) 82. (다)

83. 다음 중 실제의 활동과 경험담을 보여 주면서 토의를 유도하는 방법은?

(가) 사례연구 (나) 시범 교수법
(다) 역할 연기법 (라) 집단토의
(마) 연구집회

84. 다음의 집회방법에 대한 설명 중에서 틀린 것은?

(가) symposium 이란 강단식 토의법으로, 일정한 주제를 갖고 특수한 의견이나 지식·경험을 가진 사람을 선정하여 각자 자기 입장에서 발언하는 방법이다.
(나) panel discussion 이란 배석식 토의법으로 일정한 주제에 대해 출석자 모두에게 토의시키는 방법이다.
(다) 6·6 법이란 출석자를 6~8 명의 적은 group 으로 나누어서 group 마다 대화를 한 후에 전체 토의를 하는 방법이다.
(라) debate forum 이란 공론식 토의법으로, 하나의 문제에 대해서 다른 의견을 가지고 있는 전문가의 의견을 발표한 후 청중의 질문과 의견을 받는 방법이다.
(마) 좌담회란 20 명 정도가 참가하여 기분좋게 전원이 발언할 수 있는 원탁식의 대화·토의 방법이다.

85. 강단식 토의법과 관련이 없는 것은?

(가) 공개토론
(나) 한 가지 주제를 여러 각도로, 경험이 많은 몇몇 강사의 의견을 듣는다.
(다) 청중과 질의응답을 한다.
(라) 사회자는 각 강사의 발언시간을 5~10 분 정도로 조절한다.
(마) 강사 간에 활발한 토의를 촉진시킨다.

86. 토의법의 형식에서 벗어나는 것은?

(가) 공론식 토의법 (나) 강연식 토의법
(다) 배석식 토의법 (라) 두뇌충격법
(마) 강단식 토의법

Guide

84. panel 토론은 전원이 토의하지 않고 4~8 명을 선발해서 그들로 하여금 토의와 질문·응답을 하도록 한다.

85. 사회자는 한 사람의 강사에게 질문이 집중되지 않도록 조절하며, 강사 간에 토의하지 않도록 한다.

86. 토의법의 형식에는 원탁식, 공론식, 강연식, 강단식, 6·6식, 부분식 토의법이 있다.

정답 83. (나) 84. (나) 85. (마) 86. (라)

87. 성장이나 건강증진과 식품의 관계를 짚어보려고 한다. 그 영양교육방법으로 가장 적당한 것은?

(가) 지역사회에 대한 조사
(나) 동물사육시험
(다) 식품섭취에 대한 조사
(라) 조리 방법에 대한 실습
(마) 식물재배실험

88. 집회의 진행방법에 있어서 다음 중 잘못된 것은?

(가) 시작 시간을 지킨다.
(나) 끝나는 시간은 안 지켜도 된다.
(다) 시작할 때는 진행방법에 대해 설명을 한다.
(라) 시청각 매체를 이용한다.
(마) 대상에 따라 진행방법을 선택 혹은 변화시켜 이해하기 쉬운 방법을 선택한다.

89. 다음 중 좌담회의 특징이 될 수 없는 것은?

(가) 참석자 전원이 발언할 수 있다.
(나) 좌석을 뒷자리와 아랫자리로 구별하지 않도록 한다.
(다) 서로의 토의내용에 책임을 진다.
(라) 짧은 시간에 결론을 얻을 수 있다.
(마) 공통의 문제를 해결할 수 있다.

89. 참석자 전원이 발언하도록 하여 책임감 있게 공통의 문제를 해결할 수가 있다.

90. 사회자, 강사진, 참가자가 실시하는 대중토의란 다음 중 어떤 것인가?

(가) symposium
(나) lecture forum
(다) film forum
(라) panel discussion
(마) round table discussion

정답 87. (나) 88. (나) 89. (라) 90. (라)

91. 시범교수법에 대한 설명으로 맞지 않는 것은?
- (가) 방법시범교수법은 참가자의 이해를 확인하여 단계적으로 실시
- (나) 결과시범교수법은 실제활동, 경험담 등을 보여주고 설명하며 토의하는 방법
- (다) 참가자 전원이 최대한으로 활용할 수 있는 재료 사용
- (라) 참가자들의 문제와 직접 관련시켜 설명
- (마) 방법시범교수법이 결과시범교수법보다 시간, 노력, 비용이 더 많이 든다.

91. 참가자에게 활동과 경험담을 보여주면서 이해상태를 확인하면 주의집중이 되어 훨씬 효과가 좋다.

92. 문제해결을 할 때, 가장 민주적인 방법은?
- (가) 영화
- (나) 강의
- (다) 사례연구
- (라) 강연회
- (마) 토론회

92. 참가자 전원이 의견을 제시하여 협동적으로 문제를 해결할 수 있는 방법은 토론회이다.

93. 다음 중 6·6식 토의를 할 때 특징이 아닌 것은?
- (가) 분위기가 해이해질 때 좋다.
- (나) 토의에 익숙하지 않은 사람이 많을 때 좋다.
- (다) 전부 발언할 수 있다.
- (라) 시간이 많이 걸린다.
- (마) 찬성과 반대에 대한 의견을 물을 때 이용한다.

94. Buzz session을 회의 중간에 끼워 넣을 때 가장 적당한 분위기는?
- (가) 의장이 무능력해서 회의가 혼란된 때
- (나) 출석자의 수가 적어서 회의가 활기를 잃을 때
- (다) 의장이 출석자의 의사를 무시하고 단독적인 의사 운영을 실시할 때
- (라) 출석자의 수가 많아서 일부의 사람만이 의견을 말하고, 다른 대부분의 사람들이 발언의 기회를 얻기 힘들 때
- (마) 출석자의 수는 적은데 시간이 너무 오래 걸릴 때

정답 **91.** (마) **92.** (마) **93.** (라) **94.** (라)

95. 영양교육의 방법 중 다음 토의의 유형으로 옳은 것은?

〈영양교사, 2012년 기출문제〉

주제 : 학생들의 포화지방 섭취를 줄이기 위한 방안은?

[참석자]
사회자 : ○○○
각계 대표자 : 의사, 영양학 교수, 영양 교사, 산업체 연구소장
　　　　　　 (총 4명)
청 중 : 영양 교사 약 50명

[토의 내용]
사회자의 진행으로 자유롭게 의견을 주고받으며 토의함
- 의사 : 포화지방 섭취와 만성 질환과의 관련성 및 포화지방 섭취 감소의 중요성을 언급함.
- 교수 : 최근 30년간 세계 각국의 포화지방 섭취 감소 방안을 소개함.
- 소장 : 가공 식품 제조 시 포화지방 이용 실태와 포화지방 저감화의 애로점을 설명하고 저감화 방안에 대해 연구 노력 중임을 발언함.
- 의사 : 학생들에게 포화지방 과다 섭취의 위험성을 경고하는 건강 증진 교육의 필요성과 추진 방안에 대한 의견을 피력함.
- 교사 : 학생들의 육류 및 가공 식품의 기호도가 매우 높으므로 포화지방 함량이 낮은 식품 섭취를 권장하는 영양 교육과 자료 개발이 절실히 필요하다고 언급함.
- 교수 : 포화지방 섭취를 줄이기 위하여 영양 교사들은 학생들에게 조리 실습 등의 체험을 통한 영양 교육을 실시하고, 전문가 팀을 구성하여 포화지방 저감화 식단을 개발하는 방안을 제시함.

[청중 질문]
* 청중 1 : 교수에게 조리 시 마가린 사용 여부에 대해 질문함.
* 교　수 : 마가린은 트랜스지방 함유량이 높아 바람직하지 않다고 답함.
* 청중 2 : 학교 급식에서의 가공 식품 이용 실태 및 자신의 의견을 말함.
사회자가 마무리 정리하고 토의 마침.

㈎ 심포지엄　　㈏ 연구 집회　　㈐ 공론식 토의
㈑ 강단식 토의　㈒ 배석식 (패널) 토의

95. 배석식(panal) 토의 : 강사 간의 토의를 사회자가 이끌며 청중과 강사 간 질의토론 후 추가발표가 이루어지는 토론방식이다.

정답　**95.** ㈒

96. panel discussion 을 설명한 것 중에 틀린 것은?

(가) 배심토의
(나) 좌담식 공개토의법
(다) panel(배심원)은 4~8 명
(라) 청중은 100 명 이상
(마) 배심원 사이의 토의시간은 보통 20~30 분이다.

96. Panel discussion(배석식 토의법)은 청중 가운데 배심원 4~8 명을 뽑아서 등단시켜 특정문제에 대해 토의한 후 질의응답을 하는 방법으로 배심원 간의 토의시간은 20~30 분 정도이며, 청중이 질의한 다음, 10~15 분 정도 다시 토의한다. 청중의 수는 제한이 없다.

97. 조리실 종업원을 대상으로 해당 급식시설에서 현재 실시되고 있는 배선 과정의 문제점 개선에 대한 토의방법 중 가장 좋은 것은?

(가) 두뇌충격법
(나) 6·6 식 토론법
(다) 배석식 토론법
(라) 공론식 토론법
(마) 집단토의결정법

98. 조리하는 직원에게 기초식품군에 관한 교육을 준비하기 위하여 소수의 영양사들이 모임을 가질 경우에 가장 효과적인 모임 방법은?

(가) 강단식 토론법
(나) 집단토의 결정
(다) 사례연구
(라) 연구집회
(마) 두뇌충격법

98. 연구집회는 교육된 내용과 교육보조자료에 대한 안을 각 참여자가 제공하고 같이 검토 및 수정하여 공동의 교육자료를 개발하기에 가장 적합한 방법이다.

99. 참가자 전원이 제시된 아이디어에 대하여 충분한 토론을 거친 후, 가장 좋은 아이디어를 선택하도록 하는 것은?

(가) 사례연구
(나) 두뇌충격법
(다) 연구집회
(라) 역할연기법
(마) 부분식 토의법

99. 두뇌충격법은 제기된 주제에 대해 참가자 전원이 차례로 생각하고 있는 아이디어를 제시하고, 그 가운데서 최선책을 결정하는 방법이다.

100. 연구집회에 대한 설명으로 알맞지 않은 것은?

(가) 장기간에 걸쳐 실시하는 방법
(나) 같은 직업과 동일 체험을 가진 사람으로 구성
(다) 전문가 집단의 의견을 듣고 토의한다.
(라) 공통 문제에 관하여 자주적으로 해결하는 집회
(마) 집회지도 중간에 여러 가지 매체를 이용

100. 연구집회는 집단화합하는 모임으로, 체험과 직업이 같은 사람이 모여서 문제를 상담 및 토론하여 실천하는 것이다.

정답 96. (라) 97. (가) 98. (라) 99. (나) 100. (가)

101. 좌담회에서 좌장이 회의진행을 할 때 유념할 점이 아닌 것은?

(가) 즐거운 분위기가 되도록 한다.
(나) 참가자 전원이 발언할 수 있도록 한다.
(다) 회의진행의 방향을 제시해 준다.
(라) 발언하는 순서는 앉은 차례대로 한다.
(마) 처음부터 결론적인 해설은 하지 않도록 한다.

101. 좌장은 회의진행 방향을 제시하고 편중되게 발언이 되지 않도록 유도하면서 결론이나 해설을 피한다.

102. 실물을 이용하여 참가자들이 눈으로 보게 하고 실제로 경험하게 하는 영양교육 방법은?

(가) 시범교수법   (나) 사례연구   (다) 인형극
(라) 역할연기법   (마) 연극

103. 어린이를 대상으로 할 때 직접 보고 들을 수 있는 효과적인 영양교육방법은?

(가) 드라마   (나) 인형극   (다) 슬라이드
(라) 라디오   (마) 동화낭송

103. 직접 보고 들을 수 있는 효과적인 교육방법으로는 연극과 인형극이 있는데, 이것은 어린이들을 대상으로 하고 있다.

104. 일상생활에서 일어나는 어떤 상황을 즉흥적으로 연기하여 이해를 도와주며, 끝난 후에 참가자들이 토의하고 비판·검토하는 방법은?

(가) 역할연기법   (나) 사례연구   (다) 인형극
(라) 견학   (마) 시범교수법

105. 시연에 관한 설명 중에서 틀린 것은?

(가) 실제로 실시하여 보여 주는 것
(나) 구체적 교육방법
(다) 피교육자가 모든 것을 실시한다.
(라) 친근감을 준다.
(마) 장황하게 설명하는 시간이 절약된다.

정답 **101.** (라) **102.** (가) **103.** (나) **104.** (가) **105.** (다)

106. 유치원 원아들의 어머니들을 대상으로 하여 간식 마련에 대한 영양교육을 실시할 때 가장 효과적인 교육방법은?

㈎ 사례연구
㈏ 강연
㈐ 원탁식 토의법
㈑ 연구집회
㈒ 집단토의 결정법

107. 영양과 학생들의 임지 실습을 끝내고 나서 갖는 모임 중에서 제일 효과적인 것은?

㈎ seminar
㈏ 6·6 method
㈐ role playing
㈑ lecture forum
㈒ debate forum

108. 사진 또는 그림자료의 장점을 설명하려고 한다. 그 내용으로 옳지 않은 것은?

㈎ 실물이나 실제상황을 교육장소에서 사진 또는 그림을 통해서 볼 수 있다.
㈏ 어떤 상황을 간결하게 표현할 수 있다.
㈐ 구하기 쉽고 제작 및 그리기가 쉬우며, 비용이 적게 들어 경제적이다.
㈑ 책이나 잡지, 신문에 나오는 사진도 크기에 아무런 문제가 없다.
㈒ 필요시에는 복사를 하여 여러 장을 만들어서 학습자에게 배부할 수 있으며, 휴대가 간편하여 어떤 장소, 어느 집단에서도 활용할 수 있다.

109. 포스터를 제작할 때 요점을 설명하려고 한다. 적당하지 않은 것은?

㈎ 아이디어가 신선하며 강력하여야 한다.
㈏ 밝은 색을 사용하여 주의를 끌도록 하여야 한다.
㈐ 도안이나 글자의 배치를 연구하고 인상에 남도록 한다.
㈑ 횡서와 종서를 혼용함으로써 변화를 주도록 하여야 한다.
㈒ 목적은 하나로 하고 너무 많은 것을 써 넣지 않아야 한다.

106. 사례연구는 참여자가 실제로 공급해 오던 간식을 예로 들어 장·단점을 토론하고 개선점을 제공하므로 교육효과를 높일 수 있다.

정답 **106.** ㈎ **107.** ㈎ **108.** ㈑ **109.** ㈑

110. 영양교육에 이용되는 자료를 제작할 때 주의할 점으로 옳지 않은 것은?

> ① 알아보기 쉽도록 글씨는 명료하고 뚜렷하게 기재한다.
> ② 한 방향으로 기재하여 자료 파악에 혼란이 없도록 한다.
> ③ 자세한 설명을 기재하여 사람들이 더 많은 정보를 얻을 수 있도록 한다.
> ④ 교육 포스터를 제작할 때 눈에 잘 띄도록 화려하게 장식된 디자인을 선택한다.

(가) ①, ②   (나) ②, ③
(다) ②, ④   (라) ②, ③, ④
(마) ③, ④

111. 영양교육 매체의 효과적인 사용방법을 설명하려고 한다. 옳지 않은 것은?

(가) 자기자신에게 알맞는 효과적인 방법으로 사용한다.
(나) 교육자의 능력에 맞는 매체를 선택한다.
(다) 교육의 보조재료이기 때문에 일방적으로 보이거나 들려주기만 하면 안 되고, 그것을 소재로 하여 대화가 이루어지도록 한다.
(라) 될 수 있는 대로 많은 종류의 교재를 동시에 사용한다.
(마) 교육대상·시간·장소와 지도내용을 파악하고, 적당한 매체의 종류를 선정하며, 적절한 사용법을 연구한다.

111. 한 번의 교육에 여러 가지 보조자료가 활용되는 경우, 활용목적에 따라 단계적으로 제시되어야 한다.

112. 교육목표 달성을 위한 교수방법과 매체를 선택하고 그에 따라 구체적인 교수-학습방법을 선정하는 6단계를 ASSURE 모형이라 한다. 이 모형의 순서로 올바른 것은?

(가) 방법, 매체 및 자료선정 → 목표진술 → 학습자 분석 → 매체와 자료의 활용 → 학습자 참여반응 → 평가와 수정
(나) 학습자 분석 → 목표진술 → 방법, 매체 및 자료선정 → 매체와 자료의 활용 → 학습자 참여반응 → 평가와 수정
(다) 학습자 분석 → 목표진술 → 방법, 매체 및 자료선정 → 매체와 자료의 활용 → 평가와 수정 → 학습자 참여반응
(라) 목표진술 → 학습자 분석 → 방법, 매체 및 자료선정 → 매체와 자료의 활용 → 학습자 참여반응 → 평가와 수정
(마) 학습자 참여반응 → 목표진술 → 학습자 분석 → 방법, 매체 및 자료선정 → 매체와 자료의 활용 → 평가와 수정

112. ASSURE 모형
① 학습자 분석 (Analyze learners)
② 목표진술 (State objectives)
③ 방법, 매체 및 자료선정 (Select methods, media and materials)
④ 매체와 자료의 활용 (Utilize media and materials)
⑤ 학습자 참여 반응 (Require learner participation)
⑥ 평가와 수정 (Evaluation and revise)

정답 110. (마)   111. (라)   112. (나)

113. 조리실에 화재예방교육을 위한 자료를 비치하려고 한다. 가장 알맞은 것은?

㉮ 포스터(poster)
㉯ 벽보(wall chart)
㉰ 유인물(leaflet)
㉱ 소책자(booklet)
㉲ 융판그림(flannel graph)

114. 당뇨병 환자에게 식품교환에 대한 교육을 실시하려고 한다. 다음 중 어떤 재료가 적당한가?

㉮ 융판그림(flannel graph)
㉯ 유인물(leaflet)
㉰ 식품모형(food model)
㉱ 벽보(wall chart)
㉲ 포스터(poster)

115. 영양교육의 매체로 사용하려고 할 때, 가장 경제성이 낮은 것은?

㉮ 슬라이드   ㉯ 모형   ㉰ 융판그림
㉱ 실물   ㉲ 영화

116. pamphlet을 만들려고 할 때 고려할 점으로 적당하지 않은 것은?

㉮ 대상을 명확히 한다.
㉯ 크기나 page를 적당히 한다.
㉰ 흥미를 갖도록 한다.
㉱ 아름답지 않아도 된다.
㉲ 문체 및 문자를 읽기 쉽게 한다.

정답 113. ㉮   114. ㉰   115. ㉱   116. ㉱

117. 가정지도에서 개인의 건강행동을 변화시키기 위해서는 다음과 같은 가족의 가치관, 신념 및 생활습관과 관련된 구체적 질문을 조사해야 한다. 그 내용 중 옳지 않은 것은?

㈎ 가족이 건강에 대해 어떠한 정의를 하고 있는가?
㈏ 가족이 규칙적으로 하는 건강증진행동이 무엇인가?
㈐ 취미적인 측면에서 가족이 뚜렷이 목표로 하는 것은 무엇인가?
㈑ 이러한 행동들은 가족구성원 모두가 하는 것인가, 아니면 가족 내에서 건강증진행동의 패턴이 아주 다양한 것인가?
㈒ 가족이 건강에 대하여 어떤 가치관을 가지며, 이것은 건강행동과 일치를 보이는가?

118. 다음 중 집단지도자가 유의하여야 할 점으로 적당하지 않은 것은?

㈎ 한 사람에게 말을 독점시키면 안 된다.
㈏ 한 가지 주제가 끝나면 그 주제에 대한 결론을 분명히 짓고, 다음 주제로 넘어간다.
㈐ 마땅하지 않은 의견에 대해서는 비판을 하여 무안을 주도록 한다.
㈑ 주제에서 벗어나지 않도록 하며, 벗어났을 때는 가볍게 시정하여 준다.
㈒ 자기 의사발표의 기회나 집단에게 연설할 기회를 착각하지 않도록 한다.

119. 그림과 글자를 가지고 변화를 줌으로써 소집단에서 영양에 대한 교육효과를 증대시킬 수 있는 자료는?

㈎ 융판
㈏ 괘도
㈐ 모형
㈑ 유인물
㈒ 포스터

119. 융판그림은 영양에 관한 지식을 전달하는 과정 중에서 참가자들에게 직접 붙이도록 함으로써 흥미를 일으킬 수 있고, 움직이는 자료이므로 여러 가지 주제를 필요에 따라 바꿀 수 있다.

정답 117. ㈐ 118. ㈐ 119. ㈎

120. 슬라이드를 사용할 때의 이점을 설명하려고 한다. 다음 중 적당하지 않은 것은?

(가) 짧은 시간에 많은 정보를 얻을 수 있다.
(나) 개념을 구체적 형상으로 전달한다.
(다) 소재가 풍부해서 만들기 쉽다.
(라) 시청자의 상황에 대응할 필요가 없다.
(마) 만들고 보관하기가 쉬우며 조작이 간편하다.

121. 괘도에 대한 특성을 설명하려고 한다. 적당하지 않은 것은?

(가) 강습회나 토의 도중에 설명의 보조재료와 토의자료로 쓰인다.
(나) 단순한 표현을 사용한다.
(다) 한 장에 여러 가지를 넣지 말고, 여러 색채를 쓰거나 너무 진한 색을 쓰지 말아야 한다.
(라) 캠페인 기간에 이용하면 더욱 효과적이다.
(마) 해설을 위한 글을 적게 하여야 한다.

121. 괘도는 강습회나 토의 도중에 설명의 보조재료와 토의자료로서 쓰이고, 그림판은 주로 전시회장 같은 곳에 제시하는 것이다. 괘도의 경우에 주로 부드러운 색을 사용하고 단순하여야 하며, 글씨는 간결해야 한다. 또 움직이는 괘도를 사용하면 기분을 전환시키고 주위를 집중시킬 수 있어서 효과적이다.

122. 영양교육 후 어떤 당뇨병환자의 혈당검사에 대한 결과가 다음과 같다. 당뇨식이의 중요성을 알게 하려면 어떤 통계도표를 선택하는 것이 좋을까?

```
영양교육실시 전의 혈당치 : 100 mL당 150 mg
1 회 교육 후 2 주 때의 혈당치 : 100 mL당 120 mg
2 회 교육 후 2 주 때의 혈당치 : 100 mL당 90 mg
3 회 교육 후 2 주 때의 혈당치 : 100 mL당 80 mg
4 회 교육 후 2 주 때의 혈당치 : 100 mL당 70 mg
```

(가) 띠도표
(나) 원도표
(다) 꺾은선 그래프
(라) 대수도표
(마) 상관도표

정답 120. (라) 121. (라) 122. (다)

123. 다음 중 적당한 것끼리 묶여 있지 않은 것은?

(가) 수치의 주제파악 - 선 그래프
(나) 지역적인 분포상황 - 막대 그래프
(다) 수치와 추이 - 점 그래프
(라) 수량의 크기, 길이, 면적을 그림으로 표시 - 그림 그래프
(마) 구성비율의 파악 - 원 그래프

124. 통계도표 중 백분율을 나타내는 데 주로 쓰이는 것은?

① 분포도	② 띠 도표
③ 막대 그래프	④ 파이(pie) 도표

(가) ①, ②   (나) ②
(다) ②, ③, ④   (라) ②, ④
(마) ④

125. 영양교육은 대상에 따라 적합한 방법을 선택하여야 한다. 그렇다면 초등학생에게 학교급식에 관한 영양교육을 실시할 때, 특히 섭취식품에 따른 열량조성의 비율을 설명하려고 할 때, 가장 적당한 도표는?

(가) 상관점도표   (나) pie 도표   (다) 막대 그래프
(라) 도수분포도   (마) 대수도표

126. 영양개선의 기본이론을 설명하려고 한다. 옳지 않은 사항은?

(가) 영양개선의 방법을 강구하고 실천방법에 따른 지도의 기술이 있어야 한다.
(나) 영양교육은 대규모로 실시해야 한다.
(다) 현재의 영양상태를 명확히 파악해야 한다.
(라) 효과판정과 반복지도를 필수적으로 행해야 한다.
(마) 피교육자의 실태를 파악하여 문제점을 발견하고 지도방법을 설정해야 한다.

125. pie 도표(원 그래프)는 구성비율이 파악된다. 데이터를 중심각 또는 면적의 크기로 나타내어 그래프는 원래 전체적인 것을 요약하여 표시해 준다. 즉, 전체의 합, 상호간의 관계 등을 비교나 양적 자료를 통해 빠르고 간단하게 나타내 주므로 학습에 사용하면 대단한 가치가 있다.

정답 123. (나) 124. (라) 125. (나) 126. (나)

127. 우리나라의 영양정책에 있어서 근본적으로 실시되어야 할 문제를 짚어 보려고 한다. 가장 시급한 것은?

㈎ 단체급식소의 시설을 개량해야 한다.
㈏ 식습관에서 오는 영양문제를 해결해야 한다.
㈐ 식량생산의 합리화를 꾀해야 한다.
㈑ 농어촌의 공동 취사장을 마련해야 한다.
㈒ 단체급식소의 확대를 서둘러야 한다.

128. 어린이들에게 영양교육을 시킬 때는 특별한 방법이 요구된다. 즉, 직접 시청하게 함으로써 흥미를 끌 수 있는 교육방법은 다음 중 어느 것인가?

㈎ 라디오　　　　　　㈏ 인형극
㈐ 동화낭송　　　　　㈑ 드라마
㈒ 슬라이드

129. 주변환경, 등장인물, 그리고 상황을 교육목적으로 맞추어 설정해 놓는 토의 방법은?

㈎ 역할연기법　　　　㈏ 견학
㈐ 사례연구　　　　　㈑ 시범교수법
㈒ 인형극

130. 영양교육방법 중 개인지도를 할 때 면담자가 갖추어야 할 태도가 아닌 것은?

㈎ 성실한 태도로 안정감과 신뢰감을 주어야 한다.
㈏ 부드럽게 감정을 잘 수용하되, 객관성이 있어야 한다.
㈐ 상대방의 입장을 이해하고 공감대를 갖도록 노력한다.
㈑ 결과를 잘 안 후에는 잘못된 것을 고친다.
㈒ 상대방의 표정을 중립적으로 보면서 균형잡힌 영양을 섭취하도록 충고·지시한다.

정답 127. ㈐　128. ㈏　129. ㈎　130. ㈒

4. 시청각 매체

131. 다음 대량매체 중 경제적이며 여러번 반복해서 사용할 수 있는 가장 적당한 매체는?
⑺ TV
⑷ 슬라이드
⒟ 라디오
⒠ 영화
⒨ 신문

132. 시청각 교육을 실시하려고 할 때, 어느 교재 및 방법을 사용해야 가장 유리하겠는가?
⑺ slide   ⑷ 강연   ⒟ 영화
⒠ demonstration   ⒨ 전시

133. 매체에 대한 설명 중 틀린 것은?
⑺ 인상을 강하게 한다.
⑷ 이해가 빠르고 확실하게 된다.
⒟ 상대편의 시각을 변화시켜 준다.
⒠ 입체적 매체라면 지도내용에 꼭 맞지 않아도 효과가 있다.
⒨ 상대방의 관심을 끌어 준다.

> **133.** 자기 또는 타인이 가진 의사를 상대방이나 여러 사람에게 정확히 전달하는 도구를 말한다.

134. 사진과 그림자료에 대한 특성 중 틀린 것은?
⑺ 언어와 마찬가지로 사상을 전달한다.
⑷ 오랫동안 인상에 남는다.
⒟ 현실적이고 생동감이 있다.
⒠ 요점을 강조하는데 효과가 적다.
⒨ 보관하기 편하고 반복해서 사용할 수 있다.

정답 4. 시청각 매체 **131.** ⑷ **132.** ⒠ **133.** ⒠ **134.** ⒠

135. 매스미디어를 통한 영양교육의 장·단점으로 옳은 것은?

① 다수 대중들에게 많은 정보를 빠른 시간 내에 알릴 수 있다.
② 일괄적인 교육으로 인해 심도있는 개별 맞춤 교육이 이루어지기 어렵다.
③ 불확실한 정보나 영양문제에 대한 해결이 어렵다.
④ 비용 대비 파급효과가 큰 편이다.

㈎ ①, ②   ㈏ ①, ②, ④
㈐ ②, ④   ㈑ ②, ③, ④
㈒ ③, ④

136. 대량매체로써 효과를 판정할 수 없는 것은?
㈎ 토의   ㈏ 실습   ㈐ TV 나 신문
㈑ 강연   ㈒ 연구집회

136. 대량매체는 영화·라디오·신문·TV 이다. 일시에 많은 대중에게 전달되지만, 효과는 판정할 수 없다.

137. 시청각을 통한 영양교육에 있어 게시매체에 해당되지 않는 것은?
㈎ 괘도   ㈏ 통계도표   ㈐ 도판 및 융판
㈑ 표본 및 모형   ㈒ 팸플릿 및 슬라이드

138. 영양교육의 방법 중 보건소 등의 관청에서 많이 사용하는 방법은?
㈎ 홍보활동   ㈏ 선전   ㈐ 방송 등 매체교육
㈑ 판매활동   ㈒ 정규강좌

139. 그림 자료에 대한 설명 중 잘못된 것은?
㈎ 그림자료는 제작비용이 싸고 쉽게 구할 수 있다.
㈏ 그림자료의 제시에는 기구가 필요하지 않으므로 이용이 편리하다.
㈐ 만들기가 비교적 쉽고 여러 번을 쓸 수 있다.
㈑ 그림자료를 이용한 기술의 학습은 학습효과를 얻기 쉽다.
㈒ 그림자료는 대상자가 보기에 알맞은 크기로 제시해야 한다.

139. 정확한 심도의 지각이 요구되는 개념이나 기술의 학습은 평면적 그림으로는 그 학습효과를 얻기가 힘들다.
 책, 잡지, 신문 등에 나오는 그림자료는 대상자가 보기에 알맞은 크기이여야 한다.

정답 **135.** ㈏   **136.** ㈐   **137.** ㈒   **138.** ㈎   **139.** ㈑

140. 매체 중에서 시각을 주로 하는 것이 아닌 것은?

(가) 융판　　(나) 사진　　(다) 방송
(라) 슬라이드　(마) 모형

141. 초등학교 저학년 어린이가 매끼 섭취한 식사가 균형식인지를 스스로 평가할 수 있는 영양교육을 하려고 한다. 가장 적절한 내용과 효과적인 매체를 〈보기 1〉과 〈보기 2〉에서 골라 바르게 연결한 것은?
〈영양교사, 2010년 기출문제〉

―――――――〈보기 1〉―――――――
　　가. 식품교환표　　나. 식사구성안　　다. 식품구성탑

―――――――〈보기 2〉―――――――
① 움직이면서 교육할 수 있는 식품모형
② 식품사진이나 식품그림의 탈부착 자료
③ 간단한 영양정보를 인상적으로 전달하는 포스터
④ 사진이나 그림을 넣어 읽기 쉽게 설명한 팸플릿
⑤ 단순한 정보전달이 쉽고, 오래 보관할 수 있는 리플릿

(가) 가 - ①, ③　　(나) 나 - ②, ④
(다) 나 - ③, ⑤　　(라) 다 - ①, ②
(마) 다 - ④, ⑤

141. 초등학교 저학년 어린이에게는 이해하기 쉽도록 단순화된 그림이나 색감으로 교육하는 것이 좋다.
　식품구성탑은 그림으로 되어 있어서 어린이가 흥미를 가지기 때문에 쉽게 이해시킬 수 있다. 또한 모형이나 탈부착 자료 등 어린이가 흥미를 유발할 수 있는 '입체적이고 동적인 자료'가 효과적이다.
　현재 '식품구성탑'은 '식품구성자전거'로 변경되었다.

142. 시청각 자료를 활용할 수 있는 조건이 아닌 것은?

(가) 뚜렷한 활용목적　　(나) 알맞는 활용방법
(다) 적당한 장소　　　　(라) 교육내용과 맞는 교재
(마) 맹목적으로 야외에서 지도한다.

143. 시청각 교재를 평가하는 기준이 아닌 것은?

(가) 구성　　(나) 경제성　　(다) 방법
(라) 명확성　(마) 모형과 설득

144. Mass media에 해당되지 않는 것은?

(가) 영화　　(나) TV　　(다) 신문
(라) 편지　　(마) 라디오

정답　140. (다)　141. (라)　142. (마)　143. (마)　144. (라)

145. 포스터로써 필요한 조건이 될 수 없는 것은?

(가) 균형이 잡혀 있을 것
(나) 알기 쉽고, 마음을 끌 것
(다) 교양을 위한 글이 많을 것
(라) 욕망을 불러일으킬 것
(마) 의미가 뚜렷할 것

146. 다음 슬라이드를 사용할 때 이점이 될 수 없는 것은?

(가) 영사기보다 간편하다.
(나) 인원수에 크게 제한을 받지 않는다.
(다) 주의를 집중시키기 쉽다.
(라) 설명의 내용과 속도를 바꿀 필요가 없다.
(마) 진행속도를 조절할 수 있다.

146. 슬라이드는 움직이지 않는 결점이 있으나 해설하는 내용에 따라 영사하는 시간을 길게 하는 등, 자유롭게 조절할 수 있는 이점이 있다.

147. 30명 정도의 소집단을 대상으로 영양교육을 할 때, 그림이나 모양을 바꾸면 교육에 효과가 좋은 것은?

(가) 융판　　(나) 모형　　(다) 유인물
(라) 포스터　　(마) 팸플릿

148. 괘도를 만들 때의 주의사항 중에 잘못된 것은?

(가) 되도록 단순한 표현일 것
(나) 한 장에 여러 가지를 넣지 말 것
(다) 너무 진한 색을 쓰지 말 것
(라) 해설을 위한 글을 많이 쓸 것
(마) 이해하기 쉽게 표현할 것

149. Pamphlet 제작을 할 때 유념할 점이 아닌 것은?

(가) 읽기 쉽게 한다.
(나) 흥미를 갖게 한다.
(다) 아름답게 색이 잘 배합되도록 한다.
(라) 일반인의 교양적 내용을 넣어서 배포한다.
(마) 설명하고자 하는 내용을 되도록 간단하게 한다.

정답 145. (다)　146. (라)　147. (가)　148. (라)　149. (라)

150. 다음 중 당뇨병 환자에게 식품교환을 설명할 때 사용하기 좋은 재료는?

(가) 유인물   (나) 융판그림   (다) 식품모형
(라) 포스터   (마) 벽보

151. 통계 도표에 대한 설명에서 잘못된 것은?

(가) 하나의 교재로서 큰 역할을 갖는다.
(나) 짧은 시간에 이해를 촉진시킨다.
(다) 수량을 바르게 읽을 수 있게 한다.
(라) 해설을 위해 글을 많이 쓴다.
(마) 사용방법을 잘 모르면 상대방에게 오해를 주게 된다.

151. 도표는 현상의 대상들에 대한 흥미를 주어서 실력 향상에 도움을 얻게 할 수도 있기 때문에 아름답게 꾸며야 한다.

152. 인쇄매체가 될 수 없는 것은?

(가) pamphlet   (나) leaflet
(다) poster   (라) booklet
(마) 모형 및 환등

153. 영양교육의 효과에 대한 평가를 하는 데 가장 좋은 자료는?

(가) 기술   (나) 유인물   (다) 조사자료
(라) 리플릿   (마) 스티커

154. 영양교육에서 홍보할 때 가장 많이 쓰는 방법은?

(가) 인쇄물   (나) 방송   (다) 전시
(라) 영화   (마) 테이프

155. 환등에 대한 설명 중에서 잘못된 것은?

(가) 참가자의 주의력을 집중시킨다.
(나) 해설자의 얼굴이 보이지 않으므로 좋지 않다.
(다) 사진이 현실감을 갖도록 한다.
(라) 예정된 속도로 진행시킬 수 있다.
(마) 그림·도표·사진 등을 다양하게 구상하여 적용할 수 있으며, 반복해서 사용할 수 있다.

정답 150. (다)   151. (라)   152. (마)   153. (다)   154. (가)   155. (나)

5. 영양조사 및 연구기구

156. 보건복지부 산하 영양정책 관련기구에 포함되는 것은?

① 식품의약품안전청 ② 한국보건사회연구원
③ 국립보건원   ④ 보건소

(가) ①, ②　　　　　　　(나) ①, ③
(다) ①, ②, ③　　　　　　(라) ②, ④
(마) ①, ②, ③, ④

157. FAO가 하는 사업내용과 상관성이 없는 것은?

(가) 생활수준 향상
(나) 식량의 생산증가
(다) 식량의 분배 개선
(라) 감염병 및 풍토병 퇴치
(마) 식량수급표 발행 및 영양섭취기준 제정

157. FAO(식량농업기구)는 인류의 영양개선을 설치목적으로 했으며, 식량의 생산증가, 식량의 분배개선, 생활수준의 향상 등이 수반된다는 기준 위에서 영양개선에 관한 큰 방침을 세워 각국의 영양행정에 영향을 주고 있다.

158. 식품수급표에 대한 설명으로 옳지 않은 것은?

① 식품수급표는 1인당 이용할 수 있는 식량공급량을 국가수준에서 거시적으로 파악한 수치통계자료이다.
② FAO의 식량수급표작성의 안내에 의거하여, 식품의약품안전청이 매년 작성한다.
③ 식품의 국내소비량에 대해서는 국내생산량+수입량-수출량-재고 증가량(또는 +재고의 감소량)으로 산출한다.
④ 세계 160여개국에서 작성되고 있으며, 우리나라에서는 1980년대부터 작성하였다.

(가) ①, ②　　(나) ①, ④　　(다) ②, ④
(라) ③, ④　　(마) ④

159. 국민건강증진법이 공포된 때는 언제인가?

(가) 1968년 8월 14일　　(나) 1970년 8월 5일
(다) 1980년 8월 25일　　(라) 1995년 1월 5일
(마) 2000년 10월 5일

정답 5. 영양조사 및 연구기구　156. (다)　157. (라)　158. (다)　159. (라)

영양교육

160. 국민영양조사를 자세한 내용으로 정한 법은?
(가) 보건소법   (나) 식품위생법
(다) 영양사에 관한 규칙   (라) 국민건강증진법
(마) 조리사에 관한 규칙

161. 어떤 지역의 영양상태를 개선하기 위하여 사업계획을 세울 때 처음 착수할 효과적인 사항은?
(가) 가정방문이나 영양상담으로 계몽한다.
(나) 지역대표자를 모아서 교육자료를 제공한다.
(다) 주부를 대상으로 작은 모임에서 대화를 통하여 구체적인 개선방법을 찾는다.
(라) 지역 전체에 유선방송이나 게시판으로 영양지식에 대한 계몽을 한다.
(마) 주부를 대상으로 정기 영양강좌를 실시한다.

162. 우리나라에서 법적으로 영양사가 탄생하게 된 해는?
(가) 1922년   (나) 1945년   (다) 1960년
(라) 1963년   (마) 1965년

162. 1963년에 보건사회부령 제112호에 따라 영양사에 관한 규칙이 제정됨으로써 영양사가 법적으로 탄생되었다.

163. FAO의 설치 목적은?
(가) 영양문제와 식량 증산
(나) 세계의 영양상태 개선
(다) 영양섭취를 위한 식품 수급문제 해결
(라) 인류의 건강과 영양을 위한 연구
(마) 건강 및 영양을 위협하는 원인 제거

164. 영양판정방법을 선정할 때 유의할 점은?

> ① 선택한 방법의 정확도를 고려해야 한다.
> ② 조사목적에 가장 적합한 방법을 선택해야 한다.
> ③ 오차발생을 줄이기 위하여 조사방법의 표준화와 조사자의 숙련도가 요구된다.
> ④ 대상자가 거부감을 느끼더라도 최대한 정확한 판정을 얻을 수 있는 방법을 선택한다.

(가) ①, ②, ③   (나) ①, ②   (다) ②, ③, ④
(라) ②, ③   (마) ①, ②, ③, ④

정답 160. (라) 161. (다) 162. (라) 163. (나) 164. (가)

165. 한국인 영양섭취기준에서 남녀의 구분이 없는 연령은 어느 것인가?

　(가) 0∼3 세　　(나) 0∼5 세　　(다) 0∼9 세
　(라) 3∼6 세　　(매) 3∼9 세

166. 단백질 비를 산출하는 것은 무엇을 평가하기 위한 것인가?

　(가) 단백질의 질
　(나) 열량에 대한 단백질의 비율
　(다) 생물가와 열량의 관계
　(라) 단백질의 양
　(매) 아미노산의 종류

167. 국제적인 영양조사 연구기구가 아닌 것은?

　(가) 세계보건기구(WHO)
　(나) 국제아동긴급기금(UNICEF)
　(다) 유엔환경계획(UNEP)
　(라) 식량농업기구(FAO)

168. 영양정책 관련기관의 업무로 옳지 않은 것은?

> ① 보건복지부 – 영양개선사업 및 영양사 배치
> ② 식품의약품 안전청 – 식품의약품, 위생용품 등에 관한 검정 및 평가
> ③ 교육과학기술부 – 학교의 영양 및 학교급식행정
> ④ 국립보건원 – 학교의 보건관리 및 영양사 보건관리

　(가) ①, ②　　　　　　(나) ①, ②, ③
　(다) ①, ②, ④　　　　(라) ③, ④
　(매) ④

169. 국민영양조사의 목적과 관계가 없는 것은?

　(가) 국민의 현 영양실태 파악
　(나) 국민의 건강과 질병상태 파악
　(다) 국민의 식생활과 경제와의 관계 파악
　(라) 식량 수급과 소비계획 수립의 과학적 뒷받침
　(매) 국민영양 향상을 위한 제반시책의 기초

169. 조사의 목적은 영양개선을 위한 기초자료를 파악하고 국민의 건강상태와 식량정책을 세우는 자료를 얻고자 함이다.

정답 165. (다)　166. (나)　167. (다)　168. (매)　169. (다)

170. 국민영양조사 내용과 관계가 없는 것은?

(가) 국민의 건강상태 조사
(나) 체위 및 임상 조사
(다) 식품 섭취상태 조사
(라) 식생활 조사
(마) 가족의 건강상태 조사

170. 국민영양조사 내용은 국민의 건강상태, 식품섭취상태, 식품경제, 체위와 관계가 있다. 그러나 가족은 상관성이 없다.

171. 국민영양조사에서의 표본추출방법은?

(가) 국민영양조사는 세대를 단위로 하는 전체수 조사이다.
(나) 국민영양조사는 유의적 추출법에 의한 표본조사이다.
(다) 국민영양조사는 특정지역에 대한 반복적 표본조사이다.
(라) 국민영양조사는 응모법에 의한 표본조사이다.
(마) 국민영양조사는 단순 무의적 추출법에 의한 표본조사이다.

172. 국민영양조사에 있어서 세대 인원의 구성조사에 요구되지 않는 것은?

(가) 가족의 연령, 성별
(나) 가족의 취직 상태
(다) 가족의 기호조건
(라) 임신, 수유 상황
(마) 세대 인원의 구성 및 세대주와의 관계

172. 세대 인원의 구성조사에서는 가족의 성별, 연령, 직업내용, 임신, 수유 등의 상황, 세대 인원의 구성 및 세대주와의 관계를 조사한다.

173. 영양조사용 질문지를 작성할 때에 잘못된 것은?

(가) 한 가지 질문항목은 한 가지 문제점에 한한다.
(나) 항목의 종류와 수를 줄인다.
(다) 지능적 회답을 구하는 것은 뒤로 미룬다.
(라) 간접적이고 유도적인 질문을 한다.
(마) 회답자의 흥미와 관심을 유도한다.

174. 다음 중 조사하는 순서대로 올바르게 된 것은?

(가) 예비조사 → 조사의 계획, 실시 → 결과정리 → 조사성적
(나) 조사의 계획 → 예비조사 → 본조사 → 결과정리 → 조사성적
(다) 예비조사 → 본조사 → 결과정리 → 조사성적
(라) 조사의 계획 → 예비조사 → 본조사 → 조사성적 → 결과 정리
(마) 예비조사 → 조사의 계획 → 본조사 → 조사성적

정답 170. (마)　171. (마)　172. (다)　173. (라)　174. (가)

175. 영양조사 방법으로 적합하지 않은 것은?

(가) 기입법   (나) 청취법
(다) 추측법   (라) 관찰법
(마) 측정법

176. 개인별 식사조사의 양적 – 질적 평가방법이 바르게 짝지어진 것은?

> ① 양적 : 식품섭취빈도법 – 질적 : 식사기록법
> ② 양적 : 칭량법 – 질적 : 식품섭취빈도법
> ③ 양적 : 식품섭취빈도법 – 질적 : 식사력조사
> ④ 양적 : 칭량법 – 질적 : 24시간 회상법

(가) ①, ②   (나) ②
(다) ②, ④   (라) ③, ④
(마) ②, ③, ④

176. 하루에 사용한 식품을 분류하여 식사내용이 바르게 급식되었는지 확인하는 출납 상태를 영양출납법이라 한다.

177. 우리나라에서 국민영양조사를 최초로 시작한 연도는?

(가) 1968년   (나) 1969년   (다) 1970년
(라) 1971년   (마) 1972년

178. 영양상태를 판정할 수 있는 간접적인 지표로 이용되는 요소는?

> ① 비만 관련 신체계측치
> ② 관습·종교 등 지역의 특수한 문화
> ③ 식품수급현황
> ④ 소득수준

(가) ①, ④   (나) ②, ③
(다) ③, ④   (라) ②, ③, ④
(마) ①, ②, ③, ④

정답 175. (다)   176. (나)   177. (나)   178. (라)

179. 신장 160cm, 체중 52kg인 여대생 A는 체중을 45kg으로 줄이고 싶어서 영양 상담을 신청하였다. A를 대상으로 하는 영양 상담의 목표와 이에 따른 상담 내용으로 가장 적절한 것은?

〈영양교사, 2010년 기출문제〉

	목표	상담 내용
(가)	체중 7kg 감량	식품교환표를 활용하여 식사량을 조절하도록 한다.
(나)	체중 7kg 감량	식사 감량법을 이용하여 평소 식사량을 20% 줄이도록 한다.
(다)	체중 5kg 감량	고밀도 영양 식품의 정보를 이용하여 식사 섭취량을 줄이도록 한다.
(라)	현재 체중 유지	식사구성안에 기준하여 현재 식사량은 유지하고 균형잡힌 식사를 하도록 한다.
(마)	체중 5kg 감량	한국인 영양섭취 기준치에 근거하여 에너지 섭취량을 늘린다.

179. 성인의 비만판정에 가장 적절한 것은 체질량 지수(BMI)이다.
체질량지수=체중(kg)/키²(m²)이다.
A의 체질량지수는 52/(1.6×1.6)=20.3인데, 여대생인 경우 정상체중의 범위는 18.5~23이므로 A는 현재 정상체중이다. 그런데 체중을 45kg으로 줄인다면 체질량 지수가 18.5 미만으로 떨어져 '저체중'이 되기 때문에 좋지 않다. 그러므로 현재 체중을 유지하며 고른 영양섭취를 권장하는 것이 좋다.

180. 다음 중 비만판정에 사용되는 신체지수에 대한 설명으로 옳은 것은?

① 비만판정에는 피하지방 두께 측정법이 주로 이용된다.
② 허리-엉덩이둘레비는 성인남자 0.9~1.0, 성인여자 0.8 이상일 때 복부비만으로 판정한다.
③ 체질량지수(BMI)는 체중(kg)/신장(cm)의 식으로 구하며, 우리나라에서는 18.5~23.0이 정상범위이다.
④ 브로카지수는 신장이 작은 정상인을 비만으로 판정할 우려가 있다.

(가) ①, ② (나) ①, ④
(다) ①, ②, ④ (라) ②, ③, ④
(마) ②, ④

정답 **179.** (라) **180.** (다)

181. 다음은 영양상담을 원하는 신장 170cm, 체중 72kg인 고등학교 1학년 은영이 일기의 일부이다. 영양교사가 은영이의 일기와 신체계측 자료를 보고 제시한 영양상담의 방향으로 옳은 것은?

<영양교사, 2011년 기출문제>

(개) 정상체중이므로 현재 상태를 유지하고 가능하면 활동량을 약간 증가시킨다.
(내) 정상체중이지만 체중이 증가할 가능성이 있으므로 패스트푸드 및 간식섭취를 줄이고 활동량을 증가시킨다.
(대) 과체중이지만 크게 걱정하기 않아도 되므로 현재 식습관을 유지시킨다.
(래) 과체중이므로 활동량을 늘리고 특히 패스트푸드 및 간식섭취를 줄인다.
(매) 중등비만으로 진행될 가능성이 매우 크므로 평소 식사섭취량을 계산하여 하루에 1,000kcal 정도의 열량을 감소시킨다.

181. 은영이의 표준체중을 구하면 (신장−100) × 0.9 = 63kg이다. 그런데 현재 72kg 이므로 비만도로 보면 약 114로, 110~120에 속하는 과체중이다.
그런데 은영이의 일기를 보면 패스트푸드에 대한 선호가 드러난다. 그러므로 그런 음식을 줄이고 활동량을 늘려야 한다.

182. 빈혈을 판정할 때 혈액에 의해서 판정하는 기준은 무엇인가?

(개) 혈압
(내) 혈당량
(대) 헤모글로빈
(래) 콜레스테롤
(매) 간기능 검사

정답 **181.** (래) **182.** (대)

183. 식품영양표시제도에 대한 설명으로 옳은 것은?

> ① 우리나라에서 최초로 시행된 것은 1985년부터이다.
> ② 모든 식품에 반드시 영양정보를 표시하도록 하여 국민 영양관리를 유도한다.
> ③ 영양소강조표시는 함량강조표시와 비교강조표시로 분류된다.
> ④ 영양량의 공개로 생산자들이 소비자들에게 선택받기 위해 제품의 질을 향상시키는 효과가 나타날 수 있다.

㈎ ①, ④　　㈏ ①, ②, ④　　㈐ ①, ③, ④
㈑ ③, ④　　㈒ ①, ②, ③, ④

184. 국민영양조사에 있어서 영양소 섭취상태를 어떻게 구별하여 판정하는가?

㈎ 열량, 당질, 단백질, 비타민
㈏ 열량, 수분, 무기질, 비타민
㈐ 열량, 수분, 지방, 무기질
㈑ 열량, 단백질, 무기질, 비타민
㈒ 열량, 단백질, 지방질, 무기질, 비타민

185. 국민영양조사의 식품섭취 및 영양상태에 대한 결과의 처리에 해당되지 않는 것은?

㈎ 지역별 각 영양소의 평균 성인환산율
㈏ 식품군별 1인 1일당 섭취량
㈐ 식품별 1인 1일당 섭취량
㈑ 지역별 1인 1일당 영양소 섭취량
㈒ 연령별, 성별 및 식품군별 영양소 섭취 비율

186. 국민영양조사에서 식품섭취 상태를 조사할 때 해당되지 않는 것은?

㈎ 1인 1일당 식품 섭취량
㈏ 식물성 식품 섭취량
㈐ 조리법별 섭취식품의 양
㈑ 동물성 식품 섭취량
㈒ 영양소별 섭취량

정답　183. ㈑　184. ㈒　185. ㈐　186. ㈐

187. 국민영양조사의 조사항목이 아닌 것은?
 (가) 식품군별 섭취량 (나) 건강조사
 (다) 식생활 조사 (라) 식습관 조사
 (마) 영양소 섭취량

188. 개발도상국 아동의 구제·복지·건강의 개선을 목적으로 식품·의복·약품 등을 아동·임산부에 공급하고 있는 국제연합의 전문기관은?
 (가) AID (나) FAO (다) UNICEF
 (라) CARE (마) Peace Corps

189. 다음은 FAO에 대한 목적 및 사업내용이다. 옳지 않은 것은?
 (가) 식량의 생산증가 (나) 생활수준 향상
 (다) 인류의 영양개선 (라) 임산부의 구제사업
 (마) 식량의 분배개선

190. 영양지도원의 지도업무사항에 대하여 설명하려고 한다. 옳지 않은 것은?
 (가) 청소년 영양의 관리·지도
 (나) 성인에 대한 영양관리·지도
 (다) 식품위생에 대한 관리
 (라) 식생활의 개선
 (마) 영양에 대한 홍보 및 교육

191. 시·도 또는 시·군·구 영양지도원 업무에 해당되지 않는 것은?
 (가) 영양지도의 계획 및 분석 (나) 영양지도 및 상담
 (다) 급식시설관리 및 홍보 (라) 영양조사 및 평가실시
 (마) 영양과 식생활개선에 관한 사항

192. 다음은 영양판정에 대한 방법들이다. 가장 정확하면서도 주관적이지 않은 방법은 어느 것인가?
 (가) 생화학적인 진단 (나) 임상적 진단
 (다) 사회경제적 진단 (라) 식이 조사
 (마) 신체계측 진단

정답 187. (라) 188. (다) 189. (라) 190. (다) 191. (다) 192. (가)

193. 다음은 영양조사원에 대한 내용이다. 자격이 있는 사람끼리 묶인 것은?

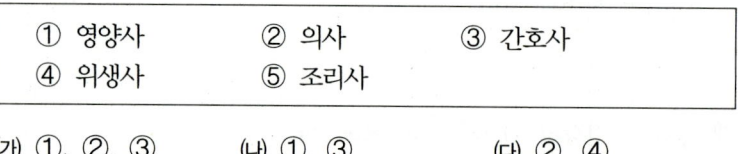

> ① 영양사　② 의사　③ 간호사
> ④ 위생사　⑤ 조리사

(개) ①, ②, ③　　(나) ①, ③　　(다) ②, ④
(라) ④　　(마) ①, ②, ③, ④

194. 유아편식의 문제점을 고치려는 어머니의 올바른 태도는?
(개) 감미도가 높은 간식을 자주 주어 피로를 풀어준다.
(나) 아이가 좋아하는 음식의 조리법을 배워 직접 만들어 준다.
(다) 소화가 잘 되는 식재료만을 사용한다.
(라) 식사준비시 균형잡힌 식단을 작성하고, 식사 중에 지나친 간섭을 삼간다.
(마) 아이의 뼈를 튼튼하게 하기 위하여 칼슘이 많이 든 음식을 주로 먹인다.

194. 영아(嬰兒)는 젖먹이 아기를 말한다. 즉 유아기(乳兒期)로, 유즙기는 출생 직후부터 생후 5~6개월까지이고 이유식기는 생후 4~5개월부터 생후 1년생까지이다. 그러므로 영아의 식습관은 성인의 건강과 성인병과도 밀접한 관련이 있다.

6. 집단급식의 영양교육

195. 급식관리에서 사업을 합리적으로 실시하는 방법 중 가장 실시하기 쉽고 효과적인 것은?
(개) 규격품에 맞는 것을 구입한다.
(나) 적당한 기간의 주기적 식단을 작성해서 계획하여 구입한다.
(다) 신선한 식품은 매일 구입하도록 한다.
(라) 가공식품의 구입을 중점적으로 실시한다.
(마) 모든 식품을 관리한다.

196. 집단급식의 영양관리가 중요한 이유는?
(개) 급식기준이 지시되기 때문에
(나) 영양사가 배속되어 있기 때문에
(다) 급식대상자가 믿고 먹을 수 있도록 하기 위하여
(라) 집단급식은 특정인에게 계속적으로 실시하는 급식이기 때문에

정답　193. (개)　194. (라)　6. 집단급식의 영양교육　195. (나)　196. (라)

197. 영양교육을 할 때 먼저 고려해야 할 항목을 대상별로 연결한 것 중 맞지 않는 것은?

(가) 학생 – 체위를 향상시킨다.
(나) 농촌 – 식생활을 향상시킨다.
(다) 단체급식 – 구성원 간의 일체감 조성
(라) 병원급식 – 환자의 입맛을 조절한다.
(마) 가정 – 음식물을 알맞게 배분한다.

198. 다음은 집단 영양교육의 특징과 영양교육에서 적용 가능한 내용을 설명한 표이다. ①~③에 들어갈 교육방법 및 교육내용이 옳게 연결된 것은? 〈영양교사, 2011년 기출문제〉

교육방법	방법의 특징	영양교육 내용
브레인스토밍	문제해결을 위해 참가자 전원이 아이디어를 내고, 그 중 최선의 방안을 찾는 방법	②
①	어떻게 수행하는지를 보여주어 관심 유발을 통한 동기부여에 도움이 되는 방법	패스트푸드류에 들어있는 당과 지방량을 실물로 보여주기
토론 (공론식 토의)	주어진 문제에 대해 대상자들이 찬반 입장에서 각각 조사하여 토론하는 방법	③

	①	②	③
(가)	시연	건강한 식품선택에 장애가 되는 요인을 찾아보고 문제점 해결하기	교내에 설치된 탄산음료 자판기 철거에 대한 토론
(나)	워크숍	체중조절을 위한 전략을 목록으로 만들어 보기	체중감량 방법의 장·단점에 대한 토론
(다)	워크숍	공복감을 덜 느끼게 하는 식품 리스트 만들기	학교에서 아침급식 실시가 바람직한가에 대한 토론
(라)	시연	맛보는 능력을 상실해도 먹기를 즐길 수 있을지 알아보기	배고프지 않아도 자주 먹게 되는 이유에 대한 토론
(마)	워크숍	채소의 영양가 손실을 줄이기 위한 조리법 알아보기	체중조절 성공사례를 듣고 합리적 방법에 대한 토론

198. ① 영양교육 내용이 '실물로 보여주기'이므로 이는 '시연'을 가리킨다.
② '브레인스토밍'은 문제해결을 위한 다양한 아이디어를 제시한 후에 그것들을 취합·수정·보완하는 것이므로 '문제점 해결하기'가 적당하다.
③ 토론에 있어서 찬성과 반대의 입장이 존재해야 하므로 '자판기 철거에 대한 토론'이 알맞다.

정답 **197.** (라) **198.** (가)

199. 산업체 급식의 목적이 될 수 없는 것은?
㈎ 근로의욕을 증진시키며, 직원 사이에 화목을 도모한다.
㈏ 과식과 편식 등 식습관을 바로잡을 수 있다.
㈐ 근로자의 건강증진 및 식비의 경제적 부담을 감소
㈑ 값싼 급식으로 푸짐하게 먹을 수 있다.
㈒ 영양과 질병과의 밀접한 관계를 인식, 올바른 식생활 실행의 동기가 된다.

200. 학교급식의 의의가 될 수 없는 것은?
㈎ 가정의 일상식사에서 결핍된 영양소의 공급
㈏ 올바른 식습관
㈐ 지역사회에 있어서의 식생활 개선에 도움을 준다.
㈑ 급식을 통해 영양지식을 보급시킨다.
㈒ 조리실습을 통해서 기술을 향상시킨다.

201. 단체급식을 도급제(out-sourcing) 형태로 실시할 때의 결점이라고 볼 수 없는 것은?
㈎ 식사 후에 남기는 음식이 너무 많아 비경제적이다.
㈏ 식단작성을 영양사가 하지 않을 경우가 있어 신뢰가 떨어진다.
㈐ 식품재료에서 균형잡힌 영양소를 기대하기 어렵다.
㈑ 일반적으로 위생관리가 소홀하기 쉽다.
㈒ 노동의 정도에 따라 영양 공급량에 차이를 주지 않는다.

202. 학교급식을 하는 목적 중에서 중요한 조건이 될 수 없는 것은?
㈎ 학교 아동의 건강 증진
㈏ 결식 아동을 위해서
㈐ 편식을 바로잡기 위해서
㈑ 보건 지식을 향상시키기 위해서
㈒ 정부의 식량정책을 이해시키는 데 도움을 주기 위해서

202. 학교급식의 목적은 합리적인 영양섭취로 학교아동의 건강증진, 체력의 향상과 올바른 식습관의 형성, 급식을 통한 영양의 불균형(편식)을 예방하는 데 있다.

203. 보건소 영양사의 직무에 해당되지 않는 것은?
㈎ 영양교육
㈏ 효과의 판정
㈐ 영양개선에 관한 사항
㈑ 영양사 양성 교육
㈒ 영양사업추진위원회 구성원

정답 199. ㈑ 200. ㈒ 201. ㈎ 202. ㈑ 203. ㈑

204. 학교급식의 효과를 설명한 것 중에서 잘못된 것은?
- ㈎ 학생들이 튼튼해지며, 비굴감이 없어지고 명랑해진다.
- ㈏ 편식이 교정되며, 비굴감이 없어지고 명랑해진다.
- ㈐ 식사에 대한 좋은 습관과 태도가 길러진다.
- ㈑ 자기의 영양 및 건강에 관하여 관심이 높아진다.
- ㈒ 공동 책임정신이 줄어든다.

205. 농어촌에서의 영양교육방법에 해당되지 않는 것은?
- ㈎ 부엌 개선
- ㈏ 공동가공
- ㈐ 농번기 공동 급식
- ㈑ 배석식 토의
- ㈒ 영양가 많은 식품을 계획재배

206. 보건소의 업무가 아닌 것은?
- ㈎ 보건교육 및 구강건강에 관한 사항
- ㈏ 식품검사에 관한 사항
- ㈐ 영양개선과 식품위생에 관한 사항
- ㈑ 정신보건에 관한 사항
- ㈒ 모자보건과 가족계획에 관한 사항

207. 보건소에서 영양지도원이 맡고 있는 일이 아닌 것은?
- ㈎ 식생활 개선에 관한 지도
- ㈏ 특수영양식품의 수거
- ㈐ 집단급식시설에 대한 급식업무지도
- ㈑ 지역주민의 영양지도
- ㈒ 영양교육자료의 개발

208. 단체급식에서의 영양지도업무에 해당되지 않는 것은?
- ㈎ 영양계획
- ㈏ 식단업무
- ㈐ 확인조사와 평가
- ㈑ 식생활습관지도
- ㈒ 영양지도

정답 204. ㈒ 205. ㈑ 206. ㈏ 207. ㈏ 208. ㈑

209. 병원급식에서 사용되는 약속식사 전표는?
  ㈎ 식품재료 출납부에 기입하는 재료의 종류를 약속한 것
  ㈏ 영양교육을 위해서 영양사들 사이에 약속된 것
  ㈐ 보험기관이 기준급식을 하도록 보험금 지불을 약속한 것
  ㈑ 질병의 종류에 따라 식품의 구성표를 만들고 식이의 처방을 약속한 것
  ㈒ 병원의료진이 급식을 허락하는 것

210. 병원에서의 영양업무에 가장 적합하지 않은 것은?
  ㈎ 급식 담당자에 대한 영양교육
  ㈏ 조리 강습회의 기획과 실시
  ㈐ 식기의 소독 및 보관
  ㈑ 급식시설의 위생관리
  ㈒ 입원 환자에 대한 식이요법의 교육 및 영양상담 또는 퇴원 후의 식이요법 교육

211. 병원급식에서 영양사의 영양관리로 잘못된 것은 어느 것인가?
  ㈎ 환자의 기호는 무시한다.
  ㈏ 질병에 따른 menu와 조리를 한다.
  ㈐ 의사의 식이처방에 따른 조리를 한다.
  ㈑ 외래 환자에게도 영양지도를 한다.
  ㈒ 급식관계 직원에게도 영양지도를 한다.

212. 특수영양식품에 대한 설명으로 옳은 것은?

> ① 영·유아, 병약자, 노약자, 비만자 또는 임산부 등 특별한 영양관리가 필요한 특정 대상을 위한 용도에 제공하거나 한 끼의 식사를 대용할 목적으로 나온 식품이다.
> ② 식품 원료에 영양소를 가감시키거나 일상의 식이에서 부족할 수 있는 영양소를 식품에 첨가하여 제조한다.
> ③ 미국 식품의약국(FDA)의 기준과 정의를 차용하고 있다.
> ④ 영·유아식, 영양보충용 식품, 환자용 등 식품이나 식사대용 식품이 해당한다.

  ㈎ ①, ②   ㈏ ①, ②, ④   ㈐ ②, ③
  ㈑ ②, ④   ㈒ ②, ③, ④

정답 **209.** ㈑ **210.** ㈏ **211.** ㈎ **212.** ㈏

7. 대상에 따른 영양교육

213. 질병에 대한 영양지도에서 잘못된 것은?
- (개) 당뇨병 – 탄수화물, 설탕 제한
- (내) 소화성 궤양 – 무자극성 식사
- (대) 간염 – 양질의 단백질을 많이 섭취
- (래) 고혈압 – 식염섭취를 제한
- (매) 췌장염 – 동물성 지방을 증가

214. 다음 중 질병과 영양교육의 관계가 틀린 것은?
- (개) 고혈압 – 식염의 섭취를 줄인다.
- (내) 구루병 – 단백질이 많이 함유된 식품을 섭취시킨다.
- (대) 각기병 – 비타민 B_1이 많이 함유된 식품을 섭취시킨다.
- (래) 당뇨병 – 열량의 과잉섭취를 피하고 당분을 제한한다.
- (매) 위궤양 – 향신료나 커피를 줄인다.

215. 병원급식의 문제점으로 볼 수 없는 것은?
- (개) 신선한 식품 사용의 곤란
- (내) 급식시설 빈약
- (대) 찌꺼기가 많이 나온다.
- (래) 적온급식의 곤란
- (매) 치료식 환자의 급식내용에 대한 인식부족

216. 병원급식에서 영양사의 임무라고 볼 수 없는 것은?
- (개) 식단작성
- (내) 급식업무기준의 작성
- (대) 급여기준량의 산출
- (래) 조리지도
- (매) 진단에 따른 식사처방의 발행

216. 진단에 따른 식사처방은 의사가 한다.

217. 환자에 대한 영양교육 중 틀린 것은?
- (개) 식습관 파악
- (내) 위생교육
- (대) 식사의 중요성 인식
- (래) 병상방문지도
- (매) 병원급식 협력지도

정답 7. 대상에 따른 영양교육   213. (매)   214. (내)   215. (개)   216. (매)   217. (내)

218. 다음의 질병에 대한 영양지도 중 잘못된 것은?

(가) 신장염 – 감염식을 시킨다.
(나) 심장병 – 동물성 지방을 증가한다.
(다) 지방간 – 술과 고지방식을 피한다.
(라) 간염 – 양질의 단백질, 지질, 무기질, 비타민이 많은 식품을 권장한다.
(마) 당뇨병 – 당질의 섭취를 제한한다.

219. 다음은 각 질병에 따라 실시한 영양교육의 내용이다. 옳지 않은 것은?

> ① 당뇨병 – 열량을 과잉섭취하지 않도록 탄수화물과 설탕 등의 섭취를 제한한다.
> ② 야맹증 – 비타민 A가 많이 함유된 동물이나 생선의 간, 당근 등을 먹게 한다.
> ③ 고혈압 – 나트륨 함유식품을 제한한다.
> ④ 소화기계 암 – 식사가 고통스러울 수 있으므로 식사량과 횟수를 줄여서 제공한다.

(가) ①, ②   (나) ①, ④
(다) ②, ③, ④   (라) ③, ④
(마) ④

220. 비만예방을 위한 영양지도에서 해당이 안 되는 것은?

(가) 섭취열량과 소비열량의 균형을 유지한다.
(나) 적당한 운동을 한다.
(다) 단백질식품은 성장을 위하여 줄여서는 안 된다.
(라) 열량을 줄이기 위해 당질과 지방의 섭취를 줄인다.
(마) 1일 1식이나 2식만 한다.

220. 식사는 정상적으로 일정하게 알맞은 양으로 하되, 에너지와 당분을 체격과 활동량에 맞게 한다.

221. 고혈압환자에 대한 식사지도로써 잘못된 것은?

(가) 정상체중을 유지할 정도의 열량섭취
(나) 정상열량을 초과하지 않은 선에서 양질의 단백질을 정상으로 섭취
(다) 소금을 비롯한 sodium 함유식품의 제한섭취
(라) 소금은 제한하고, 가공식품이나 조미·향신료는 자유로이 사용
(마) 지나친 양의 수분이나 알코올 음료의 섭취는 방지

221. 소금뿐만 아니라 가공식품이나 조미·향신료가 다량의 sodium을 함유하므로 피해야 한다.

정답 218. (나) 219. (나) 220. (마) 221. (라)

영양교육 핵심문제 해설   225

222. 다음은 소아당뇨가 있는 중학생을 대상으로 한 영양교육에서 사용된 교육매체에 관한 내용이다. 각 매체를 데일(Dale)의 경험원추모형과 브루너(Bruner)의 세 가지 표현 양식(상징적·영상적·행동적 단계)에 따라 설명했을 때 옳지 않은 것은?

〈영양교사, 2011년 기출문제〉

222. 데일의 경험원추모형에 의하면 맨 밑바닥이 직접경험으로 되어 있다. 그러므로 어릴수록 직접경험으로 교육하는 것이 더 효과적이다.

영양교사의 사례발표

● 사 례

우선 소아 당뇨의 기전과 관리요령을 이해시키기 위하여 판서를 하면서 ㉠설명하고, ㉡리플릿의 당뇨병 식품교환표를 이용하여 학생들 스스로 식품을 바꾸어 먹을 수 있도록 지도를 하였습니다. 학생들의 영양교육 내용에 관한 인지능력을 향상시키기 위해 ㉢식단작성 실습을 하였고, 식단을 검토한 후 이해가 부족한 점을 개인별로 피드백하여 주었습니다. 또한 ㉣당뇨뷔페 교실을 개최하여, 학생들이 스스로 자신이 먹을 음식을 골라오게 하고 평가를 통해 수정하여 줌으로써 학생들의 이해도를 증진시켜 실생활에서 스스로 실천할 수 있도록 하였습니다.

(가) ㉠은 네 가지 매체 중 가장 추상적인 매체이다.
(나) ㉣은 ㉡보다 학습자에게 구체적인 경험을 제공한다.
(다) ㉢과 ㉣은 브루너의 세 가지 표현양식 중 같은 단계에 해당된다.
(라) ㉡은 핵심 내용을 기억하는 데 도움이 되므로 식사요법 교육에 많이 활용된다.
(마) 어릴수록 상상력이 풍부하므로 간접적인 매체 교육이 더 효과적이다.

정답 **222.** (마)

223. 노인정이나 노인복지시설에서 노인들을 대상으로 제공하는 식사구성 시 유의할 점은?

① 소화·흡수가 잘 되도록 조리하고, 치아가 약한 경우 단단하지 않은 음식을 준비한다.
② 노화로 인한 신체 변화를 보강할 수 있는 식단을 구성한다.
③ 기존의 보수적인 식습관을 탈피하여 건강식 위주로 먹도록 권장한다.
④ 식욕을 상실한 노인들의 입맛을 돋우기 위해 양념과 향신료를 좀더 사용한다.

(가) ①, ②　　　　　(나) ①, ③
(다) ①, ②, ③　　　(라) ②, ③
(마) ③, ④

224. 임산부를 대상으로 하는 영양교육의 내용으로 적절하지 않은 것은?

① 알코올이나 흡연이 태아에 미치는 영향에 대해 설명한다.
② 태아의 영양소가 결핍되면 안 되므로 입덧이 심한 경우 원하는 음식만 먹인다.
③ 태아의 성장과 발달 및 임산부의 건강을 위해 영양섭취기준에 따라 칼슘과 철분을 충분히 섭취한다.
④ 과도한 운동 등의 움직임으로 인한 진동에 민감한 태아를 위해 운동은 자제한다.

(가) ①, ③　　　　　(나) ②, ③
(다) ②, ④　　　　　(라) ③, ④
(마) ②, ③, ④

정답　223. (가)　224. (다)

225. 수유부의 영양관리에 대한 설명으로 옳은 것은?

① 수유부가 과도한 체중관리를 하게 되면 모유분비량이 줄어들 수 있어 주의를 요한다.
② 수유부가 섭취하는 식품들이 모유를 통해 아기에게 영향을 줄 수 있으므로 섭취 시 아기에게 나쁜 성분은 없는지 고려한다.
③ 술과 초콜릿은 설사, 커피와 양파는 가스 생성을 유발한다.
④ 모유 수유 기간동안 다양하고 균형잡힌 식사와 더불어 칼슘과 철분을 충분히 섭취한다.

(가) ①, ②, ③   (나) ①, ②, ④   (다) ②, ③, ④
(라) ③, ④   (마) ②, ④

226. 다음 중 아동을 대상으로 하는 영양교육의 내용으로 적절한 것은?

① 1일 섭취열량을 줄이기 위해 식사 횟수를 3끼 이하로 줄이고 간식을 끊게 한다.
② 가족의 식습관을 함께 고치기 위해 부모님 위주로 교육을 실시한다.
③ 적당한 운동과 식이요법을 병행하여 섭취열량과 소비 열량의 밸런스를 유지한다.
④ 열량이 낮은 음식을 섭취하되, 성장기이므로 단백질은 충분히 섭취하도록 한다.

(가) ①, ②, ③   (나) ①, ②, ④   (다) ①, ③
(라) ②, ③, ④   (마) ③, ④

227. 직장인들의 건강을 위협하는 식생활 요소로 옳은 것을 모두 고르면?

① 커피, 녹차 등을 통해 자주 섭취하는 카페인
② 잦은 야근과 회식으로 인한 불규칙한 식생활
③ 스트레스를 해소하기 위한 흡연
④ 강한 맛과 화학조미료가 많은 인스턴트 식품 섭취량 증가

(가) ①, ②   (나) ①, ②, ③   (다) ①, ②, ④
(라) ②, ③, ④   (마) ①, ②, ③, ④

정답 225. (나) 226. (마) 227. (마)

228. 중학생을 대상으로 다음의 행동변화를 목적으로 교육할 때 교육목표를 달성하기 위해서는 여러 장애요인을 극복해야 한다. 아래에 제시된 각 장애요인에 따른 중재방법으로 적합하지 않은 것은?

〈영양교사, 2011년 기출문제〉

228. 채소가 익숙하지 않고 모험을 싫어하는 섭취 장애요인이 있는데도 불구하고 학교 급식에서 매일 새로운 채소반찬을 제공하는 것은 강제성을 띠기 때문에 거부감을 줄 수 있다.

영양지식의 이해 → 식태도의 변화 → 식행동의 변화로 점차 나아가도록 한다.

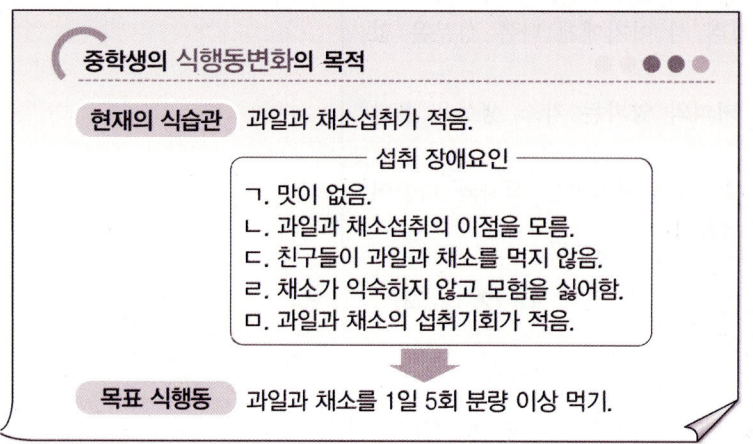

(가) ㄱ : 과일과 채소를 잘 선택하여 맛있게 먹을 수 있는 방법을 학습시킨다.
(나) ㄴ : 과일과 채소섭취의 중요성을 인식시키고 교과연계 활동으로 동기를 부여한다.
(다) ㄷ : 인기 스타를 역할 모델로 제공하고 자극을 유발한다.
(라) ㄹ : 학교급식에서 매일 새로운 채소반찬을 제공하여 동기를 부여한다.
(마) ㅁ : 가정에서도 과일과 채소섭취 기회를 늘리기 위해 교육에 부모의 참여를 유도한다.

229. 임신부·수유부에 대한 영양지도의 문제점과 원인을 살펴보려고 한다. 다음 중 옳지 않은 것은?

(가) 영양에 대한 관심도가 낮고 공복감을 채우기 위한 식사를 한다.
(나) 취업률 증가에 의한 시간적 제약과 스트레스가 많다.
(다) 체중이 증가할 때 저장지방이 남아서 비만이 되기 쉽다.
(라) 임신에 따른 영양성 빈혈은 철결핍성 빈혈이 많다.
(마) 가공식품의 편식으로 영양의 부족현상이 나타날 수 있다.

정답 228. (라) 229. (가)

230. 다음은 성인의 혈액 중 단백질 영양 상태 평가 지표를 설명한 것이다. ㈎ ~ ㈺에 해당하는 것으로 옳은 것은?

〈영양교사, 2010년 기출문제〉

평가 지표	정상 범위	특징 및 장·단점
㈎	20 ~ 40mg/dL	• 체내 저장량이 체중 kg당 0.01g이며, 최근의 식이 섭취에 대한 지표로 사용함. • 영양 보충이 시작되면 곧 정상치로 회복되기 때문에 영양 보충을 끝내야 할 시기를 알아내는 데는 부적당함.
㈏	>6.5g/dL	• 단기간의 영양 상태를 판정하는 데 사용함. • 간편하고 비교적 정확한 방법임.
㈐	260~430mg/dL	• 반감기가 8~9일 정도로 짧으므로 결핍 초기단계에서 변화됨. • 철분의 영양 상태에 따라 영향을 받음.
㈑	3.5 ~ 5.0g/dL	• 반감기가 18일 정도로 만성적인 단백질 결핍을 나타냄. • 단기간 동안의 결핍에 예민하게 반응하지 못함.
㈒	2.6 ~ 7.6mg/dL	• 반감기가 매우 짧고 단백질 – 열량 결핍에 민감함. • 체내의 보유량이 적어 정확한 농도를 측정하기 어려움.

㈎ 알부민 (albumin)
㈏ 트랜스페린 (transferrin)
㈐ 프리알부민 (prealbumin)
㈑ 총단백질 (total protein)
㈒ 레티놀 결합 단백질 (retinol binding protein)

231. 성인병예방을 위한 영양교육을 실시하려고 한다. 질병의 원인과 영양의 관계가 잘못 짝지어진 것은?

㈎ 고혈압 – 동물성 지방의 과잉섭취
㈏ 담석 – 단백질의 과잉섭취
㈐ 당뇨병 – 유전적 체질과 과음과식
㈑ 허혈성 심질환 – 콜레스테롤과 포화지방산의 과잉섭취
㈒ 대장암 – 식이성 섬유질 섭취부족

230. ㈎는 알부민이 아니라 티록신 결합 프리알부민의 내용이고, ㈏는 트랜스페린이 아니라 총단백질의 내용이다. ㈐는 트랜스페린, ㈑는 알부민의 내용이며 ㈒는 레티놀 결합 단백질을 나타낸다.

정답 **230.** ㈒ **231.** ㈏

232. 식품업 종사자에 대한 영양교육에 알맞은 내용은?

> ① 식품의 제조·가공 및 유통 단계에서 식품이 변질되지 않도록 유의한다.
> ② 식품이 포장될 때까지는 위생적인 공정이 요구된다.
> ③ 영양표시를 통해 소비자에게 정확한 영양량을 제시하도록 한다.
> ④ 많은 판매수익을 위해 영양보다 맛을 우선시 한다.

(가) ①, ②　　　　(나) ①, ③
(다) ②, ③　　　　(라) ①, ②, ③
(마) ①, ②, ④

233. 국민건강영양조사 중 성인의 보건의식행태조사에 포함되는 항목은?

> ① 흡연　　　　② 운동
> ③ 사고 및 폭력　④ 구강보건

(가) ①, ②　　　　(나) ①, ②, ③
(다) ①, ③　　　　(라) ①, ③, ④
(마) ①, ②, ③, ④

234. 지역사회 영양지도의 요령으로 옳지 않은 것은?

> ① 이미 질병에 걸린 사람은 배제하고 질병 예방을 위한 영양지도를 할 것
> ② 지도 대상자의 생활환경, 생활조건, 경제적 상황을 고려할 것
> ③ 지역사회에 대한 파악 후 대상을 선정해서 실태를 파악할 것
> ④ 지역사회의 특성에 맞는 전달방법을 사용해 지도할 것

(가) ①　　　　　(나) ①, ③
(다) ②, ③　　　　(라) ②, ④
(마) ②, ③, ④

정답 232. (나)　233. (가)　234. (가)

235. 보건소에서 수행하는 업무로 옳지 않은 것은?

① 감염병의 예방, 관리 및 진료 업무
② 주민 건강을 위한 흡연 단속
③ 올바른 식생활을 위한 식단작성교육 실시
④ 지역주민에 대한 영양교육

(가) ①, ② (나) ①, ④
(다) ②, ③ (라) ②, ④
(마) ③, ④

236. 보건소 영양사 A가 유아의 식생활 지도를 위해 어머니들로부터 받은 식사 일지의 일부이다. 영양사 A가 평가한 내용으로 옳은 것만을 〈보기〉에서 있는 대로 고른 것은? 〈영양교사, 2012년 기출문제〉

혜진(여, 5세)
8:30 아침 식사
 (흰밥, 쇠고기 미역국, 달걀찜, 김구이, 김치)
12:30 점심 식사
 (미트소스 스파게티, 닭고기 샐러드, 김치)
17:30 간식
 (바나나 50g, 삶은 달걀 1개)
18:30 저녁 식사
 (콩밥, 불고기, 버섯볶음)
총에너지 섭취량 : 1,430 kcal

범수(남, 5세)
8:00 아침 식사
 (토스트, 땅콩버터, 우유)
12:00 점심 식사
 (카레라이스, 오이나물, 귤)
15:30 간식
 (떡꼬치 120g, 오성요구르트 100g)
19:00 저녁 식사
 (흰밥, 콩나물국, 삼치구이)
총에너지 섭취량 : 1,360 kcal

〈보기〉
① 혜진은 간식 시간을 조정할 필요가 있다.
② 혜진은 식사에서 부족한 식품군을 간식을 통해 모두 보충하였다.
③ 두 어린이는 총 에너지 섭취량 중에서 간식으로 섭취하는 에너지 비율이 바람직하다.
④ 식사구성안의 식품군을 기준으로 볼 때, 범수는 혜진에 비해 다양한 식품군을 섭취하였다.

(가) ①, ④ (나) ②, ③ (다) ①, ②, ③
(라) ①, ②, ④ (마) ②, ③, ④

236. 간식은 보통 다음 식사와의 사이를 최저 2시간 이상 두는 것이 바람직하므로 혜진은 간식시간을 오후 3시 전후 정도로 조정해야 저녁식사에 영향을 주지 않을 것이다. 또한 간식으로 섭취한 바나나(탄수화물), 삶은 달걀(단백질)은 식사로 섭취하는 음식과 영양소가 겹치므로 유제품이나 과일 등으로 칼슘과 비타민을 섭취하도록 하는 것이 좋다.

정답 235. (다) 236. (가)

237. 다음 중 한국인영양권장량의 책정 목표는?

① 국민의 식생활 개선
② 국민보건과 체위향상
③ 식량생산과 공급계획에 도움
④ 국방력과 산업부흥에 필요한 인적자원 확보에 이바지

(가) ①, ②, ③   (나) ①, ③   (다) ②, ④   (라) ④   (마) ①, ②, ③, ④

238. 집회지도 방법 중 좌담회의 특징은?

① 상석·하석의 의식을 갖지 않게 한다.
② 공통문제 해결에 좋은 방법
③ 구성원 전원이 발언 가능
④ 단시간에 결론을 얻을 수 있음

(가) ①, ②, ③   (나) ①, ③   (다) ②, ④   (라) ④   (마) ①, ②, ③, ④

239. 목적에 적합한 통계도표의 연결 중 옳은 것은?

① 수량의 시간적 변화 : 다각형도   ② 백분비 : 띠도표
③ 비율의 증감 : 도수분포도   ④ 단순한 수량 비교 : 막대 그래프

(가) ①, ②, ③   (나) ①, ③   (다) ②, ④   (라) ④   (마) ①, ②, ③, ④

240. 국민건강증진법에 의거한 시·도의 영양지도원의 임무는?

① 영양지도의 평가 및 영양상담   ② 영양조사 및 효과측정
③ 홍보 및 영양교육   ④ 공중위생 및 식품위생

(가) ①, ②, ③   (나) ①, ③   (다) ②, ④   (라) ④   (마) ①, ②, ③, ④

정답 [K형 문제] **237.** (마) **238.** (가) **239.** (다) **240.** (가)

241. 국민영양조사에 관한 설명 중 옳은 것은?

① 우리나라에서 처음 시작한 해는 1969년이다.
② 조사원의 구성은 의사, 약사, 영양사, 간호사이다.
③ 건강증진법에 의거해 매 3 년마다 실시한다.
④ 조사시기는 2, 5, 8, 11 월에 실시한다.

(가) ①, ②, ③   (나) ①, ③   (다) ②, ④   (라) ④   (마) ①, ②, ③, ④

242. 임신, 수유부의 영양지도로 올바른 것은?

① 비만을 방지하기 위해 적당한 운동과 열량섭취를 조절한다.
② 빈혈방지를 위해 철분, 엽산, 단백질, 비타민 C 등의 섭취를 권장한다.
③ 변비에 걸리지 않도록 dietary fiber 의 섭취를 충분히 한다.
④ 임신중독증에 걸린 경우, 저단백 및 고열량섭취를 권한다.

(가) ①, ②, ③   (나) ①, ③   (다) ②, ④   (라) ④   (마) ①, ②, ③, ④

243. 섭취식품의 열량조성비를 나타내고자 할 때 적합한 통계도표는?

① pie 도표   ② 절선 그래프   ③ 띠도표   ④ 막대 그래프

(가) ①, ②, ③   (나) ①, ③   (다) ②, ④   (라) ④   (마) ①, ②, ③, ④

244. 영양교육의 목적은?

① 영양에 관한 지식을 보급하여 영양수준을 향상시킨다.
② 영양을 개선하여 질병을 예방하고 건강증진을 꾀한다.
③ 체력향상과 경제발전에 공헌한다.
④ 국민의 복지와 번영에 기여한다.

(가) ①, ②, ③   (나) ①, ③   (다) ②, ④   (라) ④   (마) ①, ②, ③, ④

정답 241. (나)   242. (가)   243. (나)   244. (마)

245. 영양교육의 문제점(난점)은?

① 식생활과 식습관은 기호에 따라 크게 영향을 받음
② 대상이 획일적이 아님
④ 영양에 관한 인식부족
④ 영양불량의 결과가 단시일 내에 나타난다.

(가) ①, ②, ③   (나) ①, ③   (다) ②, ④   (라) ④   (마) ①, ②, ③, ④

246. 경제생활의 향상이 식생활에 미치는 영향은?

① 저장식품의 양 증가   ② 식생활의 변화가 없다.
③ 신선한 식품소비 증가   ④ 기호식품의 소비 증가

(가) ①, ②, ③   (나) ①, ③   (다) ②, ④   (라) ④   (마) ①, ②, ③, ④

247. flannel grape 의 장점으로 옳은 것은?

① 움직이는 매체로 흥미를 유발시킬 수 있다.
② 반복사용이 가능하다.
③ 여러 가지 주제를 필요에 따라 바꿀 수 있다.
④ 부피가 작기 때문에 가지고 다니기 편리하다.

(가) ①, ②, ③   (나) ①, ③   (다) ②, ④   (라) ④   (마) ①, ②, ③, ④

248. 6.6식 토의법(six-six method)의 특징은?

① 전체의견 반영됨
② 단시간에 결론 얻을 수 있음
③ 인원수 많아도 마음 편히 대화 가능
④ 청중과 질의응답

(가) ①, ②, ③   (나) ①, ③   (다) ②, ④   (라) ④   (마) ①, ②, ③, ④

정답   **245.** (가)   **246.** (라)   **247.** (마)   **248.** (가)

249. 다음 중 개인지도의 장점은?

① 교육효과 확실 ② 시간, 노력의 면에서 경제적
③ 깊게 지도 가능 ④ 효과판정이 어렵다.

(가) ①, ②, ③   (나) ①, ③   (다) ②, ④   (라) ④   (마) ①, ②, ③, ④

250. 비타민 B_2가 부족할 때 발생할 수 있는 영양장애는?

① 슬개반사소실 ② 설염
③ 비톳점 ④ 구각염

(가) ①, ②, ③   (나) ①, ③   (다) ②, ④   (라) ④   (마) ①, ②, ③, ④

251. 6.6식 토의법 (six-six method)의 특징은?

① 강사와 청중 간의 토의
② 전부 발언할 수 있다.
③ 시간이 많이 걸린다.
④ 찬반의 두 가지 의견을 물을 때 이용한다.

(가) ①, ②, ③   (나) ①, ③   (다) ②, ④   (라) ④   (마) ①, ②, ③, ④

252. 학동기 아동의 영양상태판정에 가장 많이 사용되는 비만도를 판정하는 지수는?

① Body mass index ② Kaup index
③ Broca index ④ Rohrer index

(가) ①, ②, ③   (나) ①, ③   (다) ②, ④   (라) ④   (마) ①, ②, ③, ④

253. 식이섭취조사방법 중 식품섭취빈도조사의 특징은?

① 소요시간 짧다. ② 서신으로도 가능하다.
③ 쉽게 data를 모을 수 있다. ④ 식품섭취량을 정확히 알 수 있다.

(가) ①, ②, ③   (나) ①, ③   (다) ②, ④   (라) ④   (마) ①, ②, ③, ④

정답 249. (나) 250. (다) 251. (다) 252. (라) 253. (가)

254. 국민영양조사의 조사항목은?

① 건강상태조사	② 식생활 조사
③ 식품군별 섭취량	④ 식습관 조사

(가) ①, ②, ③   (나) ①, ③   (다) ②, ④   (라) ④   (마) ①, ②, ③, ④

255. 병원에서의 영양교육으로 옳은 것은?

① 식습관에 대한 분석	② 식이요법의 필요성 강조
③ 병원급식 협력 지도	④ 질병에 따른 영양관리

(가) ①, ②, ③   (나) ①, ③   (다) ②, ④   (라) ④   (마) ①, ②, ③, ④

256. 대상에 따른 영양지도법이 맞는 것은?

① 비만아 – 1일 1식이나 2식만 한다.
② 고혈압 – 정상열량을 초과하지 않는 선에서 양질의 단백질을 정상으로 섭취
③ 심장병 – 동물성 지방 증가
④ 담석증 – 섬유소가 많은 음식은 피한다.

(가) ①, ②, ③   (나) ①, ③   (다) ②, ④   (라) ④   (마) ①, ②, ③, ④

정답 254. (가)   255. (마)   256. (다)

식품위생학

3 식품위생학

식품위생학에서는 생식품은 물론이고 가공, 제조·운반·급식 등 생산에서부터 사람이 섭취한 후에 일어나는 식중독을 비롯하여 모든 식품의 안전성, 오염·부패방지가 주로 다루어집니다.

따라서 식품과 식품첨가물, 용기, 기구, 포장, 미생물학적·화학적 오염·변질 및 그 기전 등을 공부해야 합니다. 그리고 오염물질의 독성과 분해생성물에 대해서도 깊은 관심을 가져야 합니다.

식품위생학

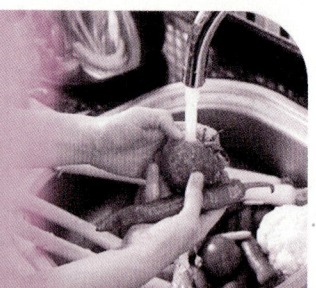

1. 식품위생 개요

1. 식품의 위해요인

1. 생성원인에 따른 분류

(1) 내인성 : 식품 자체에 함유되어 있는 유독·유해성분
(2) 외인성 : 식품의 원재료 자체에는 함유되어 있지 않고, 그의 생육, 생산, 제조, 유통 및 소비과정에서 외부로부터 혼입되거나 이행된 것
(3) 유기성 : 제조·가공·저장·유통 등의 과정 중에 식품의 섭취에 의해서 식품이나 생체 내에 유해물질이 생성된 것

2. 특성에 따른 분류

(1) 생물학적 : 세균, 곰팡이, 리케차, 원생동물, 바이러스 등
(2) 화학적 : 농약, 환경호르몬, 중금속, 자연독 등
(3) 물리적 : 금속, 유리, 돌, 토양, 모발 등

2. 식중독의 원인과 사전조치

1. 식중독의 정의

식품과 함께 섭취된 유해성 물질(독소, 유독화학물질, 그 밖의 유해성분)이나 유해미생물(세균, 곰팡이 등)로 인한 건강장해 현상을 식중독이라고 하며, 영양섭취의 불량에 의한 질병과 장티푸스, 이질, 콜레라와 같은 경구감염병 및 기생충에 의한 질병은 여기에 포함시키지 않는다.

2. 식중독의 분류

분 류	구 분	원 인
세균성 식중독	감염형	*Salmonella* 균, 장염 *Vibrio* 균 병원성 *E. coli*, *Welchii* 균, *Arizona* 균 *Compylobacter*
	독소형	포도상구균, *Botulinus* 균, *Cereus* 균
	기 타	장구균, *Proteus* 균
화학성 식중독	유독·유해 화학물질에 의해	• 유해금속 • 유해농약 • 유해성 식품첨가제 • 기타 유독성 화학물질 • 음식물 용기, 기구, 포장에 사용된 유해성 물질 • 식품가공 중 형성되는 유독물질
자연독 식중독	식물성	독버섯, 감자, 기타 유독식물
	동물성	복어, 조개류, 독어류
곰팡이 식중독	Mycotoxin 중독	*Aflatoxin*, 황변미독 *Fusarium* 곰팡이독소, 맥각독

3. 식중독의 발생

(1) 식중독의 발생경향 : 다양화, 대형화
(2) 발생건수, 환자수 : 대체적으로 증가하는 경향
(3) 원인물질 : 살모넬라균, 장염비브리오균, 황색포도상구균
(4) 원인식품 : 육류 및 그 가공품, 어패류 및 그 가공품, 복합조리식품
(5) 섭취장소 : 단체급식소, 가정

4. 식중독의 역학조사

(1) 식중독 보고과정 : 의사 또는 한의사나 집단급식소의 설치·운영자 → 관할 보건소장 또는 보건지소장 → 보건복지부장관, 식품의약품안전청장, 시·도지사 및 시장·군수·구청장(식품위생법 제86조)
(2) 역학조사 순서 : 검병조사 ──→ 원인식품의 추구 ──→ 병인물질 검색

5. 식품의 안전성 평가

(1) 급성 독성시험 : 반수치사량(LD_{50}) 측정 (1회 투여 후 7~14일간 관찰)
(2) 아급성 독성시험 : 최대내량 측정 (실험동물 수명의 1/10에 해당하는 기간동안 관찰)
(3) 만성 독성시험 : 최대무작용량 (동물에게 아무런 영향을 주지 않는 최대 투여량) 측정
(4) ADI (1일 허용섭취량) : 동물의 최대무작용량 × 안전계수 (1/10) × 평균체중
   ※ 안전계수 : 종간 차 (1/10), 개체간 차 (1/10)

6. 식품위생의 지표미생물

(1) 분변오염 지표균 : 대장균, 장구균 (냉동식품, 건조식품)
(2) 대장균의 특성
 ① Gram 음성의 간균으로 포자를 생성하지 않음
 ② 주모성 편모를 가짐
 ③ 유당을 분해하여 산과 가스를 생성
 ④ 호기성 또는 통성혐기성균
 ⑤ 장내 세균과 한 종류

7. 소독과 살균

(1) 가열살균법
 ① 건열멸균 : 150℃ 이상, 1시간 이상
 ② 고압멸균 : 121℃, 15분
 ③ 간헐멸균 : 고압멸균장치가 없을 때 100℃에서 30분 처리하고 실온에서 하루동안 방치
      한 후 다시 100℃에서 30분 처리하는 조작을 3회 반복
 ④ 저온살균 : 100℃ 이하의 온도로 병원살균과 부패균을 살균하는 것
     저온장시간살균(LTLT) : 63℃에서 30분
     고온단시간살균(HTST) : 71℃에서 15초
     저온살균여부 검사 → 포스파타아제 검사
 ⑤ 증기소독 : 발효조, 배관 등의 살균소독에 적합

(2) 자외선살균법 : 파장 260nm의 자외선 살균 등
 투과성이 없으므로 물, 공기, 식기 표면 등의 살균에 사용

(3) 소독제에 의한 살균법
 ① 석탄산계수 : 소독제 살균력의 비교
 ② 소독제의 소독력에 영향을 미치는 인자 : 균종, 생리적 조건, 온도, pH, 유기물 농도
 ③ 조리용 도마의 살균 → 차아염소산
 ④ 식품취급자의 손, 용기 소독 → 역성비누

(4) 방사선조사법 : Co^{60} 나 Cs^{137} 과 같은 방사선 동위원소에서 방사되는 γ-선은 조사품온이 상승되지 않으므로 냉살균(cold sterilization)

(5) 화염살균법 : 표면의 미생물을 화염으로 직접 태워서 멸균하는 방법
 금속, 자기, 유리 등의 멸균에 적합

(6) 소각법 : 병원체를 불꽃에 태워 죽이는 방법
 포자형성균의 사멸에 적합, 의류·병원적출물 등에 적합

8. 변 질

(1) 어패류의 부패 : 호냉성균, *Pseudomonas sp.*
(2) 우유의 부패 : 표면 점패균*(Alcaligenes viscolactis)*
　　　살균온도와 시간 : LTLT(63℃, 30분), HTST(71℃, 15 ch), UHT(135℃ 이상, 1~3초)
(3) 통조림의 부패 : 플랫 사워변패 → *B. coagulans, B. stearothermophilus*
(4) 탈탄산반응 : histidine → histamine, lysine → cadaverine

9. 부패의 판정

(1) 생균수 검사 : 안전한계 → 10^5, 초기부패 → $10^7 \sim 10^8$
(2) 어육의 트리메틸아민 함량 : 초기부패 → 3~4 mg%
(3) 휘발성 염기태질소 함량 : 초기부패 → 30~40 mg%
(4) K 값 : ATP 분해물 중 이노신산과 하이포잔틴의 비율, 초기부패 → 60~80%
(5) 히스타민 함량 : 알레르기성 식중독 발생 → 4~10 mg%
(6) pH : 6.2~6.5

10. 식품의 부패방지법

(1) 저온저장
　① 냉　장 : 0~10℃로 차갑게 저장
　② 빙온저장 : -2~0℃에 저장
　③ 냉　동 : -18℃ 이하의 온도로 얼려서 저장

(2) 가열살균
　① 저온 장시간살균(LTLT) : 95~120℃에서 30~60분 가열 후에 냉각
　　→ 우유, 술, 주스, 소스, 간장
　② 고온 단시간살균(HTST) : 70~75℃에서 20초 가열 후에 냉각 → 우유, 과즙
　③ 초고온 순간살균(UHT) : 130~135℃에서 수 초 가열 후에 냉각 → 우유, 과즙
　④ 고온 장시간살균(HTLT) : 95~120℃에서 30분~60분 가열 후에 냉각 → 통조림

(3) 건조
　① 천일건조
　② 인공건조 : 열풍건조, 분무건조, 포말건조, 드럼건조, 냉동건조 등

(4) 조사살균 : 방사선, 자외선
(5) 화학적 방법 : 절임(염, 당, 산), 보존료 첨가
(6) 기　타 : CA 저장, 훈연 등

11. 상수도의 수질기준

(1) 대장균군 : 50 mL에서 불검출
(2) 일반세균 : mL당 100 이하
(3) 암모니아성 질소 : 0.5 mg/L 이하
(4) 질산성 질소 : 10 mg/L 이하
(5) 염소이온 : 150 mg/L 이하
(6) 시안, 수은 : 불검출
(7) 불소 : 1.5 mg/L 이하
(8) 탁도 : 2 이하
(9) pH : 5.8~8.6

12. 위해요소 중점관리기준 (HACCP)

식품의 원료, 제공·가공·조리 및 유통의 각 단계에서 발생할 수 있는 위해 요소를 분석하여 중점관리하는 기준

(1) HACCP 적용의 7 원칙

① 위해요소 분석 : 공정 중 위해 발생 단계를 파악, 예방책 기술
② 중요관리점 설정 : 집중 관리할 CCP 를 파악
③ 허용한도의 설정 : 각 CCP 에 대한 예방책을 시행하기 위한 위해의 허용한도를 설정
④ 모니터링 시스템의 설정 : 모니터링 방법, 기록, 이용 절차를 수립
⑤ 시정조치의 설정 : 허용한도를 이탈한 경우의 시정사항을 설정
⑥ 검증절차의 설정 : HACCP 계획이 효과적이고 효율적인가를 확인
⑦ 기록보관 및 문서화 시스템의 설정 : HACCP 시스템을 증명하기 위한 기록관리 절차
  Recall과 관련

(2) HACCP 관리내용

① 작업장의 시설
② 제조시설 및 기계, 기구
③ 종업원들의 위생관리
④ 제품의 보관 및 운반관리
⑤ 검사시설 등이 기준에 적합한지를 점검

(3) 위해요소 중점관리기준 준수대상 영업자

① 어육가공품 중 어묵류 제조·가공
② 냉동수산식품 중 어류·연체류 조미가공품 제조·가공
③ 냉동식품 중 피자류·만두류·면류 제조·가공
④ 빙과류
⑤ 비가열 음료
⑥ 레토르트식품

2. 세균성 식중독의 관리 및 대책

(1) 세균성 식중독과 경구감염병의 차이점

항목	세균성 식중독	경구감염병
균체의 양	다량으로 발병	미량으로도 발병
2차감염	일반적으로 불가능	가능
잠복기	짧다	길다
고유숙주	사람 이외의 동물	사람
면역성	면역이 생기지 않음	면역이 생김
예방조치	균의 증식을 막으면 예방이 가능	균이 존재하는 한 예방이 불가능

(2) 식중독 발생시의 관리대책
 ① 검병조사
 ② 원인식품 색출
 ③ 폐기

1. 감염형 세균성 식중독

1. 살모넬라 식중독

(1) 원인균 : *Salmonella typhimurium, Sal. enteritidis, Sal. choleraesuis* 등
  ① 돼지, 닭, 쥐 등의 장내에서 서식하는 장내세균
  ② 60℃에서 20분 간의 가열로 쉽게 사멸
(2) 잠복기 : 12~24 시간
(3) 주요 증상 : 메스꺼움, 구토, 설사, 복통, 발열(38~40℃)
(4) 원인식품 : 육류, 어패류, 생선요리, 어육연제품, 불고기, 샐러드, 난가공품
(5) 예방법 : 조리장 및 사육시설의 청결관리, 충분한 가열 후 섭취

2. 장염비브리오 식중독

(1) 원인균 : *Vibrio parahaemolyticus*
  ① 3%의 소금물에서 잘 생육하는 호염균으로 민물에서는 사멸
  ② 생육 최적온도는 27~37℃
  ③ 장내세균은 아니지만 장내에서 잘 증식
  ④ 유당과 설탕을 분해하지 못함

(2) 잠복기 : 10~18시간
(3) 주요 증상 : 복통, 구토, 혈액이 섞인 설사, 약간의 발열
(4) 원인식품 : 어패류, 젓갈류, 소금에 절인 식품
(5) 예방법 : 칼이나 도마 등 조리도구의 철저한 세척 및 여름철 해산물·어패류의 생식 자제

3. 병원성 대장균

(1) 원인균 : *E. coli* 중에서 유아의 설사를 유발하고, 성인에게는 급성위장염을 일으키는 특수한 종

병원성 대장균의 종류
① 장관병원성 대장균(EPEC) : 영유아 설사증 원인균, 성인에게는 급성위장염 발생
② 장관침투성 대장균(EIEC) : 이질 원인균
③ 장관독소원성 대장균(ETEC) : 독소형 식중독 원인균(이열성 독소와 내열성 독소)
④ 장관출혈성 대장균(EHEC) : verotoxin을 생산하는 *E. coli* O 157 : H 7

(2) 잠복기 : 10~24 시간
(3) 주요 증상 : 설사, 복통, 메스꺼움, 구토, 발열, 오한
(4) 원인식품 또는 물질 : (유아) 오염된 우유, 의류, 침구류
　　　　　　　　　　　　(성인) 햄, 소시지, 고로케, 야채
(5) 예방법 : 식품조리 시 충분히 가열

4. 리스테리아 식중독

(1) 원인균 : *Listeria monocytogenes*
① 그람양성 통성혐기성균
② 주모성 편모를 가지는 저온성균
③ 소, 말, 돼지, 양, 닭, 오리 등 가축에 많이 감염되며, 자연계에 널리 분포

(2) 잠복기 : 수 일~수 주라고 알려져 있으나 명확하지 않다.
(3) 주요 증상 : 감기 유사 증상, 수막염, 임산부의 자연유산 및 사산
(4) 원인식품 : 우유와 유가공품, 육가공품, 냉장식품, 냉동식품 등
(5) 예방법 : 냉장·냉동식품의 살균 및 유통과정관리 철저

5. 여시니아 식중독

(1) 원인균 : *Yersinia enterocolitica*
① 그람음성의 무포자 간균
② 편모를 가지는 저온성균(4℃에서도 증식 가능)
③ 장내세균과에 속함
④ 냉장 및 진공포장 상태에서도 증식 가능
⑤ 자연계에 널리 분포

(2) 잠복기 : 6~24 시간
(3) 주요 증상 : 급성 위장질환, 패혈증, 피부의 결절성 홍반, 다발성 관절염 등
(4) 원인식품 : 우유와 유가공품 (초콜릿우유 등), 냉장육류, 냉동식품
(5) 예방법 : 식육의 장기보관 금지 및 사용용수의 청결 유지

6. 캠필로박터 식중독

(1) 원인균 : *Campylobacter jejuni/coli*
  ① 그람음성의 무포자 간균
  ② 만곡형의 S자 혹은 나선형
  ③ 미호기성균 (5~10% 산소농도)
  ④ 호열성균 (37~42℃에서 활발히 증식)
  ⑤ 500개의 균으로도 발증가능
(2) 잠복기 : 2~7 일
(3) 주요 증상 : 설사, 발열, 메스꺼움, 복통, 구토, 신경계 질환 (Guillian Barre Syndrome)
(4) 원인식품 : 가금육, 비살균유, 오염식수, 버섯, 날생선, 조개 및 굴류
(5) 예방법 : 식육의 포장 및 유통·보관과정에서 온도 및 위생관리

2. 독소형 세균성 식중독

1. 포도상구균

(1) 원인균 : *Staphylococcus aureus*
  ① 화농성 질환의 원인균인 황색포도상구균
  ② 콧구멍, 목구멍, 화농부위에 다량 서식
  ③ 15% 염분에서도 생육이 가능한 내염균
  ④ 열에 쉽게 사멸
  ⑤ 내열성이 높은 (120℃에서 20 분 가열해도 파괴 안 됨) 장독소 (enterotoxin)를 생성
    → 먹기 직전에 끓여서 먹어도 식중독 발생
(2) 잠복기 : 1~6시간 (평균 3시간)
(3) 주요 증상 : 메스꺼움, 구토, 복통, 설사
(4) 원인식품 : 유가공품, 식육가공품, 어육가공품, 김밥, 도시락, 크림빵, 떡 등
(5) 예방법 : 식품 취급 및 조리사의 위생복 착용, 화농성 질환자의 식품취급 금지

2. 보툴리즘 식중독

(1) 원인균 : *Clostridium botulinum*
  ① 편성혐기성의 그람양성 포자형성균
  ② 포자는 내열성이 높아서 120℃에서 4 분간 가열로 사멸

③ 열에 약한 신경독소(neurotoxin)인 botulin 생성
→ 80℃에서 15분간 가열로 파괴
④ A, B, E형에 의해서 주로 발생
⑤ pH 4.5 이하, 수분활성도 0.94 이하, 3.3℃ 이하에서 증식하지 못함
⑥ 자가제조 소시지에서 자주 발생하므로 소시지 중독(botulism)이라고 함
(2) 잠복기 : 12~36 시간
(3) 주요 증상 : 신경계 증상(복시, 시력저하, 동공산대, 안검하수, 타액분비 저하, 언어장애, 호흡곤란 등), 사망률이 높음(30~80%)
(4) 원인식품 : 햄, 소시지, 통조림
(5) 예방법 : 식재료의 철저한 세척 및 냉장·냉동 보관

3. 감염독소형 세균성 식중독

1. *Clostridium perfringens* 식중독

(1) 원인균 : *Clostridium perfringens*
① 편성혐기성의 그람양성 포자형성균
② 가스괴저균
③ 포자는 내열성이 높음
④ 내열성 변이주인 A형이 식중독 유발
⑤ 장내에서 포자생성 시 열에 약한 장독소(enterotoxin) 생성
→ 균이 분해되면서 장독소가 유리되어 식중독 유발
(2) 잠복기 : 8~20 시간(평균 12 시간)
(3) 주요 증상 : 설사, 복통
(4) 원인식품 : 기름에 튀긴 식품, 단백질 식품, 가열조리된 식품
(5) 예방법 : 조리한 식품은 가급적 빨리 섭취

2. *Bacillus cereus* 식중독

(1) 원인균 : *Bacillus cereus*
① 그람양성의 통성혐기성 간균
② 내열성이 높은 포자 생성(135℃에서 4 시간 가열하여도 파괴되지 않음)
③ 전분분해력과 단백질분해력이 높음
④ 설사독(emetic toxin)과 구토독(vomitoxin) 생성
(2) 잠복기 : 설사형(6~15 시간), 구토형(30 분~6 시간)
(3) 주요 증상 : 설사형(*Clostridium perfringens* 식중독과 유사),
구토형(*Staphylococcus aureus* 식중독과 유사)
(4) 원인식품 : 설사형(향신료를 사용한 요리류, 육류 및 채소의 수프, 푸딩)
구토형(쌀밥, 볶음밥)

(5) 예방법 : 식품의 장시간 실온방치 금지

3. *E. coli* O157 : H7

(1) 원인균 : *E. coli* O157 : H7
   ① 그람음성 무포자 간균
   ② 장관출혈성 대장균
   ③ verotoxin 생성
   ④ 10~1,000 개의 균으로도 발증 가능
   ⑤ 제1군 법정감염병균
(2) 잠복기 : 3~8일
(3) 주요 증상 : 혈변, 심한 복통, 용혈성 요독증후군
(4) 원인식품 : 완전히 조리되지 않은 분쇄육, 비살균 원유, 샌드위치 등
(5) 예방법 : 식육의 충분한 가열조리 및 원유의 적절한 살균

4 그 밖의 식중독

1. Allergy 성 식중독

(1) 원인균 : *Morganella morganii* (*Proteus morganii*)
   ① 그람음성의 통성혐기성 무포자 간균
   ② histidine 의 탈탄산으로 생성된 histamine 에 의하여 알레르기 발생
(2) 잠복기 : 30분 내외
(3) 주요 증상 : 설사, 복통, 발열, 구토, 알레르기
(4) 원인식품 : 적색어류(꽁치, 고등어, 정어리 등)
(5) 예방법 : 신선한 어류를 구입하고 가급적 빨리 사용

2. *Vibrio vulnificus* 괴저

(1) 원인균 : *Vibrio vulnificus*
   ① 그람음성의 무포자 간균
   ② 호염균
   ③ 4℃ 이하에서는 활동이 중지되고 60℃ 이상에서는 사멸
   ④ 치명률이 46% 정도로 높음
(2) 잠복기 : 20 시간 내외
(3) 주요 증상 : 피부발열, 발적, 두통, 궤양, 패혈증, 쇼크사
(4) 원인식품 : 근해산 어패류
(5) 예방법 : 어패류의 충분한 가열조리 및 조리도구의 철저한 세척

5. 식중독 예방대책

(1) 청결의 원칙
   ① 원료의 위생 : 신선한 식품을 사용하고, 여름철에는 어패류의 생식을 피한다.
   ② 처리의 위생 : 오염의 방지, 교차감염의 방지
   ③ 설비의 위생 : 위생시설의 소독, 청결
   ④ 위생교육의 강화 : 조리사 및 식품취급자의 복장 및 건강상태 등 위생교육 철저

(2) 온도의 원칙
   ① 저온저장 : 냉장 또는 냉동
   ② 가열살균 : 70℃ 이상으로 가열하여 살균

(3) 신속의 원칙 : 조리 후 2시간 이내에 처리(신속한 섭취 또는 저온저장)

3. 자연독 식중독 (Mycotoxin 포함)

1. 동물성 자연독

(1) 복어 : tetrodotoxin (마비성)
(2) 섭조개, 홍합, 대합조개 : saxitoxin (마비성), 구아니딜 유도체
(3) 모시조개, 바지락, 굴 : venerupin (간장독), 출혈반점, 황달
(4) 검은조개, 가리비, 백합 : okadaic acid (설사독), 소화기관에 존재
(5) ciguatera 중독 : ciguatoxin, scaritoxin, palytoxin, maitotoxin, ciguaterin

2. 식물성 자연독

(1) 독버섯 : 무스카린, 무스카리딘, 뉴린, 콜린, 팔린, 아가리식액시드, 아마니타톡신
   ① 팔린 : 용혈작용, 열에 불안정, 콜레라 유사증상
   ② 아마니타톡신 : 구토, 콜레라 유사증상, 간장, 신장 침해
(2) 감자 : 솔라닌, 셉신
(3) 면실유 : 고시폴
(4) 피마자 : 리신, 리시닌, 알러젠
(5) 청산배당체 : 청매와 살구씨 (amygdalin), 오색두 (phaseolunatin), 수수 (dhurrin), 강낭콩 (linamarin)
(6) 꽃무릇 : lycorine
(7) 독미나리 : cicutoxin
(8) 미치광이풀 : atropine

(9) 붓순나무 : shikimin
(10) 독보리 : temuline
(11) 고사리 : ptaquiloside
(12) 소철 : cycasin

3. 진균독(Mycotoxin)

(1) 침해부위에 따른 분류
  ① 간장독 : aflatoxin, islanditoxin, luteoskyrin, ochratoxin, rubratoxin, sterigmatocystin
  ② 신장독 : citrinin, citreomycetin, kojic acid
  ③ 신경독 : citreoviridin, patulin, maltoryzine
  ④ 광과민성 피부염물질 : sporidesmin, psoralen
  ⑤ 발정유발물질 : zearalenone

(2) 생산균에 따른 분류
  ① Asperdillus가 생산하는 독소 : aflatoxin, ocharatoxin, sterigmatocystin, maltoryzine
  ② Penicillium이 생산하는 독소 : 황변미독소, rubratoxin, patulin
  ③ Fsarium이 생산하는 독소 : zearalenone 등
  ④ Claviceps(맥각균)가 생산하는 독소 : ergotoxin, ergotamine, ergometrin

4. 화학성 식중독

1. 농 약

(1) 유기인제 : 파라치온, 말라치온, 수미치온, 디아지논
  급성독성, 맹독성, 분해성, cholinesterase 저해
(2) 유기염소제 : DDT, BHC, drin제
  만성독성, 잔류성, 지방조직에 축적, 간질상 발작
(3) 유기수은제 : 종자소독, 토양살균, 축적성, 피부염, 위장장애, 신경증상
(4) 카바메이트제 : 살충제, 제초제, cholinesterase 저해
(5) 유기불소제 : aconitase의 저해, 혈액 중에 다량의 구연산이 침착

2. 항생물질

(1) 질병예방, 치료, 성장촉진 위해 첨가
(2) 문제점 : 급·만성중독, 내성균 출현, 균교대증, 알레르기 발현 등 가장 큰 문제점은 내성균의 출현

3. 중금속

(1) 주석 : 통조림에서 150 ppm 이하로 관리
(2) 수은 : 미나마타병 (신경이상 증상)
(3) 카드뮴 : 이타이이타이병 → 칼슘대사의 실조
(4) 납 : 연연, 조혈기, 중추신경계, 신장, 소화기 장애, 빈혈
(5) 비소 : 비소간장사건, 비소조제분유사건, 흑피증
(6) 알루미늄 : 알츠하이머

4. 유해성 식품첨가물

(1) 유해착색료 : 오라민, 로다민 B, 실크스칼렛, 파라니트로아닐린, 수단 Ⅲ
(2) 유해표백료 : 롱갈리트 (포름알데히드 생성), 삼염화질소, 형광표백제
(3) 유해보존료 : 붕산, 포름알데히드, 승홍, 불소화합물, 나프톨
(4) 유해감미료 : 파라니트로톨루이딘, 에틸렌글리콜, 페릴라틴, 둘신, 사이클라메이트
  − 둘신 : 혈액독, 소화효소 억제작용, 충추신경계 장애, 간종양

5. 용기, 포장재에서 용출되는 유독물질

(1) 플라스틱 가소제, 접착제, 살충제 등 : 프탈산에스테르류
(2) 유리제품 : 알칼리 용출, 규산 용출
(3) 도자기제품 : 소성불완전으로 유약 및 안료 용출
(4) formalin이 용출되는 합성수지 : 열경화성 수지 (페놀수지, 요소수지, 멜라민수지)
(5) PVC에서 용출되는 발암성 물질 : VCM (vinyl chloride minomer)

6. 제조·가공·저장 중에 생성되는 유독물질

(1) 다환방향족 탄화수소류 : 육류를 태울 때 생성
  벤조피렌, Trp-P-1, Trp-P-2, Glu-P-2, Glu-P-2, Lys-P-1 → 발암물질
(2) 니트로스아민 : 질산염 또는 아질산염 + 2급 아민 (dimethylamine, proline, creatin, arginine) → 발암물질인 니트로스아민 생성
(3) 메틸알코올 : 과실주 발효 시 펙틴 분해로 생성 (1.0 mg/mL 이하) → 시신경 염증
(4) 트리할로메탄 : 물의 염소소독 시 생성 → 발암물질

7. 환경오염물질

• 먹이연쇄에 의한 생물농축 : PCB, 다이옥신 등
  ① PCB (미강유 중독사건, 유증사건)
  ② 다이옥신 (염소를 함유한 물질을 태울 때 발생하는 인류가 만든 최악의 발암물질)

8. 방사성 물질

(1) Sr-90 : 생성률 높고 반감기 길다, 칼슘과 유사, 뼈에 침착, 지속적으로 γ-선을 방출
(2) Cs-137 : 생성률 높고 반감기 길다, 근육에 침착 지속적으로 γ-선을 방출
(3) I-131 : 생성률 높으나 반감기 짧다, 갑상선 이상

9. 수질오염

(1) 공장폐수
  ① 오염지표
   - 용존산소량(DO) : 오염이 심할수록 값이 낮다.
   - 생물학적 산소요구량(BOD) : 20℃ 5일간 배양
   - 화학적 산소요구량(COD) : 유기물이 적으나 무기환원성 물질이 많을 경우에는 COD 값이 일반적으로 BOD 값보다 약간 높다.
   - pH, 부유물질(SS), 특정유해물질, 대장균수, 색도, 온도 등
   - 위생하수 : DO - 4 ppm ↑ BOD - 20 ppm ↓
  ② 부영양화 : 공장이나 도시하수 중 식물의 영양분인 인산염, 질소 등이 풍부→ 하천이나 바다의 플랑크톤 대량 번식 → DO↓ → 혐기성 상태 → 부패, 악취, 유독

(2) 음료수
  ① 가장 중요한 지표는 대장균수
  ② 미생물 기준 : 일반세균(100 CFU/mL↓), 대장균군(음성/50mL)

10. GMO (gemetically modified organism, 유전자 변형생물)

- GMO의 문제점
  ① 알레르기 유발
  ② 항생물질에 대한 내성
  ③ 만성독성, 유전독성 가능성
  ④ 기존식품과의 성분상 차이

5. 기생충, 위생동물 및 감염병

1. 경구감염병

1. 경구감염병의 분류

(1) 세균에 의한 것 : 콜레라, 장티푸스, 세균성이질, 파라티푸스, 성홍열, 디프테리아
(2) 바이러스에 의한 것 : 폴리오, 간염, 감염성 설사, 천열

(3) 리케차에 의한 것 : Q-열
(4) 원생동물에 의한 것 : 아메바성 이질

2. 경구감염병의 예방대책

(1) 감염원 대책 : 환자의 조기발견 및 격리, 치료
(2) 감염경로 대책 : 취급자의 청결 유지, 환경·식품위생 관리
(3) 숙주의 대책 : 위생동물의 구제 등
(4) 예방접종

3. 주요 경구감염병

(1) 장티푸스
  ① 병원체 : *Salmonella typhi*
  ② 증 상 : 두통, 식욕부진, 오한, 발열(40℃ 이상), 치사율은 10~20%
  ③ 특 징 : 환자나 보균자의 분변, 소변으로도 감염 가능
           국내에서 발병률이 가장 높음
           극심한 열병으로 후유증이 남는 경우 많음

(2) 파라티푸스
  ① 병원체 : *Salmonella paratyphi* A, B, C
  ② 증 상 : 장티푸스와 같으나 증세가 약하고, 치사율은 낮음
  ③ 특 징 : 남성에서 많이 발생

(3) 콜레라
  ① 병원체 : *Vibrio cholerae*
  ② 증 상 : 심한 설사(쌀뜨물 같은 수양성), 구토, 탈수, 체온저하, 허탈, 치사율 50%
  ③ 특 징 : 외래성 감염병
           소화기계 감염병 중에서 가장 급성
           환자나 보균자의 분변과 토물, 오염 음식물(특히 어패류), 파리 등에 의해 감염

(4) 세균성 이질
  ① 병원체 : *Shigella sp.*
  ② 증 상 : 오한, 발열, 복통, 설사(수양성, 점액성, 점혈성)
  ③ 특 징 : 백신이 개발되지 않아서 예방접종이 불가능

(5) 아메바성 이질
  ① 병원체 : *Entamoeba histolytica* (이질 아메바)
  ② 증 상 : 설사, 점혈변

(6) 급성회백수염(폴리오, 소아마비)

① 병원체 : poliomyelitis virus → 저온에 안정, 신경친화성 바이러스
② 증 상 : 감기와 유사한 증세
　　　　　 비마비형과 마비형(뇌형, 연수형, 척수형)
③ 특 징 : 불현성 감염이 많음

(7) 유행성 간염

① 병원체 : *hepatitis virus A*
② 증 상 : 오심, 구토, 식욕부진, 위장장애, 황달, 미열

(8) 감염성 설사증

① 병원체 : 감염성 설사증 바이러스
② 증 상 : 식욕부진, 복통, 전신권태, 설사

(9) 천열(izumi fever)

① 병원체 : 천열 바이러스
② 증 상 : 오한, 두통, 발열(39~40℃의 열이 며칠을 간격으로 오르내림), 발진

2. 인축공통감염병

(1) 종 류 : 탄저, 야토병, 결핵, 파상열, 돈단독, Q-열, 렙토스피라, 리스테리아, 비저
(2) 우유를 통해 감염되는 것 : 결핵, 파상열, Q-열, 리스테리아

인축공통감염병	병 원 체	잠복기와 증세	감염원 및 경로	예 방
결핵 (Tuberculosis)	우형결핵균 : *Mycobacterium bovis* 조형결핵균 : *Mycobacterium avium* 인형결핵균 : *Mycobacterium tuberculosis*	4~6주 감염부위와 임파선부위에 병변증상	우유(소의 유방에 병소가 있을 때와 소의 분변으로부터 오염)	• 정기적인 tuberculin test, • 우유의 완전 살균
탄저 (Anthrax)	탄저균 (*Bacillus anthracis*)	1~4일 • 장탄저 : 구토, 설사 등 • 피부탄저 : 악성농포, 임파선염, 부종, 궤양 • 폐탄저 : 급성폐렴, 패혈증(敗血症)	• 오염된 목초나 사료에 의해 경구감염된 수육의 섭취 : 경구감염 → 피부탄저 • 털에 묻어 있는 아포의 흡입 : 기도감염 → 폐탄저	• 초식동물의 예방접종 • 감염동물은 도살처분하여 소각처리. 고압증기멸균(∵탄저균은 내열성 아포를 형성한다)
파상열 (Brucellosis)	양·염소 : *Brucella melitensis* 소 : *Brucella abortus* 돼지 : *Brucella suis*	7~14일 • 동물 : 유산, 점막의 염증 • 인체 : 주기적인 발열(38~40℃), 오한	• 유즙이나 유제품, 고기에 의한 경구감염, • 상처를 통한 경피감염	우유의 완전 살균 병든 가축의 식육 금지

야토병 (Tularemia)	*Francisella tularensis*	3~4일 오한, 발열, 피부에 농포와 궤양	산토끼를 만지거나 박피, 고기요리를 할 때 경피감염, 오염된 손으로 눈을 만지면 안구감염	• 병든 산토끼의 식육금지 • 상처있는 손으로 직접 조리를 피한다.
돈단독 (Swine erysipelas)	*Erysipelothrix rhusiopathiae*	10~20일 국소 부위의 발적, 종창, 작열감, 관절염, 패혈증	병든 돼지 취급 시에 경피감염 또는 경구감염	감염 동물의 조기 발견 및 격리, 치료, 소독, 예방접종
Q열 (Q fever)	rickettsia 성 질환 *Coxiella burnetii*	2~4주 • 고열, 오한, 두통, 근통 • 중증 시는 폐에 불규칙한 반점, 황달,	병든 동물(소, 염소, 양)의 생유 섭취이나 조직 및 배설물 접촉	• 진드기 등 흡혈곤충 박멸 • 우유 살균
Listeria 증	*Listeria monocytogenes*	며칠~몇 주일 • 뇌척수막염, 패혈증 • 임산부는 자궁내막염	• 감염된 동물의 식육(경구감염), 접촉(경피 감염), • 오염된 먼지흡입(기도로 감염)	예방접종 및 가축의 위생적 관리
Leptospirosis (weil's disease)	*leptospira*	고열, 전율, 오한, 두통, 요통, 근육통	• 소, 돼지, 쥐 등을 통해 감염 • 사람은 쥐의 분뇨에 오염된 물, 식품을 통해 경구감염	예방접종 및 쥐의 구제

3. 기생충

(1) **채소류를 통해 감염되는 것** : 중간숙주가 없음

① 회충, 요충, 구충(십이지장충), 아메리카구충, 동양모양선충, 편충
② 경피감염이 가능한 기생충 : 구충(십이지장충), 아메리카구충, 동양모양선충
③ 채독증의 원인균 : 구충(십이지장충)

(2) **어패류를 통해 감염되는 것** : 중간숙주가 2가지

① 간흡충 : 왜우렁이-담수어류(잉어, 붕어)
② 폐흡충 : 다슬기-민물게, 가재
③ 광절열두조충 : 물벼룩-반담수어류(연어, 송어, 농어)
④ manson 열두조충(스파르가눔) : 물벼룩-개구리, 뱀, 담수어 → 개, 고양이
⑤ 유극악구충 : 물벼룩-담수어류(가물치, 뱀장어, 미꾸라지) → 개, 고양이
⑥ 아니사키스 : 해산갑각류(크릴새우)-해산어류(대구, 청어, 명태, 오징어) → 고래
  ※ 종말숙주가 사람이 아닌 것(분변에서 충란이 발견되지 않는 것)
    : manson 열두조충(스파르가눔), 유극악구충, 아니사키스

(3) 육류를 통해 감염되는 것 : 중간숙주가 1개
  ① 소고기 : 무구조충 (민촌충)
  ② 돼지고기 : 유구조충 (갈고리촌충), 선모충, 톡소플라스마 (임산부에게 유산을 일으킴)

(4) 예방법 :
  ① 분변 위생관리 및 오염된 흙 밟지 않기
  ② 가축 및 애완동물의 위생관리
  ③ 식수관리 및 어패류 생식 금지
  ④ 정기진단 및 구충제 복용

(5) 어패류 매개 기생충

기생충	제1중간숙주	제2중간숙주	증 상	예방 및 기타
간디스토마	왜우렁이	피라미, 잉어, 붕어 (담수어)	기생성 간경변 (간비대, 황달, 빈혈, 부종, 복수, 담도폐쇄) 간경화, 위장장애, 야맹증, 소변의 담즙색소 양성	1, 2차 중간숙주 생식 금지, 강유역 주민들에게 많다. 혈액검사로 발견
폐디스토마	다슬기	가재, 게 등 갑각류	폐 (혈담, 기침) 뇌 (전신경련, 발작, 실어증) → 사망 눈 (눈동자 운동장애, 시력장애)	산간지역 주민에게 많다. 유행지역의 생수 음용금지, 환자의 객담·분변관리, 철저한 객담검사로 발견
요꼬가와흡충 (횡촌충)	다슬기	붕어, 은어 (담수어)	만성장염, 설사, 복통	은어의 생식금지
광절열두조충 (긴촌충)	물벼룩	농어, 연어, 숭어 (담수어, 반담수어)	복통, 설사, 빈혈, 영양장애	음식은 철저히 익혀서 먹도록 함
유극악구충	물벼룩	미꾸라지, 가물치, 뱀장어, 메기 → 개, 고양이 (최종숙주)	피부유종, 복통, 메스꺼움, 구토, 발열	개, 고양이 생식금지
아니사키스	크릴새우 (갑각류)	해산어 (고등어, 갈치, 오징어) → 바다 포유류 (최종숙주)	복통, 구토, 오심	냉동, 냉각 때 기생충란이 사멸
맨손열두조충	물벼룩	뱀, 개구리, 담수어 → 개, 고양이, 닭		

4. 위생동물

(1) 쥐
- 매개질병
  ① 세균성 질병 : 페스트 (쥐의 벼룩), 와일씨병 (weil's disease : 쥐의 오줌), Salmonella증 (쥐의 분뇨), 서교열 (쥐에 물려서), 이질 (입속 virus에 의해)

② 리케차성 질병 : 발진열, 쯔쯔가무씨병 (양충병)
③ 바이러스성 질병 : 유행성 출혈열 (쥐에 기생하는 털진드기가 매개), 천열
④ 기생충 질병 : 아메바성 이질, 선모충증, 왜소조충

(2) 모 기

- **매개질병** : 말라리아, 일본뇌염, 사상충증, 황열, 뎅기열 등

(3) 파 리

- **매개질병**
  ① 감염병 : 장티푸스, 파라티푸스, 세균성·아메바성 이질, 결막염, 콜레라, 결핵, 뇌척수막염, 살모넬라성 위장염, 소아마비, 나병, 화농성 질환
  ② 기생충 : 회충, 십이지장충, 요충, 편충의 충란을 운반
  ③ 파리의 성충이 식품에 섞여 소화관에 침입하면 승저증 (파리유충증, myiasis)을 일으켜 복통, 구토, 설사, 발열, 혈변 등의 증상이 나타남

(4) 진드기

① **번식조건**
  - 건조상태에선 증식 불가능 (고온 다습한 장마철에 많이 발생)
  - 온 도 : 20℃ ↑
  - 습 도 : 75% ↑
  - 식품 내 수분함량 : 13% ↑
② **매개질병** : 복통, 설사, 혈뇨, 단백뇨, 신장염, 급성폐렴, 기관지 천식, 피부염
③ **구제법**
  - 밀봉포장
  - 건조 (방습용기에 넣어 보존)
  - 가열 (50~60℃에서 5~7 분 동안)
  - 0~10℃의 저온보존
  - 식품창고의 훈증 (chloropicrin, methyl bromide, 인화수소)
  - 살충제 살포 (malathion, sumithion, diazinon)

> **check point 식품에 발생하는 진드기류**
>
> ① 가루진드기류 : 식품의 품질저하
>   - 긴털가루진드기 : 곡류, 곡분, 빵, 과자, 건조과일, 분유, 치즈 등에서 발견
>   - 수중다리가루진드기 : 저장식품, 종자, 건조과일
>   - 보리가루진드기 : 곡류, 건어물
>   - 설탕진드기 : 조제설탕, 건조과일, 된장표면
>   - 집고기진드기 : 설탕과 치즈
>   - 작은가루진드기 : 밀가루, 건조달걀, 흑설탕
> ② 먼지진드기류 : 보리먼지진드기가 곡류, 곡분, 건물 및 사람의 분뇨에서도 발견됨

6. 식품의 변질과 보존

1. 변 질

(1) 부 패

단백질 식품(질소 유기화합물)이 혐기성균에 의해 분해되는 상태
→ 아미노산, 암모니아, 아민, H_2S, CO_2, mercaptane, 저급화합물(methane, indole, skatol) 생성

(2) 산 패 : 지질이 호기성 상태에서 분해되는 현상
(3) 변 패 : 탄수화물, 지방질이 혐기성 상태에서 분해되는 현상
(4) 발 효 : 탄수화물, 단백질, 지방에 미생물이 작용해서 유기산, 알코올을 생성하는 현상

> 부패 & 발효
> ① 공통점 : 가스생성, 성분변화, 미생물 관여
> ② 차이점 : 생성물의 식용 유무

2. 부패의 판정 (초기 부패)

(1) 관능검사
(2) 일반세균수 : 식품 1 g당 $10^7 \sim 10^8$
(3) 휘발성 염기질소(Volatile base nitrogen, VBN) : 30~40 mg%
(4) 트리메틸아민(trimethylamine, TMA) : 3~4 mg%
(5) 히스타민 : 400 mg%↑ 혹은 200~400 mg%
(6) K값 : 60~80%
(7) pH : 6.0~6.2
(8) 휘발성 환원물질, 휘발성 유기산, 산화환원 지시약

3. 식품별 주요 변패 미생물

(1) 과일, 채소 : Pectin 분해력이 있는 미생물(*Mucor*, *Aspergillus*, *Penicillum*)
(2) 육 류 : 단백질 분해력이 강한 세균(*Bacillus putrificus*, *Bacillus subtilis*, *Proteus vulgaris*, *Clostridium sporogenes*), 적색 색소를 생성하는 세균(*Serratia marcescens*)
(3) 어패류 : 저온성 수중세균(*Pseudomonas*, *Flavobacterium*, *Achromobacter*, *Micrococcus* 등)

(4) 우 유 : *Streptococcus lactis* (시게 변패), *Alcaligens viscolactis* (점질화, 알칼리화), *Serrat-ia marcescens* (분홍색 변패), *Pseudomonas syncyanea* (청회색 변패), *Pseudomonas sy-nxanta* (황색변패), *Pseudomonas fluorescens* (녹색변패)
(5) 통조림 : Flat sour 변패 (*Bacillus stearothermophilus*, *Bacillus coagulans*)
(6) 달 걀 : *Proteus melanovogenes* (달걀의 흑색변패)
(7) 잼 : 내삼투압성 효모 (*Saccharomyces rouxii*, *Torulopsis*)
(8) 밥 : 포자형성균 (*Bacillus*)
(9) 빵 : Rope 변패 (*Bacillus*), 적색변패 (*Serratia marcescens*)

4. 식품의 변질방지

(1) 탈수건조법
  ① **자연건조법** : 천일건조법
  ② **인공건조법** : 열풍, 분무 (분유), 박막 (농축 토마토 주스), 포말 (과즙류), 적외선, 진공동결
(2) 저온 보존
  ① 움 저장
  ② 냉장
  ③ 냉동
(3) 가열살균법
  ① **저온살균 (LTLT)** : 60~65℃, 30분 가열 후에 냉각 – 우유, 술, 주스, 소스, 간장
  ② **고온 단시간살균 (HTST)** : 70~75℃, 20초 가열 후에 급냉 – 우유, 과즙
  ③ **초고온 순간살균 (UHT)** : 130~135℃, 수초만 가열 후에 급냉 – 우유, 과즙
  ④ **고온 장시간살균 (HTLT)** : 95~120℃, 30~60분 가열 후에 냉각 – 통조림
(4) 자외선 조사
(5) 방사선 조사
(6) 절 임
  ① **염 장** (10%)
    • 효 과 : 탈수작용, 미생물원형질 분리, 산소용해도 감소, 효소작용 저해, Cl^-의 독작용
  ② **당 장** (50%) : 설탕보다 전화당, 포도당의 효과가 더 크다.
  ③ **산 장** (pH 4.5) : 무기산보다 유기산이 효과적
(7) Controlled Atmosphere 저장 (CA 저장, 가스치환)
  ① **사용기체** : O_2, CO_2, N_2
  ② 식품이 존재하는 환경, 즉 포장용기, 저장고 내 기체 조성을 인위적으로 조절하는 방법으로 산소를 질소와 이산화탄소로 치환
  ③ 과일이나 채소 저장 시에 사용

(8) 훈연법
① 목재를 불완전 연소시킬 때 발생되는 연기 속에 존재하는 aldehyde 류, alcohol 류, phenol 류, 산류 등이 식품조직에 침투되어 저장효과를 냄.
② 어류, 육류제품에 사용
(9) 통조림, 병조림, film 포장
(10) 진공포장
(11) 식품첨가물

7. 살균 및 소독

1. 멸균·소독 및 방부

(1) 멸　균 : 모든 미생물의 생세포와 아포까지도 사멸시키는 것
(2) 소　독 : 물리화학적인 방법으로 병원성 세균을 사멸시키는 것
(3) 방　부 : 미생물의 발육을 저지시켜 부패를 방지시키는 것

2. 소독제의 구비조건

(1) 용해도↑, 안전성이 있을 것
(2) 살균력, 침투력 강할 것
(3) 부식성, 표백성이 없을 것
(4) 사용 후에 냄새 제거가 쉬울 것
(5) 사용법이 용이할 것
(6) 인체에 무독, 무해할 것
(7) 소독 대상물이 손상을 입지 않았을 것
(8) 값이 저렴하고 구하기 쉬울 것
(9) 석탄산계수가 높을 것

3. 소독 및 살균방법

1. 물리적 방법

(1) 건열살균 : 165~170℃에서 1시간 열처리
　⇒ 초자기구, 분말
(2) 화염멸균 : 물체표면의 미생물을 알코올 램프, 가스 버너 등의 화염으로 직접 태워서 멸균
　⇒ 금속, 자기, 유리

(3) 소각법 : 병원체를 불꽃에 태워 버리는 방법 ⇒ 포자 형성균 사멸에 효과적
(4) 열탕(자비)소독 : 끓는 물을 이용해서 100℃에 30분 소독
  ⇒ 용기, 조리기구 등의 살균
(5) 증기소독 : 끓는 물의 수증기를 이용해서 살균
  ⇒ 조리대, 취사기구
(6) 고압증기멸균 : 증기에 압력을 가해서 멸균, 121℃에 15분, 아포사멸
  ⇒ 미생물 배지, 배양기
(7) 간헐멸균 : 100℃에서 30분간, 24시간마다 3회 연속 멸균, 아포사멸
(8) 일광소독법 : 장티푸스, 파라티푸스, 콜레라, 이질균이 건조에 의해 사멸하며, 결핵균은 사멸하지 않는다.
(9) 자외선법 : 유효파장 – 2,500~2,800Å, 살균에 이상적 파장 – 2,537Å
  물, 공기살균, 무균실, 칼, 도마살균에 특히 효과적
  ① 장 점
    • 가열살균할 수 없는 물질의 사용에 이용
    • 모든 균종에 효과가 있다.
    • 균에 내성을 주지 않는다.
  ② 단 점
    • 침투성이 없어 표면살균에 한정
    • 지방류에 장시간 조사할 때 산패취가 남
    • 그늘진 곳에서 효과 없음
(10) 방사선 살균 : Co^{60}, Cs^{137}과 같은 방사선 동위원소로부터 방사되는 투과력이 강한 γ선 이용, 포장된 식품이나 약품 등의 멸균
(11) 여과멸균법 : 미생물이 통과할 수 없는 미세한 구멍을 가진 여과막을 이용해 미생물 제거 혈청배지, 가열살균에 불안정한 의약품

2. 화학적 방법

(1) 석탄산 : 3~5% 용액

$$석탄산계수 = \frac{소독약의 희석배수}{석탄산의 희석배수}$$

(2) 크레졸 : 3~5% 용액
(3) 양성비누
  ① 4급 암모늄염(양이온)으로 된 세척제 겸 살균제이다.
  ② 냄새가 없고 자극성과 부식성이 없어서 피부 및 식기 등의 소독에 적합하다.
  ③ 모든 세균에 유효하게 작용하나, 결핵균에는 효력이 낮다.
  ④ 보통 비누(음성비누)나 단백질이 공존하면 살균력이 낮아진다.
  ⑤ 손, 손가락, 피부의 소독은 원액 또는 5~10% 용액으로 문지른 후에 물로 씻어낸다.
  ⑥ 식기 등의 소독은 200~400배 용액에 10분 정도를 담근다.

(4) ethyl alcohol : 70%액
(5) 승 홍 : 0.1% 용액
(6) 과산화수소 : 3%액
(7) 포르말린
   ① 포자에 대한 살균유효농도 : 0.1%
   ② 세균에 대한 저해농도 : 0.002%
(8) 염 소
   ① 자극성, 무식성이 있음
   ② 수돗물 소독시에는 유효잔류염소 0.1~0.2 ppm
   ③ 종류 : 차아염소산나트륨(0.3~0.5%용액)
            표백분(우물물 소독에 가장 적당)

8. 식품첨가물

1. 식품첨가물의 개념

(1) 정 의

  식품을 제조·가공 또는 보존함에 있어 식품에 첨가·혼합·침윤 기타의 방법으로 사용되는 물질(우리나라 식품위생법 제1장 제2조 2항)

(2) 식품첨가물 구비조건
   ① 인체에 무해
   ② 체내에 축적되지 말 것
   ③ 사용목적에 따른 효과를 소량으로도 충분히 나타낼 것
   ④ 이화학적 변화에 대해 안정할 것
   ⑤ 식품의 화학분석 등에 의해 그 첨가물을 확인할 수 있을 것
   ⑥ 값이 저렴할 것
   ⑦ 식품의 영양가를 유지할 것
   ⑧ 식품의 외관을 좋게 할 것
   ⑨ 식품을 소비자에게 이롭게 할 것

2. 식품첨가물의 분류 및 용도

1. 보존료(방부제)

(1) 치즈, 버터, 마가린만 사용가능 : 데히드로초산
(2) 간장에 사용 : 파라옥시안식향산에스테르류, 안식향산

(3) 빵, 케이크 : 프로피온산 (호기성 포자생성균, 효모는 효력없음)
(4) 주 류 : 파라옥시안식향산에스테르류
(5) 보존료의 구비조건
   ① 부패미생물을 저해할 것
   ② 독성 없거나 낮을 것
   ③ 장기간 효력이 지속될 것
   ④ 무미, 무취일 것
   ⑤ 사용이 용이할 것

2. 살균료 (소독제)

(1) 정 의
   ① 식품 중의 부패원인 미생물이나 병원균 사멸
   ② 살균력의 주체는 유효염소 : 비해리형의 차아염소산(HClO) 농도에 좌우, pH 가 낮을수록 비해리형의 차아염소산의 양은 커져서 살균력도 높아짐

(2) 종 류

살 균 제 명	사 용 기 준
• 차아염소산나트륨 (sodium hypochlorite) • 표백분 (bleaching powder) • 고도 표백분 (calcium hypochlorite) • 이염화이소시아늄산나트륨 (sodium dichloroisocyanurate)	참깨에 사용 못함

3. 산화방지제 (항산화제)

유지의 산패로 인한 이취·이미 방지, 식품의 변색 및 퇴색 방지
① **지용성** (BHT, BHA, 몰식자산 프로필, 아스코빌 팔미테이트, 토코페롤) : 유지식품 산화방지
② **수용성** (에리소르브산, 아스코르브산, 이디티에이엄) : 색소 산화방지
③ 유기산과 병용시 synergist (상승제)의 효과를 나타냄
④ 사용기준의 제한이 없는 산화방지제 : 에리소르브산, 아스코르브산, 토코페롤

4. 피막제

(1) 정 의
   과일 및 채소류를 저장할 때 선도를 유지하기 위해 표면에 피막을 만들어 호흡작용을 제한하고 수분증발을 방지하는 데 사용하는 물질

(2) 종류

피막제명	사용기준
몰포린 지방산염 (morpholine fatty acid salt)	과실 또는 과채류 표피의 피막제 이외의 농도로 사용하여서는 안 된다.
초산비닐수지(polyvinyl acetate)	껌 기초제 및 과실 또는 과채표피의 피막제 이외의 용도로 사용하여서는 안된다.

5. 착색료 (식용색소)

(1) 정 의 : 식품의 제조, 가공, 보존 중 식품의 색이 산화되거나 변색된 것을 복원시키기 위해 사용

(2) 종 류

① 식용 tar 색소
- 녹색 : 식용색소 녹색 제3호(fast green FCF)
- 적색 : 식용색소 적색 제2호(amaranth), 식용색소 적색 제3호(erythrosine), 식용색소 적색 제40호(allura red)
- 청색 : 식용색소 청색 제1호(brilliant blue FCF), 식용색소 청색 제2호(indigo-carmine)
- 황색 : 식용색소 황색 제4호(tartrazine), 식용색소 황색 제5호(sunset yellow FCF)

 **식용 tar 색소 함유 금지식품**

> 면류, 단무지(황색 4호 제외), 생과일주스, 묵류, 젓갈류, 천연식품(식육, 어패류, 야채, 과실 및 그 단순가공품), 벌꿀, 장류, 식초, 소스, 케첩, 잼, 고춧가루 및 실고추, 후춧가루, 카레, 식육제품(소시지 제외), 식용유지, 버터, 마가린, 김치류, 클로렐라, 효소식품 다류(분말청량음료 제외), 식빵, 카스테라, 스펀지 케이크, 마멀레이드, 우유 및 유제품(아이스크림 및 가공유류 제외)

② 식용 tar 색소 알루미늄레이크(Al-lake)
- 식품 tar 색소와 염기성 알루미늄염을 작용시켜 얻은 복잡한 화합물
- 내열성, 내광성 우수
- 산, 알칼리에 불안정
- 물, 유기용매, 유지에는 거의 녹지 않는다 ⇒ 사용할 때 미세한 색소입자 분산시켜 착색
- 분말식품, 유지제품에 이용
- 5 마이크론 정도의 미세분말, 가비중 0.1~0.14

③ 비 tar 계 착색료
- β-카로틴 (β-carotene)
- β-아포-8'-카로티날 (β-apo-8'-carotenal)
- 수용성 안나토 (annatto water soluble)
- 철클로로필린 나트륨 (sodium iron chlorophyllin)
- 동클로로필린 나트륨 (sodium copper chlorophyllin)
- 삼이산화철 (iron sesquioxide, Fe_2O_3)
- 이산화티타늄 (titanium dioxide, TiO_2)

④ **천연색소** : 식물성 색소로 paprika extract, chlorophyll, carotenoid, anthocyan, flavonoid, caramel, monascus. 동물성 색소로 hemoglobin, myoglobin.

6. 발색제

(1) 정 의
① 그 자체는 착색력이 없으나, 식품 중에 함유되어 있는 색소와 결합해 색을 고정시킴으로써 식품 본래의 색을 유지(안정화)시키기 위해 사용
② 육류 등의 myoglobin 또는 hemoglobin 과 결합 ⇒ 안정된 적색

(2) 종 류

발 색 제 명	식 육 대 상
① 아질산나트륨 (sodium nitrite, $NaNO_2$) ② 질산나트륨, 질산칼륨 (sodium nitrate, $NaNO_3$, Potassium nitrate, KNO_3)	식육, 경육제품, 어육소시지, 어육햄에 사용
③ 황산 제1철 (ferrous sulfate, $FeSO_4$) ④ 소명반 (burnt alum)	야채, 과일제품에 사용

7. 표백제

(1) 정 의
식품의 가공이나 제조 시에 원하지 않는 색소를 퇴색·변색시키는 물질
식품과 발색성 물질을 탈색해 무색의 화합물로 변화시키고 식품의 보존 중에 일어나는 갈변, 착색 등의 변화를 억제하기 위해 사용

(2) 종 류
① **산화표백제** : 발생기 산소에 의해 표백이 되며, 한 번 사용하여 표백이 되면 색이 다시 복원되는 일이 없으나, 지나치면 변색되어 색이 더 짙어지는 경우도 있으므로 유의해야 한다.
- 과산화수소 (hydrogen peroxide, H_2O_2)

② **환원표백제** : 표백제가 존재하고 있는 동안에만 효과가 있고, 표백제가 없어지면 공기 중의 산소에 의해 색이 다시 복원되는 경우가 많다.
- 차아황산나트륨(sodium hyposulfite)
- 무수아황산(sulfur dioxide)
- 아황산나트륨(sodium sulfite)
- 산성아황산나트륨(sodium bisulfite)
- 메타중아황산칼륨(potassium metabisulfite)

8. 인공감미료

(1) 정 의

당질을 제외한 감미(단맛)를 지닌 화학적 제품의 총칭

(2) 종 류 : 시카린나트륨, 글리시리진산염, 소르비톨, 크실로오스, 아스파탐, 스테비오사이드, 이소말트, 수크랄로스

사용량의 제한이 없는 것 : 소르비톨, 크실로오스, 이소말트

(3) 인공감미료를 사용할 수 없는 식품

식빵, 이유식, 백설탕, 포도당, 물엿, 벌꿀 및 알사탕류

9. 조미료

(1) 정 의

식품 본래의 맛을 한층 돋우거나 각 개인의 기호에 맞게 조절함으로써 미각을 좋게 하는 첨가물. 대상식품 및 사용량의 제한이 없음

(2) 종 류

① 핵산계 : 5′-이노신산나트륨(Sodium 5′-inosinate), 5′-구아닐산나트륨(Sodium 5′-guanylate), 5′-리보뉴클레오티드나트륨(Sodium 5′-ribonucleotide) 및 5′-리보뉴클레오티드 칼슘(Calcium 5′-ribonucleotide)
② 아미노산계 : L-글루타민산나트륨(monosodium L-glutamate, MSG), DL-알라닌(DL-alanine), 글리신(glycine)
③ 유기산계 : D-주석산나트륨, DL-주석산나트륨, DL-사과산나트륨(DL-sodium DL-matate), 구연산나트륨(sodium citrate), 호박산2나트륨(disodium succinate), 호박산(succinic acid)

10. 산미료

(1) 정 의

① 식품 가공이나 조리를 할 때 식품에 적합한 산미(신맛)를 주고 소화액 분비 촉진으로 식욕을 증진시킴
② 미각에 청량감과 상쾌한 자극을 주기 위해 사용

(2) 종 류

초산 및 빙초산(acetic acid), 구연산(citric acid), D-주석산(tartaric acid), DL-주석산, 글루코노델타락톤(glucono-δ-lactone), 젖산(lactic acid), 푸말산(fumaric acid), 푸말산나트륨(monosodium fumarate), DL-사과산(malic acid), 이산화탄소(carbon dioxide), 아디핀산(adipic acid), 호박산 : 합성청주에 사용

11. 착향료

(1) 정 의

향료라고도 하며, 향을 강화할 목적으로, 또는 본래의 향을 바꾸거나 없앨 목적으로 사용함

(2) 종 류

① **수용성 향료** : 물에 녹지 않는 유상의 방향성분을 alcohol, glycerol 등의 용액에 녹여서 수용성으로 한 것. 청량음료수나 냉과에 사용 (essence)
② **유성향료** : 천연의 정유(精油), 합성향료를 조합한 지용성 향료 (oil)
③ **유화향료** : 향료를 유화제로 물에 유화시켜 휘발성인 향료의 휘산을 방지하고 진하게 만들어 놓은 것 (emulsion)
④ **분말향료** : 향료를 포도당이나 유당같은 수용성 무형제의 용액과 유화색으로 한 후에 분무건조한 것 (powder)

12. 밀가루 개량제

(1) 정 의

밀가루의 표백과 숙성기간 단축, 제빵효과의 저해물질 파괴(카로티노이드계 색소와 단백분해효소 제거)

(2) 종 류

① 과산화벤조일 (diluted benzoyl peroxide)
② 염소 및 이산화염소 (chlorine, chlorine dioxide) } 밀가루에 직접 첨가
③ 과황산암모늄 (ammonium persulfate)
④ 브롬산칼륨 (potassium bromate) : 제빵용 이스트 푸드
⑤ 아조디카르본 아미드 (azodicarbonamide)
⑥ 스테아릴 젖산 칼슘 (calcium stearoyl lactylate)
⑦ 스테아릴 젖산 나트륨 (sodium stearoyl lactylate)

13. 품질개량제 (결착제)

(1) 정 의

식육, 연제품(햄, 소시지)의 결착성을 증가시킴
식감향상·식품의 탄력성·보수성·팽창성을 증대시켜 조직을 개량해 맛의 조화와 풍미를 향상시킴. 변색·변질방지

(2) 종 류

① 인산염
- 제1 인산나트륨(결정), 제1 인산나트륨(무수)
- 제2 인산나트륨(결정), 제2 인산나트륨(무수)
- 제3 인산나트륨(결정), 제3 인산나트륨(무수)

② 중합인산염 또는 축합인산염
- 피로인산염 : 피로인산나트륨, 피로인산칼륨
- 메타인산염 : 메타인산나트륨, 메타인산칼륨
- 폴리인산염 : 폴리인산나트륨, 폴리인산칼륨

14. 호 료 (합성 점착제)

(1) 정 의
콜로이드상이 되는 성질이 있어서 수용액으로 만들면 점성이 커지는 물질 분산안정제, 결착보수제, 피복제 등의 역할을 함

(2) 종 류

① 폴리아크릴산나트륨(Sodium polyacrylate) : 순합성품
② 알긴산 프로필렌글리콜(propylene glycol alginate)
③ 메틸셀룰로오스(methyl cellulose)
④ 카르복시메틸 셀룰로오스 나트륨(sodium carboxymethyl cellulose)
⑤ 카르복시메틸 셀룰로오스 칼슘(calcium carboxymethyl cellulose, CMC-Ca) : 식품의 점착성 낮추어 붕괴를 빠르게 함. 분말주스나 인스턴트 커피 등의 수용성을 촉진시키거나 비스킷 같은 과자류의 치아점착 예방에 이용
⑥ 카르복시메틸 스타치 나트륨(sodium carboxymethyl starch)
⑦ 알긴산 나트륨(sodium alginate)
⑧ 카제인(casein) : 천연품
⑨ 카제인 나트륨(sodium caseinate)
⑩ 초산전분(starch acetate)
⑪ 아세틸 아디피산 전분(acetylated distarch adipate)
⑫ 히드록시프로필 인산 전분(hydroxypropyl distarch phosphate)

(3) 사용식품
아이스크림, 캔디, 젤리, 소프트밀크, 푸딩, 수프, 축육제품, 수산식품, 마요네즈, 케첩류, **빵**, 케이크류 등

15. 유화제 (계면활성제)

(1) 정 의
서로 혼합되지 않는 두 종류의 액체 또는 고체를 액체에 분산시켜 분리되지 않도록 해주는 물질. 사용기준의 제한 없음

(2) 종 류

① 글리세린 지방산 에스테르 (glycerine fatty acid ester)
② 소르비탄 지방산 에스테르 (sorbitan fatty acid ester)
③ 자당 지방산 에스테르 (sucrose fatty acid ester)
④ 프로필렌 글리콜 지방산 에스테르 (prophylene glycol fatty acid ester)
⑤ 대두인지질 (soybean phospholipids)
⑥ 폴리소르베이트 20 (polysorbate 20)

16. 용 제

착색료, 차량료, 보존료 등을 식품에 첨가할 경우, 잘 녹지 않으므로 용해시켜 식품에 균일하게 흡착시킬 때 사용

① 글리세린 (glycerine)
② 프로필렌 글리콜 (propylene glycol) : 아이스크림

17. 이형제

빵을 만들 때 생지(生地)가 분할기로 잘 분리되도록 하고, 빵틀로부터 빵의 형태를 손상시키지 않고 분리하기 위해 사용

- 유동파라핀 (liquid paraffin)

18. 품질유지제

식품의 습윤성과 신전성을 가지게 함으로써 제품의 품질 특성을 유지시킴

- propylene glycol 등

19. 영양강화제

(1) 영양강화의 목적으로 첨가되는 것 → 칼슘제, 철제, 비타민류, 필수아미노산
(2) 영양강화 이외의 목적으로 사용이 가능한 것 → 황산칼슘(두부응고제), 황산제1철(발색제), 비타민 C 와 비타민 E (산화방지제)

20. 껌 기초제

(1) 정 의

껌에 적당한 점성과 탄력성을 갖게 하여 그 풍미를 유지

(2) 종 류

① 에스테르 껌 (ester gum)
② 폴리부텐 (polybutene)
③ 폴리이소부틸렌 (polyisobutylene)
④ 초산비닐수지 (polyvinyl acetate)

21. 팽창제

(1) 정 의

빵 및 카스텔라 등에 적당한 형체를 갖추기 위해 사용하며, 부피를 팽창시킴

(2) 종 류

① 황산알루미늄칼륨(aluminium potassium sulfate) : 결정물이 명반, 건조물이 소명반
② 황산알루미늄암모늄(aluminium ammonium sulfate) : 결정물이 암모늄 명반, 건조물이 소암모늄 명반
③ 염화암모늄(ammonium chloride)
④ D-주석산수소칼륨(potassium D-bitartrate)
⑤ DL-주석산수소칼륨(potassium DL-bitartrate)
⑥ 탄산수소나트륨(sodium bicarbonate)
⑦ 탄산수소암모늄(ammonium bicarbonate)
⑧ 탄산암모늄(ammonium carbonate)
⑨ 탄산마그네슘(magnesium carbonate)
⑩ 산성 피로인산나트륨(disodium dihydrogen pyrophosphate)
⑪ 제1인산칼슘(calcium phosphate monobasic)
⑫ 글루코노 델타 락톤(glucono δ lactone)

22. 추출제

유지 등 특정한 성분을 추출하기 위하여 사용하는 물질
- n-hexane (유지), 이소프릴 알코올(설탕), 글리세린

23. 소포제

식품제조 과정 중 형성되는 거품형성을 방지하기 위해 사용하는 물질
- 규소수지(silicone resin)

24. 방충 및 살충제

곡류저장 시에 해충이 서식하는 것을 방지하기 위해 사용
- 피페로닐 부톡사이드(piperonyl butoxide)

25. 기타 식품제조용제

(1) 사용기준이 없는 것

염화마그네슘 (magnesium chloride)	두부응고제
인산 (phosphoric acid)	pH 조정제
초산나트륨 (결정, sodium aceate)	완충제
초산나트륨 (무수, odium acetate anhydrous)	분말식초의 원료
탄산나트륨 (결정, sodium carbonate)	결착제
탄산나트륨 (무수, sodium carbonate anhydrous)	결착제
제1인산암모늄 (ammonium phoshate monobasic)	질소원*
제1인산칼륨 (potassium phoshate monobasic)	인원*
제2인산암모늄 (ammonium phoshate dibasic)	질소원*
제2인산칼륨 (potassium phoshate dibasic)	인원*
제3인산나트륨 (결정, sodium phoshate tribasic)	결착제
제3인산나트륨 (무수, sodium phoshate tribasic anhydrous)	결착제
황산나트륨 (sodium sulfate)	식용색소나 과산화벤조일의 희석제
황산마그네슘 (magnesium sulfate)	Mg 원*
황산암모늄 (ammonium sulfate)	질소원*
탄산칼륨 (무수, potassium carbonate anhydrous)	결착제
활성탄 (active carbon)	탈취 및 탈색, 흡착제
염화칼륨 (potassium chloride)	소금대용품, gel 화제

*발효조정제

(2) 사용기준이 있는 것

- 이온교환수지 (ion exchange resin) ··· 물의 연화
- 수산 (oxalic aid) ··· 물엿, 포도당 제조 ┐ 단백질, 전분의 가수분해제
- 염산 (hydrochloric acid) ··· 물엿, 포도당 제조 ┘
- 황산 (sulfuric acid)
- 수산화나트륨 (Sodium hydroxide) ┐ 통조림용 복숭아나 밀감의 껍질제거(박피제)
- 수산화칼륨 (Potassium hydroxide) ┘ 중화제
- 규조토 (diatomaceous earth)
- 백도토 (kaolin)
- 벤토나이트 (bentonite) ┤ 흡착제, 여과보조제
- 산성백토 (acid earth)
- 탈크 (talc)
- 염기성 알루미늄탄산나트륨 (basic sodium aluminum)
- 실리콘 알루민산나트륨 (sodium aluminosilicate) ··· 인스탄트 커피제조 시의 응고방지
- 피트산 (phytic acid) ··· 식품의 변질방지
- 스테아르산마그네슘 (magnesium stearate) ··· 광택제, 윤활제로서 제과류 제조 시에 사용

9. 식품위생검사 및 가공업의 시설기준

1. 식품위생검사의 의의
(1) 식품으로 인한 병원성 물질, 감염경로, 오염경로 조사
(2) 식품의 위해방지와 식품의 안전성 확보
(3) 식품위생에 관한 지도
(4) 식품위생 대상물에 대한 위생상태 파악과 지도

2. 식품위생검사의 종류
(1) 관능검사
(2) 미생물검사
(3) 화학적 검사
(4) 물리적 검사
(5) 독성검사

3. 미생물검사

(1) 일반세균
  ① 총 균수 : Breed 법
    생균수 + 사멸된 균수 ⇒ 원료의 오염여부
  ② 생균수 : 표준한천평판배양법 (36±1℃, 24~48 시간 배양)
    생균수 ⇒ 신선도 판정, 초기부패

(2) 대장균군
  ① 정성시험 : 대장균의 유무 판정
    • 유당 bouillon 발효관법 (LB 발효관법)
      추정 : LB 배지 (젖당 부이온 배지)
      ↓
      확정 : BGLB 배지, EMB 배지, Endo 배지
      ↓
      완전 : LB 배지, 표준한천사면배지 (desoxycholate 배지)
    • BGLB 발효관법
  ② 정량시험
    • MPN 법 (most probable number, 최확수법) : 양성 발효관수를 세어 최확수표로부터 검체 100 g 또는 100 mL 중 이론적으로 존재하는 대장균수 산출

(3) 세균성 식중독균
  ① 살모넬라 : SS 배지, Selenite, EEM
  ② 장염비브리오 : TCBS 배지, WA 배지
  ③ 웰치균 : beef extract 배지

4. 이화학적 검사

(1) 성분분석 : 수분, 회분, 단백질, 지방, 비타민 등
(2) 화학성 식중독 : Goldstone 법 (계통적 시험법)
(3) 유해성 물질의 검사

  ① **유해성 중금속**
  - 정량시험
    - 비색법 : pb, Hg, Cu, Cd, Zn – Dithizone 법
    - 원자흡광법
    - Polarograph 법
  ② **formaldehyde**
  - 정량시험 : acetyl acetone 법
  - 정성시험 : Rimini 반응 (phenylhydrazine 용액사용 ; 청색), 난백철반응 (자색), chromotropic acid 법 (자색)

(4) 잔류농약 및 공업약품

  ① 유기염소제, 유기인제, 유기수은제 : 정량 – gas chromatography 법
  ② PCB, 프탈산에스테르 : 정량 – gas chromatography 법

(5) 식품첨가물

  ① 색 소 : 모사염색법 (Tar 색소), 용제분리법, 여지크로마토그래프 (paper chromatography 법)
  ② 보존료 추출 : 수증기 증류법, 투석법, 용매추출법

(6) 이물검사

  ① **체분별법** : 분말식품
  ② **여과법** : 액체식품
  ③ **침강법** : 무거운 이물의 비중 차이를 이용해 포집
  ④ **와일드만 플라스크 포집법** (wildman trap flask) : 물과 혼합되지 않는 용매와 섞어 이물이 용매층으로 떠오르게 하는 방법.
  [예] 곤충이나 동물의 털 등의 이물검사

(7) 식품용 용기 및 포장

  ① 식기 중 전분성 잔유물 : 요오드 용액
  ② 식기 중 지방성 잔유물 : butter yellow 용액
  ③ 식기 중 단백성 잔유물 : 0.2% ninhydrin 용액
  ④ 식기 중 중성세제 잔유물 : methylene blue 법
  ⑤ 합성수지제 용기(PVC) : phenol 검출여부 검사 ($FeCl_3$ 이용)
  ⑥ 종이제 포장지 : 형광 증백제 유무관찰 (자외선 파장 – 3,650 Å)

(8) 항생물질

비색법, 형광법, 자외선 흡수스펙트럼법, polarograph 법

5. 물리적 검사

온도, 비중, 수소이온농도, 방사능 오염물질 등

6. 식품의 신선도 검사

(1) 우 유
　① methylene-blue test
　② 70% ethyl alcohol
　③ 산도측정
　④ 자비시험
　⑤ resazurin 환원실험
　⑥ 비중측정
　　예) • 우유의 가열살균 확인 : phosphatase test
　　　　• 우유 규격기준 : 세균수(20,000/mL ↓), 대장균수(2 CFU/mL ↓)

(2) 달 걀
　① 외관 : 신선란은 표면이 거칠거칠함
　② 비중측정 : 신선란은 10% 식염수에 가라앉음
　③ 투시검란 : 신선란은 암실에서 밝게 보임
　④ 난황계수 : 신선란은 0.36~0.44

(3) 통조림 : 기온보존실험(검체 5 개 보존)

(4) 어 육 : 암모니아·휘발성 아민(Ebel 법), pH 측정, 단백질의 승홍침전반응, 휘발성 염기질소(VBN)

(5) 식 육 : pH 측정, 휘발성 염기질소, 암모니아 측정

(6) 유 지 : 산가, 카르보닐가, 과산화물가, TBA 가

7. 독성검사

(1) 급 성
　① 생쥐, 쥐
　② 1~2 주 관찰
　③ 반수치사량(LD_{50}) 구하는 것이 목적 ⇒ 이 값이 높을수록 속성물질의 독성이 낮음을 의미 함

(2) 아급성
　① 생쥐, 쥐
　② 1~3 개월 (수명의 1/10 일 정도 기간에 걸쳐 투여)
　③ 만성독성 시험의 기초자료

(3) 만성독성
　① 생쥐, 개, 원숭이 (시험동물을 적어도 2 종 사용)
　② 1~2 년 관찰
　③ 최대무작용량 구하는 것이 목적
　　→ 1 일 섭취 허용량

8. 식품제조·가공업의 시설기준

(1) 식품의 제조 및 원료의 보관시설
　① 건물의 위치는 축산폐수·화학물질, 그 밖에 오염물질의 발생시설로부터 격리
　② 제조식품의 특성에 따라 적정 온도 유지 및 통풍

(2) 작업장
　① 작업장은 원료처리실·제조가공실·포장실 및 그 밖에 식품의 제조·가공에 필요한 작업실로, 각각의 시설은 분리 또는 구획되어야 한다. 다만 제조공정 및 시설·제품의 특수성으로 분리할 필요가 없다고 인정되는 경우는 제외한다.
　② 작업장 바닥은 콘크리트 등으로 내수처리를 하고 배수가 잘 되도록 시공한다.
　③ 내벽은 바닥으로부터 1.5미터까지 밝은 색의 내수성으로 설비하거나 세균방지용 페인트로 도색
　④ 충분한 환기시설 및 해충방지 시스템

(3) 식품취급시설 등
　① 식품과 직접 접촉하는 부분은 위생적인 내수성 재질을 사용하여 세척이 쉽고 열탕·증기·살균제 등으로 소독 및 살균이 가능
　② 냉동·냉장시설 및 가열처리시설에 온도계 또는 온도측정기 설치

(4) 급수시설
　① 수돗물이나 「먹는물관리법」 제5조에 따른 먹는 물의 수질기준에 적합한 지하수 등을 공급할 수 있는 시설을 갖춰야 한다.
　② 지하수 등을 사용하는 경우 취수원은 화장실·폐기물 처리시설·동물사육장, 그 밖에 지하수가 오염될 우려가 있는 장소로부터 20미터 이상 떨어진 곳에 위치하여야 한다.

(5) 화장실
　① 인근에 화장실이 없는 경우 작업장에 영향을 미치지 않는 곳에 정화조를 갖춘 수세식 화장실을 설치하여야 한다.
　② 화장실은 콘크리트 등으로 내수처리를 하여야 하고, 바닥과 내벽 (바닥으로부터 1.5미터까지)에는 타일을 붙이거나 방수페인트로 색칠하여야 한다.

(6) 창고 등의 시설
  ① 원료와 제품을 위생적으로 보관·관리할 수 있는 창고를 갖추어야 한다.
  ② 창고의 바닥에는 양탄자를 설치할 수 없다.

(7) 검사실
  ① 외부기관에 위탁하거나 같은 영업자가 다른 장소에 검사실이 있는 경우 등을 제외하고는 식품 등의 기준 및 규격을 검사할 수 있는 검사실을 갖추어야 한다.
  ② 검사실을 갖추는 경우에는 자가품질검사에 필요한 기계·기구 및 시약류를 갖추어야 한다.

식품위생학 핵심문제 해설

■■■■■ **1. 식 중 독**

1. 식중독의 범주에 포함시킬 수 없는 것은?

　(가) 복어독 중독
　(나) 곰팡이독 중독
　(다) 독버섯 중독
　(라) 장염비브리오균 감염
　(마) 이질균 감염

2. 식중독을 분류할 때 천연독 식중독에 포함시키지 않는 것은?

　(가) 곰팡이독　　　　　(나) 세균독
　(다) 복어독　　　　　　(라) 감자독
　(마) 버섯독

3. 식중독균의 독소에 대한 설명으로 틀린 것은?

> ① 포도상구균의 독소는 단백질이므로 단백질 분해효소에 의해 분해된다.
> ② 보툴리누스균이 생산하는 신경독소는 열에 약하므로 가열에 의해 불활성화 된다.
> ③ 황색포도상구균의 균체외 독소는 열에 강하여 가열로도 쉽게 파괴되지 않는다.
> ④ 보툴리누스균은 식품 내에서 독소를 생성한다.

　(가) ①　　　　(나) ①, ②, ④　　　　(다) ②, ③
　(라) ②, ④　　(마) ③

3. 포도상구균의 독소는 엔테로톡신(enterotoxin)으로, 단백질이지만 단백질 분해효소에 의해 불활성화 되지 않는다.

4. 소독제 살균력 비교의 기준이 되는 물질은?

　(가) 승홍　　　　　　　(나) 포르말린
　(다) 석탄산　　　　　　(라) 과산화수소
　(마) 차아염소산

정답　**1. 식중독**　**1.** (마)　**2.** (나)　**3.** (가)　**4.** (다)

5. 위장증상과 고열을 수반하는 감염형 식중독은?
   (가) 웰치균 식중독   (나) 살모넬라 식중독
   (다) 보툴리누스 식중독   (라) 포도상구균 식중독
   (마) 장염비브리오 식중독

6. 하절기 해산어류의 생식으로 감염되기 쉬운 식중독은?
   (가) 웰치균 식중독   (나) 살모넬라 식중독
   (다) 보툴리누스 식중독   (라) 포도상구균 식중독
   (마) 장염비브리오 식중독

7. 세균성 식중독 중에서 잠복기간이 가장 짧은 것은?
   (가) 웰치균 식중독   (나) 살모넬라 식중독
   (다) 보툴리누스 식중독   (라) 포도상구균 식중독
   (마) 장염비브리오 식중독

8. 식중독을 일으키는 원인이 제대로 짝지어진 것은?

   | ① 아스트로 | ② 리스테리아 |
   | ③ 세레우스 | ④ 아데노 |

   (가) 바이러스성 – ①, ②
   (나) 바이러스성 – ②, ③
   (다) 세균성 – ②, ③
   (라) 세균성 – ①, ④
   (마) 세균성 – ③, ④

9. 내열성 장독소를 생성하는 식중독균은?
   (가) 웰치균   (나) 살모넬라균
   (다) 보툴리누스균   (라) 포도상구균
   (마) 장염비브리오균

10. 신경계 증상을 나타내고 치명률이 높은 식중독은?
    (가) 웰치균 식중독   (나) 살모넬라 식중독
    (다) 보툴리누스 식중독   (라) 포도상구균 식중독
    (마) 장염비브리오 식중독

Guide

5. 살모넬라 식중독의 주요 증상은 메스꺼움, 구토, 설사, 복통, 발열 등이다. 육가공품, 달걀가공품, 샐러드, 어패류가공품 등이 원인식품이다.

6. 세균성 식중독의 잠복기간
   ① 웰치균 식중독
      8~20 시간
   ② 살모넬라균 식중독
      12~24 시간
   ③ 보툴리누스 식중독
      12~36 시간
   ④ 포도상구균 식중독
      1~6 시간
   ⑤ 장염비브리오 식중독
      10~18 시간

8. 아스트로, 아데노 – 바이러스성 식중독

정답 5. (나) 6. (마) 7. (라) 8. (다) 9. (라) 10. (다)

11. 화농성 환자가 조리함으로써 야기될 수 있는 식중독은?

(가) 웰치균 식중독 (나) 살모넬라 식중독
(다) 보툴리누스 식중독 (라) 포도상구균 식중독
(마) 장염비브리오 식중독

11. 포도상구균은 화농성균으로, 식품취급자의 편도선 염이나 손가락 등의 화농성 염증의 오염빈도를 증가시킨다.

12. 열처리가 불완전하게 된 통조림 식품이 원인인 식중독은?

(가) 웰치균 식중독 (나) 살모넬라 식중독
(다) 보툴리누스 식중독 (라) 포도상구균 식중독
(마) 장염비브리오 식중독

13. 식품을 변패시키는 미생물과 관련식품의 연결이 바르지 못한 것은?

① 곰팡이 – 육류, 어패류
② 곰팡이 – 감귤류
③ 세균 – 곡류, 육류, 어패류
④ 세균 – 통조림, 어패류

(가) ①, ② (나) ①, ③ (다) ②, ③, ④
(라) ②, ④ (마) ③, ④

13.
곰팡이 – 곡류, 감귤류
세균 – 육류, 어패류, 통조림

14. 우리나라에서 발생건수가 가장 많은 식중독은?

(가) 세균성 식중독 (나) 복어독 식중독
(다) 조개독 식중독 (라) 독버섯 식중독
(마) 화학적 식중독

15. 다음 중 장염비브리오 식중독에 대한 설명으로 옳은 것은?

① 열을 가해도 잘 죽지 않으므로 염분으로 소독해야 한다.
② 원인균은 *Vibrio parahaemolyticus*이다.
③ 감염되면 복통, 설사, 구토 등의 증상을 일으킨다.
④ 원인식품은 해산물로, 해수나 굵은 소금으로 문질러 씻으면 균이 제거된다.

(가) ①, ② (나) ①, ④ (다) ②, ③
(라) ②, ③, ④ (마) ②, ④

정답 11. (라) 12. (다) 13. (나) 14. (가) 15. (다)

16. 다음 중 최근에 와서 발생빈도가 가장 높아진 식중독은?
  (가) 포도상구균 식중독   (나) 보툴리누스 식중독
  (다) 웰치균 식중독   (라) 독버섯 식중독
  (마) 장염비브리오 식중독

17. 여시니아 식중독에 대한 설명으로 옳은 것은?

① 돼지고기에서 주로 발생한다.
② 생육 최적온도가 25~30℃이므로 초여름에만 발생한다.
③ 진공포장으로 균의 증식을 예방할 수 있다.
④ 75℃에서 3분 이상 가열하면 예방이 가능하다.

  (가) ①, ③   (나) ①, ④   (다) ②, ③
  (라) ②, ④   (마) ③, ④

17. 여시니아균 생육온도 범위: 0~44℃

18. 보툴리누스균 식중독에 대한 설명으로 옳은 것은?

① 신경마비 독소를 생성하여 발열, 호흡곤란, 실성 등의 증세를 일으킨다.
② 치사율이 30~80% 정도이며, 잠복기가 6시간 이내로 매우 짧은 것이 특징이다.
③ 독소의 항원형에 따라 분류했을 때 A, B형이 가장 빈번하게 식중독을 유발한다.
④ 보툴리누스균은 그람양성의 편성혐기성, 유포자균이다.

  (가) ①, ②   (나) ①, ②, ④   (다) ②, ③
  (라) ②, ④   (마) ③, ④

18. 잠복기: 12~36시간
사람에게 식중독을 일으키는 것: A, B, E, F 4종

19. 웰치(*Clostridium perfringens*) 식중독의 설명으로 옳은 것은?

① 그람양성간균이며 혐기성균이다.
② 섭취 전 음식을 가열조리하면 예방할 수 있다.
③ 생체외 독소형이다.
④ 독소의 형태에 따라 A~E의 5가지 형이 있다.

  (가) ①, ②   (나) ①, ④   (다) ②, ③
  (라) ②, ③, ④   (마) ④

정답 **16.** (마) **17.** (나) **18.** (마) **19.** (가)

20. 섭취 전에 가열처리를 철저히 하더라도 감염이 될 수 있는 식중독은?

㈎ 포도상구균 식중독 ㈏ 살모넬라 식중독
㈐ 보툴리누스 식중독 ㈑ 장염비브리오 식중독
㈒ Arizona 균 식중독

21. Botulinus 식중독균의 설명으로 부적합한 내용은?

㈎ Clostridium 속의 균
㈏ 통성혐기성균
㈐ 포자형성균
㈑ Gram 양성간균
㈒ Neurotoxin 생성

22. 장염비브리오 식중독균의 설명으로 부적합한 내용은?

㈎ 3%의 식염농도에서 잘 생육
㈏ 장내에서도 증식함
㈐ Enterotoxin 의 생성
㈑ 민물에서는 사멸함
㈒ 생육적온은 27~37℃

23. 세균성 식중독의 예방을 위하여 가장 좋은 방법은?

㈎ 조리환경의 청결
㈏ 조리기구의 소독 철저
㈐ 예방 접종
㈑ 식품의 냉장 및 냉동
㈒ 조리자의 마스크 사용

23. 세균성 식중독의 예방을 위하여 가장 좋은 방법은 식품을 냉동·냉장보관 하거나 조리 후에 빨리 먹는 것이다.
　또한 하절기 어패류의 생식은 피하고 조리 후에라도 시간이 경과한 식품은 재가열해서 먹으면 포도상구균 식중독 이외의 식중독은 모두 예방된다.

24. 식중독이 발생했을 경우 역학조사의 순서로 맞는 것은?

㈎ 원인식품 수거 → 원인균·원인물질 검출 → 환자의 자료조사
㈏ 환자의 정보조사 → 원인식품 수거 → 원인균이나 원인물질 검출
㈐ 검출물의 미생물조사 → 동물실험 → 환자의 주위조사
㈑ 환자의 조사 → 원인균이나 원인물질 검출 → 원인식품 추구
㈒ 원인균의 검출 → 동물실험 → 환자의 주위조사

정답 20. ㈎ 21. ㈏ 22. ㈐ 23. ㈑ 24. ㈏

25. 다음 중 *Salmonella* 균의 생육최적조건은?
  (가) 온도 17℃, pH 6~7
  (나) 온도 25℃, pH 5~6
  (다) 온도 32℃, pH 4~5
  (라) 온도 37℃, pH 7~8
  (마) 온도 45℃, pH 8~9

26. 다음 중 *Salmonella* 식중독에 해당되지 않는 세균은?
  (가) *Sal. thompson*
  (나) *Sal. typhi*
  (다) *Sal. enteritidis*
  (라) *Sal. typhimurium*
  (마) *Sal. pullorum*

27. 다음 중 *Clostridium welchii* 균에 대한 설명으로 잘못된 것은?
  (가) Gram 양성 간균으로 무포자균이다.
  (나) 감염형과 독소형이 복합된 식중독균이다.
  (다) 잠복기간은 평균 13시간이며, 식중독 증상은 복통과 설사이다.
  (라) 동·식물성 단백질이 식중독 주원인으로 인식된다.
  (마) A~F 의 6가지 형으로 분류하며, 편성혐기성균이다.

28. 식중독의 대표적인 원인이 되는 *Welchii* 균은 어떤 형인가?
  (가) A 형   (나) B 형   (다) C 형
  (라) D 형   (마) E 형

29. 다음 중 감염형 식중독균이 아닌 것은?
  (가) *Listeria* 균   (나) *Campylobacter* 균
  (다) *Salmonella* 균   (라) 장염 *Vibrio* 균
  (마) *Staphylococcus* 균

정답 25. (라) 26. (나) 27. (가) 28. (가) 29. (마)

30. 다음의 내용에서 설명하고 있는 식중독 균은?

〈영양교사, 2011년 기출문제〉

○ 특 성
- 통성 혐기성, 염도(6%)가 높은 환경에서도 장시간 생존
- 냉장온도(4℃)에서도 느린 생육이 가능
- 적은 양의 균수(몇 개~1,000개)로도 발생

○ 증 상
- 감기와 유사한 초기증상, 발열, 오한, 구토
- 임신부 유산 초래
- 노인, 면역 결핍자에게 수막염이나 패혈증 유발

○ 예방책
- 철저한 열처리와 교차오염 방지
- 생고기, 살균하지 않은 우유 및 치즈의 섭취 금지

(가) 리스테리아균 (*Listeria monocytogenes*)
(나) 병원성 대장균 (*Pathogenic E. coli*)
(다) 장염비브리오균 (*Vibrio parahaemolyticus*)
(라) 황색포도상구균 (*Staphylococcus aureus*)
(마) 클로스트리듐 퍼프린젠스균 (*Clostridium perfringens*)

30. 리스테리아증의 병원체가 리스테리아균이다. 문제의 예시 사항과 특성, 증상, 예방책이 같다.

병에 감염된 동물과 직접 접촉하거나 오염된 식육 또는 유제품 등을 먹으면 감염된다. 소, 말, 양, 염소, 돼지 등의 가축이나 닭 또는 오리 등의 가축에서도 널리 감염된다.

이 균은 몸 안에서 유산(流産)을 일으키게 한다. 포도당을 분해하며 산을 생산하지만 가스는 만들지 않는다.

대부분의 항생물질에는 감수성이 있으나, 폴리믹신 B에는 내성이다.

31. 독소는 신경독으로 이열성이어서 80℃에서 가열하면 20분 이내에 불활성화되며 항원성에 따라 A~G형으로 나누어지는 식중독균은?

(가) *Botulinus* 균
(나) *Staphylococcus* 균
(다) *Salmonella* 균
(라) *Welchii* 균
(마) 장염 *Vibrio* 균

32. Histamine을 만드는 주된 균주는 어떤 것인가?

(가) *Bacillus anthracis*
(나) *Bacillus cereus*
(다) *Proteus morganii*
(라) *Claviceps purpurea*
(마) *Bacillus subtilis*

정답 30. (가) 31. (가) 32. (다)

33. 주요 중금속과 그 표적장기를 알아보려고 한다. 다음 중 옳지 않은 것은?

 (가) 납 - 조혈기, 중추신경계
 (나) 카드뮴 - 중추신경계
 (다) 수은증기(Hg) - 중추·말초신경계, 신장
 (라) 수은 - 신장
 (마) 비소 - 간, 신장, 뼈, 피부

34. 법랑제품이나 도기의 유약성분에서 문제가 되는 중금속 중 Ca의 체외유실을 유발시키는 것은?

 (가) 비소　　　　　　(나) 납
 (다) 카드뮴　　　　　(라) 수은
 (마) 크롬

34. 카드뮴은 체내의 Ca 유실을 초래하여 이타이이타이병을 유발한다.

35. 중독증상은 화학물질과도 관계가 깊다. 다음 중 옳지 않은 것은?

 (가) sodium cyclamate - 방광암
 (나) dulcin - 간장 또는 신장장해
 (다) auramin - 두통, 구토, 사지마비
 (라) rhodamin B - 맥박감소, 심계항진
 (마) urotropine - 피부의 발진

35. rhodamin B - 색소뇨

36. Methyl alcohol(CH_3OH)에 중독되었을 때의 증상으로 옳지 않은 것은?

 (가) 두통, 현기증, 구토, 복통, 설사
 (나) 요의(尿意)빈발, 호흡곤란
 (다) 시신경에 염증을 일으켜서 실명
 (라) 마취상태에 빠져 호흡장애
 (마) 두통, 흉통, 신경염

정답 33. (나)　34. (다)　35. (라)　36. (나)

37. 여름철에 쌀을 잘못 보관하였더니 외관이 누렇게 변하였다. 이 쌀로 떡을 만들어 먹었을 때 일어날 수 있는 현상에 대한 설명으로 옳은 것만을 〈보기〉에서 있는 대로 고른 것은?

〈영양교사, 2012년 기출문제〉

― 〈보기〉 ―
① 쌀에서 생육한 세균의 독소가 남아 있을 수 있다.
② 내열성 독 성분이므로 가열하여도 위험할 수 있다.
③ 알칼로이드(alkaloid)에 속하는 독성 물질이 함유되어 있어 근육의 수축을 초래할 수 있다.
④ 아스퍼질러스 플라부스(Aspergillus flavus)가 생성한 아플라톡신(aflatoxin)으로 인해 간 독성의 우려가 있다.
⑤ 페니실리움 시트리늄(penicillium citrinum)의 독 성분인 시트리닌(citrinin)에 의해 신장 비대가 일어날 수 있다.

(가) ①, ②　　(나) ②, ⑤　　(다) ①, ④, ⑤
(라) ②, ③, ④　　(마) ③, ④, ⑤

> **37.** • penicillium citrinum : 황변미의 원인이 되는 균으로서 신장장애를 유발하는 황색 유독색소인 citrinin을 생성한다.
> • Aspergillus flavus : 아플라톡신을 생성하는 곰팡이로 간 독성과 밀접한 관련이 있다.

38. 맹독성이지만 분해가 잘 되는 농약은?
(가) 유기인제　　(나) 유기염소제
(다) 유기수은제　　(라) 유기불소제
(마) 동제

39. 체내에 축적되어 만성중독을 유발하기 쉬운 농약은?
(가) 유기인제　　(나) 유기불소제
(다) 동제　　(라) 유기염소제
(마) 무기수은제

> **39.** 유기염소제 농약은 체내에 축적되어 만성중독을 일으키므로 볍씨소독용으로만 사용이 제한되어 있다.

40. 자소유(紫蘇油) 중 한 성분으로, 감미도는 2,000배가 되는 인공감미료는?
(가) dulcin　　(나) cyclamate
(다) P-nitro-toluidine　　(라) ethylene glycol
(마) perillartine

41. 식품에 사용이 금지된 유해성 황색 착색료는?
(가) rongalite　　(나) dulcin
(다) tartrazine　　(라) auramine
(마) brilliant blue

> **41.** 유해성 착색료로는 auramine, rhodamine B, nitroanillin이 있다.

정답 37. (나)　38. (가)　39. (라)　40. (마)　41. (라)

42. 식용색소의 이름이 바르게 짝지어진 것은?

① 식용청색 제1호 - indigo carmine
② 식용청색 제2호 - brilliant blue FCF
③ 식용녹색 제3호 - fast green FCF
④ 식용황색 제4호 - sunset yellow FCF

(가) ①, ③   (나) ①, ④   (다) ②, ④
(라) ③, ④   (마) ①, ②, ③, ④

43. 세균성 식중독이 발생했을 때의 관리대책은?

(가) 원인식품을 색출하여 폐기한다.
(나) 예방접종을 실시한다.
(다) 환자를 격리하여 치료한다.
(라) 발생지역의 방역을 실시한다.
(마) 발생지역의 출입을 금지한다.

43. (나), (마)는 감염병의 관리대책이다.

44. 급격한 발열을 주 증세로 하는 식중독은?

(가) 장염비브리오 식중독
(나) 살모넬라 식중독
(다) 포도상구균 식중독
(라) 보툴리즘
(마) 알레르기성 식중독

45. 화농성 염증을 가진 조리사가 만든 음식을 먹고 식중독을 일으켰을 때 추정할 수 있는 원인 독소는?

(가) 엔테로톡신   (나) 삭시톡신
(다) 뉴로톡신   (라) 베네루핀
(마) 아마니타톡신

46. 발열증상이 거의 없는 식중독은?

(가) 장염비브리오 식중독
(나) 살모넬라 식중독
(다) 여시니아 식중독
(라) 보툴리즘
(마) 알레르기성 식중독

정답 42. (라)   43. (가)   44. (나)   45. (가)   46. (라)

47. 포도상구균 식중독에 대한 설명으로 잘못된 것은?

(가) 잠복기가 짧다.
(나) 발열이 심하다.
(다) 독소형 식중독이다.
(라) 80℃에서 30 분간 가열하면 균체는 사멸된다.
(마) 화농부위가 감염원이 된다.

48. 포도상구균의 엔테로톡신에 대한 설명으로 옳은 것은?

(가) 높은 치사율을 나타내는 독소이다.
(나) 내열성이 강하다.
(다) 신경독소이다.
(라) 소화효소에 의해서 분해된다.
(마) 위산에 의해서 무독화된다.

49. *Cl. perfringens* 식중독에 대한 설명으로 옳지 않은 것은?

(가) 위장염을 주체로 하는 식중독이다.
(나) 원인균은 그람양성의 호기성균이다.
(다) 원인균은 내열성의 포자를 생산한다.
(라) 단백질이 많은 식품에서 주로 발생한다.
(마) 내열성 A 형균이 주로 식중독을 일으킨다.

50. 근해산 어패류를 먹고 피부발열, 발적, 궤양, 쇼크사 등을 일으키는 식중독균은?

(가) *Listeria monocytogenes*
(나) *Pseudomonas aerogenes*
(다) *Vibrio parahaemolyticus*
(라) *Vibrio vulnificus*
(마) *Yersinia enterocolitica*

50. *Vibrio vulnificus* : 비브리오 패혈증 원인균

51. *Salmonella* 식중독의 주요 원인식품은?

(가) 어패류, 젓갈류, 소금에 절인 식품류
(나) 햄, 소시지, 고로케, 야채
(다) 햄, 소시지, 통조림
(라) 유가공품, 식육가공품, 어육가공품, 김밥, 도시락, 크림빵
(마) 육류, 어패류, 생선요리, 어육연제품, 불고기, 샐러드, 난가공품

51. *Salmonella* 식중독의 주요 원인식품 : 부적절하게 가열한 동물성 단백질 식품과 불완전하게 조리된 샐러드, 도시락 등의 복합조리식품

정답 47. (나) 48. (나) 49. (나) 50. (라) 51. (마)

52. *Salmonella* 식중독에 대한 설명으로 틀린 것은?

(가) Gram 음성의 무포자 간균이다.
(나) 최적온도는 37℃이며 10℃ 이하에서는 잘 증식하지 않는다.
(다) 주요 원인균으로는 *Salmonella typhi* 가 있다.
(라) 잠복기는 12~24시간이며 발열이 심하다.
(마) 주요 원인식품은 식육, 우유, 달걀 등이다.

53. 다음 세균 중 호기성 부패균인 것은?

① *Botulinum*
② *Clostridium tetani*
③ *Micrococcus*
④ *Pseudomonas*

(가) ①, ③   (나) ①, ③, ④   (다) ②, ③
(라) ②, ③, ④   (마) ③, ④

53. *Botulinum*, *Clostridium* 속은 대표적인 혐기성균이다.

54. 호염성 균으로 해산어패류가 주요 원인식품이 되는 식중독균은?

(가) *B. cereus*
(나) *Clostridium botulinum*
(다) *Salmonella enteritidis*
(라) *Staphtlococcus aureus*
(마) *Vibrio parahaemolyticus*

55. 세균성 식중독의 예방법으로 잘못된 것은?

(가) 신선한 식품의 사용
(나) 청결한 환경의 유지
(다) 최신 조리기구의 사용
(라) 분리 보관을 통한 교차오염의 방지
(마) 가열 조리 후 신속한 섭취

56. 식품에 사용이 금지된 유해성 표백제는?

(가) 과산화수소   (나) 아황산나트륨
(다) rongalite   (라) dulcin
(마) auramine

56. 유해성 표백제로는 rongalite, 삼염화질소가 있다.

정답 52. (다)   53. (마)   54. (마)   55. (다)   56. (다)

57. 과일주의 발효과정 중에 pectin 으로부터 생성되는 유해성 물질은?

(가) methanol　　　　　(나) ethanol
(다) propanol　　　　　(라) butanol
(마) aceton

58. 다음 중 육류나 육류가공품을 태울 때 발생하는 발암물질을 모두 고르면?

> ① 벤조피렌(benzopyrene)
> ② 페오포바이드(pheophorbide)
> ③ N-니트로스아민(N-nitrosamine)
> ④ 다이옥신(dioxin)

(가) ①, ②　　　(나) ①, ③　　　(다) ①, ③, ④
(라) ③, ④　　　(마) ①, ②, ③, ④

59. 식품을 오염시키는 방사성 물질 중에서 특히 문제가 되는 것은?

(가) ^{89}Sr, ^{131}I　　　　(나) ^{89}Sr, ^{12}C
(다) ^{129}Te, ^{61}Co　　　(라) ^{90}Sr, ^{51}Fe
(마) ^{90}Sr, ^{137}Cs

60. 염화 vinyl 수지를 식품포장용 재료로 사용할 때에 식품위생에 있어서 특히 문제가 되는 것은?

(가) formalin 용출
(나) phenol 용출
(다) 표백제의 용출
(라) 가소제와 안정제의 용출
(마) 형광염료의 용출

61. Polystylene 수지를 식품포장재료로 사용할 때에 식품위생에 있어서 특히 문제가 되는 점은?

(가) formalin 용출
(나) phenol 용출
(다) 수지 monomer 의 용출
(라) 형광염료의 용출
(마) 표백제의 용출

정답 57. (가)　58. (나)　59. (마)　60. (라)　61. (다)

62. Polychlorinated biphenyl(PCB)의 특징을 알려고 한다. 다음 중 옳지 않은 것은?
⑺ 피로와 쇠약, 말초신경계에 이상이 생긴다.
⑷ 눈꺼풀과 다리가 붓는다.
⑸ 식욕부진과 구토증세가 나타난다.
⑹ 피부의 색소가 검은 빛깔로 변한다.
⑺ 전신에 여드름 같은 것이 생긴다.

63. 화학물질과 중독증상의 연결이 잘못된 것은?
⑺ 메틸알코올 – 실명
⑷ 납 – 연연
⑸ 카드뮴 – 이타이이타이병
⑹ 수은 – 미나마타병
⑺ 비소 – 간암

64. 다음 중 화학물질과 그 유해 사례가 바르게 짝지어진 것은?

① 납 – 항아리에 식초를 담가 발효시켰더니 도자기를 만들 때 바른 유약 속에 들어있던 납 성분이 용출되었다.
② 식용황색 제4호 – 단무지의 발색에 사용하였더니 독성이 강하여 위를 자극하였다.
③ 붕산 – 햄, 베이컨, 과자 등의 착색료로 사용되었으나 색소뇨 및 피부착색을 유발하였다.
④ 폴리스티렌 – 컵라면의 스티로폼 용기에 끓는 물을 부어 전자레인지에 넣고 돌렸더니 식품 속에 용출되었다.

⑺ ①, ② ⑷ ①, ④ ⑸ ②, ③
⑹ ②, ④ ⑺ ③, ④

64. 식용황색 4호 – 허가된 색소
붕산 – 유해보존료

정답 **62.** ⑺ **63.** ⑺ **64.** ⑷

65. 식품의 부패 판정법에 대한 내용이다. ㉠~㉢에 알맞은 것은?

〈영양교사, 2011년 기출문제〉

> 식품이 부패되면 냄새가 나고 외관이 변하여 쉽게 알 수 있으나, 초기 부패 단계에서는 판별이 어려워 잘못 먹을 경우 인체에 위해를 가져올 수 있다. 식품 부패 판정법 중 하나인 세균검사법에서는, 모든 식품에 적용할 수는 없지만, 초기 부패 단계로 판정하는 일반 세균수를 식품 1g당 또는 1mL당 ㉠ 으로 여긴다. 어·육류 식품의 부패정도를 판정하는 화학적 검사법에는 ㉢ 의 양이 4~10mg%, pH의 값이 ㉡ 일 때 초기 부패로 판정한다.

	㉠	㉡	㉢
(가)	10^5~10^6	휘발성 염기질소	5.2~5.5
(나)	10^5~10^6	트리메틸아민 옥시드 (trimethylamine oxide)	5.2~5.5
(다)	10^7~10^8	트리메틸아민 옥시드 (trimethylamine oxide)	6.0~6.5
(라)	10^7~10^8	트리메틸아민 (trimethylamine)	6.0~6.5
(마)	10^7~10^8	휘발성 염기질소	5.2~5.5

67. 초기 부패에 있어서 일반 세균수는 식품 1g당 10^5인 때가 미생물학적인 안전 한계이며 10^8인 때를 초기부패 단계로 본다.
　화학적 검사법에서는 트리메틸아민의 양이 3~4mg%에 달하면 초기부패로 인정한다. 어육이나 식육 등은 초기 부패에는 pH가 떨어지다가(pH 6.0~6.5) 부패가 진행됨에 따라 상승하여 알칼리성으로 된다.

66. 중금속 중독증상이 바르게 연결된 것은?

> ① 납 - 중추신경계 장애, 빈혈
> ② 비소 - 구토, 설사, 흑피증
> ③ 구리 - 각혈, 칼슘대사의 실조
> ④ 카드뮴 - 알츠하이머

(가) ①, ②　　(나) ①, ④　　(다) ②
(라) ②, ④　　(마) ④

67. 칼슘과 인을 소변으로 배설시켜 골연화증을 일으키는 금속은?

(가) 구리　　　　　　　(나) 납
(다) 수은　　　　　　　(라) 주석
(마) 카드뮴

정답 65. (라)　66. (가)　67. (마)

68. 둘신에 대한 설명으로 잘못된 것은?

(가) 체내에서 cyclohexylamine으로 분해된다.
(나) 혈액독으로 작용한다.
(다) 중추신경계 장애가 일어난다.
(라) 소화효소에 대한 억제작용이 일어난다.
(마) 간에 종양을 일으킨다.

69. 아플라톡신(Aflatoxin)에 대한 설명으로 옳은 것은?

① 단백질이 풍부한 육류에 발생한다.
② 열에 매우 안정하여 120℃ 이상에서 30분 이상 가열해야 사멸한다.
③ *Aspergillus flavus* 등의 균이 생성하는 대사산물이다.
④ 강력한 간암 유발물질이다.

(가) ①, ③   (나) ①, ④   (다) ②, ③
(라) ②, ④   (마) ③, ④

70. 다음 중 식중독을 일으키는 독성분인 것은?

① neosurugatoxin
② ptaquiloside
③ ciguaterin
④ citrinin

(가) ①, ②   (나) ①, ③, ④   (다) ②, ④
(라) ③, ④   (마) ①, ②, ③, ④

71. 플라스틱의 가소제, 접착제, 살충제 등에 사용되는 환경호르몬 물질은?

(가) 니트로사민   (나) 다이옥신
(다) 벤조피렌   (라) 트리할로메탄
(마) 프탈산에스테르

정답 68. (가)   69. (마)   70. (마)   71. (마)

72. 환경오염과 관련된 설명으로 옳은 것은?

① 다이옥신은 나무나 화학제품 등의 물체가 연소, 가열될 때 발생한다.
② 유기염소제는 인체에 축적되거나 잔류되기 때문에 위험한 물질이다.
③ 환경호르몬을 피하기 위해서 생선은 내장을 제거하고 먹는다.
④ 염소폐기물을 소각할 때는 가능한 큰 소각로를 이용하여 철저히 소각해야 한다.

(가) ①, ②　　　(나) ①, ④　　　(다) ②, ④
(라) ③, ④　　　(마) ④

73. 니트로사민의 생산과 관련이 없는 물질은?

(가) 디메틸아민　　　(나) 아질산염
(다) 아르기닌　　　(라) 알라닌
(마) 질산염

74. 수돗물의 염소소독 중에 생성되는 발암성물질은?

(가) 니트로사민　　　(나) 다이옥신
(다) 벤조피렌　　　(라) 트리할로메탄
(마) PCB

75. 식품과 독성분의 연결이 잘못된 것은?

(가) 복어 – tetrodotoxin
(나) 모시조개 – venerupin
(다) 섭조개 – saxitoxin
(라) 감자 – solanine
(마) 면실유 – amygdalin

75. 정제를 하지 않은 면실유에는 gossypol 이라는 유독 성분이 함유되어 있다.

76. 식품과 독성분이 잘못 연결된 것은?

(가) 청매 – dhurrin
(나) 면실유 – gossypol
(다) 피마자기름 – ricin
(라) 바지락조개 – venerupin
(마) 대합조개 – saxitoxin

76. 미숙한 매실은 청산배당체인 amygdalin 을 함유한다.

정답 72. (다)　73. (라)　74. (라)　75. (마)　76. (가)

식품위생학 핵심문제 해설

77. 중독을 일으키는 조개류에 대한 설명으로 바르지 않은 것은?

> ① saxitoxin, venerupin, tetramine 등이 중독을 일으키는 독성 분이다.
> ② 조류에 형성된 독소를 조개가 섭취하여 축적된다.
> ③ 수온이 18℃ 이상으로 높아지는 6월부터 빈번하게 발생한다.
> ④ 우리나라에서는 tetramine이 가장 문제가 된다.

 (가) ①, ② (나) ①, ③ (다) ①, ④
 (라) ②, ③, ④ (마) ③, ④

78. 복어의 독성에 대해 설명하려고 한다. 다음 중 옳지 않은 것은?

(가) 복어의 독성은 종류, 부위, 계절, 개체, 지역 등에 따라 달라진다.
(나) 종류별로는 매리복, 복섬, 검복 등은 독력이 비교적 약하고, 밀복 등은 아주 강하다.
(다) 장기별로는 육질부는 다소 독이 있는 종류도 있지만, 정상적인 섭취량이면 거의 중독되지 않는다. 정소(精巢)와 혈액도 무독한 것이 많다.
(라) 난소(卵巢)와 간장은 대부분의 종류가 맹독 또는 강독으로 독력이 대단히 강하다.
(마) 피부는 흑색이면 무독이지만, 다갈색이나 암록색계는 강하다.

78. 복어독의 독성분은 tetrodotoxin으로 물에 녹지 않고 열에 안정하다. 중독증상은 신경계 마비증상이고, 진행속도가 빠르며, 해독제가 없으므로 치사율이 매우 높다(치사율 60%).

79. 모시조개의 venerupin에 대해 설명을 하고자 한다. 옳지 않은 것은?

(가) 잠복기는 12시간~7일인데 대개는 1~2일의 잠복기를 거친다.
(나) pH 5~8에서 100℃로 1시간 가열하여도 파괴되지 않는다.
(다) 물 또는 메탄올에는 잘 녹으나, 에테르 및 에탄올에는 녹지 않는다.
(라) 지역 특이성이 있어서 유독지역에서 무독지역으로 옮기면 무독화된다.
(마) 치사율은 낮아서 5% 이내이다.

정답 77. (마) 78. (나) 79. (마)

80. 독버섯의 독성분이 아닌 것은?

(가) muscarine (나) muscaridine (다) cicutoxin
(라) phalin (마) amanitatoxin

81. 다음 보기 중 독버섯인 것을 모두 고르면?

① 긴대안장버섯 ② 땀버섯
③ 노루궁뎅이버섯 ④ 국수버섯

(가) ①, ② (나) ①, ④ (다) ②, ③
(라) ②, ④ (마) ③, ④

82. 독버섯의 일반적인 특징을 설명하는 내용으로 부적합한 것은?

(가) 색이 아름답다.
(나) 매운맛이나 쓴맛이 있다.
(다) 점액이 분비된다.
(라) 세로로 잘 찢어진다.
(마) 은수저를 문지르면 검게 변한다.

83. 콜레라 증상을 일으키는 독버섯은?

(가) 알광대버섯 (나) 무당버섯
(다) 화경버섯 (라) 파리버섯
(마) 미치광이버섯

83. 알광대버섯, 독우산버섯, 마귀곰보버섯은 콜레라 증상을 일으키는 독버섯이다.

84. 곰팡이독과 그 독성을 생성하는 균주를 바르게 연결한 것은?

① ergotamine – *P. notatum*
② islanditoxin – *Claviceps purpurea*
③ aflatoxin – *Asp. flavus*
④ patulin – *P. expansum*

(가) ①, ② (나) ①, ③ (다) ①, ③, ④
(라) ②, ③, ④ (마) ③, ④

정답 80. (다) 81. (가) 82. (라) 83. (가) 84. (마)

85. 곰팡이 중독증(mycotoxicosis)의 특징을 기술하려고 한다. 옳지 않은 것은?

(가) 탄수화물이 풍부한 농산물을 섭취하여 일어나는 경우가 많다.
(나) 의심되는 원인식품에서 곰팡이 오염의 증거 또는 흔적이 인정된다.
(다) 급성 곰팡이중독증에서는 계절적인 경향을 볼 수 있다.
(라) 사람과 사람, 동물과 동물, 동물과 사람 사이에는 직접 이행되지 않는다.
(마) 항생물질 투여나 약제요법을 실시하면 큰 효과가 있다.

86. Aflatoxin을 생성하는 곰팡이만으로 묶여진 것은?

(가) *Asp. flavus, Asp. parasiticus*
(나) *Pen. toxicarium, Pen. expansum*
(다) *Asp. niger, Asp. glaucus*
(라) *Pen. islandicum, P. citrinum*
(마) *Asp. flavus, Pen. toxicarium*

87. 황변미독을 생성하는 곰팡이만으로 된 것은?

(가) *Pen. toxicarium, Pen. islandicum*
(나) *Asp. flavus, Pen. citrinum*
(다) *Pen. toxicarium, Pen. expansum*
(라) *Asp. flavus, Asp. parasiticus*
(마) *Asp. glaucus, Pen. islandicum*

88. *Pen. citrinum*이 생성하는 신장독 성분은?

(가) citreoviride
(나) citrinin
(다) aflatoxin
(라) islanditoxin
(마) luteoskyrin

89. 맥각에 포함된 식중독의 원인균을 밝히려고 한다. 다음 중 옳은 것은?

(가) *Claviceps purpurea*
(나) *Fusarium trincinctum*
(다) *Aspergillus flavus*
(라) *Penicillium citrinum*
(마) *Clodosporium epiphylum*

정답 85. (마) 86. (가) 87. (가) 88. (나) 89. (가)

90. 맥각독의 독성분에 해당되는 것은?

(가) muscarine (나) rubratoxin
(다) patulin (라) ochratoxin
(마) ergotoxin

90. 맥각독의 대표적 독성분은 ergotoxine, ergometrine, ergotamine 등이다.

91. 곰팡이독(mycotoxin)에 해당되지 않는 것은?

(가) aflatoxin (나) islanditoxin
(다) amanitatoxin (라) citrinin
(마) ergotoxin

2. 식품과 경구감염병

92. 다음 중 식품위생상의 외인성 위해요인에 해당하는 것은?

> ① 식품 유통 과정에서 곰팡이가 발생했다.
> ② 해충을 없애기 위해 채소 재배 과정에서 농약을 살포했다.
> ③ 감자에 싹이 나서 솔라닌이라는 독성이 생성되었다.
> ④ 복어의 난소와 간장 등에 테트로도톡신이라는 독이 있다.

(가) ①, ② (나) ①, ②, ④ (다) ①, ④
(라) ②, ③, ④ (마) ③, ④

93. 미생물이 대사한 물질에 포함된 독성물질을 밝히려고 한다. 다음 중 옳지 않은 것은?

(가) satratoxin (나) mycotoxin
(다) aflatoxin (라) sterigmatocystin
(마) amygdalin

94. 곰팡이독과 독소생성균주의 관계 중 맞지않는 것은?

(가) Aflatoxin — *Aspergillus flavus*
(나) citreoviridin — *Penicillium citreoviride*
(다) sterigmatocystin — *Aspegillus versicolor*
(라) cyclochlorotin — *Penicillium islandicum*
(마) ochratoxin — *Aspergillus oryzae*

정답 90. (마) 91. (다) 2. 식품과 경구전염병 92. (가) 93. (마) 94. (마)

95. 다음 중 경구감염병에 대한 설명으로 옳지 않은 것은?

① 면역성이 생긴다.
② 이질, 간염, 콜레라, 파라티푸스 등이 경구감염병에 해당한다.
③ 오염된 물, 식품 등에 의해 이환될 수 있으며, 잠복기가 짧다.
④ 치료가 어렵지만 간단한 예방법으로 피할 수 있다.

(가) ①, ③   (나) ②, ③   (다) ②, ③, ④
(라) ③, ④   (마) ①, ②, ③, ④

96. 감염병을 유발하는 병원체의 유형은 세균, 바이러스 및 아메바 등이다. ㉠의 병원체와 동일한 유형에 의해 발생하는 감염병은?

〈영양교사, 2011년 기출문제〉

> 다음은 건강관련 뉴스를 전해 드리겠습니다.
> 최근 젊은층에서 ㉠ 환자가 증가하고 있습니다. 잠복기는 15~50일로 발열, 식욕감퇴, 복통, 설사 등의 증상을 보이는데 소아는 증상이 거의 없는 반면, 연령이 높을수록 증상이 심해집니다.
> 주로 보균자의 대변 또는 이들에 의해 오염된 물, 음식물 등을 통해 경구 감염되고 그 외에 주사기나 혈액을 통해서도 감염된다고 합니다.
> 위생상태가 나쁜 지역에서 잘 감염되므로 주위 환경의 위생상태를 개선하고 개인위생에 각별히 신경을 써야 하겠습니다.

(가) 이질   (나) 결핵
(다) 콜레라   (라) 디프테리아
(마) 급성회백수염

97. 다음 경구감염병 중 virus에 의한 것은?

(가) 장티푸스   (나) 콜레라
(다) 이질   (라) 유행성 간염
(마) 성홍열

---

96. A형 간염은 최근 위생적인 환경에서 자란 20~30대에서도 발병률이 급증하고 있고, 잠복기는 30일 정도이며 메스꺼움, 구토, 식욕부진, 발열 등이 나타나고 소아에서는 무증상이거나 가벼운 증상을 나타낸다.
대부분 감염자의 대변에 오염된 물이나 음식에서 경구를 통해 감염되고 수혈을 통해서도 감염될 수 있다. 그러므로 ㉠은 A형 간염을 나타낸다.
그런데 A형 간염은 바이러스성 감염병이다. (가)~(마) 중에서 (마)만이 바이러스 감염병이고, 그 외에는 모두 세균성 감염병이다. 급성회백수염은 병원체가 *Polio virus*이며 미감염자는 연령에 관계없이 감염되고 일반적으로 소아기에 면역을 획득한다.

97. virus에 의한 것으로는 급성회백수염(polio, 소아마비), 유행성간염, 감염성설사, 천열 등이다.

정답   **95.** (라)   **96.** (마)   **97.** (라)

98. 경구감염병의 특징을 설명하는 내용으로 부적합한 것은?

(가) 미량의 균에 의한 감염으로도 발병한다.
(나) 잠복기간이 아주 짧다.
(다) 2차 감염이 잘 된다.
(라) 예방접종으로 효과를 본다.
(마) 인체 내에서 균이 잘 증식한다.

99. 환자의 소변으로도 균이 배출되는 질병은?

(가) 장티푸스   (나) 세균성 이질
(다) 콜레라   (라) 디프테리아
(마) 성홍열

100. 인축공통 감염병으로 취급되지 않는 질병은?

(가) 탄저   (나) 결핵   (다) 파상열
(라) Q 열   (마) 디프테리아

101. 우유로부터 감염되기 쉬운 질병만으로 묶여진 것은?

(가) 파상열, 탄저
(나) 결핵, Q 열
(다) 탄저, 리스테리아증
(라) 탄저, Q 열
(마) 결핵, 비저

102. 들쥐의 오줌으로부터 감염되기 쉬운 질병은?

(가) 결핵   (나) 브루셀라
(다) Q 열   (라) 렙토스피라증
(마) 돈단독

103. 병원성균이 내열성 포자를 형성하기 때문에 병든 가축의 사체나 배설물을 처리할 때 고압살균 또는 소각처리를 해야 하는 인축공통 감염병은?

(가) 결핵   (나) 파상열   (다) 탄저
(라) Q 열   (마) 돈단독

103. 탄저
Bacillus anthracis, 그람양성, 포자형성

정답 98. (나) 99. (가) 100. (마) 101. (나) 102. (라) 103. (다)

104. 탄저균에 대해 바르게 설명한 것은?

> ① 피부의 상처를 통하여 직접적으로 감염된다.
> ② 포자가 포함된 먼지를 폐로 흡입하여 감염된다.
> ③ 감염된 수육을 먹은 후 감염되어 장에서 발병한다.
> ④ 치료제로 페니실린 등을 사용한다.

(가) ①, ④ (나) ②, ④ (다) ③, ④
(라) ①, ②, ③ (마) ①, ②, ③, ④

105. 병든 가축의 고기를 식용으로 했을 때 생기는 질병이 아닌 것은?
(가) 결핵   (나) 파라티푸스   (다) 탄저
(라) 야토병   (마) 돈단독

106. 인축공통 감염병이 식품위생상 중요한 이유는?
(가) 식품에서 병원균이 잘 번식하기 때문에
(나) 인체에도 병원균이 쉽게 감염되기 때문에
(다) 병원균의 내열성이 높기 때문에
(라) 토양이나 먼지 중에 병원균이 많이 존재하기 때문에
(마) 가축에 병원균이 쉽게 감염되기 때문에

107. 경구감염병의 예방상 중요하지 않은 것은?
(가) 조리할 때 마스크의 사용
(나) 음식물의 가열 처리
(다) 예방접종
(라) 음료수의 소독 철저
(마) 위생곤충의 박멸

108. 경구감염병을 예방하기 위한 병원소를 밝히려고 한다. 옳지 않은 것은?
(가) 보균자   (나) 환자
(다) 경증환자   (라) 오염된 식품
(마) 감염된 가축

108. 병원소 : 병원체가 생존하고 증식하여 질병이 전파될 수 있는 상태로 저장되어 있는 장소

정답 104. (마) 105. (나) 106. (나) 107. (가) 108. (라)

109. 건강보균자에 대한 설명으로 옳은 것은?

(가) 과거에 아팠던 사람
(나) 앓기 시작한 지 얼마 되지 않은 사람
(다) 앓는 사람과 함께 기거하는 사람
(라) 앓는 사람을 간호하는 사람
(마) 감염되었어도 앓지 않는 사람

110. 감염원에 대한 대책으로 맞지 않는 것은?

(가) 보균자를 빨리 발견한다.
(나) 환자를 빨리 발견한다.
(다) 손을 깨끗이 씻는다.
(라) 토양을 소독한다.
(마) 환자를 빨리 치료한다.

111. 집단급식 시 손 세척에 대한 설명으로 옳지 않은 설명은?

> ① 손가락에 상처가 나면 우선 지혈하고 충분히 세척한 후에 조리해야 한다.
> ② 습기는 세균번식의 주범이므로 손 세척 후 물기를 닦을 면수건을 구비한다.
> ③ 조리실, 화장실, 건 저장고 등에 필수적으로 손 세척시설을 설치한다.
> ④ 쓰레기를 만지거나 화장실에 다녀온 후 뿐만 아니라 얼굴이나 식기를 만진 후에도 손을 씻어야 한다.

(가) ①, ③, ④   (나) ①, ④   (다) ②, ③, ④
(라) ③, ④   (마) ①, ②, ③, ④

112. 동물에게는 별 증상이 없으나, 사람이 옮으면 열과 호흡기 증상을 나타내는 질병은?

(가) 리스테리아증   (나) 비저
(다) Q 열   (라) 돈단독
(마) 야토병

정답 109. (마) 110. (다) 111. (마) 112. (다)

113. 1883년 Klebs에 의해 발견되었으며, 장기조직에 장애를 일으키는 급성질환은?
㈎ 디프테리아 ㈏ 성홍열
㈐ 급성회백수염 ㈑ 콜레라
㈒ 천열

114. 피부에 조그만 장미모양의 발진(장미진)이 나타나는 경구감염병은?
㈎ 세균성 이질 ㈏ 디프테리아
㈐ 파라티푸스 ㈑ 장티푸스
㈒ 콜레라

115. Sabin Vaccine의 예방접종이 실시되는 경구감염병은?
㈎ 감염성 설사증 ㈏ 유행성 간염
㈐ 천열 ㈑ 급성 회백수염
㈒ 성홍열

116. 사람의 감염이 포낭에 의해서 이루어지는 경구감염병은?
㈎ 아메바성 이질 ㈏ 성홍열
㈐ 급성 회백수염 ㈑ 감염성 설사증
㈒ 유행성 간염

117. 다음 중 콜레라를 설명한 말로 맞지 않는 것은?
㈎ 원발생지가 인도의 갠스강 삼각주인 외래감염병이다.
㈏ 독소에 의해 격심한 위장증세를 일으키고 심한 전신증상을 보이는 급성감염병이다.
㈐ 잠복기가 무척 길어서 1 달~3 달이다.
㈑ 저항력이 약해서 햇빛에서는 1 시간, 분변 중에서는 1~2 일이면 사멸된다.
㈒ 20~40 세의 청장년층에서 많이 발생하고, 치명률은 60%로서 노년과 유년층일수록 높아진다.

117. 콜레라 잠복기 : 10시간~5일

정답 **113.** ㈎ **114.** ㈑ **115.** ㈑ **116.** ㈎ **117.** ㈐

118. *Epidemic hepatitis virus*에 의해 발병되는 경구감염병은?
 (가) 천열   (나) 비저   (다) 성홍열
 (라) 유행성 간염   (마) 발진티푸스

119. 감염형 세균성 식중독의 특징에 해당되지 않는 것은?
 (가) 사람이 고유숙주는 아니지만 병원체가 인체 내에서 자랄 수 있다.
 (나) 잠복기간이 비교적 짧고, 2차 감염 또한 잘 안 된다.
 (다) 다량의 균이 감염되어야 발병한다.
 (라) 균의 증식을 막으면 발생을 예방할 수 있다.
 (마) 배가 좀 아프기는 하지만 별 증상이 나타나지 않는다.

120. *Francisella tularensis* 병원체에 의해서 발생되는 인축공통감염병은?
 (가) 파상열   (나) 광견병   (다) 돈단독
 (라) 야토병   (마) 탄저

121. 대장균에 대한 설명으로 옳은 것은?

| ① 그람 양성균 | ② 분변오염의 지표 |
| ③ 구균 | ④ 유당을 분해 |

 (가) ①, ②, ③   (나) ①, ③   (다) ②, ④
 (라) ④   (마) ①, ②, ③, ④

122. 대장균군의 시험과 관계없는 것은?
 (가) 최확수 산출   (나) 추정시험
 (다) 완전시험   (라) 확정시험
 (마) 만니톨 분해능 검사

정답 118. (라) 119. (마) 120. (라) 121. (다) 122. (마)

123. 식품위생검사 방법을 바르게 설명한 것은?

> ① MPN법은 검체 100mL 중 실제 존재하는 대장균군수를 나타낸다.
> ② ECC는 대장균 간이검사용으로, 배지가 대장균에 청록색으로 반응한다.
> ③ 포도상구균 시험에는 만니톨 분해능검사를 실시한다.
> ④ stomacher법은 액체형 검체를 균질화시켜 미생물검사를 실시한다.

(가) ①, ②　　(나) ①, ④　　(다) ②, ③
(라) ②, ④　　(마) ③, ④

124. 우유의 저온살균 여부를 시험하는 방법은?

(가) 에탄올 침전검사　　(나) 산도측정
(다) 메틸렌블루 환원검사　　(라) 포스파타아제 검사
(마) 카탈라아제 검사

125. 식품취급자의 손이나 용기소독에 사용되는 계면활성제는?

(가) 차아염소산　　(나) 포르말린　　(다) 페놀
(라) 역성비누　　(마) 에틸알콜

126. 해산어류의 부패생성물은?

> ① 암모니아　　② 히스티딘
> ③ 황화수소　　④ TMAO

(가) ①, ②, ③　　(나) ①, ③　　(다) ②, ④
(라) ④　　(마) ①, ②, ③, ④

127. 소독제의 소독력에 대한 설명으로 틀린 것은?

(가) 접촉시간이 충분할수록 효과가 크다.
(나) 온도가 높을수록 효과가 크다.
(다) 동일한 농도라도 pH에 따라서 효과가 달라진다.
(라) 유기물질이 있을 때 효과가 크다.
(마) 균의 종류에 따라서 감수성이 다르다.

정답 123. (다)　124. (라)　125. (라)　126. (나)　127. (라)

128. 조리용 도마의 살균에 사용되는 살균제는?

(가) 승홍   (나) 요오드팅크   (다) 과산화수소
(라) 차아염소산   (마) 포르말린

129. 인축공통 감염병과 그 감염경로가 잘못 짝지어진 것은?

(가) 탄저 – 가축 사육 농부에 감염
(나) 브루셀라증 – 이환동물의 유즙·고기 등의 경구감염
(다) 야토병 – 산토끼의 혈액에 의한 경피감염
(라) 돈단독 – 돼지에 의한 피부감염
(마) Q열 – 사람에게서 사람에게로 감염

130. 감염병과 관련된 〈보기 1〉과 〈보기 2〉의 (ㄱ)~(ㄷ)에 해당하는 내용을 바르게 짝지은 것은? 〈영양교사, 2010년 기출문제〉

― 〈보기 1〉 ―

A는 우리나라의 제 [ㄱ]군 법정감염병이다. 이 질환을 일으키는 균 중 [ㄴ]균은 소에 침입하는 균인데 우유나 유제품, 고기를 통해 사람이 경구적으로 이 균에 감염되기도 한다. 출생 후 1개월 내에 BCG 접종을 하도록 법적으로 규정되어 있으며, 투베르쿨린(tuberculin) 반응검사를 실시하여 조기에 감염 여부를 알아낼 수 있다.

― 〈보기 2〉 ―

B는 화장실, 퇴비, 쓰레기, 하수구 등 불결한 곳에서 주로 생활하며, 번식력이 강하다. 종류나 온도에 따라 차이가 있으나 대개 5~10월에 산란하여 성충이 되기까지 2~3주 걸리며 [ㄷ]와/과 같은 감염병을 일으킬 수 있다. 에어스크린(air screen)이나 이중 문으로 침입을 방지하거나 디아지논(diazinon), 말라티온(malathion) 등을 분무하여 구제한다.

	(ㄱ)	(ㄴ)	(ㄷ)
(가)	2	*Mycobacterium bovis*	콜레라
(나)	3	*Mycobacterium bovis*	장티푸스
(다)	3	*Mycobacterium bovis*	Q열 (Q-fever)
(라)	2	*Mycobacterium tuberculosis*	파라티푸스
(마)	3	*Mycobacterium tuberculosis*	세균성 이질

130. 문제에서 A는 결핵으로 여겨진다. 결핵은 감염병의 예방 및 관리에 관한 법률 제2조에 의하면 제3군 감염병에 속한다고 되어 있다.
　결핵에는 인형균과 우형균이 있는데 소에 침입하는 우형균을 *Mycobacterium bovis*라 한다.
　그리고 문제에서 B는 파리를 설명하고 있다. 파리에 의해서 발생되는 감염병은 파라티푸스, 살모넬라, 콜레라, 세균성 이질, 장티푸스, 급성회백수염 등인데, 그 중에서 보기는 장티푸스를 설명하고 있다.
　이 병은 감염병의 예방 및 관리에 관한 법률 제2조에 의하면 제1군 감염병에 속한다.

정답　128. (라)　129. (마)　130. (나)

131. 병원체가 Gram 양성간균으로 호기성이고, 아포를 형성하는 인축공동 감염병은 무엇인가?

㈎ 브루셀라증　　㈏ 파상열　　㈐ 탄저
㈑ Q 열　　㈒ 렙토스피라증

132. 파상열(波狀熱)이라 함은 어떤 감염병을 말하는가?

㈎ 결핵　　㈏ 브루셀라　　㈐ 렙토스피라증
㈑ 장티푸스　　㈒ 비저

133. 감염병의 예방대책으로 적합하지 않은 것은?

㈎ 환자의 조기발견 및 격리　　㈏ 위생동물의 구제
㈐ 예방접종 실시　　㈑ 지하수로 세척
㈒ 방역 실시

134. 경구감염병으로만 묶인 것은?

㈎ 콜레라, 페스트　　㈏ 이질, 장티푸스
㈐ 폴리오, 일본뇌염　　㈑ 결핵, 유행성 간염
㈒ 탄저, 파상열

Guide

134. 1876년 경 Köch에 의해 발견·동정되었다.

3. 식품과 기생충

135. 생유에 의해서 감염이 가능한 감염병은?

① 결핵　② Q열　③ 브루셀라　④ 리스테리아

㈎ ①, ②, ③　　㈏ ①, ③
㈐ ②, ④　　㈑ ④
㈒ ①, ②, ③ ④

정답　**131.** ㈐　**132.** ㈏　**133.** ㈑　**134.** ㈏　3. 식품과 기생충　**135.** ㈒

136. 다음 중 기생충에 의해 발생하는 장애는?

| ① 조직의 파괴 | ② 자극과 염증 |
| ③ 유독물질 산출 | ④ 영양물질 유실 |

(가) ①, ② (나) ①, ④ (다) ①, ②, ④
(라) ②, ③, ④ (마) ①, ②, ③, ④

137. 채소류의 기생충알을 제거하기 위한 세척방법 중 가장 좋은 것은?

(가) 중성세제로 씻는다.
(나) 소금물로 씻는다.
(다) 수돗물을 틀어놓고 씻는다.
(라) 물을 받아놓고 씻는다.
(마) 40℃의 따뜻한 물로 씻는다.

138. 채소류를 통하여 감염되는 기생충이 아닌 것은?

(가) 십이지장충   (나) 선모충   (다) 동양모양선충
(라) 요충   (마) 편충

139. 회충란의 특성을 설명하는 내용으로 옳지 않은 것은?

(가) 저온과 건조에 대한 저항성이 약하다.
(나) 60℃ 이하에서는 10시간 이상을 생존한다.
(다) 무잎 소금절임에서 15일 이상을 생존한다.
(라) 식초 중에서 7일 이상을 생존한다.
(마) 대변 중에서 300일간을 생존한다.

140. 경피감염이 가능한 기생충은?

(가) 회충   (나) 요충   (다) 십이지장충
(라) 선모충   (마) 편충

140. 선모충은 돼지, 개, 고양이, 쥐에 공통으로 기생하다가 돼지고기를 통하여 사람들에게 감염되어 근육과 작은창자에서 기생한다.

141. 쇠고기를 생식할 때 감염되기 쉬운 기생충은?

(가) 무구조충   (나) 유구조충
(다) 선모충   (라) 광절열두조충
(마) 횡천흡충

141. 무구조충(민촌충)은 소의 근육에서 낭충으로 기생하다가 사람에게로 와서 소장 점막에 흡착하여 기생한다.

정답 136. (마) 137. (다) 138. (나) 139. (가) 140. (다) 141. (가)

142. 돼지고기를 생식하였을 때, 감염되기 쉬운 기생충만으로 묶인 것은?

(가) 유구조충, 무구조충
(나) 유구조충, 선모충
(다) 선모충, 무구조충
(라) 횡천흡충, 동양모양선충
(마) 광절열두조충, 동양모양선충

143. 냉동처리로 기생충의 유충이 사멸될 수 있는 것은?

(가) 무구조충
(나) 유구조충
(다) 선모충
(라) 간흡충
(마) Anisakis

144. 간디스토마의 제1 중간숙주, 제2 중간숙주의 순으로 되어 있는 것은?

(가) 다슬기 → 참게, 가재
(나) 물벼룩 → 연어, 농어
(다) 갑각류 → 오징어, 갈치
(라) 왜우렁이 → 참게, 가재
(마) 왜우렁이 → 잉어, 붕어

145. 해산어류의 생식으로 감염될 수 있는 기생충은?

(가) 유극악구충
(나) 폐흡충
(다) 횡천흡충
(라) 간흡충
(마) Anisakis

146. 사람이 종말숙주가 아닌 기생충 질환만으로 묶인 것은?

(가) 유극악구충증, Anisakis 자충증
(나) 선모충증, 유구조충증
(다) 횡천흡충증, 광절열두조충증
(라) 회충증, 요충증
(마) 편충증, 십이지장충증

147. 개나 고양이와 관련이 있는 기생충만으로 짝지어진 것은?

(가) 무구조충, 유구조충
(나) 유구조충, 선모충
(다) 간흡충, 폐흡충
(라) 간흡충, 유극악구충
(마) 선모충, 폐흡충

146. 유극악구충 종말숙주 – 개, 고양이
Anisakis 종말숙주 – 고래, 실광어

정답 142. (나) 143. (마) 144. (마) 145. (마) 146. (가) 147. (라)

148. 기생충의 예방방법으로 가장 거리가 먼 것은?

(가) 청정채소의 보급
(나) 가축의 위생적인 사육
(다) 어패류의 생식금지
(라) 제1 중간숙주(왜우렁이)의 생식금지
(마) 제2 중간숙주가 있는 곳의 냉수·생식금지

149. 다음 조충류의 설명이 바르게 분류된 것은?

> ① 갈고리촌충
> ② 덜 익은 돼지고기 섭취로 인해 감염된다.
> ③ 민촌충
> ④ 성충이 성장하면서 체적이 항문 밖으로 배출된다.

	유구조충	무구조충
(가)	①, ②	③, ④
(나)	①, ③	②, ④
(다)	①, ④	②, ③
(라)	②, ③	①, ④
(마)	③, ④	①, ②

150. 기생충증에 이환된 환자의 대변에서 기생충의 알을 검출할 수 없는 것은?

(가) 간흡충   (나) 유구조충
(다) 무구조충   (라) 요충
(마) 유극악구충

150. 유극악구충은 사람에게 감염되면, 성충으로 자라지는 못하지만 피부종양을 일으킨다.

151. 기생충의 종류에 따라 조금씩 다르지만, 일반적인 기생충의 장해를 설명할 때 옳지 않은 것은?

(가) 기계적 장해
(나) 자극에 의한 만성열증 유발
(다) 영양물질의 유실
(라) 발열성 장해
(마) 독소에 의한 병해

정답 148. (라) 149. (가) 150. (마) 151. (라)

152. 다음 중 어패류에서 감염되는 기생충이 아닌 것은?

(가) 십이지장충 (나) 요꼬가와흡충
(다) 광절열두조충 (라) 유극악구충
(마) 아니사키스

153. 야채에 붙어있는 기생충의 알을 중성세제로 제거하려고 한다. 회충의 알인 경우, 몇 %까지 제거될 수 있는가?

(가) 50~60% (나) 60~70% (다) 75~80%
(라) 80~85% (마) 90~95%

154. 밑줄 친 부분에 해당하는 기생충의 종류와 그 특징으로 옳은 것은?
〈영양교사, 2012년 기출문제〉

> 기생충은 감염 경로가 다양하며 식품 위생과 밀접한 관련이 있다. 국내에서 유통되는 배추김치에서 기생충 알이 검출되었는데 이 기생충 알은 김치 냉장고에서 생존하기 때문에 김치 제조업체에서는 원재료에 대한 위생관리를 철저히 해야 한다.

	종류	특징
(가)	십이지장충	경구감염되면 소장 상부에서 부화하여 대장 점막, 맹장 부위에 정착하고 복통, 오심, 맹장염 등을 일으킨다.
(나)	요충	인체 내 기생하는 선충류 중 가장 작으며 증상으로는 소화 불량, 발열, 근육통 등이 있다.
(다)	요충	작은 기생충으로 어린이 감염률이 높으며 증상으로는 항문 주위의 가려움증, 습진 등이 있다.
(라)	회충	경피 감염이 되기도 하며 다수의 충체가 기생하면 빈혈, 식욕 부진, 설사 등을 일으킨다.
(마)	회충	인체 내 기생하는 선충류 중 가장 크며 많은 충체가 밀집하는 경우 장폐색을 일으킨다.

155. 어린이의 경우, 신체와 지능의 발달이 느려지고 회충의 경우처럼 이미증(異味症)을 일으키는 기생충은?

(가) 회충 (나) 십이지장충 (다) 편충
(라) 요충 (마) 광절열두조충

154. 회충 : 성충의 크기가 15~40cm로 크며 충란의 형태로 경구로 감염되기 때문에 위생상태가 불결한 토양, 즉 인분을 비료로 쓰는 곳에 많다. 특히 어린아이에게서 충체가 뭉쳐 만들어진 덩어리가 통증과 장폐색을 일으킬 수 있다.

정답 152. (가) 153. (마) 154. (마) 155. (나)

156. 어패류에 의해서 감염되는 기생충 중, 특히 은어를 날로 먹었을 때 감염될 우려가 높은 것은?

㈎ 간디스토마　㈏ 광절열두조충　㈐ 유극악구충
㈑ 요꼬가와흡충　㈒ 아니사키스

157. 광절열두조충의 감염경로는?

㈎ 왜우렁이 – 붕어 – 간
㈏ 다슬기 – 게 – 폐
㈐ 다슬기 – 은어 – 소장
㈑ 크릴새우 – 고등어·조기 – 위장벽
㈒ 물벼룩 – 연어, 송어 – 소장 상부

158. 최근 가물치의 수요가 증대되어 그 양식이 늘고 있다. 가물치를 날로 먹었을 때, 특히 감염될 우려가 높은 것은?

㈎ 유극악구충　㈏ 광절열두조충　㈐ 아니사키스
㈑ 동양모양선충　㈒ 요꼬가와흡충

■■■■ 4. 식품과 위생동물

159. 바퀴를 구제하려고 한다. 다음 중 알맞지 않은 방법은?

㈎ 바퀴먹이에 0.1% kepone, 2% propoxur, 10~15% 붕산 등을 넣는다.
㈏ 연무 시에 0.3% pyrethrin 과 3% 증강제의 혼합제나 0.5% DDVP 등을 사용한다.
㈐ 훈연 시는 4% pyrethrin 혹은 DDVP 를 사용한다.
㈑ 1% diazinon, 3% chlordane, 1% propoxur, 0.5% dursban, 3% fenitrothion 등의 유제나 수화제를 분무하거나 분제를 살포한다.
㈒ 95~96% 붕산분제를 살포한다.

160. 진드기의 습성에 따른 분류로 옳은 것끼리 묶인 것은?

㈎ 온도 0℃ 이상, 상대습도 50~55%, 수분 5~10%
㈏ 온도 5℃ 이상, 상대습도 55~60%, 수분 5~10%
㈐ 온도 10℃ 이상, 상대습도 60~65%, 수분 10~15%
㈑ 온도 15℃ 이상, 상대습도 65~70%, 수분 15~20%
㈒ 온도 20℃ 이상, 상대습도 75~85%, 수분 15~20%

정답 156. ㈑　157. ㈒　158. ㈎　4. 식품과 위생동물　159. ㈐　160. ㈒

161. 크기 0.3~0.5 mm 의 유백색~황백색 진드기로 각종 식품에서 발견되며, 진드기류 중에서 가장 흔하게 발견되는 것은?
㈎ 수중다리가루진드기
㈏ 보리가루진드기
㈐ 설탕진드기
㈑ 집고기진드기
㈒ 긴털가루진드기

162. 식품위생상 쥐에 의한 피해로 옳지 않은 것은?
㈎ 쥐의 오줌에서 leptospirosis 가 감염된다.
㈏ 쥐에게 물려서 rat bite fever 가 감염된다.
㈐ 기생충인 광절열두조충을 매개한다.
㈑ 쥐벼룩에 의해 페스트, 발진열이 매개된다.
㈒ 식중독균을 옮긴다.

163. 쥐가 옮기는 병으로만 묶인 것은?

① 서교열 ② leptospirosis ③ Salmonella ④ 승저충증

㈎ ①, ②, ③   ㈏ ①, ③   ㈐ ②, ④
㈑ ④   ㈒ ①, ②, ③, ④

164. 파리의 생태에 대해 알아보려고 한다. 다음 중 옳지 않은 것은?
㈎ 알은 한 번에 10~20 개를 낳으며, 일생동안 20회 산란한다.
㈏ 유충이 발육하기 좋은 장소에 산란한다.
㈐ 알이 부화하여 2 번 탈피한다.
㈑ 성장이 끝난 유충은 건조한 곳을 찾아가서 번데기가 된다.
㈒ 산란은 최초의 10 일 이내에 완료한다.

165. 우리나라에서 가장 많이 발견되며, 몸길이가 1~1.5 cm 로 가주성 바퀴 중 가장 작은 것은?
㈎ 이질바퀴   ㈏ 독일바퀴
㈐ 검정바퀴   ㈑ 일본바퀴
㈒ 먹바퀴

정답 161. ㈒   162. ㈐   163. ㈎   164. ㈎   165. ㈏

166. 해충이 매개하는 질환과 관련하여 잘못 묶인 것은?
(가) 바퀴 - 발진열   (나) 파리 - 승저충증
(다) 모기 - 말라리아   (라) 쥐벼룩 - 페스트
(마) 등줄쥐 진드기 - 유행성 출혈열

167. 다음 방서설비에 대한 설명으로 옳지 않은 것은?
(가) 건물기초는 지하 60 cm 이상의 깊이로 하고, 건물의 내부바닥은 콘크리트로 한다.
(나) 외벽은 지면에서 50 cm 이상을 평활하게 한다.
(다) 출입문은 지면에서 5 cm 이하의 간격으로 하고 하부의 외측에서 함석으로 10 cm를 씌우고 그 하단은 접어 안에서 부착시킨다.
(라) 지붕과 벽 사이의 통기용 공간은 막거나 철망을 설치한다.
(마) 외부의 물받이관과 배선에 유의해야 하고, 초음파 방서기를 가급적이면 출입구 부근에 설치한다.

5. 식품의 변질과 보존

168. 식품을 취급하는 위생적인 방법으로 옳은 설명은?

> ① 조리한 식품을 보관할 때는 뜨거운 김이 날아가도록 뚜껑을 열어 보관한다.
> ② 배식 중인 음식과 조리 중인 음식은 섞이지 않도록 한다.
> ③ 한 번 해동된 식재료는 다시 동결하지 않도록 한다.
> ④ 작업대를 효율적으로 활용하기 위해 사용하지 않는 재료는 내려놓는다.

(가) ①, ②   (나) ①, ②, ③   (다) ②, ③
(라) ③   (마) ③, ④

169. 식품의 부패현상과 가장 관계가 깊은 것은?
(가) 단백질의 혐기적인 분해
(나) 단백질의 호기적인 분해
(다) 지방질 식품의 호기적인 분해
(라) 탄수화물의 혐기적인 분해
(마) 탄수화물의 호기적인 분해

정답 166. (가) 167. (다)   5. 식품의 변질과 보존 168. (다)   169. (가)

170. 악취를 풍기는 부패산물에 해당되지 않는 것은?
  (가) ammonia   (나) amine
  (다) gluconic acid   (라) H_2S
  (마) mercaptane

171. 식품의 부패초기란 세균수가 g 당 어느 정도일 때인가?
  (가) $10^4 \sim 10^5$ (나) $10^5 \sim 10^6$
  (다) $10^6 \sim 10^7$ (라) $10^7 \sim 10^8$
  (마) $10^8 \sim 10^9$

171. <u>부패초기의 판정</u>: 어육의 휘발성 염기질소가 30~40 mg%, 트리메틸아민이 4~6 mg%, 세균수가 $10^7 \sim 10^8$/mL, 우유의 산도가 0.19~0.20%일 때를 부패초기로 판정한다.

172. 다음 중 식품의 부패초기로 볼 수 없는 것은?
  (가) 생선의 트리메틸아민 4~6 mg%
  (나) 생선 mL 당의 세균수 $10^7 \sim 10^8$
  (다) 어육의 휘발성 염기질소 30~40 mg%
  (라) 우유의 산도 0.19~0.20%
  (마) 식육의 pH 5.4~6.4

173. 어패류를 부패시키는 대표적인 미생물은?
  (가) *Pseudomonas*   (나) *Bacillus*
  (다) *Streptococcus*   (라) *Clostridium*
  (마) *Vibrio*

174. 식육에 번식하여 적색색소를 생성하는 부패미생물은?
  (가) *Bacillus subtilis*
  (나) *Serratia marcescens*
  (다) *Streptococcus lactis*
  (라) *Staphylococcus aureus*
  (마) *Escherichia coli*

175. 우유를 알칼리화하고 점질화시키는 변패미생물은?
  (가) *Pseudomonas syncyanea*
  (나) *Serratia marcescens*
  (다) *Alcaligenes viscolactis*
  (라) *Aerobacter aerogenes*
  (마) *Streptococcus lactis*

175. <u>우유의 변패미생물</u>
  • *Streptococcus lactis* (시게변패)
  • *Alcaligenes viscolactis* (점질화, 알칼리화)
  • *Serratia marcescens* (분홍색 변패)
  • *Pseudomonas syncyanea* (청회색 변패)

정답 170. (다) 171. (라) 172. (마) 173. (가) 174. (나) 175. (다)

176. 통조림의 flat sour 변패를 일으키는 미생물은?

(가) *Streptococcus thermophilus*
(나) *Bacillus subtilis*
(다) *Proteus morganii*
(라) *Bacillus coagulans*
(마) *Clostridium botulinum*

177. 초기부패의 판정을 위한 화학적 검사에서 그 함량변화를 통하여 확인하려고 할 때, 다음 중 옳지 않은 것은?

(가) 휘발성 염기질소
(나) trimethylamine
(다) histamine
(라) 차아염소산 나트륨
(마) pH

178. 초기부패의 옳은 검사법끼리 묶인 것은?

① 관능검사	② 생물학적 검사
③ 물리적 검사	④ 화학적 검사

(가) ①, ②, ③   (나) ①, ③   (다) ②, ④
(라) ④   (마) ①, ②, ③, ④

179. 식품 microflora 의 오염원별 분류에서 오염이 물(저온세균)이 아닌 것은?

(가) *Pseudomonas* (녹농균, 형광균)
(나) *Flavobacterium* (황색색소)
(다) *Chromobacterium* (적색색소)
(라) *Moraxella* (색소 생산 안함)
(마) *Streptococcus* (용혈성 연쇄구균, 장구균)

180. 부패과정의 화학반응 중 포화지방산과 NH_3 가 생성되는 것은?

(가) 호기적 탈아미노반응
(나) 탈탄산반응
(다) 가수적 탈아미노반응
(라) 환원적 탈아미노반응
(마) 불포화적 탈아미노반응

정답 176. (라) 177. (라) 178. (마) 179. (마) 180. (다)

181. 식품의 부패에 관한 사항으로, 다음 중 옳지 않은 것은?

⑺ 식품이 어떤 요인에 의해 그 품질이 변화하여 섭취할 수 없게 된 것을 열화(spoilage)라고 한다.
⑻ 단백질 식품이 미생물의 분해작용에 의해서 본질을 잃어서 먹을 수 없게 되는 현상을 부패(putrefaction)라고 한다.
⑼ 단백질이나 지방이 분해되는 현상을 발효(fermentation)라고 한다.
⑽ 지방이 분해되는 경우를 산패(rancidity)라고 한다.
⑾ 탄수화물이나 지방이 변질되는 현상을 변패(deterioration)라고 한다.

182. 최적온도에 있어서 주요세균의 세대시간으로, 다음 중에서 옳은 것은?

⑺ 대장균 – 17 분　　⑻ 콜레라균 – 5 분
⑼ 이질균 – 10 분　　⑽ 고초균 – 7 분
⑾ 장염비브리오 – 30 분

183. 상수도 수질기준 중 mL 당 허용 일반세균수는?

⑺ 10 이하　　⑻ 50 이하　　⑼ 100 이하
⑽ 500 이하　　⑾ 1,000 이하

184. 미생물에 대한 설명으로 잘못된 것은?

⑺ 최적온도가 30~40℃ 부근인 경우가 많다.
⑻ 냉장온도에서는 부패미생물이 증식하지 못한다.
⑼ 위산에 의하여 대부분 사멸된다.
⑽ 한 종류의 미생물이 강하게 번식하면 다른 종의 번식은 저해된다.
⑾ 미생물을 습열멸균하기 위해서는 121℃에서 15분간 처리한다.

185. 일반세균수를 측정하는 목적은?

⑺ 발효정도를 판정
⑻ 부패도 판정
⑼ 영양가 판정
⑽ 유독성 판정
⑾ 분변 오염의 여부를 판정

정답 181. ⑼　182. ⑺　183. ⑼　184. ⑻　185. ⑻

186. 일반세균이 생육하기에 적합한 온도는?
   (가) 0℃ 이하   (나) 10~20℃   (다) 30~40℃
   (라) 50~60℃   (마) 70~80℃

187. 대장균군에 대한 설명으로 잘못된 것은?
   (가) 분변오염의 지표균이다.
   (나) 병원성균 오염의 지표로서 식품의 위생검사에 사용된다.
   (다) 젖당을 분해하며 가스를 발생시킨다.
   (라) 장내세균과에 속한다.
   (마) 주모성 간균으로 내열성 포자를 생성한다.

188. 식품의 CA 저장에 대한 설명으로 맞는 것은?

> ① 산소, 탄산가스, 질소를 사용
> ② 과일이나 채소 저장 시에 사용
> ③ 호흡작용을 억제해 보존효과를 높이는 방법이다.
> ④ 혼합기체를 사용하는 것보다는 기체만을 사용하는 것이 효과적이다.

   (가) ①, ②, ③   (나) ①, ③   (다) ②, ④
   (라) ④   (마) ①, ②, ③, ④

6. 살균 및 소독

189. 살균력이 가장 강한 자외선의 파장은?
   (가) 1,600~2,000Å   (나) 2,000~2,400Å
   (다) 2,400~2,800Å   (라) 2,800~3,200Å
   (마) 3,200~3,600Å

190. 자외선을 이용한 살균이 효과적인 것은?
   (가) 우유와 두유   (나) 어육과 식육
   (다) 금속기구와 항아리   (라) 도마와 행주
   (마) 공기와 물

정답 186. (다) 187. (마) 188. (가) 6. 살균 및 소독 189. (다) 190. (마)

191. 소독의 개념으로 가장 적절한 내용은?

(가) 세균의 포자까지도 죽임
(나) 세균의 생세포만을 죽임
(다) 세균, 곰팡이, 효모를 모두 죽임
(라) 병원성 세균을 죽임
(마) 부패세균을 죽임

192. 살균에 대한 설명으로 옳지 못한 것은?

> ① 자외선 살균은 유기물이 존재하면 효과가 좋아진다.
> ② 건열살균법, 고압증기멸균법 등으로 세균의 포자를 사멸시킬 수 있다.
> ③ 건열살균이 습열살균에 비해 효과적이다.
> ④ 자외선 살균은 부작용이 적어 식품의 살균에 주로 이용한다.

(가) ①, ② (나) ①, ③, ④ (다) ①, ④
(라) ②, ③, ④ (마) ③, ④

193. 각 소독제의 살균효과에 대해 설명한 내용으로 옳은 것은?

> ① 야채, 과일 등의 식품 소독에는 알코올이 가장 적합한 소독제이다.
> ② 역성비누는 결핵균, 포자 등에 대한 살균력은 낮으나 자극성이 없어 피부와 식기의 소독에 적합하다.
> ③ 승홍수, 알코올 등은 단백질을 응고시키는 효과가 있다.
> ④ 차아염소산 나트륨은 음료수 소독에 이용할 수 있다.

(가) ①, ③ (나) ①, ④ (다) ①, ③, ④
(라) ②, ③, ④ (마) ①, ②, ③, ④

194. 세균의 포자까지도 사멸시킬 수 있는 살균방법만으로 묶인 것은?

(가) 간헐멸균법, 증기소독법
(나) 증기소독법, 건열살균법
(다) 저온살균법, 열탕소독법
(라) 간헐멸균법, 고압증기살균법
(마) 고온단시간살균법, 고압증기살균법

정답 191. (라) 192. (나) 193. (라) 194. (라)

195. 살균방법과 살균조건이 잘못 연결된 것은?

(가) 건열살균법 – 160℃, 1 시간
(나) 고압증기멸균법 – 121℃, 15 분
(다) 저온살균법 – 62℃, 30 분간
(라) 고온단시간살균법 – 100℃, 10 분
(마) 초고온 순간살균법 – 132℃, 2 초

196. 살균방법과 살균대상이 부적합하게 연결된 것은?

(가) 건열살균 – 초자기구
(나) 고압증기살균 – 통조림식품
(다) 저온살균 – 우유
(라) 고온단시간살균 – 우유
(마) 초고온순간살균 – 어육연제품

197. 소독약품의 일반적인 사용농도로서 적합하지 않은 것은?

(가) 석탄산 3~5%
(나) 크레졸 3~5%
(다) ethyl alcohol 90%
(라) 승홍 0.1%
(마) 차아염소산나트륨 0.3~0.5%

198. 식기 소독 시에 적합한 양성비누의 희석배수는?

(가) 0~10 배액
(나) 10~100 배액
(다) 200~400 배액
(라) 500~1,000 배액
(마) 1,000~2,000 배액

199. 양성비누의 설명으로 적합하지 않은 내용은?

(가) 조리기구의 소독에 적합하다.
(나) 피부에 자극이 없다.
(다) 결핵균의 살균력이 강하다.
(라) 단백질이 공존하면 살균력이 낮아진다.
(마) 4 급 암모늄염으로 된 계면활성제이다.

200. 우유의 점패균은?

(가) *B. subtilis*
(나) *E. coli*
(다) *Staph. aureus*
(라) *Cl. perfringens*
(마) *Alcaligenes viscolactis*

201. 어패류의 주된 부패 원인균은?

(가) *B. subtilis*
(나) *E. coli*
(다) *Staph. aureus*
(라) *Pseudomonas sp.*
(마) *Salmonella typhimurium*

195. 고온단시간살균법
(HTST : High Temperature Short Time)
71℃에서 15 초간 살균한 후 4℃로 급냉시키는 방법으로, 살균효과는 저온살균법과 비슷하다.

197. ethyl alcohol 은 70% 정도의 사용이 적합하다.

정답 195. (라) 196. (마) 197. (다) 198. (다) 199. (다) 200. (마) 201. (라)

202. 음용수의 조건으로 옳지 않은 것은?

㈎ 유해물질이 함유되어 있지 않을 것
㈏ pH는 5.8~8.5
㈐ 냄새는 소독약품의 냄새만 허용
㈑ 병원균이 없을 것
㈒ 대장균군은 1 mL 당 100 마리 이하일 것

203. 사용되는 소독 약품의 농도를 알아보려고 한다. 다음 중 옳지 않은 것은?

㈎ phenol 3~5%
㈏ 크레졸 3% 비누액
㈐ 포름알데히드 10~15%
㈑ mercurochrome 2%
㈒ merthiolate 0.02%

204. 다음 소독제 중 식물소독에 알맞은 것은?

㈎ corrosive sublimate
㈏ mercurochrome
㈐ cationic detergent
㈑ creosete
㈒ organic copper compound

205. 생석회를 사용해서 소독을 하고자 한다. 생석회 1 kg에 물은 얼마의 비율로 타서 사용하는가?

㈎ 100 mg ㈏ 200 mg ㈐ 300 mg
㈑ 400 mg ㈒ 500 mg

206. 방사선을 식품에 이용하려고 한다. 식중독균의 살균을 위한 목적으로 이용할 때 조사선량은 어느 정도가 적당한가?

㈎ 0.1~1.0 KGY
㈏ 0.03~0.15 KGY
㈐ 3.0~10.0 KGY
㈑ 0.5~2.0 KGY
㈒ 20~50 KGY

정답 202. ㈒ 203. ㈐ 204. ㈒ 205. ㈒ 206. ㈐

7. 식품첨가물

207. 보존료와 이의 사용대상 식품이 잘못 연결된 것은?

(가) 데히드로초산 – 버터
(나) 솔빈산 – 식육제품
(다) 안식향산 – 된장
(라) 프로피온산칼슘 – 빵
(마) 파라옥시안식향산부틸 – 주류

207. 안식향산 및 안식향산 나트륨은 섭취되어도 체외로 배출되므로 안정성이 높다. pH 4 이하에서 효력이 높고 탄산 비함유 청량음료수, 간장에 사용할 수 있다.

208. 식품에 사용되는 보존료에 대한 설명으로 옳은 것은?

① 과실주, 탁주 등에는 안식향산을 보존료로 사용한다.
② 치즈, 버터 등 유제품의 보존료로는 데히드로초산이 사용된다.
③ 프로피온산은 빵, 케이크 등에 사용할 수 있다.
④ 소르브산은 pH가 낮을수록 보존효과가 크다.

(가) ①, ②   (나) ①, ④   (다) ②, ④
(라) ③, ④   (마) ④

209. 안식향산의 최대 살균 pH는?

(가) pH 3   (나) pH 4
(다) pH 5   (라) pH 6
(마) pH 7

210. 간장에 사용할 수 있는 보존료만으로 묶인 것은?

(가) 안식향산나트륨, 프로피온산나트륨
(나) 파라옥시안식향산에틸, 안식향산나트륨
(다) 데히드로초산, 안식향산
(라) 솔빈산칼륨, 파라옥시안식향산부틸
(마) 안식향산, 프로피온산나트륨

정답 7. 식품첨가물 **207.** (다) **208.** (라) **209.** (가) **210.** (나)

211. 다음 중 산화방지제에 대한 설명으로 옳은 것은?

> ① EDTA 2 나트륨은 마요네즈, 마가린 등에 사용된다.
> ② BHA, BHT 등은 유지의 산화방지에 이용된다.
> ③ 유지의 산화방지제는 모두 사용기준의 제한이 없다.
> ④ 비타민 C는 색소의 산화방지에 이용된다.

㈎ ①, ② ㈏ ①, ③, ④ ㈐ ②, ③
㈑ ②, ④ ㈒ ③, ④

212. 산화방지제가 아닌 것은?

㈎ BHA ㈏ 아질산나트륨
㈐ 몰식자산프로필 ㈑ 에리소르빈산
㈒ EDTA 2 나트륨

213. 수용성 비타민에 속하는 산화방지제는?

㈎ α-토코페롤 ㈏ L-아스코르빈산
㈐ 에리소르빈산 ㈑ thiamine
㈒ β-카로틴

214. 다음 중 식용색소를 사용할 수 있는 식품은?

> ① 소시지
> ② 케첩
> ③ 황색 4호를 사용한 단무지
> ④ 버터

㈎ ① ㈏ ①, ③ ㈐ ②, ③
㈑ ②, ④ ㈒ ③

215. 발색제가 아닌 것은?

㈎ 아질산나트륨
㈏ 질산나트륨
㈐ 질산칼륨
㈑ 황산 제 1 철
㈒ 동클로로필린나트륨

215. 발색제란 그 자체는 색이 없지만 식품에 첨가했을 때 식품 자체의 색을 안정화시키고 잘 발색되게 하는 것이다.
 아질산나트륨, 질산나트륨, 질산칼륨은 육제품의 발색제로 사용된다. 그리고 황산제 1 철, 소명반은 과채류의 발색제로 사용된다.

정답 **211.** ㈑ **212.** ㈏ **213.** ㈏ **214.** ㈏ **215.** ㈒

216. 빵의 제조에 사용되는 팽창제가 아닌 것은?
(가) 탄산암모늄　　(나) 탄산마그네슘
(다) 염화암모늄　　(라) 명반
(마) 아황산나트륨

217. 유화제가 아닌 것은?
(가) 글리세린지방산에스테르　　(나) 알긴산
(다) 소르비탄지방산에스테르　　(라) 자당지방산에스테르
(마) 대두레시틴

218. 산화력을 가진 표백제는?
(가) 과산화수소　　(나) 아황산나트륨
(다) 아황산칼륨　　(라) 아질산나트륨
(마) 아질산칼륨

219. 허용된 인공감미료가 아닌 것은?
(가) 사카린나트륨　　(나) 시클라메이트
(다) 아스파탐　　(라) D-소르비톨
(마) 글리실리진산2나트륨

220. 보존료에 대한 설명으로 옳지 않은 것은?
(가) 보존료의 효과는 pH에 의해 크게 변하는 것이 많고, pH가 낮을수록 효과는 커진다.
(나) 산형보존료는 용액 중에서 일정한 비율로 해리되어 비해리분자와 해리분자로 되어 존재한다.
(다) 용액의 수소이온 농도가 증가하면 비해리분자가 증가하여 효과가 증대된다.
(라) 보존료의 사용에 있어서는 그 작용에 효과적인 pH로 조정하고 가열살균, 냉장 또는 냉동을 동시에 실시하는 것이 바람직하다.
(마) 지정된 보존료는 대부분 사용기준이 정해져 있지 않기 때문에 자유롭게 사용해도 된다.

정답　216. (마)　217. (나)　218. (가)　219. (나)　220. (마)

221. 현재 허용된 식품첨가물에 대한 설명으로 옳은 것은?

〈영양교사, 2010년 기출문제〉

(가) 살리실산(salicylic acid)을 된장에 첨가하면 된장의 유색 물질과 반응하여 색을 내거나 고정시키는 기능을 한다.
(나) 차아황산나트륨(sodium hyposulfite)을 초코케이크에 첨가하면 물과 기름의 계면에 작용하여 계면장력을 낮춤으로써 분산상의 응집을 막는다.
(다) 글리세린 지방산 에스테르(glycerin esters of fatty acids)를 사과에 첨가하면 표면에 피막을 만들어 호흡을 조절하고 수분증발을 막아 신선도를 유지한다.
(라) 몰식자산 프로필(propyl gallate)을 설탕에 첨가하면 공기 중의 산소, 빛, 금속 등에 의해 산화, 변질되는 것을 방지하여 맛과 향의 변화, 변색 및 퇴색을 막아준다.
(마) 소르빈산 칼륨(potassium sorbate)을 치즈에 첨가하면 보관 중에 일어나는 미생물 증식에 의한 변패나 변질을 방지하고 식품의 신선도와 품질을 보존하는 기능을 한다.

222. 산화방지제로 과실과 같은 향기를 지닌 것은?

(가) 에리소르빈산 나트륨
(나) 디부틸히드록시 톨루엔
(다) 아스코르빌 팔미테이트
(라) 터셔리부틸 히드로퀴논
(마) 몰식자산 프로필

223. 일명 '벵가라'라고 하고, 바나나 및 곤약에만 사용이 가능하며 곰팡이 방지용 도료로 사용되기도 하는 비 tar 계 식용색소는?

(가) 수용성 안나토
(나) 동 클로로필
(다) 삼이산화철
(라) 이산화티타늄
(마) 카르민

221. (가)의 살리실산은 청주, 식초, 과실주 등의 보존료로 사용되어 왔으나 대량 섭취시 중독증상이 발견되어 현재는 사용되지 않는 보존료이다.
(나)의 차아황산나트륨은 식품을 보존할 때 착색이나 갈변 등의 변화를 억제하기 위하여 사용되는 첨가물로 참깨에는 사용하지 못한다.
(다)의 글리세린 지방산 에스테르는 액체나 고체를 액체에 균일하게 분산시키기 위해 사용되는 유화제, 즉 계면활성제이다.
(라) 몰식자산 프로필은 공기 중의 산소에 의해서 일어나는 '유지의 산패에 의한 이미와 이취 및 식품의 변색 등을 방지하기 위한 산화 방지제(항산화제)'인데 유지나 버터의 사용기준은 0.1g/kg 이하이다.

정답 221. (마) 222. (다) 223. (다)

224. 품질개량제의 특성으로 옳지 않은 것은?

(가) 씹을 때 식감을 좋게 함 (나) 저장 중 외관을 좋게 함
(다) 맛의 조화를 이루게 함 (라) 풍미의 향상을 가져옴
(마) 변질·변색을 방지함

225. 다음 중 맞게 연결된 것은?

| ① sorbic acid – 보존료 ② vitamin 류 – 강화제 |
| ③ 아질산나트륨 – 발색제 ④ hexane – 조미료 |

(가) ①, ②, ③ (나) ①, ③ (다) ①, ④
(라) ④ (마) ①, ②, ③, ④

226. 레시틴(lecithin)에 대한 설명이 옳지 않은 것은?

(가) 대두로부터 얻는 대표적인 유화제이다.
(나) 담황색~갈색의 투명 또는 반투명의 점조한 물질로서 약간 특이한 냄새와 맛을 가진다.
(다) 에테르, 벤젠, 클로로포름에 잘 녹고 알코올에는 약간 녹으며, 아세톤에는 잘 녹지 않는다.
(라) 분자 내의 지방산 종류에 따라 물성이 다르며, 공업적으로는 Tween 으로 알려져 있다.
(마) 물에는 녹지 않으나, 팽윤하여 콜로이드용액으로 된다.

227. 현재 인공감미료로 가장 널리 이용되며, 농도 0.05% 이상에서 고미(苦味)를 수반하는 것은?

(가) 사카린나트륨 (나) 글리실리진산 2 나트륨
(다) D-소르비톨 (라) 아스파탐
(마) 스테비오사이드

8. 식품위생검사 및 가공업의 시설기준

228. HACCP에 대한 설명 중 옳지 않은 것은?

> ① 단체급식을 시행하는 집단급식소는 HACCP 의무 준수대상이다.
> ② HACCP 지정 집단급식소에서는 바닥으로부터 60cm 이상의 높이에서 조리한다.
> ③ 식품으로 인한 위해를 방지하기 위한 위생체계이다.
> ④ HACCP 지정 집단급식소에서는 냉장보관식품을 5℃ 이하에서 배식한다.

(가) ①　　(나) ②, ④　　(다) ②, ③, ④
(라) ③　　(마) ③, ④

229. 대장균군을 설명하는 내용으로 적합하지 않은 내용은?

(가) Gram 음성균
(나) 젖당을 분해하여 산과 gas 생성
(다) 통성혐기성균
(라) 식품위생의 지표균
(마) 내열성 포자의 형성

230. 대장균군 검사에 사용되는 배지가 아닌 것은?

(가) 유당 bouillon 배지　　(나) BGLB 배지
(다) Endo 배지　　(라) Nutrient 배지
(마) EMB 배지

231. LD_{50}에 관한 내용과 관련이 없는 것은?

(가) 반수치사량
(나) 독성물질의 급성독성 정도를 나타내는 단위
(다) 수치가 높을수록 독성이 강하다.
(라) 1회 투여 후 7~14일이 지나서 판정한다.
(마) 실험동물의 경구 혹은 경피에 투여한다.

231. LD_{50}의 값이 높을수록 독성물질의 독성이 낮음을 의미한다.

232. 위생하수의 기준으로 옳은 것은?

(가) BOD 20 ppm 이상, DO 4 ppm 이상
(나) BOD 20 ppm 이하, DO 4 ppm 이상
(다) BOD 20 ppm 이상, DO 4 ppm 이하
(라) BOD 4 ppm 이상, DO 20 ppm 이상
(마) BOD 4 ppm 이하, DO 20 ppm 이상

232. BOD(Biological Oxygen Demand) : 생물학적 산소요구량, 물속의 유기물을 생물학적인 방법으로 산화시킬 때 요구되는 산소의 양이다. 유기물의 오염이 심한 물일수록 그 수치가 높다.

233. 다음은 식품위생검사의 검체 채취 및 취급방법에 대한 설명이다. 옳지 않은 것은?

(가) 검체의 채취수량은 대상식품의 종류 및 검사목적에 따라 다르겠지만 가능한한 최대의 수량을 채취하는게 원칙이다.
(나) 불균질한 검체는 혼합검체로 하여 검사하는데, 이때는 lot 또는 batch 별로 무작위추출법이 적용된다.
(다) 불량식품을 가려내기 위한 검체의 채취방법은 현장에서 육안검사나 간단한 선별검사를 실시하여 그 중에서 이상 또는 의심이 나는 것을 발췌하여 검체로 한다.
(라) 세균학적 검사의 대상이 되는 검체의 채취는 무균적으로 실시해야 한다.
(마) 시료채취 시에는 건열멸균된 핀셋, 스푼 등을 미리 준비하여 채취시료마다 바꾸어 가며 사용한다.

234. 대장균 검사에 쓰이는 배지끼리 묶인 것은?

| ① 유당 bouillon 배지 | ② BGLB 배지 |
| ③ desoxycholate 한천배지 | ④ tetrathion 산염배지 |

(가) ①, ②, ③ (나) ①, ③ (다) ②, ④
(라) ④ (마) ①, ②, ③, ④

정답 232. (나) 233. (가) 234. (가)

235. TCBS 한천 평판 위에 도말하여 37℃에서 18시간 배양한 후, 녹색으로 불투명한 집락을 보고 판정하는 세균성 식중독균은?

㈎ 살모넬라
㈏ 병원성 대장균
㈐ 보툴리누스균
㈑ 장염 비브리오
㈒ 포도상구균

236. 우유의 신선도 검사 중 methylend blue 법의 설명으로 옳지 않은 것은?

㈎ Hastring 시험법 혹은 reductase 법이라고 한다.
㈏ 우유에 세균이 증식하면 세균의 reductase 에 의해 resazurin 색소가 환원되는 원리를 이용한다.
㈐ 산도가 높으면 우유 중의 casein 이 응고되는 원리를 이용한 방법이다.
㈑ alizarin 색소의 탈색유무로 세균오염 정도를 알 수 있다.
㈒ 우유 중의 젖산을 0.1 N NaOH 로 적정하여 젖산으로 표시할 때 0.25% 이상이면 부패유로 본다.

237. 우유의 신선도 검사방법을 살펴보려고 한다. 다음 중 옳은 방법끼리 묶인 것은?

| ① resazurin 법 | ② methylene blue 법 |
| ③ alizarin 법 | ④ glycogen 측정법 |

㈎ ①, ②, ③   ㈏ ①, ③   ㈐ ②, ④
㈑ ④   ㈒ ①, ②, ③, ④

238. 어육의 신선도검사법에 해당되지 않는 것은?

㈎ Ebel 법
㈏ pH 측정법
㈐ 단백질의 승홍침전반응
㈑ Rimini 반응
㈒ Conway 의 미량확산법

정답 235. ㈑ 236. ㈎ 237. ㈎ 238. ㈑

239. 쇠고기와 말고기를 구별하는 가장 확실하고 쉬운 방법은?

   (가) 생균수 측정
   (나) glycogen 측정
   (다) 요오드가 측정
   (라) histamine 측정
   (마) 카르보닐(carbonyl)가 측정

240. 식육의 신선도 검사에서 pH 측정을 했을 때, 어느 정도이면 정상적인 식육인가?

   (가) pH 3.5 정도   (나) pH 5 정도
   (다) pH 6.5 정도   (라) pH 7.5 정도
   (마) pH 9 정도

241. 수질오염의 물리적 지표로 옳지 않은 것은?

   (가) pH   (나) 온도
   (다) 감미도   (라) 탁도
   (마) 색깔 및 취기

242. 중금속의 오염에 있어서 병·통조림 중의 납 기준량을 얼마로 규제하고 있는가?

   (가) 0.1 ppm   (나) 0.2 ppm   (다) 0.3 ppm
   (라) 0.4 ppm   (마) 0.5 ppm

243. 반감기가 가장 긴 것은?

   (가) DDVP   (나) 수미치온   (다) 디아지논
   (라) 파라치온   (마) DDT

244. 체내의 지방조직에 축적되며 간질과 유사한 신경중독을 나타내는 농약은?

   (가) 유기인제   (나) 유기염소제
   (다) 유기수은제   (라) 카바메이트제
   (마) 유기불소제

정답 239. (가) 240. (다) 241. (다) 242. (다) 243. (마) 244. (나)

245. 식품에 잔류하는 항생물질의 가장 큰 문제점은?

(가) 급성독성 (나) 만성독성
(다) 내성균의 출현 (라) 균교대증
(마) 알레르기 발현

246. 수질기준에 대한 다음 설명 중 옳은 것은?

① 먹는 물은 100mL 중에서 대장균군이 검출되지 않아야 한다.
② 용존산소량(DO)이 4ppm 이상이면 폐수로 판단한다.
③ 위생하수는 생물화학적 산소요구량(BOD) 10ppm 이하, DO 4ppm 이상이다.
④ 상수의 pH는 5.8~8.5이다.

(가) ①, ②, ③ (나) ①, ②, ④ (다) ①, ③, ④
(라) ②, ③, ④ (마) ①, ②, ③, ④

247. 폐수의 측정항목이 아닌 것은?

(가) 용존산소 (나) 생화학적 산소요구량
(다) 화학적 산소요구량 (라) 부유물질
(마) 수분활성

248. 포르말린이 용출되는 수지는?

① 페놀수지 ② 요소수지
③ 멜라민수지 ④ 염화비닐수지

(가) ①, ②, ③ (나) ①, ③
(다) ②, ④ (라) ④
(마) ①, ②, ③, ④

249. PVC에서 용출되는 발암성 물질은?

(가) 포르말린
(나) 프탈산에스테르
(다) VCM (vinyl chloride monomer)
(라) 페놀
(마) 벤조피렌

정답 245. (다) 246. (나) 247. (마) 248. (가) 249. (다)

250. 음료수, 식품 등에 오염되어 신장장애, 중추신경장애 등을 유발하는 금속은?

㈎ 구리　　　　　　㈏ 납
㈐ 비소　　　　　　㈑ 주석
㈒ 크롬

251. 유기염소화합물을 연소, 소각하는 과정에서 생성되는 발암성 환경오염물질은?

㈎ 벤조피렌　　　　㈏ 니트로사민
㈐ 트리할로메탄　　㈑ PCB
㈒ 다이옥신

252. PCB, 다이옥신, DDT의 공통된 특징이 아닌 것은?

㈎ 먹이사슬에 의해 축적된다.
㈏ 지방에 대한 용해도가 높다.
㈐ 분해가 잘 안 된다.
㈑ 식물성 식품에 축적된다.
㈒ 만성중독을 일으킨다.

253. 1950년대 일본에서 발생한 미나마타사건은 어떤 중금속의 오염에 의한 것인가?

㈎ 수은　　　㈏ 비소　　　㈐ 구리
㈑ 주석　　　㈒ 아연

254. 수질오염의 지표 중 화학적 지표에 대해 알아보고자 한다. 다음 중 옳은 지표끼리 묶인 것은?

> ① dissolved oxygen　　② biological oxygen demand
> ③ chemical oxygen demand　　④ susperded solid

㈎ ①, ②, ③　　　　㈏ ①, ③
㈐ ②, ④　　　　　㈑ ①, ④
㈒ ①, ②, ③, ④

정답 250. ㈏　251. ㈒　252. ㈑　253. ㈎　254. ㈒

255. 목장에서의 냉장과정에서 겨울철에 검출되는 저온세균으로 옳지 않은 것은?

(가) *Pseudomonas*   (나) *Flavobacterium*
(다) *Alcaligenes*   (라) *Micrococcus*
(마) *Achromobacter*

256. 산업폐수 중에서 BOD가 높은 폐수의 발생원으로, 옳은 내용끼리 묶인 것은?

| ① 생활용수   ② 도살장 |
| ③ 식품가공공장 ④ 원자력발전소 |

(가) ①, ②, ③   (나) ①, ③   (다) ②, ④
(라) ④   (마) ①, ②, ③, ④

257. 공장폐수의 오염판단기준으로 미국에서 어류를 대상으로 채택하고 있는 지표는?

(가) SS   (나) DO
(다) TLm   (라) BOD
(마) COD

258. 다음 중 조개독이 아닌 것은?

(가) 삭시톡신   (나) 베네루핀   (다) 무스카린
(라) 고니아우톡신   (마) 오카다익산

259. 마비성 패류 독소에 해당되는 것은?

(가) 삭시톡신   (나) 테트로도톡신   (다) 에르고톡신
(라) 엔테로톡신   (마) 베네루핀

260. 다음 중 베네루핀에 대한 설명으로 틀린 것은?

(가) 간장독 물질이다.
(나) 피하에 출혈반점이 나타난다.
(다) 황달현상이 나타난다.
(라) 중증일 때는 뇌증상이 나타난다.
(마) 구아니딜 유도체이다.

정답 255. (라)   256. (가)   257. (다)   258. (다)   259. (가)   260. (마)

261. 구토 및 콜레라 증세를 보이며 간장, 신장 침해를 일으키는 독버섯 독소는?

(가) 무스카린 (나) 아마니타톡신 (다) 뉴린
(라) 콜린 (마) 아가리식액시드

262. 청산배당체가 아닌 것은?
(가) 파세오루나틴 (나) 리나마린 (다) 아미그달린
(라) 두린 (마) 사이카신

263. 고사리에 존재하는 발암성 물질은?
(가) 리코린 (나) 아코니틴 (다) 시키민
(라) 테무린 (마) 프타퀼로사이드

264. 독미나리의 독소성분은?
(가) 고시폴 (나) 리코린 (다) 시큐톡신
(라) 아트로핀 (마) 코리아미르틴

265. 우리나라 식중독 환자의 약 85%는 3/4 분기에 발생한다. 그 원인으로 옳은 것은?

| ① 미생물의 생육조건 양호 | ② 오염된 날 음식의 섭취 |
| ③ 개인의 체력 저하 | ④ 자연독 식품의 섭취 |

(가) ①, ②, ③   (나) ①, ③   (다) ②, ④   (라) ④   (마) ①, ②, ③, ④

266. 세균성 식중독의 올바른 예방법은?

| ① 신선한 식품재료 사용 | ② 식품의 저온 보존 |
| ③ 섭취 전에 식품의 충분한 가열 | ④ 유독한 부위 제거 |

(가) ①, ②, ③   (나) ①, ③   (다) ②, ④   (라) ④   (마) ①, ②, ③, ④

정답 261. (나) 262. (마) 263. (마) 264. (다) [K형 문제] 265. (가) 266. (가)

267. 세균성 식중독의 원인균으로 옳은 것은?

① Lactobacillus plantarum   ② Salmonella typhimurium
③ Penicillium citrinum   ④ Staphylococcus aureus

(가) ①, ②, ③   (나) ①, ③   (다) ②, ④   (라) ④   (마) ①, ②, ③, ④

268. 중독성 조개류의 일반적 성질을 바르게 설명한 것은?

① 독성물질은 유독 플랑크톤의 섭취에 의해 생성된다.
② 독성물질은 조개의 내장에 축적된다.
③ 독성분은 보통 가열조리법에 의해 파괴되지 않는다.
④ 조개의 서식지와 독성분의 축적은 관계가 없다.

(가) ①, ②, ③   (나) ①, ③   (다) ②, ④   (라) ④   (마) ①, ②, ③, ④

269. 천연항산화제(산화방지제)로 올바른 것은?

① 토코페롤   ② BHA   ③ 세사몰   ④ 크산토필

(가) ①, ②, ③   (나) ①, ③   (다) ②, ④   (라) ④   (마) ①, ②, ③, ④

270. 기생충과 그 감염원이 되는 식품과의 연결이 올바른 것은?

① 가재, 게 – 폐흡충   ② 잉어, 은어 – 요꼬가와흡충
③ 잉어, 붕어 – 간흡충   ④ 오징어, 대구 – 아니사키스

(가) ①, ②, ③   (나) ①, ③   (다) ②, ④   (라) ④   (마) ①, ②, ③, ④

271. 식품첨가물과 그 용도가 올바르게 연결된 것은?

① 소르빈산 – 살균료   ② 에리소르빈산 – 밀가루 개량제
③ 아질산나트륨 – 착색료   ④ 글리세린지방산 에스테르 – 유화제

(가) ①, ②, ③   (나) ①, ③   (다) ②, ④   (라) ④   (마) ①, ②, ③, ④

정답 267. (다)   268. (가)   269. (나)   270. (나)   271. (라)

272. 식품에 사용이 금지된 유해성 착색료는?

> ① rongalite　　② auramine
> ③ dulcin　　　 ④ sudan Ⅲ

(가) ①, ②, ③　(나) ①, ③　(다) ②, ④　(라) ④　(마) ①, ②, ③, ④

273. 기구, 용기 또는 포장재 등과 이들에서 기인하는 유독·유해물질과의 연결이 올바른 것은?

> ① phenol 수지－formalin　　② 염화 vinyl 수지－염화 vinyl 단량체
> ③ 종이－형광증백제　　　　 ④ 옹기－납

(가) ①, ②, ③　(나) ①, ③　(다) ②, ④　(라) ④　(마) ①, ②, ③, ④

274. 복어에 대한 설명 중 올바른 것은?

> ① 독성은 복어의 종류, 부위, 계절, 지역 등에 따라 다르다.
> ② 주된 중독증상은 마비이다.
> ③ 독소는 열에 안정하다.
> ④ 독소인 tetrodotoxin 은 알칼리성에서는 안정하다.

(가) ①, ②, ③　(나) ①, ③　(다) ②, ④　(라) ④　(마) ①, ②, ③, ④

275. Mycotoxin 과 장해부위가 올바로 연결된 것은?

> ① rubratoxin－신장독　　② citrinin－신경독
> ③ patulin－간장독　　　 ④ sporidesmin－광과민성 피부염

(가) ①, ②, ③　(나) ①, ③　(다) ②, ④　(라) ④　(마) ①, ②, ③, ④

정답 272. (다)　273. (마)　274. (가)　275. (라)

276. 경구감염병에 대한 설명이다. 올바른 것은?

> ① 보균자는 감염병 관리상 중요한 대상이다.
> ② 미량의 균으로도 감염된다.
> ③ 세균성 이질은 제1군 법정감염병이다.
> ④ 장티푸스는 환자의 소변으로도 균이 배출된다.

(가) ①, ②, ③   (나) ①, ③   (다) ②, ④   (라) ④   (마) ①, ②, ③, ④

277. 경구감염병에 대한 대책 중 감염경로차단에 대한 대책은?

> ① 환자 및 보균자를 조기에 발견하여 식품취급을 금지시킨다.
> ② 모든 음식물은 섭취 전에 가열·살균한다.
> ③ 식품취급자는 언제나 건강관리에 유의하고 예방접종을 받도록 한다.
> ④ 위생해충을 철저히 구제한다.

(가) ①, ②, ③   (나) ①, ③   (다) ②, ④   (라) ④   (마) ①, ②, ③, ④

278. 돼지고기의 생식으로 감염되기 쉬운 기생충은?

> ① 유구조충   ② 선모충   ③ 톡소플라스마   ④ manson 열두조충

(가) ①, ②, ③   (나) ①, ③   (다) ②, ④   (라) ④   (마) ①, ②, ③, ④

279. 식품의 부패에 대한 설명이다. 올바른 것은?

> ① *Pseudomonas*, *Achromobacter* 등은 대표적인 어패류 부패균이다.
> ② lysine 은 탈탄산반응에 의해 cadaverine 을 생성한다.
> ③ 휘발성 염기질소의 함량이 30~40 mg% 이면 초기부패다.
> ④ gluconic acid 는 단백질의 부패산물이다.

(가) ①, ②, ③   (나) ①, ③   (다) ②, ④   (라) ④   (마) ①, ②, ③, ④

정답 276. (마)   277. (다)   278. (가)   279. (가)

280. 다음 소독과 관련한 설명 중 올바른 것은?

> ① 자외선등 살균의 가장 유효한 살균대상은 공기와 물이다.
> ② 승홍과 포르말린은 단백질 응고작용에 의하여 미생물을 사멸시킨다.
> ③ 포르말린은 무균실, 병실, 도서실 등의 소독에 사용된다.
> ④ 차아염소산나트륨은 과일, 채소류 등의 소독에 사용된다.

(가) ①, ②, ③ (나) ①, ③ (다) ②, ④ (라) ④ (마) ①, ②, ③, ④

281. 다음 중 식품위생에 관한 설명으로 옳은 것은?

> ① 모든 식품첨가물은 검사기관의 제품검사를 받아야 한다.
> ② 화학적 합성품은 허가없이 사용할 수 없다.
> ③ 독성이 없는 물건은 모두 첨가물로 사용해도 무방하다.
> ④ 식품첨가물공전에 수록되어 있는 사용기준은 식품의 종류와 사용량, 사용방법 등을 한정하기 위함이다.

(가) ①, ②, ③ (나) ①, ③ (다) ②, ④ (라) ④ (마) ①, ②, ③, ④

282. 식용 tar 색소 알루미늄레이크에 대한 설명이다. 옳은 것은?

> ① 미세한 입자를 용해해서 사용한다.
> ② 내열성 및 내광성이 우수하다.
> ③ 물에 잘 용해된다.
> ④ 수성식품이나 유성식품에 관계없이 착색된다.

(가) ①, ②, ③ (나) ①, ③ (다) ②, ④ (라) ④ (마) ①, ②, ③, ④

283. 다음 폐수와 관련하여 옳게 설명한 것은?

> ① 식품공장에서 배출되는 폐수는 유기성 부유물질이 많다.
> ② DO가 많다는 것은 물속에 부패성 유기물이 적다는 뜻이다.
> ③ 물속에 암모니아성 질소의 검출은 분변, 하수 등의 혼입가능성이 있다.
> ④ 생활용수와 식품가공공장의 폐수는 BOD가 낮다.

(가) ①, ②, ③ (나) ①, ③ (다) ②, ④ (라) ④ (마) ①, ②, ③, ④

정답 280. (마) 281. (다) 282. (다) 283. (가)

284. 다음은 위생해충구제의 일반원칙이다. 옳은 것은?

① 발생초기에 실시한다.
② 구제대상 동물의 발생원을 제거한다.
③ 대상동물의 생태습성에 따라 실시한다.
④ 서식 범위 내에서 실시한다.

(가) ①, ②, ③　　(나) ①, ③　　(다) ②, ④
(라) ④　　(마) ①, ②, ③, ④

285. 다음 중 서로 바르게 연결된 것은?

① 독미나리 — cicutoxin　　② 독버섯 — aconitine
③ 청매 — amygdalin　　④ 면실유 — phaseolunatin

(가) ①, ②, ③　　(나) ①, ③　　(다) ②, ④
(라) ④　　(마) ①, ②, ③, ④

286. 다음은 소독과 살균에 대한 설명이다. 옳은 것은?

① 건열멸균은 초자기구, 금속기구, 분말, 기름 등을 멸균할 때 사용된다.
② 포름알데히드는 0.002% 용액으로 세균의 발육을 저지시킨다.
③ 방사선 살균은 식품의 발아억제, 살충 및 숙도 조절의 목적에 한해 사용된다.
④ 양성비누는 세척력과 살균력이 강하고, 자극성과 부식성이 없으므로 손과 식기 등의 소독에 사용된다.

(가) ①, ②, ③　　(나) ①, ③　　(다) ②, ④
(라) ④　　(마) ①, ②, ③, ④

287. 다음 세균성 식중독과 그에 이용되는 배지로 잘못 짝지어진 것은?

① 장염 비브리오 : TCBC 배지, WA 배지　　② 대장균 : BGLB 배지
③ 웰치균 : beef extract 배지　　④ 살모넬라 : SS 배지, Selenite

(가) ①, ②, ③　　(나) ①, ②, ④　　(다) ①, ③, ④
(라) ②, ③, ④　　(마) ①, ②, ③, ④

정답　284. (가)　285. (나)　286. (가)　287. (다)

288. 위생검사에 사용되는 검체의 보존방법이다. 옳은 것은?

① 산화방지를 위해 질소가스를 증진시킨다.
② 효소에 의한 변화를 방지하기 위해 효소 저해제를 첨가한다.
③ 휘발성 물질의 이동을 방지하기 위해 밀봉한다.
④ 미생물의 변화를 막기 위해 살균제를 첨가한다.

(가) ①, ②, ③　　　　(나) ①, ③　　　　(다) ②, ④
(라) ④　　　　(마) ①, ②, ③, ④

289. 식품저장 시에 미생물의 증식을 억제하기 위하여 미생물의 생육조건을 조절할 경우, 옳은 것은?

① 수분함량 조절　　② 영양성분 조절　　③ 온도조절　　④ 압력조절

(가) ①, ②, ③　　　　(나) ①, ③　　　　(다) ②, ④
(라) ④　　　　(마) ①, ②, ③, ④

290. 세균성 식중독에 대한 설명이다. 옳은 것은?

① 장염비브리오 식중독은 독소형 식중독이다.
② *Botulinus* 균이 생성하는 독소는 열에 강하다.
③ 포도상구균 식중독은 세균성 식중독 중에서 치사율이 가장 높다.
④ *Welchii* 균 식중독은 동·식물성 단백질식품이 주원인 식품이다.

(가) ①, ②, ③　　　　(나) ①, ③　　　　(다) ②, ④
(라) ④　　　　(마) ①, ②, ③, ④

정답　**288.** (가)　**289.** (나)　**290.** (라)

4 식품위생관계법규

영양사는 식품과 위생에 관련한 법과 밀접한 관계가 있으므로 중요한 법적사항은 꼭 기억해 두어야 합니다.
따라서 국가고시에서도 20문제가 출제되는데, 그 범위는 다음과 같습니다.

1. 식품위생법
2. 식품위생법 시행령
3. 식품위생법 시행규칙
4. 영양사에 관한 규칙
5. 국민건강증진법
6. 국민건강증진법 시행령, 시행규칙
7. 학교보건법
8. 학교보건법 시행령
9. 기타 법규(학교급식법, 보건범죄단속에 관한 특별조치법)

* 여기에 내용은 2012년 12월 개정분까지 실었습니다.

식품위생관계법규

1. 법의 정의

1. 법이란 무엇인가?

인간생활에 있어서의 법은 인간의 행위를 규제하는 사회규범으로 당위(하여야 한다), 부당위(하여서는 안 된다)를 정하여 사람들의 사회생활이 질서있게 유지되도록 하고 있다.

법의 형식은 문서로 작성되어 일정한 절차와 형식에 의하여 공포된 제정법(성문헌법, 법률, 명령, 자치법칙, 조약 등), 즉 성문법과 그 내용이 문서로 작성되어 일정한 절차와 형식에 의하여 공포된 법 이외의 법(관습법, 판례법, 조례 등)인 불문법으로 구분된다. 법은 도덕, 종교, 관습 등의 사회규범과 다른 강제규범의 성격을 가지며 다음과 같은 특징이 있다.

① 법은 사회구성원 모두에게 적용된다. ② 법은 모든 인간에게 정의의 구현을 보장한다. ③ 법은 사회공통된 요구와 소망을 대표한다. ④ 정부권한에 의해 지원받는다.

또 법의 목적을 보면 개인의 권리와 자유를 보호하고 공익증진을 위해 인간행위를 규제·통제하는 1차적 목적과 재판관 자의(恣意)에 의한 판결을 최대한 방지하여 법의 재판규범에 의한 사회정의실현에 2차적 목적이 있다.

2. 법의 분류 및 시행체계

(1) 헌 법(憲法)

국가의 통치체계의 기본적 조건과 국민의 기본적 권리·의무 등을 규정한 기본원칙법이다.

(2) 법 률(法律)

법과 동의어로 사용되며 법규·명령 등을 포함한 성문법·불문법을 말한다. 국회의 의결을 거쳐 대통령이 서명·공포로 성립하여 시행되며, 국민의 기본권에 대한 것은 법률로 정한다. 법률은 국민전체에 해당되므로 법률없이 개개인의 행위를 규제할 수 없다.

(3) 시행령 (大統領令)

법률을 시행하는 데 필요한 사항을 규정하는 것으로 법체제의 심의를 거쳐 국무회의 의결로 공포된다. 공포·발령은 대통령령으로 한다. 대통령이 정치력에 의해서 법률을 시행할 수 있도록 위임한 위임입법이다.

(4) 시행규칙 (部令)

법률이나 시행령의 위임규정에 근거를 두고, 시행령으로 규정할 수 없는 구체적인 사항을 실무행정기관이 적법이 되도록 시행하게 한 것을 말하며, 발령은 해당 부령, 즉 식품관계법규는 보건복지부령으로 한다. 당해 행정기관의 제정과 법제처의 심의를 거쳐 시행된다.

3. 법의 효력과 벌칙

법의 효력은 법으로서 실효성, 타당성을 갖추었을 때에 법이 적용되는 범위를 말한다.
① **사람에 관한 효력** : 공무원에게만 해당되는 공무원법 등
② **장소에 관한 효력** : 국적을 불문하고 그 장소에 있는 사람 모두에게 해당되는 법 등
③ **때에 관한 효력** : 법의 규정, 경과, 유효기간, 폐지 등

여기서 법의 효력을 벌칙으로 연결할 때, 법의 요구사항을 행하지 않으면 처벌대상이 된다. 이 때는 의무위반에 해당하는 책임이 처벌요건으로 이어진다.

4. 법의 용어해석

① **이상, 이하, 이전, 이후, 이내** : 그 수치를 포함한다.
② **초과, 미만, 넘는** : 그 수치를 포함하지 않는다.
③ **내지** : '에서, 까지'를 뜻하며, '제 1 항 내지 제 7 항'이란 제 1 항에서 제 7 항까지 전부를 뜻한다.
④ **각호에, 각호의 1** : '각호에'는 게기된 호의 전부를 말하고, '각호의 1'은 게기된 호 중 어느 하나의 호만을 말한다.
⑤ **전 4 항, 제 4 항** : '전 4 항'은 그 항을 포함하지 않는 그 항의 앞에 있는 4 개항을 말하고, '제 4 항'은 네번째 오는 제 4 항만을 말하는 것이다.
⑥ **준용한다** : 비슷한 내용의 조항을 되풀이하지 않고, 그 조항에 필요한 사항만을 적용한다는 뜻이다.
⑦ **그러하지 아니하다** : 허용 (許容)
⑧ **하여서는 아니된다** : 불허 (不許)
⑨ **병과한다** : 벌칙사항에 대하여 징역형과 벌금형을 동시에 과한다는 뜻이다.
⑩ **공하는** : '쓰이는', '사용되는'을 뜻한다.
⑪ **갈음할 수 있다** : '대신할 수 있다'는 뜻이다.

2. 식품위생법 해설

1. 식품위생관계법 공포

(1) **식품위생법** : 법률 제1007 호로 1962. 1. 20 공포
- 식품위생법 시행령 : 대통령령 제181 호로 1962. 6. 12 공포
- 식품위생법 시행규칙 : 보건복지부령 제19 호로 1962. 10. 10 공포
- 영양사에 관한 규칙 : 보건복지부령 제112 호로 1963. 6. 12 공포
- 식품 등의 기준 및 규격 : 보건복지부령 제2066 호로 1967. 12. 21 공포

(2) **먹는물관리법** : 법률 제4908 호로 1995. 1. 5 공포
- 먹는물관리법 시행령 : 대통령령 제14639 호로 1995. 1. 5 공포
- 먹는물관리법 시행규칙 : 환경부령 제10 호로 1995. 5. 1 공포

(3) **국민건강증진법** : 법률 제4914 호로 1995. 1. 5 공포
- 국민건강증진법 시행령 : 대통령령 제14757 호로 1995. 9. 1 공포
- 국민건강증진법 시행규칙 : 보건복지부령 제11 호로 1995. 9. 11 공포

(4) **학교보건법** : 법률 제1928 호로 1967. 3. 30 공포
- 학교보건법 시행령 : 대통령령 제3671 호로 1968. 12. 18 공포

(5) **학교급식법** : 법률 제3356 호로 1981. 1. 29 공포
- 학교급식법 시행령 : 대통령령 제10460 호로 1981. 9. 8 공포
- 학교급식법 시행규칙 : 체육부령 제2 호로 1983. 2. 25 공포

(6) **보건범죄단속에관한특별조치법** : 법률 제2137 호로 1969. 8. 4 공포
- 보건범죄단속에관한특별조치법 시행령 : 대통령령 제4326 호로 1969. 11. 27 공포
- 보건범죄단속에관한특별조치법 시행규칙 : 보건복지부령 제349 호로 1970. 5. 9 공포

(7) **지역보건법** : 법률 제1160 호로 1962. 9. 24 공포

(8) **감염병의예방및관리에관한법률** : 법률 제308 호로 1954. 2. 2 공포(전염병 예방법)
　　　　　　　　　　　　　　　법률 제9847 호로 2009. 12. 29 전부 개정
- 감염병의예방및관리에관한법률 시행령 : 대통령령 제4267 호로 1969. 11. 17 공포
　　　　　　　　　　　　　　　대통령령 제22564 호로 2010. 12. 29 전부개정
- 감염병의예방및관리에관한법률 시행규칙 : 보건복지부령 제570 호로 1977. 8. 19 공포
　　　　　　　　　　　　　　　보건복지부령 제32 호로 2010. 12. 30 전부개정

2. 식품위생법의 구성

1. 식품위생법의 목적

① 식품으로 인한 위해의 방지
② 식품영양의 질적 향상
③ 국민보건 향상과 증진

2. 용어의 정의

① **식품** : 의약품을 제외한 모든 음식물
② **식품첨가물** : 식품을 제조·가공 또는 보존함에 있어 첨가·혼합·침음 등에 사용되는 물질. 살균·소독 목적으로 사용되는 물질을 포함
③ **화학적 합성품** : 분해반응 이외의 화학반응으로 얻는 물질
④ **기구** : 음식기와 식품 또는 첨가물의 채취·제조·가공조리·저장·소분·운반·진열에 사용되는 것. 다만, 농업 및 수산물 채취나 식품의 채취에 사용되는 기구는 제외
⑤ **용기·포장** : 식품 또는 식품첨가물을 넣거나 싸는 등 인도에 사용되는 물품
⑥ **위해** : 식품, 첨가물, 기구, 용기, 포장에 존재하여 건강을 해칠 우려가 있는 위험요소
⑦ **표시** : 식품 및 첨가물, 기구 또는 용기·포장에 기재하는 문자·숫자 또는 도형
⑧ **영업** : 식품 또는 식품첨가물 및 그 기구·용기·포장을 채취·제조·가공·수입·조리·저장·소분·운반·판매하는 행위. 농업 및 수산업에 속하는 식품의 채취업을 제외
⑨ **영업자** : 영업허가를 받은 자 또는 영업신고나 영업등록을 한 자
⑩ **식품위생** : 식품, 첨가물, 기구, 용기, 포장을 대상으로 하는 위생
⑪ **집단급식소** : 영리를 목적으로 하지 않고 계속적으로 특정 다수인에게 음식물을 제공하는 기숙사, 학교, 병원, 후생기관 등의 급식시설
⑫ **식품이력추적관리** : 식품의 제조·가공·판매 단계별 정보기록으로 문제 발생 시 원인규명 및 조치가 가능한 관리법
⑬ **식중독** : 식품의 섭취시 인체에 유해한 미생물 또는 유독물질 발생으로 인한 감염 또는 독소형 질환

3. 판매금지 대상이 되는 식품 및 첨가물

① 썩었거나 상하였거나 설익은 것으로서, 인체의 건강을 해할 우려가 있는 것
② 유해·유독물질이 들어 있거나 묻어 있는 것, 또는 그 염려가 있는 것
③ 병원미생물에 의하여 오염되었거나 그 염려가 있어서 인체의 건강을 해할 우려가 있는 것
④ 불결하거나 다른 물질의 혼입 또는 첨가, 기타의 사유로 인체의 건강을 해할 우려가 있는 것

⑤ 안전성 평가의 대상에 해당하는 농·축·수산물을 평가받지 않았거나 안전성 평가 결과 부적합으로 인정된 것
⑥ 수입이 금지된 것, 또는 수입신고를 하여야 하는 경우에 신고를 하지 아니하고 수입한 것
⑦ 영업자가 아닌 자가 제조·가공·소분한 것
⑧ 질병에 걸렸거나 그 염려가 있는 동물, 또는 그 질병으로 인하여 죽은 동물의 고기·뼈·젖·장기 및 혈액은 이를 식품으로 판매하거나 판매할 목적으로 채취·수입·가공·사용·조리·저장·소분 또는 운반하거나 진열하지 못한다.
⑨ 기준과 규격이 고시되지 아니한 화학적 합성품인 첨가물과 이를 함유한 물질을 식품첨가물로 사용한 식품
⑩ 규정에 의하여 정하여진 그 기준과 규격에 맞지 아니하는 식품 또는 식품첨가물

4. 병든 가축 고기의 판매를 금지하는 질병

① 병든 동물의 몸 전체를 식용하지 못하는 질병 : 제1종 가축감염병, 제2종 가축감염병, 리스테리아증, 살모넬라증, 파스튜렐라증, 전신근염, 전신근육수종, 패혈증, 전신에 퍼진 황달, 농독증, 구간낭충, 선모충증, 요독증, 인체에 유해한 약물 중독증
② 병든 부분만을 식용에 사용하지 못하는 질병 : 염증, 외상, 종양, 심한 기형증, 방선균증, 부분적인 황달, 기생충증, 폐기증, 수종

5. 식품 및 식품첨가물에 관한 규격

① 식품의약품안전청장은 식품 또는 식품첨가물의 성분규격 및 제조·가공·조리·보존방법에 관한 기준을 정하여 고시한다.
② 식품 또는 식품첨가물(식품에 직접 사용하는 화학적 합성품은 제외) 제조·가공업자는 위의 성분규격 및 기준을 지정된 식품위생검사기관의 검사를 거쳐 그 규격과 기준을 한시적으로 인정받을 수 있다.
③ 수출용 식품 또는 식품첨가물은 수입자가 요구하는 기준과 규격에 의할 수 있다.
④ 정해진 기준·규격에 맞지 않는 식품 또는 첨가물은 판매 또는 그 목적으로 제조·수입·가공·사용·조리·저장·소분·운반·보존·진열할 수 없다.

6. 허위표시, 과대광고 및 과대포장의 범위

용기·포장 및 라디오·텔레비전·신문·잡지·음악·영상·인쇄물·간판·인터넷, 그 밖의 방법에 의하여 식품 등의 명칭·제조방법·품질·영양가·원재료·성분 또는 사용에 대한 정보를 나타내거나 알리는 행위 중 다음의 1에 해당하는 것

(1) 허위표시
  ① 허가·신고 또는 보고한 사항이나 수입신고한 사항과 다른 내용의 표시·광고
  ② 질병의 예방 및 치료에 효능이 있다는 내용 또는 의약품으로 혼동될 우려가 있는 내용의 표시·광고
  ③ 제품의 원재료 또는 성분 등이 다른 내용의 표시·광고
  ④ 제조년월일 또는 유통기한을 표시함에 있어서 사실과 다른 내용의 표시·광고

(2) 과대광고
  ① 제조방법에 관하여 연구 또는 발견한 사실로서 식품학·영양학 등의 분야에서 공인된 사항 외의 표시·광고
  ② 각종의 감사장·상장(정부표창 규정에 의하여 제품과 직접관련하여 수여한 상장, 정부조직법에 의하여 지자체 또는 공공기관에서 받은 인증·보증, 다른 법령에 의하여 받은 인증·보증 제외) 또는 체험기 등을 이용하는 광고
  ③ 외국어의 사용 등으로 외국제품으로 혼동할 우려가 있는 표시·광고 또는 외국과 기술제휴한 것으로 혼동할 우려가 있는 내용의 표시·광고
  ④ "주문쇄도", "단체추천" 등 제품의 제조방법·품질·영양가·원재료·성분 또는 효과와 직접 관련이 적은 내용을 강조함으로써 다른 업소의 제품을 간접적으로 다르게 인식되게 하는 광고
  ⑤ 미풍양속을 해치거나 해칠 우려가 있는 저속한 도안·사진 등을 사용하는 표시·광고 또는 미풍양속을 해치거나 해칠 우려가 있는 음향을 사용하는 광고
  ⑥ 화학적 합성품의 경우에 그 원료의 명칭 등을 사용하여 화학적 합성품이 아닌 것으로 혼동할 우려가 있는 광고
  ⑦ 판매사례품 또는 경품판매 등 사행심을 조장하는 내용의 광고

(3) 과대포장
  ① 내용물이 포장용적의 2/3에 미달되는 것(공기충전포장 후 이를 표시한 것은 제외)
  ② 실제 내용물이 재포장 용적의 1/2에 미달되는 것
  [참고] 건강보조식품과 인삼제품으로 신체조직의 일반적인 증진, 식품영양학적으로 공인된 유용성, 제품에 함유된 주요 영양성분의 식품영양학적인 기능과 작용 등 특정 질병명의 치료와 예방을 지칭하지 않을 때에는 허위표시나 과대광고로 보지 않는다.

7. 식품위생감시원

(1) 식품위생감시원의 자격 및 임명
  ① 식품위생감시원은 식품의약품안전청장(지방식품의약품안전청장을 포함), 시·도지사 또는 시장·군수·구청장이 소속 공무원 중에서 임명
  ② 위생사, 식품기술사·식품기사·식품산업기사·수산제조기술사·수산제조기사·수산제조산업기사 또는 영양사

③ 「고등교육법」 제2조제1호 및 제4호에 따른 대학 또는 전문대학에서 의학·한의학·약학·한약학·수의학·축산학·축산가공학·수산제조학·농산제조학·농화학·화학·화학공학·식품가공학·식품화학·식품제조학·식품공학·식품과학·식품영양학·위생학·발효공학·미생물학·조리학·생물학 분야의 학과 또는 학부를 졸업한 자 또는 이와 같은 수준 이상의 자격이 있는 자
④ 외국에서 위생사 또는 식품제조기사의 면허를 받은 자나 제2호와 같은 과정을 졸업한 자로서 식품의약품안전청장이 적당하다고 인정하는 자
⑤ 1년 이상 식품위생행정에 관한 사무에 종사한 경험이 있는 자
⑥ 인력이 부족한 경우에는 식품위생행정에 종사하는 자 중 소정의 교육을 2주 이상 받은 자에 대하여 그 식품위생행정에 종사하는 기간 동안 식품위생감시원의 자격을 인정

(2) 식품위생감시원의 직무
① 식품 등의 위생적 취급기준의 이행지도
② 수입·판매 또는 사용 등이 금지된 식품 등의 취급여부에 관한 단속
③ 표시기준 또는 과대광고 금지의 위반여부에 관한 단속
④ 출입·검사 및 검사에 필요한 식품 등의 수거
⑤ 시설기준의 적합여부의 확인·검사
⑥ 영업자 및 종업원의 건강진단 및 위생교육의 이행여부의 확인·지도
⑦ 조리사·영양사의 법령준수사항 이행 여부의 확인·지도
⑧ 행정처분의 이행여부 확인
⑨ 식품 등의 압류·폐기 등
⑩ 영업소의 폐쇄를 위한 간판제거 등의 조치
⑪ 기타 영업자의 법령 이행여부에 관한 확인·지도

8. 자가품질기준 및 규격의 검사

식품 등을 제조·가공하는 영업자는 보건복지부령이 정하는 바에 의하여 그가 제조·가공하는 식품 등이 제7조 식품 또는 식품첨가물에 관한 기준 및 규격 또는 제9조 기구 및 용기·포장에 관한 기준 및 규격이 자가품질검사기준에 맞는기를 검사하여야 한다.

(1) 식품 등의 검사
- 식품 등에 대한 자가품질검사는 판매를 목적으로 제조·가공하는 품목별로 실시하여야 한다.
- 기구 및 용기·포장의 경우 동일한 재질의 제품으로 크기나 형태가 다를 경우에는 재질별로 자가품질검사를 실시할 수 있다.
- 자가품질검사주기의 적용시점은 제품제조일을 기준으로 산정한다.
- 자가품질검사는 식품의약품안전청장이 정하여 고시하는 식품유형별 검사항목을 검사한다. 다만, 식품제조·가공 과정 중 특정 식품첨가물을 사용하지 아니한 경우에는 그 항목의 검사를 생략할 수 있다.

- 영업자가 다른 영업자에게 식품 등을 제조하게 하는 경우에는 식품 등을 제조하게 하는 자 또는 직접 그 식품 등을 제조하는 자가 자가품질검사를 실시하여야 한다.
- 식품 등의 자가품질검사는 다음의 구분에 따라 실시하여야 한다.

① 식품제조·가공업

1) 과자류, 다류, 김치류, 기타 식품류 및 단순가공품만을 가공하는 경우 : 6개월마다 1회 이상
2) 제품을 만들기 위하여 수입한 반가공 원료식품 : 6개월마다 1회 이상
   제품을 만들기 위하여 수입한 용기·포장 : 동일재질별로 6개월마다 1회 이상
3) 빵류, 식육 또는 알 가공품, 음료류, 식용유지류(들기름) : 3개월마다 1회 이상
4) 규정 외의 식품 : 1개월마다 1회 이상
5) 보건복지부장관이 식중독 발생위험이 높다고 인정하여 지정·고시한 기간에는 1) 및 2)에 해당하는 식품은 1개월마다 1회 이상, 3)에 해당하는 식품은 15일마다 1회 이상, 4)에 해당하는 식품은 1주일마다 1회 이상 실시하여야 한다.

② 즉석판매제조·가공업

- 크림빵류, 설탕, 어육가공품, 즉석섭취식품 및 기타식품류(캡슐류) 등 : 9개월마다 1회 이상
- 즉석판매제조·가공업소 내에서 소비자가 원하는 만큼 덜어서 직접 최종 소비자에게 판매하는 경우에는 자가품질검사를 실시하지 않을 수 있다.

③ 식품첨가물

- 기구 등 살균소독제 : 6개월마다 1회 이상 살균소독력
- 그 외의 식품첨가물 : 6개월마다 1회 이상 식품첨가물별 성분에 관한 규격

④ 기구 또는 용기·포장 : 동일재질별로 6개월마다 1회 이상

(2) 자가품질검사

① 식품의약품안전청장 및 시·도지사는 자가품질검사를 해당 영업을 하는 자가 직접 행하는 것이 부적합한 경우 자가품질위탁검사기관에 위탁하여 검사하게 할 수 있다.
② 자가품질검사를 직접 행하는 영업자 및 자가품질위탁검사기관은 검사 결과 해당 식품 등이 국민 건강에 위해가 발생하거나 발생할 우려가 있는 경우에는 지체 없이 식품의약품안전청장에게 보고하여야 한다.
③ 자가품질검사의 항목·절차, 그 밖에 검사에 필요한 사항은 보건복지부령으로 정한다.

9. 식품위생감시원

(1) 식품위생감시원의 자격 및 임명

① 식품위생감시원은 식품의약품안전청장(지방식품의약품안전청장을 포함한다), 시·도지사 또는 시장·군수·구청장이 다음 각 호의 어느 하나에 해당하는 소속 공무원 중에서 임명한다.

- 위생사, 식품기술사·식품기사·식품산업기사·수산제조기술사·수산제조기사·수산제조산업기사 또는 영양사
- 「고등교육법」제2조제1호 및 제4호에 따른 대학 또는 전문대학에서 의학·한의학·약학·한약학·수의학·축산학·축산가공학·수산제조학·농산제조학·농화학·화학·화학공학·식품가공학·식품화학·식품제조학·식품공학·식품과학·식품영양학·위생·발효공학·미생물학·조리학·생물학 분야의 학과 또는 학부를 졸업한 자 또는 이와 같은 수준 이상의 자격이 있는 자
- 외국에서 위생사 또는 식품제조기사의 면허를 받은 자나 상기와 같은 과정을 졸업한 자로서 식품의약품안전청장이 적당하다고 인정하는 자
- 1년 이상 식품위생행정에 관한 사무에 종사한 경험이 있는 자

② 식품위생감시원의 인력 확보가 곤란하다고 인정될 경우에는 식품위생행정에 종사하는 자 중 소정의 교육을 2주 이상 받은 자에 대하여 그 식품위생행정에 종사하는 기간 동안 식품위생감시원의 자격을 인정할 수 있다.

(2) 식품위생감시원의 직무

① 식품 등의 위생적인 취급에 관한 기준의 이행 지도
② 수입·판매 또는 사용 등이 금지된 식품 등의 취급 여부에 관한 단속
③ 표시기준 또는 과대광고 금지의 위반 여부에 관한 단속
④ 출입·검사 및 검사에 필요한 식품 등의 수거
⑤ 시설기준의 적합 여부의 확인·검사
⑥ 영업자 및 종업원의 건강진단 및 위생교육의 이행 여부의 확인·지도
⑦ 조리사 및 영양사의 법령 준수사항 이행 여부의 확인·지도
⑧ 행정처분의 이행 여부 확인
⑨ 식품 등의 압류·폐기 등
⑩ 영업소의 폐쇄를 위한 간판 제거 등의 조치
⑪ 그 밖에 영업자의 법령 이행 여부에 관한 확인·지도

10. 영업의 종류

(1) 식품제조·가공업 : 식품을 제조·가공하는 영업

(2) 즉석판매제조·가공업 : 보건복지부령이 정하는 식품을 제조·가공 업소 내에서 직접 최종소비자에게 판매하는 영업

(3) 식품첨가물제조업

① 감미료·착색료·표백제 등의 화학적 합성품
② 천연 물질로부터 유용한 성분을 추출하는 등의 방법으로 얻은 물질
③ 식품첨가물의 혼합제재
④ 기구 및 용기·포장을 살균·소독할 목적으로 사용되어 간접적으로 식품에 이행(移行)될 수 있는 물질을 제조·가공하는 영업

(4) 식품운반업 : 직접 마실 수 있는 유산균음료(살균유산균음료 포함)나 어류·조개류 및 그 가공품 등 부패·변질되기 쉬운 식품을 위생적으로 운반하는 영업.
다만, 당해 영업자의 영업소에서 판매할 목적으로 식품을 운반하는 경우와 당해 영업자가 제조·가공한 식품을 운반하는 경우는 제외

(5) 식품소분·판매업
① **식품소분업** : 보건복지부령이 정하는 식품 또는 식품첨가물의 완제품을 나누어 유통을 목적으로 재포장, 판매하는 영업
② **식품판매업**
- 식용얼음판매업 : 식용얼음을 전문적으로 판매하는 영업
- 식품자동판매기영업 : 식품을 자동판매기에 넣어 판매하는 영업. 다만, 유통기한이 1개월 이상인 완제품만을 자동판매기에 넣어 판매하는 경우는 제외
- 유통전문판매업 : 식품 또는 식품첨가물을 스스로 제조·가공하지 아니하고 타인에게 의뢰하여 제조·가공된 식품을 자신의 상표로 유통·판매하는 영업
- 식품 등 수입판매업 : 식품 등을 수입하여 판매하는 영업. 다만, 식품 등의 채취·제조 또는 가공에 사용되는 기계 수입은 제외
- 기타 식품판매업 : 그 외의 보건복지부령이 정하는 일정 규모 이상의 백화점·슈퍼마켓·연쇄점 등에서 식품을 판매하는 영업

(6) 식품보존업
① **식품조사처리업** : 방사선을 쬐어 식품의 보존성을 물리적으로 높이는 영업
② **식품냉동·냉장업** : 식품을 얼리거나 차게 하여 보존하는 영업. 수산물 제외

(7) 용기·포장류 제조업
① **용기·포장지제조업** : 식품 또는 식품첨가물을 넣거나 싸는 물품으로서 식품 또는 식품첨가물에 직접 접촉되는 용기(옹기류 제외)·포장지를 제조하는 영업
② **옹기류 제조업** : 식품을 제조·조리·저장할 목적으로 사용되는 독·항아리·뚝배기 등을 제조하는 영업

(8) 식품접객업
① **휴게음식점 영업** : 음식류를 조리·판매하는 영업으로서 음주행위가 허용되지 아니하는 영업
② **일반음식점 영업** : 음식류를 조리·판매하는 영업으로서 식사와 함께 부수적으로 음주행위가 허용되는 영업
③ **단란주점 영업** : 주로 주류를 조리·판매하는 영업으로서 손님이 노래를 부르는 행위가 허용되는 영업
④ **유흥주점 영업** : 주로 주류를 조리·판매하는 영업으로서 유흥종사자를 두거나 유흥시설을 설치할 수 있고 손님의 가무행위가 허용되는 영업
⑤ **위탁급식 영업** : 집단급식소를 설치·운영하는 자와의 계약에 따라 그 집단급식소에서 음식류를 조리하여 제공하는 영업

⑥ 제과점 영업 : 주로 빵, 떡, 과자 등을 제조·판매하는 영업으로서 음주행위가 허용되지 아니하는 영업

11. 업종별 시설기준 (중요사항 발췌)

(1) 식품제조·가공업
① 건물의 위치는 축산폐수·화학물질 기타 오염물질의 발생시설로부터 식품에 나쁜 영향을 주지 아니하는 거리를 두어야 한다.
② 작업장은 독립된 건물이거나 다른 용도로 사용되는 시설과 분리(벽·층 등에 의하여 별도의 방으로 구별되는 경우를 말한다) 되어야 한다.
③ 바닥은 콘크리트 등으로 내수처리를 하여야 하며, 배수가 잘 되도록 하여야 한다.
④ 내벽은 바닥으로부터 1.5 미터까지 밝은 색의 내수성으로 설비하거나 세균방지용 페인트로 도색하여야 한다.
⑤ 식품을 제조·가공하는 데 필요한 기계·기구류 등 식품취급시설은 식품의 특성에 따라 식품 등의 기준 및 규격에서 정하고 있는 제조·가공기준에 적합한 것이어야 한다.
⑥ 먹는물의 수질기준에 적합한 지하수 등을 공급할 수 있는 시설을 갖추어야 한다.
⑦ 화장실은 콘크리트 등으로 내수처리를 하여야 하고, 바닥과 내벽(바닥으로부터 1.5 미터까지)에는 타일을 붙이거나 방수페인트로 색칠하여야 한다.
⑧ 원료와 제품을 위생적으로 보관·관리할 수 있는 창고를 갖추어야 하며, 그 바닥에는 양탄자를 설치하여서는 아니된다. 다만, 창고에 갈음할 수 있는 냉동·냉장시설을 따로 갖춘 업소에서는 이를 설치하지 아니할 수 있다.
⑨ 식품 등의 기준 및 규격을 검사할 수 있는 검사실을 갖추어야 한다.

(2) 식품운반업
① 냉동 또는 냉장시설을 갖춘 적재고가 설치된 운반 차량 또는 선박이 있어야 한다.
② 세차장은 「수질환경보전법」에 적합하게 전용세차장을 설치하여야 한다.
③ 식품운반용 차량을 주차시킬 수 있는 전용차고를 두어야 한다.
④ 영업활동을 위한 사무소를 두어야 한다.

(3) 식품소분·판매업
① **식품소분업** : 식품 등을 소분·포장할 수 있는 시설을 설치하여야 한다.
② **식용얼음판매업** : 판매장은 얼음을 저장하는 창고와 취급실이 구획되어야 한다.
③ **식품자동판매기영업** : 식품자동판매기는 위생적인 장소에 설치하여야 하며, 옥외에 설치하는 경우에는 비·눈·직사광선으로부터 보호되는 구조이어야 한다.
④ **유통전문판매업** : 영업활동을 위한 독립된 사무소가 있어야 한다.
⑤ **집단급식소 식품판매업** : 작업장은 식품을 위생적으로 보관하거나 선별 등의 작업을 할 수 있도록 독립된 건물이거나 다른 용도로 사용되는 시설과 분리되어야 한다. 식품보관 창고와 영업용 사무소 및 냉동·냉장 운송차량을 갖추어야 한다.

⑥ **식품 등 수입판매업** : 식품 등을 위생적으로 보관할 수 있는 창고를 갖춰야 한다.
⑦ **기타 식품판매업** : 냉동시설 또는 냉장고·진열대 및 판매대를 설치해야 한다.

(4) 식품접객업
① **영업장** : 독립된 건물이거나 다른 용도로 사용되는 시설과 분리되어야 한다.
② **조리장** : 조리장은 손님이 그 내부를 볼 수 있는 구조로 되어 있어야 한다.
③ 조리장 안에는 취급하는 음식을 위생적으로 조리하기 위하여 필요한 조리시설·세척시설·폐기물용기 및 손 씻는 시설을 각각 설치하여야 하고, 폐기물 용기는 오물·악취 등이 누출되지 아니하도록 뚜껑이 있고 내수성 재질로 된 것이어야 한다.
④ 조리장에는 주방용 식기류를 소독하기 위한 자외선 또는 전기살균소독기를 설치하거나 열탕세척소독시설을 갖추어야 한다.
⑤ 식품 등의 기준 및 규격 중 식품별 보존 및 유통기준에 적합한 온도가 유지될 수 있는 냉장 또는 냉동시설을 갖추어야 한다.
⑥ 먹는물의 수질기준에 적합한 지하수 등을 공급할 수 있는 시설을 갖추어야 한다.
⑦ 화장실은 콘크리트 등으로 내수처리를 하여야 한다.
⑧ 휴게음식점 또는 제과점에는 객실을 둘 수 없으며, 객석에는 높이 1.5 미터 미만의 칸막이(이동식 또는 고정식)를 설치할 수 있다. 이 경우 2면 이상을 완전히 차단하지 아니하여야 하고, 다른 객석에서 내부가 서로 보이도록 하여야 한다.
⑨ 영업장이 지하층에 위치하고 있는 것으로 사용하는 바닥면적의 합계가 66 제곱미터 이상인 업소의 경우에는 「다중이용업소의 안전관리에 관한 특별법」이 정하는 소방시설을 갖추어야 한다.
⑩ **단란주점영업** : 객실을 설치하는 경우 주된 객장의 중앙에서 객실 내부가 전체적으로 보이도록 한다.
⑪ **유흥주점영업** : 객실에는 잠금장치를 설치할 수 없고, 「다중이용업소의 안전관리에 관한 특별법」이 정하는 소방 및 안전시설 등을 갖추어야 한다.

12. 영업허가

(1) 허가를 받아야 하는 영업 및 허가관청
① **식품조사처리업** : 식품의약품안전청장
② **단란주점영업과 유흥주점영업** : 특별자치도지사 또는 시장·군수·구청장

(2) 영업허가를 할 수 없는 경우
① 해당 영업 시설이 제 36 조에 따른 시설기준에 맞지 아니한 경우
② 제 75 조제 1 항 또는 제 2 항에 따라 영업허가가 취소(제 44 조제 2 항제 1 호를 위반하여 영업허가가 취소된 경우와 제 75 조제 1 항제 18 호에 따라 영업허가가 취소된 경우는 제외한다)되고 6개월이 지나기 전에 같은 장소에서 같은 종류의 영업을 하려는 경우. 다만, 영업시설 전부를 철거하여 영업허가가 취소된 경우에는 그러하지 아니하다.
③ 제 44 조제 2 항제 1 호의 위반 또는 제 75 조제 1 항제 18 호에 따라 영업허가가

취소되고 2년이 지나기 전에 같은 장소에서 제36조제1항제3호에 따른 식품접객업을 하려는 경우
④ 제75조제1항 또는 제2항에 따라 영업허가가 취소(제4조부터 제6조까지, 제8조 또는 제44조제2항제1호를 위반하여 영업허가가 취소된 경우와 제75조제1항제18호에 따라 영업허가가 취소된 경우는 제외한다)되고 2년이 지나기 전에 같은 자(법인인 경우에는 그 대표자를 포함한다)가 취소된 영업과 같은 종류의 영업을 하려는 경우
⑤ 제44조제2항제1호를 위반하여 영업허가가 취소되거나 제75조제1항제18호에 따라 영업허가가 취소된 후 3년이 지나기 전에 같은 자(법인인 경우에는 그 대표자를 포함한다)가 제36조제1항제3호에 따른 식품접객업을 하려는 경우
⑥ 제4조부터 제6조까지 또는 제8조를 위반하여 영업허가가 취소되고 5년이 지나기 전에 같은 자(법인인 경우에는 그 대표자를 포함한다)가 취소된 영업과 같은 종류의 영업을 하려는 경우
⑦ 제36조제1항제3호에 따른 식품접객업 중 국민의 보건위생을 위하여 허가를 제한할 필요가 뚜렷하다고 인정되어 시·도지사가 지정하여 고시하는 영업에 해당하는 경우
⑧ 영업허가를 받으려는 자가 금치산자이거나 파산선고를 받고 복권되지 아니한 자인 경우

13. 폐업 등의 경우

① 영업의 허가를 받은 자가 폐업하거나 허가받은 사항 중 중요한 사항을 제외한 경미한 사항을 변경하고자 하는 때에는 식품의약품안전청장 또는 특별자치도지사, 시장·군수·구청장에게 신고하여야 한다.
② 대통령령이 정하는 영업을 하고자 하는 자는 식품의약품안전청장 또는 특별자치도지사, 시장·군수·구청장에게 신고하여야 한다. 신고한 사항 중 대통령령이 정하는 중요한 사항을 변경하거나 폐업할 때에도 또한 같다.

14. 영업의 신고

특별자치도지사 또는 시장·군수·구청장에게 신고한다.

(1) 영업신고를 하여야 하는 업종
　① 식품제조·가공업
　② 즉석판매제조·가공업
　③ 식품첨가물제조업
　④ 식품운반업
　⑤ 식품소분·판매업
　⑥ 식품냉동·냉장업
　⑦ 용기·포장류제조업(자기제품 포장용은 제외)

⑧ 휴게음식점영업, 일반음식점영업, 위탁급식영업 및 제과점영업

(2) 영업신고의 제한

① 제75조제1항 또는 제2항에 따른 등록취소 또는 영업소 폐쇄명령(제44조제2항제1호를 위반하여 영업소 폐쇄명령을 받은 경우와 제75조제1항제18호에 따라 영업소 폐쇄명령을 받은 경우는 제외한다)을 받고 6개월이 지나기 전에 같은 장소에서 같은 종류의 영업을 하려는 경우. 다만, 영업시설 전부를 철거하여 등록취소 또는 영업소 폐쇄명령을 받은 경우에는 그러하지 아니하다.
② 제44조제2항제1호를 위반하여 영업소 폐쇄명령을 받거나 제75조제1항제18호에 따라 영업소 폐쇄명령을 받은 후 1년이 지나기 전에 같은 장소에서 제36조제1항제3호에 따른 식품접객업을 하려는 경우
③ 제75조제1항 또는 제2항에 따른 등록취소 또는 영업소 폐쇄명령(제4조부터 제6조까지, 제8조 또는 제44조제2항제1호를 위반하여 등록취소 또는 영업소 폐쇄명령을 받은 경우와 제75조제1항제18호에 따라 영업소 폐쇄명령을 받은 경우는 제외한다)을 받고 2년이 지나기 전에 같은 자(법인인 경우에는 그 대표자를 포함한다)가 등록취소 또는 폐쇄명령을 받은 영업과 같은 종류의 영업을 하려는 경우
④ 제44조제2항제1호를 위반하여 영업소 폐쇄명령을 받거나 제75조제1항제18호에 따라 영업소 폐쇄명령을 받고 2년이 지나기 전에 같은 자(법인인 경우에는 그 대표자를 포함한다)가 제36조제1항제3호에 따른 식품접객업을 하려는 경우
⑤ 제4조부터 제6조까지 또는 제8조를 위반하여 등록취소 또는 영업소 폐쇄명령을 받고 5년이 지나지 아니한 자(법인인 경우에는 그 대표자를 포함한다)가 등록취소 또는 폐쇄명령을 받은 영업과 같은 종류의 영업을 하려는 경우

식품소분업의 신고대상이 될 수 없는 것

식품 중 어육제품, 식용유지, 특수용도식품, 통·병조림제품, 레토르트 식품, 전분, 장류, 식초 등

15. 건강진단

(1) 식품 또는 식품첨가물의 채취·제조·조리·가공·저장·운반·판매에 직접 종사하는 자는 건강진단을 받아야 한다. 다만, 완전포장된 식품 또는 식품첨가물의 운반, 판매에 종사하는 자는 제외한다.

(2) 건강진단 결과 영업에 종사하지 못하는 질병의 종류
① 「감염병의 예방 및 관리에 관한 법률」 제2조제2호에 따른 제1군감염병
② 「감염병의 예방 및 관리에 관한 법률」 제2조제4호나목에 따른 결핵(비감염성 제외)
③ 피부병 또는 그 밖의 화농성 질환

④ 후천성면역결핍증 (「감염병의 예방 및 관리에 관한 법률」제19조에 따라 성병에 관한 건강진단을 받아야 하는 영업에 종사하는 사람만 해당한다)

16. 식품위생교육

(1) 위생교육대상자

① 대통령령으로 정하는 영업자 및 유흥종사자를 둘 수 있는 식품접객업 영업자의 종업원은 매년 식품위생교육을 받아야 한다.
② 제36조제1항 각 호에 따른 영업을 하려는 자는 미리 식품위생교육을 받아야 한다. 다만, 부득이한 사유로 미리 식품위생교육을 받을 수 없는 경우에는 영업을 시작한 뒤에 보건복지부장관이 정하는 바에 따라 식품위생교육을 받을 수 있다.
③ 제1항 및 제2항에 따라 교육을 받아야 하는 자가 영업에 직접 종사하지 아니하거나 두 곳 이상의 장소에서 영업을 하는 경우에는 종업원 중에서 식품위생에 관한 책임자를 지정하여 영업자 대신 교육을 받게 할 수 있다. 다만, 집단급식소에 종사하는 조리사 및 영양사가 식품위생에 관한 책임자로 지정되어 제56조제1항 단서에 따라 교육을 받은 경우에는 해당 연도의 식품위생교육을 받은 것으로 본다.
④ 조리사 또는 영양사의 면허를 받은 자가 제36조제1항제3호에 따른 식품접객업을 하려는 경우에는 식품위생교육을 받지 않아도 된다.
⑤ 영업자는 특별한 사유가 없는 한 식품위생교육을 받지 않은 자를 그 영업에 종사시킬 수 없다.
⑥ 제1항 및 제2항에 따른 교육의 내용, 교육비 및 교육 실시 기관 등에 관하여 필요한 사항은 보건복지부령으로 정한다.

(2) 위생교육기관

법 제41조제1항에 의한 식품위생교육의 실시기관은 보건복지부장관이 지정·고시하는 식품위생교육전문기관 또는 동업자조합 또는 한국식품산업협회

(3) 위생교육내용

식품위생, 개인위생, 식품위생시책, 식품의 품질관리 등

(4) 위생교육시간

① 영 제21조제1호 내지 제3호의 영업 : 8시간
② 영 제21조제4호 내지 제7호의 영업 : 4시간
③ 영 제21조제8호의 영업 : 6시간
④ 법 제88조제1항에 따라 집단급식소를 설치·운영 : 6시간

(5) 도서·벽지 등에서 영업을 하고자 하는 자(허가관청 또는 신고관청에서 교육참석이 어려움을 인정한 자)는 교육교재 배부·활용으로 교육을 갈음할 수 있다. 영업준비상 사전교육을 받기가 곤란하다고 허가관청 또는 신고관청이 인정하는 자에 대하여는 영업허가를 받거나 영업신고를 한 후 3개월 이내에 허가관청 또는 신고관청이 정하는 바에 따라 위생교육을 받게 할 수 있다.

(6) 제1항 및 제2항의 규정에 의하여 신규위생교육을 받은 자가 교육받은 날부터 2년 이내에 교육을 받은 업종과 동일한 업종 또는 다음 각 호의 1에 해당하는 업종 내의 다른 업종으로 영업을 하고자 하는 때에는 신규교육을 받은 것으로 본다. 영 제21조제1호 내지 제3호의 1에 해당하는 영업에서 동조 제4호 내지 제7호의 1에 해당하는 영업으로 영업을 변경할 경우, 영 제21조제1호 내지 제8호의 1에 해당하는 영업에서 식품자동판매기영업으로 업종 변경 또는 동업하는 경우에도 같다.
① 영 제21조제8호 가목의 휴게음식점 영업과 동호 나목의 일반음식점 영업, 동호 바목의 제과점 영업
② 영 제21조제8호 다목의 단란주점 영업과 동호 라목의 유흥주점 영업
③ 영 제21조제1호의 식품제조·가공업, 동조 제2호의 즉석판매제조·가공업, 동조 제3호의 식품첨가물 제조업

17. 조리사 및 영양사

(1) 조리사

① 조리사의 면허
　조리사가 되고자 하는 자는 「국가기술자격법」에 따른 해당 기능분야의 자격을 얻은 후 특별자치도지사·시장·군수·구청장의 면허를 받아야 한다.

② 조리사를 두어야 하는 영업
　대통령령으로 정하는 식품접객영업자와 집단급식소 운영자는 조리사를 두어야 한다. 다만, 식품접객영업자 또는 집단급식소 운영자 자신이 조리사로서 직접 음식물을 조리하는 경우에는 조리사를 두지 아니하여도 된다.

③ 조리사의 결격사유
- 정신질환자
- 감염병환자 (B형 간염환자는 제외)
- 마약이나 그 밖의 약물 중독자
- 조리사 면허의 취소처분을 받고 그 취소된 날부터 1년이 지나지 아니한 자

④ 조리사의 면허취소
　보건복지부장관 또는 특별자치도지사·시장·군수·구청장은 조리사가 다음 각 호의 어느 하나에 해당하면 그 면허를 취소하거나 6개월 이내의 기간을 정하여 업무정지를 명할 수 있다. 다만, 조리사가 제1호 또는 제5호에 해당할 경우 면허를 취소하여야 한다.
- 결격사유에 해당하게 된 경우 (취소)
- 제56조에 따른 교육을 받지 아니한 경우
- 식중독이나 그 밖에 위생과 관련한 중대한 사고 발생에 직무상의 책임이 있는 경우
- 면허를 타인에게 대여하여 사용하게 한 경우
- 업무정지기간 중에 조리사의 업무를 하는 경우 (취소)

(2) 영양사

① **영양사를 두어야 할 집단급식소**
　　법 제36조제1항제2호 각 목의 운영자가 설립·운영하는 집단급식소. 다만, 집단급식소에 두는 조리사가 영양사 면허를 받은 자인 경우에는 영양사를 따로 두지 아니할 수 있다.

② **영양사의 직무**
- 집단급식소에서의 식단 작성, 검식 및 배식관리
- 구매식품의 검수 및 관리
- 급식시설의 위생적 관리
- 집단급식소의 운영일지 작성
- 종업원에 대한 영양지도 및 식품위생교육

(3) 조리사 및 영양사의 교육

① 보건복지부장관은 식품으로 인하여 감염병이 유행하거나 집단식중독의 발생 및 확산 등으로 국민건강을 해칠 우려가 있다고 인정되는 경우 또는 시·도지사가 국제적 행사나 대규모 특별행사 등으로 식품위생 수준의 향상이 필요하여 식품위생에 관한 교육의 실시를 요청하는 경우에는 다음 각 호의 어느 하나에 해당하는 조리사 및 영양사에게 보건복지부장관이 정하는 시간에 해당하는 교육을 받을 것을 명할 수 있다.
- 영 제36조에 따라 조리사를 두어야 하는 식품접객업소 또는 집단급식소에 종사하는 조리사
- 영 제37조에 따라 영양사를 두어야 하는 집단급식소에 종사하는 영양사

② 교육은 보건복지부장관이 식품위생 관련 교육을 목적으로 하는 전문기관 또는 단체 중에서 지정한 기관이 실시한다.

18. 영업자 준수사항 (법 제44조)

(1) 식품접객영업자 등 대통령령이 정하는 영업자 및 그 종업원은 영업의 위생적 관리 및 질서유지와 국민보건위생의 증진을 위하여 보건복지부령이 정하는 사항을 지켜야 한다.

(2) 식품접객 영업자는 「청소년보호법」 제2조에 의한 청소년에 대하여 다음 각 호의 행위를 하여서는 아니된다.
① 청소년을 유흥접객원으로 고용하여 유흥행위를 하게 하는 행위
② 청소년 출입·고용 금지업소에 청소년을 출입시키거나 고용하는 행위
③ 청소년 고용금지업소에 청소년을 고용하는 행위
④ 청소년에게 주류를 제공하는 행위

19. 식중독에 관한 조사

(1) 식중독 환자나 식중독이 의심되는 자를 진단하였거나 그 사체를 검안한 의사 또는 한의사, 집단급식소에서 제공한 식품 등으로 인하여 식중독 환자나 식중독으로 의심되는 증세를 보이는 자를 발견한 집단급식소의 설치·운영자는 그 자의 혈액 또는 배설물을 보관하는 데에 필요한 조치를 하여야 한다.

(2) 보건소장 또는 보건지소장은 식중독 보고를 받은 때에는 지체 없이 그 사실을 보건복지부장관, 식품의약품안전청장, 시·도지사 및 시장·군수·구청장에게 보고하고, 대통령령으로 정하는 바에 따라 원인을 조사하여 그 결과를 보고하여야 한다.

(3) 식품의약품안전청장은 식중독 발생의 원인을 규명하기 위하여 식중독 의심환자가 발생한 원인시설 등에 대한 조사절차와 시험·검사 등에 필요한 사항을 정할 수 있다.

20. 벌 칙 (중요사항 발췌)

(1) 3년 이상의 징역

  병육판매금지 규정의 위반(제 5 조)

(2) 7년 이하의 징역 또는 1억 원 이하의 벌금

  ① 유독기구의 판매 및 사용금지 위반(제 88 조에서 준용하는 경우를 포함한다)
  ② 영업허가를 받지 않은 자

(3) 5년 이하의 징역 또는 5천만 원 이하의 벌금

  ① 영업 제한을 위반한 자
  ② 영업정지 명령을 위반하여 영업을 계속한 자(제 37 조제 1 항에 따른 영업허가를 받은 자만 해당한다)

(4) 3년 이하의 징역 또는 3천만 원 이하의 벌금

  ① 표시기준에 맞지 않을 때
  ② 허위표시나 과대광고 금지 위반
  ③ 자가품질검사 위반
  ④ 폐업 등 신고의무 불이행
  ⑤ 조리사나 영양사 명칭 허위 사용
  ⑥ 관계공무원의 게시문 무단제거 및 손상

(5) 1년 이하의 징역 또는 300만원 이하의 벌금

  ① 제 44 조제 3 항을 위반하여 접객행위를 하거나 다른 사람에게 그 행위를 알선한 자
  ② 제 46 조제 1 항을 위반하여 소비자로부터 이물 발견의 신고를 접수하고 이를 거짓으로 보고한 자

③ 이물의 발견을 거짓으로 신고한 자
④ 제45 조제1 항 후단을 위반하여 보고를 하지 아니하거나 거짓으로 보고한 자

(6) 300만원 이하의 과태료
① 검사기관 운영자의 지위를 승계하고 1개월 이내에 신고하지 아니한 자
② 영업자가 지켜야 할 사항 중 보건복지부령으로 정하는 경미한 사항을 지키지 아니한 자
③ 소비자로부터 이물 발견신고를 받고 보고하지 아니한 자
④ 식품이력추적관리 등록사항이 변경된 경우 변경사유가 발생한 날부터 1개월 이내에 신고하지 아니한 자

3. 식품위생법의 시행세칙과 해설

1. 개 요

식품위생이란 식품원료의 재배·생산·제조로부터 유통과정을 거쳐 최종적으로 사람에 섭취되기까지의 모든 단계에 걸친 식품의 안전성(Safety), 건전성(Soundness), 완전성(Wholesomeness)을 확보하기 위한 모든 수단을 말함(WHO의 정의).

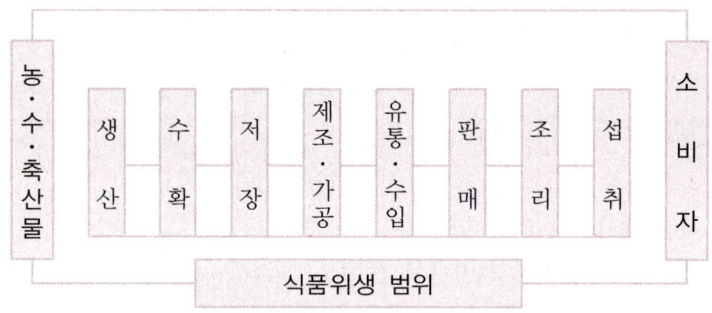

2. 총 칙

(1) 식품위생법의 목적
식품으로 인한 위생상의 위해를 방지하고 식품영양의 질적 향상을 도모하며, 식품에 관한 올바른 정보를 제공하여 국민보건의 증진에 이바지함. (법 제1 조)

(2) 식품 등의 정의(법 제2 조)
① 식 품 : 의약으로 섭취하는 것을 제외한 모든 음식물
② 식품첨가물 : 식품을 제조·가공 또는 보존함에 있어 식품에 첨가, 혼합, 침윤 등의 방법으로 사용되는 물질
[예] : 화학적 합성품(구연산, 염산 등), 천연첨가물(효소, 천연카페인 등), 혼합제제(타르색소제제 등)

③ 기　구 : 음식기와 식품 또는 식품첨가물의 채취·제조·가공·조리·저장·운반·진열·소분·섭취 등에 사용되는 것으로서 식품 등과 직접 접촉되는 기계·기구, 기타의 물건. 다만, 농업 및 수산업에 있어서 식품의 채취에 사용되는 것은 제외 (호미, 착유기 등)
　[예] : 기계 (식육절단기, 믹서 등), 기구 (칼, 도마, 프라이팬 등)
④ 용기·포장 : 식품 또는 식품첨가물을 넣거나 싸는 것으로서 식품 등을 주고받을 때 함께 건네는 물품　[예] : 음료병, 캔, 과자봉지 등
⑤ 표　시 : 식품, 식품첨가물, 기구 또는 용기·포장에 기재하는 문자, 숫자 또는 도형
⑥ 영　업 : 식품 또는 식품첨가물을 채취·제조·가공·수입·조리·저장·운반·소분 또는 판매하거나 기구 또는 용기·포장을 제조·수입·운반·판매하는 업. 다만, 농업 및 수산업에 속하는 식품의 채취업은 제외
⑦ 식품위생 : 식품, 식품첨가물, 기구 또는 용기·포장을 대상으로 하는 음식에 관한 위생
⑧ 집단급식소 : 영리를 목적으로 하지 아니하고 계속적으로 특정 다수인에게 음식물을 공급하는 기숙사·병원·학교 기타 후생기관 등의 급식시설

(3) 식품 등의 취급 (법 제 3 조)

① 판매 (판매 외의 불특정다수인에 대한 제공을 포함) 를 목적으로 하는 식품 또는 식품첨가물의 채취, 제조, 가공, 사용, 조리, 저장, 소분, 운반 및 진열은 깨끗하고 위생적으로 행하여야 함
② 영업상 사용하는 기구 및 용기, 포장은 깨끗하고 위생적으로 다루어야 함

3. 위해식품 등의 판매 등 금지

(1) 식품 및 식품첨가물의 판매 등 금지 (법 제 4 조)

다음에 해당하는 식품 또는 식품첨가물은 판매하거나 판매할 목적으로 채취, 제조, 수입, 가공, 사용, 조리, 저장, 소분 또는 운반하거나 진열하지 못함
① 썩었거나 상하였거나 설익은 것으로서 인체의 건강을 해할 우려가 있는 것
② 유독·유해물질이 들어 있거나 묻어 있는 것 또는 그 염려가 있는 것. 다만, 인체의 건강을 해할 우려가 없다고 식품의약품안전청장이 인정하는 것은 예외로 함

[판매 등이 허용되는 식품·식품첨가물] (규칙 제 2 조)

- 법 제 7 조 제 1 항·제 2 항 또는 법 제 9 조 제 1 항·제 2 항에 의한 식품 등의 제조·가공 등에 관한 기준 및 성분에 관한 규격에 적합한 것
- 식품 등의 기준 및 규격이 정하여지지 아니한 것으로서 식품의약품안전청장이 법 제 57 조의 규정에 의한 식품위생심의위원회의 심의를 거쳐 유해의 정도가 인체의 건강을 해할 우려가 없다고 인정한 것

③ 병원미생물에 의하여 오염되었거나 오염될 염려가 있어 인체의 건강을 해할 우려가 있는 것

④ 불결하거나 다른 물질의 혼입 또는 첨가, 기타의 사유로 인체의 건강을 해할 우려가 있는 것
⑤ 제 18 조에 따른 안전성 평가대상인 농·축·수산물 등 가운데 안전성 평가를 받지 아니하였거나 안전성 평가에서 식용으로 부적합하다고 인정된 것
⑥ 수입이 금지된 것 또는 법 제 19 조제 1 항에 따른 수입신고를 하지 아니하고 수입한 것
⑦ 영업자가 아닌 자가 제조·가공·소분한 것

(2) 병육 등의 판매 등 금지 (법 제 5 조)

보건복지부령이 정하는 질병에 걸렸거나 그 염려가 있는 동물 또는 그 질병으로 인하여 죽은 동물의 고기, 뼈, 젖, 장기 또는 혈액은 이를 식품으로 판매하거나 판매할 목적으로 채취, 수입, 가공, 사용, 조리, 저장, 소분 또는 운반하거나 진열하지 못함

(3) 기준·규격이 고시되지 아니한 화학적 합성품 등의 판매 등 금지 (법 제 6 조)

법 제 7 조 (기준과 규격) 제 1 항의 규정에 의하여 기준·규격이 고시되지 아니한 화학적 합성품인 첨가물과 이를 함유한 물질을 식품첨가물로 사용하거나 또는 이를 함유한 식품을 판매하거나 판매의 목적으로 제조, 수입, 가공, 사용, 조리, 저장, 소분 또는 운반하거나 진열하지 못함

다만, 식품의약품안정청장이 식품위생심의위원회의 심의를 거쳐 인체의 건강을 해할 우려가 없다고 인정하는 것은 그러하지 아니함

(4) 기준과 규격에 맞지 아니하는 식품 등의 판매 등 금지 (법 제 7 조 및 제 9 조)

① 식품 및 식품첨가물의 기준과 규격에 맞지 아니하는 식품 또는 식품첨가물은 판매하거나 판매의 목적으로 제조, 수입, 가공, 조리, 저장, 소분, 운반, 보존 또는 진열하지 못함
② 기구 또는 용기·포장의 기준과 규격에 맞지 아니하는 기구 또는 용기·포장을 판매하거나 판매의 목적으로 제조·수입·저장·운반·진열하거나 기타 영업상 사용하지 못함

4. 영 업

(1) 정 의

영업이라 함은 식품 또는 식품첨가물을 채취·제조·가공·수입·조리·저장·운반·소분 또는 판매하거나 기구 또는 용기·포장을 제조·수입·운반·판매하는 모든 행위를 말함

(2) 영업의 종류 (법 제 36 조제 2 항, 영 제 21 조)

① **식품제조·가공업**: 식품을 제조·가공하는 영업
② **즉석판매제조·가공업**: 보건복지부령으로 정하는 식품을 제조·가공업소 내에서 직접 최종소비자에게 판매하는 영업

[즉석판매 제조·가공 대상식품] (규칙 제37조 관련 별표 15)
① 식품제조·가공업 및 축산물가공업에서 제조·가공할 수 있는 식품에 해당하는 모든 식품(통·병조림 식품 제외)
② 식품제조·가공업 영업자가 제조·가공한 식품으로 즉석판매제조·가공업소 내에서 소비자가 원하는 만큼 덜어서 직접 최종 소비자에게 판매하는 다음 각 목의 식품

- 과자류 : 과자, 캔디류
- 빵 또는 떡류 : 모든 품목
- 코코아가공품류 또는 초콜릿류: 모든 품목
- 엿류 : 모든 품목
- 두부류 또는 묵류 : 모든 품목
- 면류 : 모든 품목
- 커피 : 볶은 커피
- 장류 : 모든 품목
- 조미식품 : 고춧가루 또는 실고추, 향신료가공류
- 김치류 : 모든 품목
- 젓갈류 : 모든 품목
- 절임식품 : 모든 품목
- 조림식품 : 모든 품목
- 건포류 : 모든 품목
- 기타 식품류 : 땅콩 또는 견과류가공품, 과·채가공품류, 식염, 밀가루, 찐쌀, 생식류, 시리얼류, 얼음류, 즉석섭취·편의 식품류

③ **식품첨가물제조업**
- 감미료·착색료·표백제 등의 화학적 합성품을 제조·가공하는 영업
- 천연 물질로부터 유용한 성분을 추출하는 등의 방법으로 얻은 물질을 제조·가공하는 영업
- 식품첨가물의 혼합제재를 제조·가공하는 영업
- 기구 및 용기·포장을 살균·소독할 목적으로 사용되어 간접적으로 식품에 이행(移行)될 수 있는 물질을 제조·가공하는 영업

④ **식품운반업** : 직접 마실 수 있는 유산균음료(살균유산균음료 포함)·어류·조개류 및 그 가공품 등 부패·변질되기 쉬운 식품을 위생적으로 운반하는 영업 (당해 영업자의 영업소에서 판매할 목적으로 식품을 운반하는 경우와 당해 영업자가 제조·가공한 식품을 운반하는 경우는 제외)

⑤ **식품소분업** : 식품 또는 식품첨가물의 완제품을 나누어 유통을 목적으로 재포장·판매하는 영업

[식품소분업 제외 대상 식품] (규칙 제38조)
어육제품, 식용유지, 특수용도식품, 통·병조림 제품, 레토르트식품, 전분, 장류 및 식초는 소분·판매하여서는 아니 된다.

⑥ **식품판매업**
- **식용얼음판매업** : 식용얼음을 전문적으로 판매하는 영업
- **식품자동판매기영업** : 식품을 자동판매기에 넣어 판매하는 영업 (유통기간이 1개월 이상인 완제품 판매는 제외)

- **유통전문판매업** : 식품 또는 식품첨가물을 스스로 제조·가공하지 아니하고 타인에게 의뢰하여 제조·가공된 식품 또는 식품첨가물을 자신의 상표로 유통·판매하는 영업
- **집단급식소 식품판매업** : 집단급식소에 식품을 판매하는 영업
- **식품 등 수입판매업** : 식품 등을 수입하여 판매하는 영업 (식품 등의 채취·제조·가공에 사용하는 기계류를 수입·판매하는 경우를 제외)
- **기타 식품판매업** : 일정규모 이상의 백화점, 슈퍼마켓, 연쇄점 등에서 식품을 판매하는 영업

⑦ 식품보존업
- **식품조사처리업** : 방사선을 쬐어 식품의 보존성을 물리적으로 높이는 것을 업으로 하는 영업
- **식품냉동·냉장업** : 식품을 얼리거나 차게 하여 보존하는 영업 (수산물의 냉동·냉장을 제외)

⑧ 용기·포장류제조업
- **용기·포장지제조업** : 식품 또는 식품첨가물을 넣거나 싸는 물품으로서 식품 또는 식품첨가물에 직접 접촉되는 용기 (옹기류 제외)·포장지를 제조하는 영업
- **옹기류제조업** : 식품을 제조·조리·저장할 목적으로 사용되는 독·항아리·뚝배기 등을 제조하는 영업

(3) 영업 허가 등 (법 제37조)
① 허가 및 신고업종

허가업종 (영 제9조)	신고업종 (영 제13조)	
• 식품조사처리업 • 단란주점영업과 유흥주점영업	• 식품제조·가공업 • 식품운반업 • 식품냉동·냉장업 • 용기·포장류제조업(자신의 제품을 포장하기 위하여 용기·포장류를 제조하는 경우는 제외) • 휴게음식점 영업, 일반음식점 영업, 제과점 영업	• 즉석판매제조·가공업 • 식품소분·판매업 • 식품첨가물제조업

② 신고제외업종 (영 제25조제2항)
- 「양곡관리법」에 의한 도정업을 하는 경우
- 「식품산업진흥법」에 의한 어유(간유)가공업·냉동·냉장업 및 선상수산가공업의 신고를 하고 해당 영업을 하는 경우
- 「주세법」에 의한 주류제조의 면허를 받아 주류를 제조하는 경우
- 「축산물위생관리법」 규정에 의하여 축산물가공업의 허가를 받아 해당 영업을 하는 경우
- 식품첨가물이나 다른 원료를 사용하지 아니하고 농·임·수산물을 단순히 절단·박피·염장·숙성·건조·가열하는 등 가공과정 중 위생상 위해발생의 우려가 없고 식품의 상태를 관능검사로 확인할 수 있도록 가공하는 경우

- 「건강기능식품에관한법률」에 따라 건강기능식품제조업, 건강기능식품수입업 및 건강기능식품판매업의 영업허가를 받거나 영업신고를 하고 해당 영업을 하는 경우

③ 영업의 허가·신고관청 (영 제 23 조)

식품의약품안전청장	시장·군수·구청장
식품조사처리업	단란주점영업 유흥주점영업

④ 영업허가시 신청서류 (규칙 제 40 조 별지 제 30 호서식)

〈영업허가 신청 시 구비서류〉
- 교육이수증 (미리 교육을 받은 경우)
- 유선 또는 도선사업면허증 혹은 신고필증 (수상구조물로 된 유선장 또는 도선장에서 단란주점영업 및 유흥주점영업을 하고자 하는 경우)
- 「먹는물관리법」에 의한 먹는물 수질검사기관이 발행한 수질검사(시험) 성적서 (수돗물이 아닌 지하수 등을 사용하는 경우)
- 「다중이용업소의 안전관리에 관한 특별법」에 따라 소방본부장 또는 소방서장이 발행하는 안전시설 등 완비증명서 (단란주점영업 및 유흥주점영업만 해당)
- 건강진단결과서 (건강진단 대상자만 해당)

⑤ 허가를 받아야 하는 변경사항 (영 제 24 조)
- 영업소 소재지

⑥ 신고를 해야 하는 변경사항
- 영업자의 성명 (법인의 경우 그 대표자의 성명)
- 영업소의 명칭 또는 상호
- 영업소의 소재지
- 영업장의 면적
- 식품제조·가공업을 하는 자가 추가로 시설을 갖추어 새로운 식품군 해당하는 식품을 제조·가공하려는 경우
- 즉석판매제조·가공업을 하는 자가 같은 호에 따른 즉석판매제조·가공 대상 식품 중 식품의 유형을 달리하여 새로운 식품을 제조·가공하려는 경우 (변경 전 또는 변경하려는 식품의 유형이 자가품질검사 대상인 경우만 해당)
- 식품첨가물제조업을 하는 자가 추가로 시설을 갖추어 새로운 식품첨가물을 제조하려는 경우
- 식품운반업을 하는 자가 냉장·냉동차량을 증감하려는 경우
- 식품자동판매기영업을 하는 자가 같은 시·군·구 (자치구)에서 식품자동판매기의 설치 대수를 증감하려는 경우

⑦ **품목제조의 보고 등** (규칙 제45조)

법 제37조제6항에 따라 식품 또는 식품첨가물의 제조·가공에 관한 보고를 하려는 자는 별지 제43호서식의 품목제조보고서(전자문서로 된 보고서를 포함한다)에 다음 각 호의 서류(전자문서를 포함한다)를 첨부하여 제품생산 시작 전이나 제품생산 시작 후 7일 이내에 신고관청에 제출하여야 한다. 이 경우 식품제조·가공업자가 식품을 위탁 제조·가공하는 경우에는 위탁자가 보고를 하여야 한다.

〈품목제조보고 시 구비서류〉

- 제조방법설명서
- 식품위생검사기관이 발급한 식품 등의 한시적 기준 및 규격검토서(식품 등의 한시적 기준 및 규격의 인정대상 식품만 해당)
- 유통기한의 설정사유서
- 신고관청은 제1항에 따른 보고를 받은 때에는 그 내용을 별지 제44호 서식의 품목제조보고관리대장에 기록·보관하여야 한다.

⑧ **영업신고시 신청서류** (규칙 제42조) : 별지 제37호서식의 영업신고서

〈영업신고 시 구비서류〉

- 교육이수증(미리 교육을 받은 경우만 해당)
- 제조·가공하려는 식품 및 식품첨가물의 종류 및 제조방법설명서(영 제21조제1호부터 제3호까지의 영업만 해당한다)
- 시설사용계약서(식품운반업을 하려는 자 중 차고 또는 세차장을 임대할 경우만 해당)
- 수질검사(시험) 성적서(수돗물이 아닌 지하수 등을 사용하는 경우만 해당)
- 유선 및 도선사업 면허증 또는 신고필증(수상구조물로 된 유선장 및 도선장에서 휴게음식점영업, 일반음식점영업, 제과점영업을 하려는 경우만 해당)
- 소방본부장 또는 소방서장이 발행하는 안전시설 등 완비증명서(대상 영업만 해당)
- 식품자동판매기의 종류 및 설치장소가 기재된 서류(2대 이상의 식품자동판매기를 설치하고 일련관리번호를 부여하여 일괄 신고를 하는 경우만 해당)
- 수상레저사업 등록증(수상구조물로 된 수상레저사업장에서 휴게음식점영업 및 제과점영업을 하려는 경우만 해당)
- 「국유재산법 시행규칙」 제16조제3항에 따른 국유재산 사용·수익허가서(국유철도의 정거장시설에서 즉석판매제조·가공업, 식품소분·판매업, 휴게음식점, 일반음식점 또는 제과점영업을 하려는 경우 및 군사시설에서 일반음식점영업을 하려는 경우만 해당)
- 해당 도시철도사업자와 체결한 도시철도시설 사용계약에 관한 서류(도시철도의 정거장시설에서 즉석판매제조·가공업, 식품소분·판매업, 휴게음식점, 일반음식점 또는 제과점영업을 하려는 경우만 해당)
- 예비군식당 운영계약에 관한 서류(군사시설에서 일반음식점영업을 하려는 경우만 해당)

⑨ **폐업 신고**(규칙 제44조) : 폐업의 신고를 하고자 하는 자는 별지 제42호 영업의 폐업신고서에 영업허가증, 영업신고증 또는 영업등록증을 첨부하여 허가·신고·등록 관청에 제출

(4) 영업허가 등의 제한 (법 제38조)

① 영업허가를 할 수 없는 경우
- 영업의 시설이 시설기준에 적합하지 아니한 때
- 영업허가 취소 후 6개월이 경과하지 아니한 경우에 그 영업장소에서 같은 종류의 영업을 하고자 하는 때
- 제75조제1항 또는 제2항에 따라 영업허가가 취소되고 6개월이 지나기 전에 같은 장소에서 같은 종류의 영업을 하려는 경우. 다만, 영업시설 전부를 철거하여 영업허가가 취소된 경우에는 그러하지 아니하다.
- 제44조제2항제1호 위반 또는 제75조제1항제18호에 따라 영업허가가 취소되고 2년이 지나기 전에 같은 장소에서 식품접객업을 하려는 경우
- 제75조제1항 또는 제2항에 따라 영업허가가 취소되고 2년이 지나기 전에 같은 자(법인인 경우에는 그 대표자를 포함)가 취소된 영업과 같은 종류의 영업을 하려는 경우
- 제44조제2항제1호 위반 또는 제75조제1항제18호에 따라 영업허가가 취소된 후 3년이 지나기 전에 같은 자(법인인 경우에는 그 대표자를 포함)가 식품접객업을 하려는 경우
- 제4조부터 제6조까지 또는 제8조를 위반하여 영업허가가 취소되고 5년이 지나기 전에 같은 자(법인인 경우에는 그 대표자를 포함)가 취소된 영업과 같은 종류의 영업을 하려는 경우
- 식품접객업 중 국민의 보건위생을 위하여 그 허가를 제안할 필요가 있어, 시·도지사가 지정·고시하는 영업
- 영업허가를 받고자 하는 자가 금치산자이거나 파산의 선고를 받고 복권되지 아니한 자

② 영업등록을 할 수 없는 경우
- 제75조제1항 또는 제2항에 따른 등록취소 또는 영업소 폐쇄명령을 받고 6개월이 지나기 전에 같은 장소에서 같은 종류의 영업을 하려는 경우. 다만, 영업시설 전부를 철거하여 등록취소 또는 영업소 폐쇄명령을 받은 경우에는 그러하지 아니하다.
- 제44조제2항제1호 위반 또는 제75조제1항제18호에 따라 영업소 폐쇄명령을 받은 후 1년이 지나기 전에 같은 장소에서 식품접객업을 하려는 경우
- 제75조제1항 또는 제2항에 따른 등록취소 또는 영업소 폐쇄명령을 받고 2년이 지나기 전에 같은 자(법인인 경우에는 그 대표자를 포함)가 등록취소 또는 폐쇄명령을 받은 영업과 같은 종류의 영업을 하려는 경우

- 제44조제2항제1호 위반 또는 제75조제1항제18호에 따라 영업소 폐쇄명령을 받고 2년이 지나기 전에 같은 자(법인인 경우에는 그 대표자를 포함)가 식품접객업을 하려는 경우
- 제4조부터 제6조까지 또는 제8조를 위반하여 등록취소 또는 영업소 폐쇄명령을 받고 5년이 지나지 아니한 자(법인인 경우에는 그 대표자를 포함)가 등록취소 또는 폐쇄명령을 받은 영업과 같은 종류의 영업을 하려는 경우

(6) 영업의 승계 (법 제39조, 규칙 제48조)

① **영업의 승계 요건**
- 영업자가 영업을 양도하거나 사망한 때 또는 법인의 합병이 있는 때
- 「민사집행법」에 의한 경매, 「채무자회생 및 파산에 관한 법률」에 의한 환가나 「국세징수법」, 「관세법」 또는 「지방세기본법」에 의한 압류재산의 매각, 기타 이에 준하는 절차에 따라 영업시설의 전부를 인수한 때

② **승계절차** : 영업자의 지위를 승계한 자는 1월 이내에 보건복지부령이 정하는 바에 따라 허가·신고·등록관청에 제출

[승계신고시 첨부서류] (규칙 제48조)
- 양도의 경우에는 양도·양수를 증빙할 수 있는 서류사본·영업허가증, 신고증 또는 등록증
- 상속의 경우에는 가족관계증명서와 상속인임을 증빙하는 서류
- 기타 해당 사유별로 영업자의 지위를 승계하였음을 증빙할 수 있는 서류

5. 업종별 시설기준 (법 제36조 및 규칙 제36조)

1. 식품제조·가공업의 시설기준

(1) 식품의 제조시설과 원료 및 제품의 보관시설 등이 설비된 건축물의 위치 등
① **건물의 위치** : 축산폐수·화학물질 그 밖에 오염물질의 발생시설로부터 식품에 나쁜 영향을 주지 아니하는 거리
② **건물의 구조** : 제조하려는 식품특성에 따라 적당한 온도와 환기가 잘 되는 구조
③ **건물의 자재** : 식품에 나쁜 영향을 주지 않고 식품을 오염시키지 않는 것

(2) 작업장
① 작업장은 원료처리실·제조가공실·포장실 그 밖에 식품의 제조·가공에 필요한 작업실
② 독립된 건물이거나 다른 용도로 사용되는 시설과 분리(벽·층 등에 의하여 별도의 방으로 구별되는 경우를 말함)
③ 각 시설은 분리 또는 구획(칸막이·커튼 등에 의하여 구별되는 경우를 말함) 되어야 하나 제조공정의 자동화 또는 시설·제품의 특수성으로 인하여 분리 또는 구획할 필요가 없다고 인정되는 경우로서 각각의 시설이 서로 구분(선·줄 등으로 구분하는 경우를 말함) 될 수 있는 때에는 그러하지 아니함

④ 바닥은 콘크리트 등으로 내수처리를 하여야 하며, 내벽은 바닥으로부터 1.5m까지 밝은 색의 내수성으로 설비하거나 세균방지용 페인트로 도색하여야 함
⑤ 환기시설 및 방충·방서시설을 설치하여야 함

(3) 식품취급시설 등
① 식품취급시설은 식품의 특성에 따라 식품 등의 기준 및 규격에서 정하고 있는 제조·가공기준에 적합한 것이어야 함
② 식품과 직접 접촉하는 부분은 위생적인 내수성 재질로 씻기 쉬우며, 열탕·증기·살균제 등으로 소독·살균이 가능한 것이어야 함

(4) 급수시설
① 수돗물이나 「먹는물관리법」 제5조에 따른 먹는 물의 수질기준에 적합한 지하수 등을 공급할 수 있는 시설을 갖추어야 함
② 지하수 등을 사용하는 경우에 취수원은 화장실, 폐기물처리시설, 동물사육장, 그 밖에 지하수가 오염될 우려가 있는 장소로 부터 20m 이상 떨어진 곳에 위치하여야 함
③ 먹기에 적합하지 않은 용수는 교차 또는 합류되지 않아야 한다.

(5) 화장실
① 작업장에 영향을 미치지 아니하는 곳에 정화조를 갖춘 수세식 화장실을 설치
② 화장실은 콘크리트 등으로 내수성처리를 하여야 하며, 바닥과 내벽(바닥으로부터 1.5m 까지)에는 타일을 부착하거나 방수페인트로 색칠하여야 함.

(6) 창고 등의 시설
① 원료와 제품을 위생적으로 보관·관리할 수 있는 창고를 갖추어야 함. 다만, 창고를 대신할 수 있는 냉장·냉동시설을 따로 갖춘 업소에서는 이를 설치하지 아니할 수 있음
② 창고의 바닥에는 양탄자를 설치하여서는 아니 됨.

(7) 검사실
① 식품 등의 기준·규격을 검사할 수 있는 검사시설을 갖추어야 함. 다만, 다음의 어느 하나에 해당하는 경우에는 그러하지 아니할 수 있다.
  - 법 제31조제2항에 따라 식품위생검사기관 등에 위탁하여 자가품질검사를 하려는 경우
  - 같은 영업자가 다른 장소에 영업신고한 같은 업종의 영업소에 검사실을 갖추고 그 검사실에서 법 제31조제1항에 따른 자가품질검사를 하려는 경우
  - 같은 영업자가 설립한 식품 관련 연구·검사기관에서 자사 제품에 대하여 법 제31조제1항에 따른 자가품질검사를 하려는 경우
  - 「독점규제및공정거래에관한법률」에 따른 기업집단에 속하는 식품관련 연구·검사기관 또는 계열회사가 영업신고한 같은 업종의 영업소의 검사실에서 법 제31조제1항에 따른 자가품질검사를 하려는 경우

② 검사실을 갖추는 경우에는 자가품질검사에 필요한 기계·기구 및 시약류를 갖추어야 함

(8) 시설기준 적용의 특례
① 선박에서 수산물을 제조·가공하는 경우에는 작업장에서 발생하는 악취·유해가스·매연·증기 등을 환기시키는 시설·창고 등의 시설(냉동·냉장시설)·수세식 화장실
② 식품제조·가공업자가 식품의 제조·가공시설이 부족한 경우에는 해당업의 영업신고를 한 자에게 위탁하여 식품제조·가공을 할 수 있음
③ 하나의 업소가 2 이상의 업종의 영업을 할 때 또는 2 이상의 식품을 제조·가공하고자 할 경우로서 각각의 제품이 전부 또는 일부의 동일한 공정을 거쳐 생산되는 경우에는 그 공정에 사용되는 시설 및 작업장을 함께 쓸 수 있고, 이 경우「축산물가공처리법」제22조에 따라 축산물가공처리업의 허가를 받은 업소, 「먹는물관리법」제21조에 따라 먹는샘물제조업의 허가를 받은 업소, 「주세법」제6조에 따라 주류제조의 면허를 받아 주류를 제조하는 업소 및「건강기능식품에관한법률」제5조에 따라 건강기능식품제조업의 허가를 받은 업소 및「양곡관리법」제19조에 따라 양곡가공업 등록을 한 업소의 시설 및 작업장도 또한 같음
④「농어촌발전 특별조치법」제2조제2호에 따른 농업인 등,「농업·농촌 및 식품산업 기본법」제3조제4호에 따른 생산자단체 또는「수산물품질관리법」제2조제16호에 따른 생산자단체가 국내산 농산물과 수산물을 주된 원료로 식품을 직접 제조·가공하는 영업에 대하여는 시장·군수·구청장은 그 시설기준을 따로 정할 수 있음.
⑤ 의약품제조업과 식품제조·가공업을 함께 허가받거나 신고한 영업자는 함께 허가받거나 식품의약품안전청장이 식품이나 의약품에 전이될 우려가 없어 적합하다고 인정하는 경우에는 식품제조·가공업 영업신고를 한 자의 시설을 이용할 수 있다.

2. 즉석판매제조·가공업

(1) 건물의 위치 등
① 독립된 건물이거나 즉석판매제조·가공 외의 용도로 사용되는 시설과 분리 또는 구획되어야 한다. 다만, 백화점 등 식품을 전문으로 취급하는 일정장소(식당가·식품매장 등을 말함)에서 즉석판매제조·가공업의 영업을 하려는 경우와「축산물가공처리법 시행령」제21조제7호가목에 따른 식육판매업소에서 식육을 이용하여 즉석판매제조·가공업의 영업을 하려는 경우로서 식품위생상 위해발생의 우려가 없다고 인정되는 경우에는 그러하지 아니함.

② 건물의 위치·구조 등 자재에 관하여는 식품제조·가공업의 시설기준 중 '건물의 위치 등'의 관련규정을 준용함

(2) 작업장
① 식품의 제조·가공시설이 설치된 제조·가공실을 두어야 하며, 식품제조·가공업의 시설기준 중 '작업장의 관련 규정'을 준용함
② 급수시설은 식품제조·가공업의 시설기준 중 '급수시설의 관련 규정'을 준용. 다만, 인근에 급수시설이 있는 경우에는 이를 설치하지 아니할 수 있음

(3) 판매시설 : 식품을 위생적으로 유지·보관할 수 있는 진열·판매시설을 갖추어야 함

(4) 화장실
① 작업장에 영향을 미치지 아니하는 곳에 설치
② 정화조를 갖춘 수세식 화장실을 설치. 다만, 상·하수도가 설치되지 아니한 지역에서는 수세식이 아닌 화장실을 설치할 수 있으며, 이 경우에 변기의 뚜껑과 환기시설을 갖추어야 함
③ 공동화장실이 설치된 건물 내에 있는 업소 및 인근에 사용이 편리한 화장실이 있는 경우에는 따로 화장실을 설치하지 아니할 수 있음
④ 「재래시장 및 상점가 육성을 위한 특별법」 제2조제1호에 따른 재래시장 또는 「관광진흥법 시행령」 제2조제1항제5호가목에 따른 종합유원시설업의 시설 안에서 이동판매형태의 즉석판매제조·가공업을 하려는 경우에는 가목부터 바목까지의 시설기준에도 불구하고 특별자치도지사·시장·군수·구청장이 그 시설기준을 따로 정할 수 있음
⑤ 「도시와 농어촌 간의 교류촉진에 관한 법률」 제10조에 따라 농어촌체험·휴양마을사업자가 지역 농림수산물을 주재료로 이용한 즉석식품을 제조·판매·가공하는 경우로서 그 시설기준을 따로 정한 때에는 그 시설기준에 따름

6. 식품 등의 표시기준 (법 제10조)

1. 표시대상

(1) 식품 또는 식품첨가물
　　식품의약품안전청장은 국민보건을 위하여 필요하면 다음 각 호의 어느 하나에 해당하는 표시에 관한 기준을 정하여 고시할 수 있다.
　　① 판매를 목적으로 하는 식품 또는 식품첨가물의 표시
　　② 제9조제1항에 따라 기준과 규격이 정하여진 기구 및 용기·포장의 표시

(2) 표시에 관한 기준이 정하여진 식품 등은 그 기준에 맞는 표시가 없으면 판매하거나 판매할 목적으로 수입·진열·운반하거나 영업에 사용하여서는 아니 된다.

7. 광고 (법 제12조의 3 및 규칙 제8조)

1. 허위표시·과대광고·비방광고 및 과대포장의 범위

(1) 허위표시 및 과대광고의 범위 : 용기·포장, 라디오, TV, 신문, 잡지, 음악, 영상, 인쇄물, 간판, 인터넷, 그 밖의 방법으로 식품 등의 명칭, 제조방법, 품질, 영양가, 원재료, 성분 또는 사용에 대한 정보를 나타내거나 알리는 행위

(2) 금지되는 행위

① 법 제19조에 따라 수입신고한 사항이나 법 제37조에 따라 허가받거나 신고 또는 보고한 사항과 다른 내용의 표시·광고
② 질병의 예방 또는 치료에 효능이 있다는 내용의 표시·광고
③ 식품 등의 명칭·제조방법, 품질·영양표시, 식품이력추적표시, 식품 또는 식품첨가물의 영양가·원재료·성분·용도와 다른 내용의 표시·광고
④ 제조 연월일 또는 유통기한을 표시함에 있어서 사실과 다른 내용의 표시·광고
⑤ 제조방법에 관하여 연구하거나 발견한 사실로서 식품학·영양학 등의 분야에서 공인된 사항 외의 표시·광고. 다만, 제조방법에 관하여 연구하거나 발견한 사실에 대한 식품학·영양학 등의 문헌을 인용하여 문헌의 내용을 정확히 표시하고, 연구자의 성명, 문헌명, 발표 연월일을 명시하는 표시·광고는 제외한다.
⑥ 각종 상장·감사장 등을 이용하거나 "인증"·"보증" 또는 "추천"을 받았다는 내용을 사용하거나 이와 유사한 내용을 표현하는 광고. 다만, 다음 각 목에 해당하는 내용을 사용하는 경우는 제외한다.
  - 「정부표창규정」에 따라 제품과 직접 관련하여 받은 상장
  - 「정부조직법」 제2조부터 제4조까지의 규정에 따른 중앙행정기관·특별지방행정기관 및 그 부속기관, 「지방자치법」 제2조에 따른 지방자치단체 또는 「공공기관의 운영에 관한 법률」 제4조에 따른 공공기관으로부터 받은 인증·보증
  - 「식품산업진흥법」 제22조에 따른 전통식품 품질인증, 「산업표준화법」 제15조에 따른 제품인증 등 다른 법령에 따라 받은 인증·보증
⑦ 외국어의 사용 등으로 외국제품으로 혼동할 우려가 있는 표시·광고 또는 외국과 기술제휴한 것으로 혼동할 우려가 있는 내용의 표시·광고
⑧ 다른 업소의 제품을 비방하거나 비방하는 것으로 의심되는 표시·광고나 "주문쇄도" 등 제품의 제조방법·품질·영양가·원재료·성분 또는 효과와 직접적인 관련이 적은 내용 또는 사용하지 않은 성분을 강조함으로써 다른 업소의 제품을 간접적으로 다르게 인식하게 하는 표시·광고
⑨ 미풍양속을 해치거나 해칠 우려가 있는 저속한 도안·사진 등을 사용하는 표시·광고

⑩ 화학적 합성품의 경우 그 원료의 명칭 등을 사용하여 화학적 합성품이 아닌 것으로 혼동할 우려가 있는 광고
⑪ 판매사례품 또는 경품 제공·판매 등 사행심을 조장하는 내용의 표시·광고(「독점규제 및 공정거래에 관한 법률」에 따라 허용되는 경우는 제외)
⑫ 소비자가 건강기능식품으로 오인·혼동할 수 있는 특정 성분의 기능 및 작용에 관한 표시·광고
⑬ 체험기를 이용하는 광고

2. 과대포장의 범위

「자원의절약과재활용촉진에관한법률」 제9조에 따른 「제품의포장재질·포장방법에관한기준등에관한규칙」이 정하는 바에 의하도록 규정

3. 허위표시나 과대광고로 보지 아니하는 경우(식품위생법 시행규칙 제8조제2항)

① 유용성
- 신체조직 기능의 일반적인 증진을 주목적으로 하는 표현 또는 유사한 표현. (예시 : 건강유지, 건강증진, 체질개선, 식이요법, 영양보급 등의 표현은 가능하나 당뇨병, 변비 등 특정질병 지침 및 치료효과가 있다는 표현 등은 할 수 없음)
- 식품영양학적으로 공인된 사실의 표현 또는 제품에 함유된 영양성분의 기능 및 작용표현 (예시 : 임신수유기 영양보급, 병후 회복시 영양보급, 노약자 영양보급, 환자에 대한 영양보조 등)

② 용 도
- 제품의 제조목적이나 주요 용도에 따른 표현 (예시 : 유아식, 환자식 등 특수용도식품이라는 표현)
- 발육기, 성장기, 임신수유기, 갱년기 등 영양보급 목적으로 개발되었다는 표현

③ 섭취방법·섭취량 : 해당제품의 식품영양학적 기준으로 가장 적합하다고 생각되는 섭취방법 및 섭취량의 표현

8. 위생교육

(1) 교육대상자 (식품위생법 제41조)

① 대통령령으로 정하는 영업자 및 유흥종사자를 둘 수 있는 식품접객업 영업자의 종업원
② 제36조제1항 각 호에 따른 영업을 하려는 자(부득이한 사유로 미리 식품위생교육을 받을 수 없는 경우에는 영업을 시작한 뒤에 보건복지부장관이 정하는 바에 따라 식품위생교육을 받을 수 있음)는 미리 식품위생교육을 받아야 한다.
③ 영업에 직접 종사하지 아니하거나 두 곳 이상의 장소에서 영업을 하는 경우에는 종업원 중에서 식품위생에 관한 책임자를 지정하여 영업자 대신 교육을 받게 할 수 있

음(집단급식소에 종사하는 조리사 및 영양사가 식품위생에 관한 책임자로 지정되어 교육을 받은 경우에는 제외)

④ 조리사 또는 영양사의 면허를 받은 자가 식품접객업을 하려는 경우에는 식품위생교육을 받지 아니하여도 된다.

⑤ 식품위생교육 대상자 중 허가관청 또는 신고관청에서 교육에 참석하기 어렵다고 인정하는 도서·벽지 등의 영업자 및 종업원에 대해서는 제53조에 따른 교육교재를 배부하여 이를 익히고 활용하도록 함으로써 교육을 갈음할 수 있음(시행규칙 제54조)

(2) 교육기관 (시행규칙 제51조)

보건복지부장관이 지정·고시하는 식품위생교육전문기관, 동업자조합 또는 한국식품산업협회

(3) 교육내용 (시행규칙 제51조)

식품위생, 개인위생, 식품위생시책, 식품의 품질관리 등으로 하고, 식품위생교육 내용에 관한 세부사항은 보건복지부장관이 정한다.

(4) 교육시간 (시행규칙 제52조)

① 대통령령으로 정하는 영업자 및 유흥종사자를 둘 수 있는 식품접객업 영업자의 종업원
- 영 제21조제1호부터 제8호까지에 해당하는 영업자(식용얼음판매업자와 식품자동판매기영업자는 제외) : 3시간
- 영 제21조제8호라목에 따른 유흥주점영업의 유흥종사자 : 2시간
- 법 제88조제2항에 따라 집단급식소를 설치·운영하는 자 : 3시간

② 영업에 직접 종사하지 않거나 두 곳 이상에서 영업하는 경우
- 영 제21조제1호부터 제3호까지에 해당하는 영업을 하려는 자 : 8시간
- 영 제21조제4호부터 제7호까지에 해당하는 영업을 하려는 자 : 4시간
- 영 제21조제8호의 영업을 하려는 자 : 6시간
- 법 제88조제1항에 따라 집단급식소를 설치·운영하려는 자 : 6시간

9. 검사

1. 자가품질검사

(1) 관련규정 : 법 제31조 및 영 제31조

(2) 자가품질검사 의무

① 식품 등을 제조·가공하는 영업자는 보건복지부령으로 정하는 바에 따라 제조·가공하는 식품 등이 기준과 규격에 맞는지를 검사하여야 한다.

② 식품의약품안전청장 및 시·도지사는 해당 영업을 하는 자가 직접 행하는 것이 부적합한 경우 자가품질위탁검사기관에 위탁하여 검사하게 할 수 있다.

③ 검사를 직접 행하는 영업자 및 자가품질위탁검사기관은 검사결과를 지체없이 식품의 약품안전청장에게 보고해야 함
④ 자가품질위탁검사기관은 검사 결과 부적합하여 해당 제품이 회수대상이 되는 식품 등에 해당된다고 인정되는 경우에는 지체없이 식품의약품안전청장, 지방식품의약품안전청장 또는 신고관청에 통보하여야 함. 이 경우 자가품질검사를 의뢰한다. 영업자는 유통 중인 해당 제품을 회수·폐기하는 등 필요한 조치를 하여야 한다.
⑤ 자가품질검사에 관한 기록서는 2년간 보관하여야 한다.

(3) 자가품질검사의 기준 (별표 12)
① 자가품질검사주기의 적용시점은 제품제조일을 기준으로 산정한다.
② 자가품질검사는 식품의약품안전청장이 정하여 고시하는 식품유형별 검사항목을 검사한다. 다만, 식품제조·가공 과정 중 특정 식품첨가물을 사용하지 아니한 경우에는 그 항목의 검사를 생략할 수 있다.

(4) 검사항목 및 주기 (식품의약품안전청장이 고시하는 식품유형별 검사항목)
① 식품제조·가공업
- 과자류(과자, 캔디류 및 츄잉껌만 해당한다), 코코아가공품류, 규격 외 일반가공식품, 선박에서 통·병조림을 제조하는 경우와 단순가공품만을 가공하는 경우 : 6개월마다 1회 이상
- 제품제조용 수입 반가공 원료식품 : 6개월마다 1회 이상
- 제품제조용 용기·포장 : 동일재질별로 6개월마다 1회 이상 재질별 성분에 관한 규격
- 빵류, 식육 또는 알가공품, 음료류(비가열음료 제외), 식용유지류(들기름) : 3개월마다 1회 이상
- 규정 외의 식품 : 1개월마다 1회 이상

② 즉석판매제조·가공업
- 빵류(크림빵류), 어육가공품, 두부류 또는 묵류, 식용유지(압착식용유) 및 기타식품류(캡슐류에 한함) : 9개월 마다 1회 이상

③ 식품첨가물
- 기구 등 살균소독제: 6개월마다 1회 이상 살균소독력
- 그 외의 식품첨가물: 6개월마다 1회 이상 식품첨가물별 성분에 관한 규격

④ 기구 또는 용기·포장 : 동일재질별로 6개월마다 1회 이상 재질별 성분에 관한 규격

2. 출입·수거·검사 등

(1) 관련법규 : 법 제 22조, 영 제 12조, 규칙 제 19조, 제 20조, 제 22조
(2) 식품의약품안전청장, 시·도지사 또는 시장·군수·구청장은 식품 등의 위해방지·위생관리와 영업질서의 유지를 위하여 필요하면 다음의 구분에 따른 조치를 함.

① 영업자나 그 밖의 관계인에게 필요한 서류나 그 밖의 자료의 제출 요구
② 관계 공무원으로 하여금 다음에 해당하는 출입·검사·수거 등의 조치
- 영업소(사무소, 창고, 제조소, 저장소, 판매소, 그 밖에 이와 유사한 장소를 포함한다)에 출입하여 판매를 목적으로 하거나 영업에 사용하는 식품 등 또는 영업시설 등에 대하여 하는 검사
- 앞의 내용에 따른 검사에 필요한 최소량의 식품 등의 무상 수거
- 영업에 관계되는 장부 또는 서류의 열람

(3) 식품의약품안전청장은 시·도지사 또는 시장·군수·구청장이 출입·검사·수거 등의 업무를 수행하면서 식품 등으로 인하여 발생하는 위생 관련 위해방지 업무를 효율적으로 하기 위하여 필요한 경우에는 관계 행정기관의 장, 다른 시·도지사 또는 시장·군수·구청장에게 행정응원(行政應援)을 하도록 요청할 수 있다.

(4) 앞의 (2) 및 (3)의 경우에 출입·검사·수거 또는 열람하려는 공무원은 그 권한을 표시하는 증표를 지니고 이를 관계인에게 내보여야 함. 제2항에 따른 행정응원의 절차, 비용부담 방법, 그 밖에 필요한 사항은 대통령령으로 정함(이상 법 제22조)

(5) 법22조에 따른 출입·검사·수거 등은 국민의 보건위생을 위하여 필요하다고 판단되는 경우에는 수시로 실시

(6) 위의 (5)에도 불구하고 청정처분을 받은 업소에 대한 출입·검사·수거 등은 그 처분일부터 6개월 이내에 1회 이상 실시해야 함. 다만 행정처분을 받은 영업자가 그 처분의 이행결과를 보고하는 경우에는 그러하지 아니함(이상 시행규칙 제9조)

(7) 수거량 및 검사의뢰 (시행규칙 제20조)
① **무상수거 식품 등의 대상과 그 수거량** : 법 제22조제1항제2호나목에 따라 별표 8과 같음
② 관계 공무원이 식품 등을 수거한 경우에는 수거증을 발급하여야 한다.
③ 식품 등을 수거한 관계 공무원은 그 수거한 식품 등을 그 수거 장소에서 봉함하고 관계 공무원 및 피수거자의 인장 등으로 봉인하여야 한다.
④ 식품의약품안전청장, 특별시장·광역시장·도지사·특별자치도지사 또는 시장·군수·구청장은 제1항에 따라 수거한 식품 등에 대해서는 지체 없이 식품위생검사기관 및 식품위생전문검사기관에 검사를 의뢰하여야 함.
⑤ 식품의약품안전청장, 시·도지사 또는 시장·군수·구청장은 법 제22조제1항에 따라 관계 공무원으로 하여금 출입·검사·수거를 하게 한 경우에는 별지 제17호서식의 수거검사 처리대장(전자문서 포함)에 그 내용을 기록하고 이를 갖춰 두어야 함.
⑥ 수거검사 절차

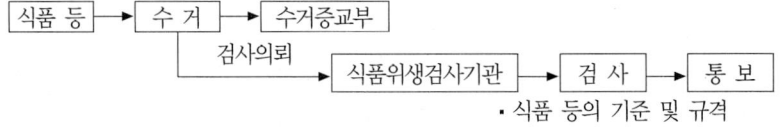

(8) 검사방법 등 (시행규칙 제21조)

① 식품위생검사기관 및 식품위생전문검사기관 제20조제4항에 따라 검사의뢰를 받은 경우에는 식품 등의 기준 및 규격에 따라 검사하여야 함. 다만, 검사의뢰기관이 검사할 항목을 선정한 경우에는 그 항목만을 검사할 수 있음.
② 검사의뢰를 받은 검사기관은 기술 또는 시설 부족 등의 사유로 검사를 할 수 없는 경우에는 지체없이 그 검사를 할 수 있는 다른 검사기관에 식품 등의 기준 및 규격에 따른 검사에 필요한 시험재료를 송부하고, 검사의뢰기관에 그 사실을 알려야 함.
③ 검사기관은 검사결과 식품 등의 기준 및 규격에 적합하지 아니한 경우에는 그 검사에 필요한 시험재료의 일부를 검사 완료일부터 60일 동안 보관하여야 하며, 식품 등의 기준 및 규격이 정해져 있지 아니하거나 정해진 식품 등의 기준 및 규격 외의 항목을 검사한 경우에는 30일 동안 보관하여야 함. 다만, 보관이 곤란하거나 부패하기 쉬운 식품 등은 그러하지 아니 함.
④ 검사기관은 검사를 하는 경우에는 시험기록서(전자문서를 포함한다)를 작성하여 갖춰두어야 함. 이 경우, 그 시험기록서는 최종 기재일로부터 3년 동안 보관하여야 함.

(9) 검사결과의 보고 등 (규칙 제22조)

① 검사기관은 검사를 완료한 경우에는 지체없이 그 검사결과를 시험성적서로 검사의뢰기관에 통보하여야 하며, 검사결과 그 식품 등이 법 제72조제1항에 따른 폐기처분의 대상에 해당된다고 인정되는 경우에는 식품의약품안전청장과 시·도지사 및 시장·군수·구청장에게 지체없이 그 내용을 알려야 함. 이 경우 시장·군수·구청장은 지체없이 해당식품 등을 수거·폐기하여야 함.
② 검사기관은 「주세법」, 「수산업법」, 또는 「인삼산업법」에 따라 허가를 받거나 등록 또는 신고를 한 식품 등을 검사한 결과 식품 등의 기준 및 규격에 적합하지 아니한 것이 있는 경우에는 그 시험성적서의 사본, 시험기록서의 사본 및 수거증의 사본을 갖추어 식품의약품안전청장에게 보고하여야 함.

3. 수입식품검사

(1) 수입 식품 등의 신고 (법 제19조)

① 판매를 목적으로 하거나 영업상 사용하는 식품 등을 수입하려는 자는 보건복지부령으로 정하는 바에 따라 식품의약품안전청장에게 신고하여야 한다.
② 식품의약품안전청장은 신고된 식품 등에 대하여 통관절차 완료 전에 관계 공무원이나 검사기관으로 하여금 필요한 검사를 하게 하여야 함(기구·용기·포장은 통관절차가 끝난 후에도 검사 가능)
③ **검사의 전부 또는 일부를 생략할 수 있는 경우**
- 위해식품 등에 해당하지 아니하고 수입식품 등 사전확인등록한 경우
- 식품의약품안전청장이 인정하여 고시한 국내외 검사기관에서 검사를 받아 그 검사성적서 또는 검사증명서를 제출하는 경우

- 우수수입업소가 수입한 경우
- 그 밖에 보건복지부령으로 정하는 사유에 해당하는 경우

(2) 수입신고 시의 첨부서류 (시행규칙 제12조)

① 검사성적서 또는 검사증명서
② 한글표시가 된 포장지 또는 한글표시 내용이 기재된 서류
③ 구분유통증명서 또는 이와 동등한 효력이 있음을 생산국의 정부가 인정하는 증명서
④ 유통기한 설정사유서 또는 유통기간 연장보고서
⑤ 다이옥신 잔류량 검사성적서, 소해면상뇌증에 감염되지 아니한 건강한 반추동물의 원료를 사용하였다는 생산국 정부증명서, 유전자재조합 안전성관련 승인서류 등 위해정보에 따라 식품의 안전을 확보하기 위하여 식품의약품안전청장이 필요하다고 인정하는 서류
⑥ 수출계획서(외국으로부터 반송된 식품 등을 국내에서 재가공후 수출하기 위하여 수입하는 경우에 한함)
⑦ 위생약정을 체결한 국가로부터 수입하는 경우 수출국 정부에서 인정하는 검사기관에서 발급한 검사성적서 또는 검사증명서 원본(검사성적서 또는 검사증명서를 첨부하기로 위생약정을 체결한 국가로부터 수입하는 수산물의 경우만 해당)

(3) 검사의 종류 (별표 나 참조)

① **서류검사** : 신고서류 등을 검토하여 그 적합 여부를 판단하는 검사
② **관능검사** : 제품의 성질·상태·맛·냄새·색깔·표시·포장상태 및 정밀검사 이력 등을 종합하여 식품의약품안전청장이 정하는 기준에 따라 그 적합 여부를 판단하는 검사
③ **정밀검사** : 물리적·화학적 또는 미생물학적 방법에 따라 실시하는 검사로서 서류검사 및 관능검사를 포함
④ **무작위표본검사** : 수입식품 등의 안전성을 확보하기 위하여 통계학적 방법에 따른 식품의약품안전청장의 표본추출계획에 따라 물리적·화학적 또는 미생물학적 방법으로 실시하는 검사

(4) 수입식품 등의 사전확인등록 신청 (시행규칙 제15조)

① 수입식품 등 사전확인등록 신청서에 다음 각 호의 서류를 첨부하여 식품의약품안전청장에게 제출하여야 함
- 수출하려는 제품에 관한 다음 각 목의 사항을 포함한 서류
  - 식품 : 제품명, 사용한 원재료명 및 그 성분배합 비율, 제조·가공의 방법, 사용한 식품첨가물의 명칭·사용량 등에 관한 사항
  - 식품첨가물 : 식품첨가물명 및 그 성분규격에 관한 사항
  - 기구 또는 용기·포장 : 재질·용도·바탕색 등에 관한 사항 및 해당 제품의 전체를 나타내는 그림 또는 사진
- 검사성적서 원본 또는 검사증명서 원본

- 해당 식품 등을 생산하는 제조·가공 공장의 소재지, 건물배치도(기계·기구류 배치 내용을 포함) 및 작업장 평면도 등에 관한 서류
② 식품의약품안전청장은 현지 확인 또는 수출국 정부의 확인을 통하여 신청 내용이 기준에 적합하다고 인정되는 경우 수입식품 등 사전확인등록대장에 기재하고 등록증을 발급함
③ 이미 등록된 식품 등과 식품유형이 같은 경우로서 새로운 제조·가공시설이 필요하지 아니한 식품 등은 등록된 것으로 봄
④ 수입식품 등 사전확인 등록이 된 사항 중 소재지가 변경된 경우에는 수입식품 등 사전확인등록 변경신청서에 다음 각 호의 서류를 첨부하여 식품의약품안전청장에게 제출해야 함.
- 변경 후 제조·가공한 해당 식품 등에 대한 공인검사기관에서 발행한 검사성적서 원본 도는 검사증명서 원본
- 해당 식품 등을 생산하는 제조·가공 공장의 소재지, 건물배치도 및 작업장 평면도 등에 관한 서류

10. 위생등급 (법 제47조)

식품의약품안전청장 또는 특별자치도지사·시장·군수·구청장은 보건복지부령이 정하는 위생등급기준에 따라 위생관리상태 등이 우수한 식품 등의 제조·가공업소 또는 식품접객업소 또는 집단급식소를 우수업소 또는 모범업소로 지정할 수 있음

① 우수업소지정 — 식품의약품안전청장 또는 특별자치도지사·시장·군수·구청장
② 모범업소지정 — 특별자치도지사·시장·군수·구청장

11. 위해요소 중점관리기준 (HACCP)

(1) 관련규정 : 법 제48조, 영 제33조, 규칙 제62조

(2) 목 적

식품의 원료관리, 제조·가공·조리·소분 및 유통의 모든 과정에서 위해물질 혼입 및 식품오염을 중점관리할 수 있는 기준을 정함

(3) 위해요소중점관리기준 준수대상 식품

① 어육가공품 중 어묵류
② 냉동수산식품 중 어류·연체류·조미가공품
③ 냉동식품 중 피자류·만두류·면류
④ 빙과류
⑤ 비가열음료
⑥ 레토르트식품

⑦ 김치류 중 배추김치

(4) 지정신청 및 변경 (규칙 제63조)
① 신 청 : HACCP로 지정을 받으려는 자는 별지의 지정신청서에 위해요소중점관리기준에 따라 작성한 적용대상 식품별 위해요소중점관리계획서를 첨부하여 지방식품의약품안전청장에게 제출하여야 함
② 지 정 : 지정신청을 받은 지방식품의약품안전청장은 해당 업소를 HACCP 적용업소로 지정한 경우에는 별지의 HACCP 적용업소 지정서를 발급하여야 한다.
③ 변 경 : HACCP 적용업소로 지정받은 사항 중 식품의 위해를 방지하거나 제거하여 안전성을 확보할 수 있는 단계 또는 공정을 변경하거나 영업장 소재지를 변경하려는 자는 별지 제54호 서식의 변경신청서에 다음 각 호의 서류를 첨부하여 지방식품의약품안전청장에게 제출해야 함
- 별지 제53호 서식의 위해요소중점관리기준적용업소 지정서
- 중요관리점의 변경 내용에 대한 설명서

(5) HACCP 적용업소의 영업자 및 종업원 교육훈련 (규칙 제64조)
① HACCP 적용업소로 지정받은 업소의 영업자 및 종업원에 대한 신규교육훈련
② HACCP 적용업소로 지정받은 업소가 매년 1회 이상 받아야 하는 종업원에 대한 정기교육훈련
③ 그 밖에 식품의약품안전청장이 식품위해사고의 발생 및 확산이 우려되어 HACCP 적용업소 영업자 및 종업원에게 명하는 교육훈련

(6) 교육훈련 내용에 포함되어야 할 사항
① 위해요소중점관리기준의 원칙과 절차에 관한 사항
② 식품위생제도 및 식품위생관련 법령에 관한 사항
③ 위해요소중점관리기준의 적용방법에 관한 사항
④ 위해요소중점관리기준의 조사·평가 및 자체평가에 관한 사항
⑤ 위해요소중점관리기준과 관련된 식품위생에 관한 사항

(7) 교육훈련시간
① 신규교육훈련 : 영업자 2시간 이내, 종업원 16시간 이내
② 정기교육훈련 : 4시간 이내
③ 식품위해사고의 발생 및 확산 우려시 : 종업원 8시간 이내

12. 위해식품 등의 회수

(1) 관련규정
법 제 45조, 영 제 58조, 제 59조

(2) 회수대상(별표 18참조)
  ① 식품의약품안전청장이 정한 식품·식품첨가물의 기준 및 규격의 위반사항 중 다음 각 목의 어느 하나에 해당한 경우
   - 비소·카드뮴·납·수은·중금속·메탄올 및 시안화물의 기준을 위반한 경우
   - 바륨, 포름알데히드, o-톨루엔설폰아미드, 다이옥신 또는 폴리옥시에틸렌의 기준을 위반한 경우
   - 방사능기준을 위반한 경우
   - 농산물의 농약잔류허용기준을 초과한 경우
   - 곰팡이 독소기준을 초과한 경우
   - 패류 독소기준을 위반한 경우
   - 항생물질 등의 잔류허용기준(항생물질·합성항균제, 합성호르몬제)을 초과한 것을 원료로 사용한 경우
   - 식중독균(살모넬라, 대장균 O157:H7, 리스테리아 모노사이토제네스, 캠필로박터 제주니, 클로스트리디움 보툴리눔) 검출기준을 위반한 경우
   - 허용한 식품첨가물 외의 인체에 위해한 공업용 첨가물을 사용한 경우
   - 주석·포스파타제·암모니아성질소·아질산이온 또는 형광증백제시험에서 부적합 하다고 판정된 경우
   - 식품조사처리기준을 위반한 경우
   - 식품 등에서 유리·금속 등 섭취과정에서 인체에 직접적인 위해나 손상을 줄 수 있는 재질이나 크기의 이물 또는 심한 혐오감을 줄 수 있는 이물이 발견된 경우. 다만, 이물의 혼입 원인이 객관적으로 밝혀져 다른 제품에서 더 이상 동일한 이물이 발견될 가능성이 없다고 식품의약품안전청장이 인정하는 경우에는 그러하지 아니하다.
   - 그 밖에 식품 등을 제조·가공·조리·소분·유통 또는 판매하는 과정에서 혼입되어 인체의 건강을 해칠 우려가 있거나 섭취하기에 부적합한 물질로서 식품의약품안전청장이 인정하는 경우
  ② 법 제9조에 따라 식품의약품안전청장이 정한 기구 또는 용기·포장의 기준 및 규격에 위반한 것으로서 유독·유해물질이 검출된 경우
  ③ 국제기구 및 외국의 정부 등에서 위생상 위해우려를 제기하여 식품의약품안전청장이 사용금지한 원료·성분이 검출된 경우
  ④ 그 밖에 영업자가 스스로 제품의 안전한 공급을 위하여 필요하다고 판단한 경우로서 다음 각 목의 어느 하나에 해당하는 경우
   - 자가품질검사 결과 허용된 첨가물 외의 첨가물이 검출된 경우
   - 대장균검출기준을 위반한 사실이 확인된 경우
   - 그 밖에 제품의 안전성에 의심이 될 경우
  ⑤ 그 밖에 섭취함으로써 인체의 건강을 해치거나 해칠 우려가 있다고 인정하는 경우로서 식품의약품안전청장이 정하는 경우

(3) 회수내용 (법 제54조)
   ① 판매의 목적으로 식품 등을 제조·가공·소분·수입 또는 판매한 영업자는 해당 식품 등의 위해사실을 알게 된 경우에는 지체 없이 유통 중인 해당 식품 등을 회수하거나 회수하는 데에 필요한 조치를 하여야 함. 이 경우 영업자는 회수계획을 식품의약품안전청장, 시·도지사 또는 시장·군수·구청장에게 미리 보고하여야 하며, 회수결과를 보고받은 시·도지사 또는 시장·군수·구청장은 지체없이 식품의약품안전청장에게 보고해야 함
   ② 식품의약품안전청장, 시·도지사 또는 시장·군수·구청장은 회수에 필요한 조치를 성실히 이행한 영업자에 대하여 해당 식품 등으로 인하여 받게 되는 행정처분을 대통령령으로 정하는 바에 따라 감면할 수 있음
   ③ 회수대상 식품 등 회수계획·회수절차 및 회수결과 보고 등에 관하여 필요한 사항은 보건복지부령으로 정함
(4) 회수계획 (시행규칙 제59조)
   ① 제품명, 거래업체명, 생산량(수입량을 포함한다) 및 판매량
   ② 회수계획량(위해식품 등으로 판명 당시 해당 식품 등의 소비량 및 유통기한 등을 고려하여 산출하여야 함)
   ③ 회수 사유
   ④ 회수방법
   ⑤ 회수기간 및 예상 소요기간
   ⑥ 회수되는 식품 등의 폐기 등 처리방법
   ⑦ 회수 사실을 국민에게 알리는 방법
(5) 위해식품 등의 긴급회수문 (별표 22 참조)

위해식품 등의 긴급회수

「식품위생법」 제45조에 따라 아래의 식품 등을 긴급회수합니다.

가. 회수제품명 :
나. 제조일·유통기한 또는 품질유지기한:
※ 제조번호 또는 롯트번호로 제품을 관리하는 업소는 그 관리번호를 함께 기재
다. 회수사유 :
라. 회수방법 :
마. 회수영업자 :
바. 영업자주소 :
사. 연락처 :
아. 그 밖의 사항 : 위해식품 등 긴급회수관련 협조 요청
   ○ 해당 회수식품 등을 보관하고 있는 판매자는 판매를 중지하고 회수 영업자에게 반품하여 주시기 바랍니다.
   ○ 해당 제품을 구입한 소비자께서는 그 구입한 업소에 되돌려 주시는 등 위해식품 회수에 적극 협조하여 주시기 바랍니다.

---

* 긴급회수문의 크기 : 일반일간신문 게재용 : 5단 10센티미터 이상
　　　　　　　　　　 인터넷 홈페이지 게재용 : 긴급회수문의 내용이 잘 보이도록 크기 조정 가능

13. 건강진단

(1) 관련규정: 법 제40조, 시행규칙 제49조, 제50조

(2) 건강진단 대상자 (시행규칙 제49조)

    식품 또는 식품첨가물 (화학적 또는 기구 등의 살균·소독제 제외)을 채취·제조·가공·조리·저장·운반 또는 판매하는 데 직접 종사하는 영업자 및 종사자. 다만, 완전포장된 식품 또는 식품첨가물을 운반 또는 판매하는 일에 종사하는 자는 제외

(3) 영업에 종사하지 못하는 질병의 종류 (시행규칙 제50조)

    ① 「감염병의예방및관리에관한법률」 제2조제2호에 의한 제1군감염병
    ② 「감염병의예방및관리에관한법률」 제2조제4호나목에 따른 결핵 (비감염성인 경우 제외)
    ③ 피부병 또는 기타 화농성 질환
    ④ 후천성면역결핍증 (성병에 관한 건강진단을 받아야 하는 영업에 종사하는 사람만 해당)

(4) 건강진단 실시방법 및 위해질병 종류

    위생분야종사자등의건강진단규칙 (보건복지부령) 참조

14. 영업자 준수사항 등

(1) 관련규정

    법 제44조, 영 제29조, 제30조, 규칙 제55조, 제57조

(2) 식품 및 식품첨가물 제조·가공업자 및 종업원의 준수사항 (별표 16 참조)

    ① 생산 및 작업기록에 관한 서류와 원료의 입고·출고·사용에 대한 원료수불 관계서류를 작성하여야 하고, 최종기재일로부터 3년간 보관하여야 함
    ② 식품 제조·가공업자는 제품의 거래기록을 작성해야 하고, 최종기재일부터 3년간 보관
    ③ 유통기한이 경과된 제품은 판매목적으로 진열·판매(대리점 또는 직접 진열·판매·보관하는 경우에 한함)하거나 이를 식품 등의 제조·가공에 사용하지 아니하여야 함. 다만, 폐기용 또는 교육용이라는 표시가 명확하면 예외
    ④ 식품을 텔레비전·인쇄물 등에 의하여 광고하는 때에는 제품명 및 업소명을 포함하여야 하고, 유통기한을 확인하여 제품을 구입하도록 권장하는 내용을 포함시켜야 함. 다만, 유통기한과 제조연월일이 따로 표시되지 아니한 제품에 대한 광고의 경우에는 그러하지 아니함

⑤ 장난감 등을 식품과 함께 포장하여 판매하는 경우, 장난감 등이 식품의 보관·섭취에 사용되는 경우를 제외하고는 식품과 구분하여 별도로 포장하여야 함
⑥ 식품제조·가공업 또는 식품첨가물제조업의 영업신고를 한 자에게 위탁하여 식품 또는 식품첨가물을 제조·가공하는 경우에는 위탁한 그 제조·가공업자에 대하여 식품의약품안전청장이 정하는 절차와 방법에 따라 분기별 1회 이상 위생관리상태 등을 점검하여야 함(동일한 식품에 대하여 HACCP 적용업소로 지정받거나 「어린이 식생활안전관리 특별법」에 따라 품질인증을 받은 영업자 또는 우수등급 영업소로 결정된 영업자는 제외)
⑦ 식품제조·가공업자 및 식품첨가물제조·가공업자는 이물이 검출되지 아니하도록 필요한 조치를 하여야 하고 소비자로부터 이물 검출 등 불만사례 등을 신고받은 경우 그 내용을 기록하여 2년간 보관하여야 하며 이 경우 소비자가 제시한 이물과 증거품(사진, 해당 식품 등)은 6개월간 보관하여야 함(부패하거나 변질될 우려가 있는 이물 또는 증거품은 2개월간 보관 가능)
⑧ 「축산물가공처리법」 제12조의 규정에 의하여 검사를 받지 아니한 축산물 또는 실험용도로 사용한 동물을 식품의 제조 또는 가공에 사용하여서는 아니됨.
⑨ 수돗물이 아닌 지하수 등을 식품의 제조·가공에 사용하는 때에는 「먹는물관리법」 제43조의 규정에 의한 먹는물수질검사기관에서 1년(음료류 등 마시는 용도의 식품인 경우에는 6개월)마다 「먹는물관리법 제5조에 의한 먹는물」의 수질기준에 따라 검사를 받아 마시기에 적합하다고 인정된 물을 사용하여야 함
⑩ 모유 대용으로 사용하는 식품, 영·유아의 이유 또는 영양보충의 목적으로 제조·가공한 식품을 신문·잡지·라디오 또는 텔레비전을 통하여 광고하는 때에는 조제분유와 동일한 명칭 또는 유사한 명칭을 사용하여 소비자가 혼동할 우려가 있는 광고를 하여서는 아니됨
⑪ 법 제15조제2항에 따라 위해평가가 완료되기 전까지 일시적으로 금지된 제품에 대하여는 이를 제조·가공·유통·판매하여서는 아니 됨
⑫ 식품제조·가공업자가 자신의 제품을 만들기 위하여 수입한 반가공 원료 식품 및 용기·포장과 「대외무역법」에 따른 외화획득용 원료로 수입한 식품 등을 부패하거나 변질되어 또는 유통기한이 경과하여 폐기한 경우에는 이를 증명하는 자료를 작성하고, 최종 작성일부터 2년간 보관
⑬ 우수업소로 지정받은 자 외에는 우수업소로 오인·혼동할 우려가 있는 표시를 하여서는 아니 됨

(3) 즉석판매제조·가공영업자의 준수사항 (별표 17 참조)
① 제조·가공한 식품을 영업장 외의 장소에서 판매하거나 판매를 목적으로 하는 사람에게 판매하여서는 아니됨
② 손님이 보기 쉬운 곳에 가격표를 붙여야 하며, 가격표대로 요금을 받아야 함
③ 영업허가증을 업소 안에 보관해야 함

④ 「축산물가공처리법」 제12조에 따른 검사를 받지 아니한 축산물(또는 실험 등의 용도로 사용한 동물)은 식품의 제조·가공에 사용하여서는 아니됨
⑤ 「야생동식물보호법」을 위반하여 포획한 야생동물은 식품의 제조·가공에 사용해서는 안됨.
⑥ 유통기한이 경과된 제품을 진열·보관하거나 이를 식품의 제조·가공에 사용하여서는 아니 됨
⑦ 수돗물이 아닌 지하수 등을 식수 또는 식품의 조리·세척에 사용하는 때에는 「먹는물관리법」 제43조에 먹는물 수질검사기관에서 검사를 받아 마시기에 적합하다고 인정된 물을 사용하여야 함. 다만, 둘 이상의 업소가 같은 건물에서 같은 수원을 사용하는 경우에는 하나의 업소에 대한 시험결과로 갈음할 수 있음
⑧ 위해평가 완료 전까지 일시적으로 금지된 식품 등을 제조·가공·판매해서는 안 됨

(4) 식품접객영업자의 준수사항

① 물수건, 숟가락, 젓가락, 식기, 찬기, 도마, 칼, 행주, 그 밖의 주방용구는 기구 등의 살균·소독제 또는 열탕의 방법으로 소독한 것을 사용하여야 한다.
② 「축산물위생처리법」 제12조에 따라 검사를 받지 아니한 축산물 또는 실험 등의 용도로 사용한 동물은 음식물의 조리에 사용해서는 안 됨
③ 업소 안에서는 도박이나 그 밖의 사행행위 또는 풍기문란행위를 방지하여야 하며, 배달판매 등의 영업행위 중 종업원의 이러한 행위를 조장하거나 묵인하여서는 아니 된다.
④ 식품접객업자는 손님이 먹고 남은 음식물을 다시 사용하거나 조리하거나 보환하여서는 안 되며 공동찬통과 수형찬기 또는 복합찬기를 사용하거나 손님이 남긴 음식물을 싸서 가지고 갈 수 있도록 포장용기를 비치하고 이를 손님에게 알리는 등 음식문화개선을 위해 노력해야 한다.
⑤ 휴게음식점영업자·일반음식점영업자 또는 단란주점영업자는 영업장 안에 설치된 무대시설 외의 장소에서 공연을 하거나 공연을 하는 행위를 조장·묵인하여서는 아니 된다. 다만, 일반음식점영업자가 손님의 요구에 따라 회갑연, 칠순연 등 가정의 의례로서 행하는 경우에는 그러하지 아니하다.

(5) 위탁급식영업자의 준수사항

① 집단급식소를 설치·운영하는 자와 위탁계약한 사항 외의 영업행위를 하여서는 아니된다.
② 물수건·숟가락·젓가락·식기·찬기·도마·칼 및 행주 그 밖에 주방용구는 기구 등의 살균·소독제 또는 열탕의 방법으로 소독한 것을 사용하여야 한다.

③ 「축산물가공처리법」 제12조의 규정에 의하여 검사를 받지 아니한 축산물 또는 실험 등의 용도로 사용한 동물을 음식물의 조리에 사용하여서는 아니되며, 「야생 동·식물보호법」에 위반하여 포획한 야생동물을 사용하여 조리하여서는 아니된다.

④ 유통기한이 경과된 원료 또는 완제품을 조리할 목적으로 보관하거나 이를 음식물의 조리에 사용하여서는 아니된다.

⑤ 수돗물이 아닌 지하수 등을 먹는물 또는 식품의 조리·세척 등에 사용하는 경우에는 「먹는물관리법」 제43조의 규정에 의한 먹는물 수질검사기관에서 다음의 구분에 따라 검사를 받아 마시기에 적합하다고 인정된 물을 사용하여야 한다. 다만, 동일건물에서 동일수원을 사용하는 경우에는 하나의 업소에 대한 시험결과로 갈음할 수 있다.

- 일부항목 검사 : 1년마다(전 항목검사를 하는 연도의 경우를 제외한다) 「먹는물수질기준및검사등에관한규칙」 제4조제1항제2호에 따른 마을상수도의 검사기준에 따른 검사(잔류염소 검사를 제외한다). 다만, 시·도지사가 오염의 염려가 있다고 판단하여 지정한 지역에서는 먹는물의 수질기준에 따른 검사를 하여야 한다.
- 모든항목 검사 : 2년마다 「먹는물수질기준및검사등에관한규칙」 제2조에 따른 먹는물의 수질기준에 따른 검사

⑥ 동물의 내장을 조리한 경우에는 이에 사용한 기계·기구류 등을 세척하고 살균하여야 한다.

⑦ 조리·제공한 식품은 매회 1인분 분량을 영하 18℃ 이하에서 144시간 이상 보관하여야 한다.

⑧ 법 제15조제2항에 따라 위해평가가 완료되기 전까지 일시적으로 금지된 식품 등에 대하여는 이를 사용·조리하여서는 아니 된다.

⑨ 식중독 발생 시 보관 또는 사용 중인 보존식이나 식재료는 역학조사가 완료될 때까지 폐기하거나 소독 등으로 현장을 훼손하지 않고 원상태로 보존하여야 하며, 원인규명을 위한 행위를 방해하여서는 아니 된다.

⑩ 법 제47조제1항에 따른 모범업소가 아닌 업소의 영업자는 모범업소로 오인·혼동할 우려가 있는 표시를 하여서는 아니 된다.

15. 행정처분

(1) 관련규정 : 시행규칙 제89조, 제91조

(2) 일반기준 (규칙 제89조 관련 별표 23)

① 둘 이상의 위반행위가 적발된 경우로서
- 그 위반행위가 영업정지에만 해당하거나, 한 품목 또는 품목류(식품 등의 기준 및 규격 중 동일한 기준 및 규격을 적용받아 제조·가공되는 모든 품목을 말함)

에 대하여 품목 또는 품목류 제조정지에만 해당하는 경우에는 가장 중한 정지처분기간에 나머지 각각의 정지처분기간의 2분의 1을 더하여 처분
- 그 위반행위가 영업정지와 품목 또는 품목류 제조정지에 해당하는 때에는 각각의 영업정지·품목 또는 품목류 제조정지 처분기간을 상기와 같이 산정한 후, 그 영업정지기간이 품목 또는 품목류 제조정지기간보다 길거나 같으면 그 영업정지처분만을 하고, 그 영업정지기간이 품목 또는 품목류 제조정지기간보다 짧으면 그 영업정지처분과 그 초과기간에 대한 품목 또는 품목류 제조정지처분을 병과한다.

  또한 품목류 제조정지 기간이 품목 제조정지 기간보다 길거나 같으면 품목류 제조정지 처분만 하고, 품목류 제조정지 기간이 품목 제조정지 기간보다 짧으면 그 품목류 제조정지 처분과 그 초과기간에 대한 품목 제조정지 처분을 병과함
② 같은 날 제조한 같은 품목에 대하여 같은 위반사항이 적발된 경우에는 같은 위반행위로 봄
③ 위반행위에 대하여 행정처분을 하기 위한 절차가 진행되는 기간 중에 반복하여 같은 사항을 위반하는 경우에는 그 위반 횟수마다 행정처분 기준의 2분의 1씩 더하여 처분
④ 위반행위의 횟수에 따른 행정처분의 기준은 최근 1년간 같은 위반행위(법 제7조제4항 위반행위의 경우에는 식품 등의 기준과 규격에 따른 같은 기준 및 규격의 항목을 위반한 것을 말함)를 한 경우에 적용한다. 다만, 식품 등에 이물이 혼입되어 위반한 경우에는 같은 품목에서 같은 종류의 재질의 이물이 발견된 경우에 적용
⑤ 제5호에 따른 처분 기준의 적용은 같은 위반사항에 대한 행정처분일과 그 처분 후 재적발일(수거검사의 경우에는 검사결과를 허가 또는 신고관청이 접수한 날)을 기준으로 함
⑥ 어떤 위반행위든 해당 위반 사항에 대하여 행정처분이 이루어진 경우에는 해당 처분 이전에 이루어진 같은 위반행위에 대하여 다시 처분하지 않지만, 식품접객업자가 별표 17 제6호 다목, 타목, 하목, 거목 및 버목을 위반하거나 법 제44조 제2항을 위반한 경우는 제외함
⑦ 제1호 및 제2호에 따른 행정처분이 있은 후 다시 행정처분을 하게 되는 경우, 그 위반행위의 횟수에 따른 행정처분의 기준을 적용함에 있어서 종전의 행정처분의 사유가 된 각각의 위반행위에 대하여 각각 행정처분을 한 것으로 봄
⑧ 4차 위반인 경우에는 3차 위반의 처분 기준이 품목 또는 품목류 제조정지인 경우에는 품목 또는 품목류 제조정지 6개월의 처분을, 3차 위반의 처분 기준이 영업정지인 경우에는 3차 위반 처분 기준의 2배로 하되, 영업정지 6개월 이상이 되는 경우에는 영업허가 취소 또는 영업소 폐쇄를, 식품 등에 이물이 혼입된 경우로서 4차 이상의 위반에 해당하는 경우에는 3차 위반의 처분 기준을 적용
⑨ 조리사 또는 영양사에 대하여 행정처분을 하는 경우에는 4차 위반인 경우에는 3차 위반의 처분 기준이 업무정지이면 3차 위반 처분 기준의 2배로 하되, 업무

정지 6개월 이상이 되는 경우에는 면허취소 처분을, 5차 위반인 경우에는 면허취소 처분을 적용
⑩ 식품 등의 출입·검사·수거 등에 따른 위반행위에 대한 행정처분의 경우에는 그 위반행위가 해당 식품 등의 제조·가공·운반·진열·보관 또는 판매·조리 과정 중의 어느 과정에서 기인하는지 여부를 판단하여 그 원인제공자에 대하여 처분
⑪ 제11호 단서에 따라 유통전문판매업자에 대하여 품목 또는 품목류 제조정지 처분을 하는 경우에는 이를 각각 그 위반행위의 원인제공자인 제조·가공업소에서 제조·가공한 해당 품목 또는 품목류의 판매정지에 해당하는 것으로 봄
⑫ 즉석판매제조·가공업, 식품소분업, 식품 등 수입판매업 및 용기·포장류제조업에 대한 행정처분의 경우 그 처분의 양형이 품목 제조정지에 해당하는 경우에는 품목 제조정지 기간의 3분의 1에 해당하는 기간으로 영업정지 처분을 하고, 그 처분의 양형이 품목류 제조정지에 해당하는 경우에는 품목류 제조정지 기간의 2분의 1에 해당하는 기간으로 영업정지 처분
⑬ 법 제86조에 따른 식중독 조사결과 식품접객업소에서 제공된 식품에서 검출된 병을 일으키는 미생물이 해당 식중독의 발생원인으로 인정되는 경우의 처분기준은 개별기준을 적용
⑭ 다음 각 목의 어느 하나에 해당하는 경우에는 행정처분의 기준이, 영업정지 또는 품목·품목류 제조정지인 경우에는 정지처분 기간의 2분의 1이하의 범위에서, 영업허가 취소 또는 영업장 폐쇄인 경우에는 영업정지 3개월 이상의 범위에서 각각 그 처분을 경감할 수 있다.
- 식품 등의 기준 및 규격 위반사항 중 산가, 과산화물가 또는 성분 배합비율을 위반한 사항으로서 국민보건상 인체의 건강을 해할 우려가 없다고 인정되는 경우
- 표시기준의 위반사항 중 일부 제품에 대한 제조일자 등의 표시누락 등 그 위반사유가 영업자의 고의나 과실이 아닌 단순한 기계작동 상의 오류에 기인한다고 인정되는 경우
- 식품 등을 제조·가공하거나 수입만 하고 시중에 유통시키지 아니한 경우
- 식품을 제조·가공 또는 판매하는 자가 식품이력추적관리 등록을 한 경우
- 위반사항 중 그 위반의 정도가 경미하거나 고의성이 없는 사소한 부주의로 인한 것인 경우
- 해당 위반사항에 관하여 검사로부터 기소유예의 처분을 받거나 법원으로부터 선고유예의 판결을 받은 경우로서 그 위반사항이 고의성이 없거나 국민보건상 인체의 건강을 해할 우려가 없다고 인정되는 경우
- 식중독을 발생하게 한 영업자가 식중독의 재발 및 확산을 방지하기 위한 대책으로 시설을 개수하거나 살균·소독 등을 실시하기 위하여 자발적으로 영업을 중단한 경우
- 식품 등의 기준 및 규격이 정하여지지 않은 유독·유해물질 등이 해당 식

품에 혼입여부를 전혀 예상할 수 없었고 고의성이 없는 최초의 사례로 인정되는 경우
- 공통찬통, 소형찬기 또는 복합찬기를 사용하거나, 손님이 남은 음식물을 싸서 가지고 갈 수 있도록 포장용기를 비치하고 이를 손님에게 알리는 등 음식문화개선을 위해 노력하는 식품접객업자인 경우. 다만 1차 위반에 한정하여 경감 기능.
- 그 밖에 식품 등의 수급정책상 필요하다고 인정되는 경우

⑮ 소비자로부터 접수한 이물혼입 불만사례 등을 식품의약품안전청장, 관할 시·도지사 및 관할 시장·군수·구청장에게 지체 없이 보고한 영업자가 다음 각 목에 모두 해당하는 경우에는 차수에 관계없이 시정명령으로 처분(소비자가 식품의약품안전청장 등 행정기관의 장에게만 접수한 경우도 동일)
- 영업자가 검출된 이물의 발생방지를 위하여 시설 및 작업공정 개선, 직원교육 등 시정조치를 성실히 수행하였다고 관할 행정기관이 평가한 경우
- 이물을 검출할 수 있는 장비의 기술적 한계 등의 사유로 이물혼입이 불가피하였다고 식품의약품안전청장 등 관할 행정기관의 장이 인정하는 경우로 이물혼입의 불가피성은 식품위생심의위원회가 정한 기준에 따라 판단할 수 있다.

⑯ 뷔페 영업을 하는 일반음식점영업자가 별표 17에 따라 빵류를 제공하고 그 사실을 증명하면 표시사항 전부를 표시하지 아니한 경우라도 그 행정처분을 하지 아니할 수 있음

⑰ 영업정지 1개월은 30일을 기준으로 함

⑱ 행정처분의 기간이 소수점 이하로 산출되는 경우에는 소수점 이하를 버림

4. 기타 관련법규 해설

1. 식품 등의 기준 및 규격 해설 (식품공전 2012. 9. 5)

(1) 총 칙

① 표준온도는 20℃, 상온은 15~25 ℃, 실온은 1~35 ℃, 미온은 30~40℃, 찬물은 15 ℃ 이하, 온탕은 60~70 ℃, 열탕은 약 100 ℃ 임
② 차고 어두운 곳(냉암소)이라 함은 빛이 차단된 0~15℃의 장소
③ 시험에 쓰는 물은 증류수 또는 정제수로 함
④ 감압은 15mm·Hg 이하
⑤ pH를 산성·알칼리성·중성으로 표시한 것은 따로 규정이 없는 한 리트머스지 또는 pH미터기를 써서 시험.
⑥ 방울수(滴水)를 측정할 때에는 20℃에서 증류수 20 방울을 떨어뜨릴 때에 그 무게가 0.90~1.10 g 이 되는 기구를 씀.
⑦ 네슬러관은 안지름 20 mm, 바깥지름 24 mm, 밑에서부터 마개의 밑까지의 길이 20 cm 의 무색 유리로 만든 바닥이 평평한 시험관으로서 50 mL 의 것을 사용. 각 관의 눈금높이의 차는 2 mm 이하로 함.
⑧ 원자량 및 분자량은 최신 국제원자량표에 따라 계산함
⑨ 검체를 취하는 양에 '약'이라고 한 것은, 기재량의 90~110% 범위 내에서 취하는 것을 말함.
⑩ 데시케이타의 건조제는 실리카겔(이산화규소)로 한다.
⑪ 기 타

(2) 일반식품 성분규격

① 어류의 중금속 기준 : 총 수은 0.5 mg/kg 이하 (심해성 어류, 다랑어류 및 새치류는 제외), 메틸수은 10 mg/kg 이하 (심해성 어류, 다랑어류 및 새치류에 한함). 납 0.5 mg/kg 이하
② 연체류 및 패류의 중금속 기준 : 총 수은 0.5 mg/kg 이하, 납 2.0 mg/kg 이하, 카드뮴 2.0 mg/kg 이하
③ 콩나물(숙주나물 포함)의 잔류농약에 대한 잠정규정 : 카벤다짐, 티아벤다졸, 치람, 캡탄 불검출
④ 식품은 원료의 처리과정에서 그 이상 제거되지 아니하는 정도 이상의 이물과 오염된 비위생적인 이물을 함유하여서는 아니됨. 다만, 다른 식물이나 원료식물의 표피 또는 토사 등과 같이 실제에 있어서 정상적인 제조·가공상 완전히 제거되지 아니하고 잔존하는 경우의 이물로서 그 양이 적고 일반적으로 인체의 건강을 해할 우려가 없는 정도는 제외

⑤ 식육, 살균 또는 멸균처리하였거나 더 이상의 가공·가열조리를 하지 않고 그대로 섭취하는 가공식품에서는 특성에 따라 살모넬라, 황색포도상구균, 장염비브리오균, 캠필로박터 제주니, 여시니아 엔테로콜리티카, 리스테리아 모노사이토제네스, 대장균 O157 : H7 등 식중독균이 검출되어서는 아니되며, 또한 식육 및 식육제품에 있어서는 결핵균·탄저균·브루셀라균 등이 검출되어서는 아니된다.

(3) 기타 일반규격

① 인삼(수삼)의 농약잔류허용기준
- 디디티 : 0.0 1 ppm
- 비에치씨 : 0.0 1 ppm
- 싸이퍼메쓰린 : 0. 1 ppm
- 카벤다짐 : 0. 2 ppm
- 퀸토젠 : 0.1 ppm
- 메타락실 : 0.5 ppm
- 알드린 및 디엘드린 : 0. 01 ppm
- 엔드린 : 0. 01 ppm
- 디페노코나졸 : 0.5 ppm
- 디에토펜카브 : 0. 3 ppm

② 차의 농약잔류허용기준
- 글루포시네이트 : 0.05 ppm
- 메티다치올 : 0.2 ppm
- 디페노코나졸 : 2. 0 ppm
- 이민옥타딘 : 10 ppm

(4) 식물의 방사선 조사기준

① 식품조사처리에 이용할 수 있는 선종은 감마선 또는 전자선으로 한다.
② **허용대상식품별 흡수선량**
- 난분 : 5 KGy 이하
- 밤 : 0. 25 KGy 이하
- 생버섯, 건조버섯 : 1 KGy 이하
- 건조향신료 및 이들 조제품 : 10 KGy 이하
- 건조식육 및 어패류 분말 : 7 KGy 이하
- 된장·고추장·간장 등의 분말 : 7 KGy 이하
- 복합 조미식품 : 10 KGy 이하
- 알로에 분말 : 7 KGy 이하

③ 일단 조사한 식품을 다시 조사하여서는 아니되며, 조사식품을 원료로 사용하여 제조·가공한 식품도 다시 조사하여서는 아니된다.
④ 조사식품은 용기에 넣거나 또는 포장한 후에 판매하여야 한다.

(5) 세균수에 관한 규격

① 음성 : 통조림식품, 멸균우유, 멸균두유, 조제우유
② 100 이하/mL : 탄산음료, 과채류음료, 인삼음료, 인삼농축액, 액상차, 식용얼음류, 보리차
③ 200 이하/mL : 수족관물
④ 3,000 이하/mL : 빙과류, 분말청량음료

⑤ 10,000 이하/g : 난가공품
⑥ 30,000 이하/mL : 유음료
⑦ 40,000 이하/mL : 우유, 저지방유, 유당분해우유, 가공유, 산양유, 농축우유, 가당연유, 분유류, 조제분유
⑧ 50,000 이하/mL : 아이스밀크, 샤베트, 아이스크림분말류, 두유, 냉면육수
⑨ 100,000 이하/mL : 아이스크림, 개숫물

(6) 대장균수에 관한 규격

① 음성 : 멸균유, 멸균두유, 가당연유, 탄산음료, 과채류음료, 인삼음료, 인삼농축액, 액상차, 유산균음료, 발효유, 이유식, 마요네즈, 케첩, 치즈, 버터, 마가린, 식육제품, 어육연제품, 분유, 조제분유, 아이스크림분말, 분말청량음료, 행주, 칼, 도마, 식기류
② 100 mL에 음성 : 냉면육수, 개숫물, 수족관물
③ 50 mL에 음성 : 식용얼음류, 보리차
④ 10 이하/mL : 아이스크림, 아이스밀크, 샤베트, 빙과류, 우유, 저지방유, 유당분해우유, 가공유, 산양유, 농축우유, 유음료, 두유, 난가공품

(7) 보존 및 유통기준

① 모든 식품은 위생적으로 취급판매하여야 하며, 그 보관 및 판매장소가 불결한 곳에 위치하여서는 아니됨. 또한 방서 및 방충관리를 철저히 하여야 함.
② 식품의 취급장소는 비·눈 등으로부터 보호될 수 있어야 하며, 인체에 유해한 화공약품·농약·독극물 등과 같은 것을 함께 보관하지 말아야 한다.
③ 이물이 혼합되지 않도록 주의하여야 하며, 제품의 풍미에 영향을 줄 수 있는 다른 식품 및 식품첨가물 등과는 분리보관하여야 함.
④ 제품은 서늘한 곳에서 보관유통하여야 하며, 상온에서 7일 이상 보존성이 없는 식품은 가능한 한 냉장 또는 냉동시설에서 보관유통하여야 함.
⑤ 제조원료로 사용되는 대두분을 보존 및 유통함에 있어서 각종 유해물질, 협잡물 이물(곰팡이 포함) 등의 오염을 방지하도록 적절한 관리를 하여야 하며, 직사광선이나 비 등에 노출되지 않도록 보관·유통하여야 한다.
⑥ 도시락류는 제조된 식품을 가장 짧은 시간 내에 소비자에게 공급하도록 하고, 운반 및 유통시에는 냉장·온장·실온 및 일정한 온도관리를 위하여 온도조절이 가능한 설비 등을 이용하여야 함. 이때 냉장은 10℃ 이하, 온장은 60℃ 이상
⑦ 어육가공품이나 면류 중 냉장제품이나 두유류 중 살균제품이나 김치류와 양념젓갈류, 식해류 및 가공두부는 10℃ 이하에서 보존하여야 함. 신선 편의식품 및 훈제연어는 5℃ 이하에서 보존하여야 함. 또한, 두부·전부두·묵류는 냉장하거나 먹는물 수질기준에 적합한 물로써 가능한 한 환수하면서 보존하여야 함

⑧ 냉동제품을 해동시켜 실온 또는 냉장제품으로 유통시키거나, 실온 또는 냉장제품을 냉동시켜 냉동제품으로 유통시켜서는 안 됨. 다만, 냉동어패류를 즉석에서 당일 판매를 목적으로 냉장하는 것은 가능하나 재냉동하여서는 안 됨. 제조업자가 냉동제품인 빵류, 떡류 및 젓갈류에 냉동포장완료일자, 해동일자, 해동일로부터 유통조건에서의 유통기한(냉동제품으로서의 유통기한 이내)을 별도로 표시하여 해동시키는 경우는 제외
⑨ 냉동 또는 냉장제품의 운반은 적절한 온도를 유지할 수 있는 냉동 또는 냉장 차량이거나 이와 동등 이상의 효력이 있는 방법으로 함. 두부·전두부·묵류는 제품운반 소요시간이 4시간 이상의 장거리 이동판매를 할 경우에는 제품의 품질유지가 가능하도록 냉장차량을 이용하여야 하며, 가공 두부도 운반시에는 품질유지가 가능하도록 냉장차량을 이용하여야 함
⑩ 흡습의 우려가 있는 제품은 흡습되지 않도록 주의하여야 함
⑪ 냉장제품을 실온에서 유통시켜서는 안 됨(다만, 과일이나 채소류 제외)
⑫ 제품의 운반 및 포장과정에서 용기·포장이 파손되지 않도록 주의하여야 하며, 가능한 한 심한 충격을 주지 않도록 함. 또한 관제품은 외부에 녹이 발생하지 않도록 보관하여야 함
⑬ 제조년월일 및 유통기간이 표시된 부분에 다른 인쇄물 등을 부착시키지 말아야 함
⑭ "유통기간"의 산출은 포장완료(다만, 포장 후 제조공정을 거치는 최종공정 종료) 시점으로 하고 캡슐제품은 충전·성형완료시점으로 하며, 선물세트와 같이 유통기한이 상이한 제품이 혼합된 경우에는 유통기한이 먼저 도래하는 제품의 유통기한으로 정하여야 함.
⑮ 제품의 유통기간 설정은 당해 제품의 제조자(수입식품의 경우에는 제조자가 정한 유통기간 내에서 수입자)가 포장재질, 보존조건, 제조방법, 원료배합비율 등 제품의 특성과 냉장 또는 냉동보존 등 기타 유통실정을 고려하여 위해방지와 품질을 보장할 수 있도록 정하여야 함.
⑯ 과일농축액 등을 선박을 이용하여 수입·저장·보관·운송 등을 하고자 할 때에는 저장탱크(-5℃ 이하), 자사 보관탱크(0℃ 이하), 운송용 탱크로리(0℃ 이하)의 온도를 준수하고 이송라인 세척 등을 반드시 실시하여야 하며, 식품의 저장·보관·운송 및 이송라인 세척에 사용되는 재질 및 세척제는 식품첨가물이나 기구 또는 용기·포장의 기준 및 규격에 적합한 것을 이용하여야 함
⑰ 염수로 냉동된 통조림제조용 어류에 한해서는 -9℃ 이하에서 운송할 수 있으나 운송시에는 위생적인 운반용기, 운반덮개 등을 사용하여 -9℃ 이하의 온도를 유지하여야만 함.

(8) 수출용 식품의 기준 및 규격

① 식품위생법 제 7 조제 3 항의 규정에 의해 수입자가 요구하는 기준과 규격에 의할 수 있다.
② 인삼제품류 중 인삼농축액 또는 인삼농축액을 사용하여 제조·가공하는 제품의 인삼성분은 국가대표상품으로서 성가유지 등을 위하여 인삼농축액 1 g 당 사포닌 함량기준이 60 mg 이상이어야 함

(9) 건강보조식품

① 정제어류 가공식품 : 뱀장어류 가공식품, 에이코사펜타엔산 (EPA) 및 도코사헥사엔산(DHA) 함유식품
② 로열젤리 가공식품
③ 효모식품
④ 화분가공식품
⑤ 스쿠알렌식품
⑥ 효소식품
⑦ 유산균식품 : 유산균발효유, 유산균음료
⑧ 조류식품 : 클로렐라식품, 스피루나식품
⑨ 감마리놀렌산식품
⑩ 배아가공식품 : 배아유식품, 배아식품
⑪ 레시틴 가공식품
⑫ 옥사코사놀식품
⑬ 알콜시글리세롤식품
⑭ 포도씨유식품
⑮ 식품추출물 발효식품
⑯ 단백식품류 : 단백질식품, 단백질분해식품, 뮤코다당·단백식품
⑰ 엽록소함유식품
⑱ 버섯가공식품
⑲ 알로에식품
⑳ 매실추출물식품
㉑ 칼슘함유식품
㉒ 자라가공식품
㉓ 베타카로틴식품
㉔ 키토산가공식품
㉕ 프로폴리스식품

(10) 식품별 기준 및 규격

① **과자류**
- 산가 : 2.0 이하 (유탕·유처리식품에 한하며, 유밀과는 3.0 이하)
- 허용 외 타르색소 : 불검출 (캔디류, 추잉껌에 한한다)
- 허용 외 인공감미료 : 불검출 (캔디류에 한한다)

② **빵 또는 떡류**
- 타르색소 : 불검출 (식빵, 카스텔라에 한한다)
- 사카린나트륨 : 불검출

③ **코코아가공품류 또는 초콜릿류**
- 납 (mg/kg) : 2.0 이하 (코코아분말에 한한다)
- 요오드가 : 33~42 (코코아버터에 한한다)
- 세균수 : 1g 당 10,000 이하 (밀봉한 초콜릿류 제품에 한하며, 발효제품 또는 유산균 첨가제품은 제외한다)

④ 잼류
- 시럽 (생물 30% 이상), 젤리 (생물 20% 이상), 과일파이필링 등
- 타르색소 : 불검출(기타 잼류는 제외)
- 납(mg/kg) : 1.0 이하

⑤ 설탕(백설탕)
- 당도(%) : 99.7 이상
- 인공감미료 : 불검출
- 납(mg/kg) : 0.5 이하
- 이산화황(mg/kg) : 20.0 미만

⑥ 포도당 (액상포도당)
- 포도당당량(D.E) : 80.0 이상
- 인공감미료 : 불검출
- 납(mg/kg) : 0.5 이하

⑦ 과당 (액상과당)
- 과당(%) : 35.0 이상 (무수물 기준)
- 인공감미료 : 불검출
- 납(mg/kg) : 0.5 이하

⑧ 엿류 (물엿)
- 포도당당량(D.E) : 20.0 이상
- 인공감미료 : 불검출
- 납(mg/kg) : 1.0 이하

⑨ 당시럽류
- 총당(%) : 60.0 이상
- 납(mg/kg) : 1.0 이하
- 인공감미료 : 불검출

⑩ 식육 또는 알가공품
- 아질산이온(g/kg) : 0.07 이하 (식육가공품에 한한다)
- 휘발성염기질소(mg%) : 20 이하 (식육제품에 한한다)
- 타르색소 : 불검출 (식육가공품에 한한다)
- 대장균군 : 1g 당 10 이하 (가열제품 또는 살균제품에 한한다.)
- 세균수 : 음성 (멸균제품에 한한다. 단, 알가공품 중 살균제품은 1g 당 10,000 이하)
- 대장균 O157 : H7 : 음성(원료용 분쇄육에 한한다)

⑪ 어육가공품
- 아질산이온(g/kg) : 0.05 이하 (어육소시지에 한한다)
- 타르색소 : 불검출 (어육소시지는 제외)
- 대장균군: 음성 (비가열제품 제외)
- 세균수 : 음성 (멸균제품에 한한다)

⑫ 두부류 또는 묵류
- 중금속(mg/kg) : 3.0 이하
- 대장균군 :
  - 두부·전두부 : 1g 당 10 이하(충전, 밀봉한 제품에 한한다)
  - 묵류 : 음성(충전, 밀봉한 제품에 한한다)
- 타르색소 : 불검출

⑬ 식용유지류
- 콩기름
  - 산가 : 0.6 이하
  - 요오드가 : 123~142
- 참기름
  - 산가 : 4.0 이하
  - 요오드가 : 103~118
  - 리놀렌산(%) : 0.5 이하

⑭ 면 류
- 타르색소, 보존료 : 불검출
- 세균수 : 1g 당 1,000,000 이하(주정처리제품에 한한다)
         1g 당 100,000 이하(살균제품에 한한다)

⑮ 다 류
- 타르색소 : 불검출
- 납(mg/kg) : 2.0 이하(단, 침출차는 5.0 이하, 액상차는 0.3 이하)
- 카드뮴(mg/kg) : 0.1 이하(액상차에 한한다)
- 주석(mg/kg) : 150 이하(알루미늄 캔 이외의 액상 캔제품에 한한다)
- 세균수 : 1 mL당 100 이하(액상제품에 한한다)
- 대장균군 : 음성(액상제품에 한한다)

⑯ 커피
- 납(mg/kg) : 2.0 이하
- 타르색소 : 불검출
- 세균수 : 1mL당 100 이하(액상제품)
- 대장균군 : 음성(액상제품)
- 주석(mg/kg) : 150 이하(알루미늄 캔 이외의 액상 캔 제품)

⑰ 음료류(과실 채소음료류)
- 납(mg/kg) : 0.3 이하
- 카드뮴(mg/kg) : 0.1 이하
- 주석(mg/kg) : 150 이하(알루미늄 캔 이외의 캔제품에 한한다)
- 세균수 : 1 mL당 100 이하(다만, 가열하지 아니한 제품 또는 가열하지 아니한 원료가 함유된 제품은 100,000 이하)

⑱ 특수용도식품(체중조절용)
- 수분(%) : 10.0 이하(분말, 과립, 고형의 건조제품에 한한다)
- 조단백질(g) : 표시량 이상

- 비타민류 : 표시량 이상 (다만, 비타민 A (μg), B_1 (mg), B_2 (mg), B_6 (mg), C (mg), 나이아신 (mg), 엽산 (μg), 비타민 E (mg)에 한하여 적용한다)
- 무기질류 : 표시량 이상 (다만, 칼슘(mg), 철 (mg), 아연 (mg)에 한하여 적용한다)
- 바실러스 세레우스 : 1g 당 100 이하 (단, 장류를 원료로 사용하는 제품은 1g 당 1,000 이하)

⑲ 조미식품 (식초)
- 총산 (초산으로서, w/v%) : 4.0~29.0 (감식초는 2.6 이상)
- 타르색소 : 불검출

⑳ 김치류
- 납 (mg/kg) : 0.3 이하
- 카드뮴 (mg/kg) : 0.2 이하
- 타르색소, 보존료 : 불검출
- 대장균군 : 음성 (살균포장제품)

㉑ 젓갈류
- 총질소 (%) : 액젓 1.0 이상 (곤쟁이 액젓은 0.8 이상)
  조미액젓 0.5 이상
- 타르색소 : 불검출 (명란젓은 제외)
- 보존료 (g/kg) : 소르빈산, 소르빈산칼륨, 소르빈산칼슘 1.0 이하
  그 외의 보존료 불검출 (식염함량이 8% 이하의 제품에 한한다)

㉒ 주류(탁주)
- 에탄올 (v/v%) : 주세법에 의함
- 총산 (w/v%) : 0.5 이하(초산으로서)
- 메탄올 (mg/mL) : 0.5 이하
- 진균수 : 음성 (살균제품에 한한다)
- 보존료 : 불검출

㉓ 건포류
- 이산화황 (g/kg) : 0.030 미만
- 대장균 : 음성 (조미건어포류에 한한다)
- 황색포도상구균 : 1g 당 100 이하 (조미건어포류에 한한다)

2. 학교보건법 및 시행령

① 학교의 장은 교육과학기술부령으로 정하는 바에 따라 교사 안에서의 환기·채광·조명·온도·습도의 조절, 상하수도·화장실의 설치 및 관리, 오염공기·석면·폐기물·소음·휘발성 유기화합물·세균·먼지 등의 예방 및 처리 등 환경위생과 식기·식품·먹는 물의 관리 등 식품위생을 적절히 유지·관리하여야 한다.

② 학교환경위생 정화구역 중 절대정화구역은 학교출입문으로부터 직선거리로 50미터까지로 하고, 상대정화구역은 학교경계선 또는 학교설립예정지경계선으로부터 직선거리로 200미터까지인 지역 중 절대정화구역을 제외한 지역으로 한다.

③ 누구든지 학교환경위생 정화구역에서는 다음 각 호의 어느 하나에 해당하는 행위 및 시설을 하여서는 아니 된다 (중요내용 발췌).

- 「대기환경보전법」,「악취방지법」및「수질및수생태계보전에관한법률」에 따른 배출허용기준 또는「소음·진동관리법」에 따른 규제기준을 초과하여 학습과 학교보건위생에 지장을 주는 행위 및 시설
- 총포화약류의 제조장 및 저장소, 고압가스·천연가스·액화석유가스 제조소 및 저장소
- 「영화 및 비디오물의 진흥에 관한 법률」제22조제11호의 제한 상영관
- 도축장, 화장장 또는 납골시설
- 폐기물 처리시설, 폐수 종말처리시설, 축산폐수 배출시설, 축산폐수 처리시설 및 분뇨처리시설
- 감염병원, 감염병 격리병사, 격리소
- 주로 주류를 판매하면서 손님이 노래를 부르는 행위가 허용되는 영업과 유흥종사자를 두거나 유흥시설을 설치할 수 있고 손님이 춤을 추는 행위가 허용되는 영업
- 호텔, 여관, 여인숙
- 당구장 (유치원 및 학교의 학교환경위생 정화구역은 제외)
- 사행행위장·경마장·경륜장 및 경정장 (각 시설의 장외발매소를 포함)
- 「게임산업진흥에관한법률」 제2조제8호에 따른 복합유통게임제공업

④ 기본계획 및 학교보건의 중요시책을 심의하기 위하여 교육감 소속으로 학교의 보건에 경험이 있는 15명 이내의 위원으로 구성된 시·도학교보건위원회를 둔다.

3. 먹는물 수질기준 및 검사 등에 관한 규칙

1. 수질검사 횟수 (제4조)

(1) 광역상수도 및 지방상수도의 경우

① 정수장에서의 검사
- 냄새·맛·색도·탁도·수소이온농도 및 잔류염소에 관한 검사 : 매일 1회 이상
- 일반세균·대장균군·암모니아성 질소·질산성 질소·과망간산칼륨소비량 및 증발잔류물에 관한 검사 : 매주 1회 이상   • 전항목 검사 : 매월 1회 이상

② 수도꼭지에서의 검사
- 일반세균·대장균군·대장균 또는 분원성 대장균군·잔류염소에 관한 검사 : 매월 1회 이상
- 정수장별 수도관 노후지역에 대한 일반세균, 총 대장균군, 대장균 또는 분원성 대장균군, 암모니아성 질소, 동, 아연, 철, 망간, 염소이온 및 잔류염소에 관한 검사 : 매월 1회 이상

③ 수돗물 급수과정별 시설에서의 수질검사
- 일반세균, 총 대장균군, 대장균 또는 분원성 대장균군, 암모니아성 질소, 총트리할로메탄, 동, 수소이온 농도, 아연, 철, 탁도 및 잔류염소에 관한 급수과정별 시설에서의 수질검사 : 매 분기 1회 이상

(2) 마을상수도·전용상수도 및 소규모 급수시설의 경우

- 일반세균, 총 대장균군, 대장균 또는 분원성 대장균군, 불소, 암모니아성 질소, 질산성 질소, 냄새, 맛, 색도, 망간, 탁도, 알루미늄, 잔류염소, 보론 및 염소이온에 관한 검사 : 매 분기 1회 이상
- 방사능 기준 제외 전항목 검사 : 매년 1회 이상

(3) 먹는물 공동시설을 관리하는 시장·군수·구청장의 검사

- 전항목 검사 : 매년 1회 이상
- 일반세균, 총 대장균군, 대장균 또는 분원성 대장균군, 암모니아성 질소, 질산성 질소 및 과망간산칼륨 소비량에 관한 검사 : 매 분기 1회 이상

2. 건강진단 (제5조)

① 먹는샘물 등의 취수·제조·가공·저장·이송시설에서 종사하는 자와 취수·정수 또는 배수시설에서 종사하는 자 및 그 시설 안에 거주하는 자 : 6개월마다 1회
② 먹는샘물 등의 제조업에 종사하는 자로서 제1호 외의 자 : 환경부장관이 감염병의 예방 등을 위하여 필요하다고 인정하는 경우
③ 제1항에 따른 건강진단은 관할 보건소 또는 특별시장·광역시장 또는 도지사가 지정하는 지정의료기관에서 실시한다.
④ 영업에 종사하지 못하는 질병의 종류는 장티푸스, 파라티푸스, 세균성 이질 병원체의 감염 및 소화기계통 감염병으로 한다.

3. 수질검사성적서 등의 보존 (제7조)

① 일반수도사업자·전용상수도 설치자 및 소규모 급수시설을 관할하거나 먹는물 공동시설을 관리하는 시장·군수·구청장은 수질검사결과를 3년간 보존
② 먹는샘물 등의 제조업자 또는 일반수도사업자는 건강진단결과를 3년간 보존

4. 먹는물의 수질기준 (제2조 별표1)

(1) 미생물에 관한 기준

① 일반세균은 1 mL 중 100 CFU(Colony Forming Unit) 이하. 다만, 샘물 및 염지하수의 경우 저온일반세균은 20 CFU/mL, 중온일반세균 5 CFU/mL를 넘지 말아야 하며, 먹는샘물, 먹는 염지하수 및 먹는 해양심층수의 경우는 병에 넣은 후 4℃를 유지한 상태에서 12시간 이내에 검사하여 저온일반세균은 100 CFU/mL, 중온일반세균은 20 CFU/mL를 넘지 아니할 것
② 총 대장균군은 100mL(샘물·먹는 샘물, 염지하수·먹는 염지하수 및 먹는 해양심층수의 경우에는 250mL)에서 검출되지 아니할 것. 다만, 매월 또는 매 분기 실시하는 총 대장균군의 수질검사 시료 수가 20개 이상인 정수시설의 경우에는 검출된 시료 수가 5퍼센트를 초과하지 아니하여야 한다.
③ 대장균·분원성 대장균군은 100mL에서 검출되지 아니할 것. 다만, 샘물·먹는 샘물, 염지하수·먹는 염지하수 및 먹는 해양심층수의 경우에는 적용하지 아니한다.
④ 분원성연쇄상구균·녹농균·살모넬라 및 쉬겔라는 250 mL에서 검출되지 아니할 것(샘물과 먹는샘물, 염지하수·먹는 염지하수, 먹는 해양심층수의 경우에 한한다)
⑤ 아황산 환원혐기성 포자형성균은 50 mL에서 검출되지 아니할 것(샘물 및 먹는샘물, 염지하수·먹는 염지하수, 먹는 해양심층수의 경우에 한한다)
⑥ 여시니아균은 2L에서 검출되지 아니할 것(먹는물 공동시설의 경우에 한한다)

(2) 건강상 유해영향 무기물질에 관한 기준

① 납은 0.01 mg/L 이하
② 불소는 1.5 mg/L 이하
③ 비소는 0.01 mg/L 이하
④ 셀레늄은 0.01 mg/L 이하
⑤ 수은은 0.001 mg/L를 넘지 아니할 것
⑥ 시안은 0.01 mg/L를 넘지 아니할 것
⑦ 크롬은 0.05 mg/L 이하
⑧ 암모니아성 질소는 0.5 mg/L 이하
⑨ 질산성 질소는 10 mg/L 이하
⑩ 카드뮴은 0.005 mg/L 이하
⑪ 보론은 0.1 mg/L 이하(다만, 샘물·먹는샘물 및 먹는물공동시설의 경우에는 그러하지 아니하다)
⑫ 브롬산염은 0.01 mg/L 이하
⑬ 스트론튬은 4 mg/L 이하

(3) 건강상 유해영향 유기물질에 관한 기준
　① 페놀은 0.005 mg / L 이하　② 다이아지논은 0.02 mg / L 이하
　③ 파라티온은 0.06 mg / L 이하　④ 페니트로티온은 0.04 mg / L 이하
　⑤ 카바릴은 0.07 mg / L 이하
　⑥ 1, 1, 1-트리클로로메탄은 0.1 mg / L 이하
　⑦ 테트라클로로에틸렌은 0.01 mg / L 이하
　⑧ 트리클로로에틸렌은 0.03 mg / L 이하
　⑨ 디클로로메탄은 0.02 mg / L 이하
　⑩ 벤젠은 0.01 mg / L 이하　⑪ 톨루엔은 0.7 mg / L 이하
　⑫ 에틸벤젠은 0.3 mg / L 이하　⑬ 크실렌은 0.5 mg / L 이하
　⑭ 1, 1 - 디클로로에틸렌은 0.03 mg / L 이하
　⑮ 사염화탄소는 0.002 mg / L 이하
　⑯ 1, 2 - 디브로모 3 클로로프로판은 0.003 mg / L 이하
　⑰ 1, 4 - 다이옥산 0.005 mg / L 이하

(4) 심미적 영향물질에 관한 기준
　① 경도는 1,000mg / L(수돗물 300mg / L, 먹는 염지하수 및 먹는 해양심층수 1,200mg / L) 이하(샘물 및 염지하수는 제외)
　② 과망간산칼륨 소비량은 10mg / L 이하
　③ 소독으로 인한 냄새와 맛 이외의 냄새와 맛이 없을 것
　④ 동은 1mg / L 이하
　⑤ 색도는 5도 이하
　⑥ 세제(음이온 계면활성제)는 0.5mg / L 이하(샘물·먹는 샘물, 염지하수·먹는 염지하수 및 먹는 해양심층수에서는 검출되지 아니하여야 함)
　⑦ 수소이온 농도는 pH 5.8 이상 pH 8.5 이하(샘물, 먹는 샘물 및 먹는물 공동시설의 물은 pH 4.5 이상 pH 9.5 이하)
　⑧ 아연은 3mg / L 이하
　⑨ 염소이온은 250mg / L 이하 (염지하수에는 적용하지 아니함)
　⑩ 증발잔류물은 수돗물의 경우에는 500mg / L, 먹는 염지하수 및 먹는 해양심층수의 경우에는 미네랄 등 무해성분을 제외한 증발잔류물이 500mg / L 이하
　⑪ 철은 0.3mg / L 이하 (샘물 및 염지하수는 적용하지 않음)
　⑫ 망간은 0.3mg / L(수돗물의 경우 0.05mg / L) 이하
　⑬ 탁도는 1NTU (Nephelometric Turbidity Unit) 이하
　⑭ 황산이온은 200mg / L 이하 (샘물, 먹는 샘물 및 먹는물 공동시설의 물은 250mg / L 이하, 염지하수에는 적용하지 아니함)
　⑮ 알루미늄은 0.2mg / L 이하

4. 위생분야 종사자 등의 건강진단 규칙

① 진단항목 : 성매개감염병(매독, 임질, 연성하감, 클라미디아, 성기단순포진 및 첨규콘딜롬) 및 후천성면역결핍증
② 건강진단대상자
- 「청소년보호법 시행령」 제3조제4항제1호에 따른 영업소의 여성종업원
- 「식품위생법 시행령」 제22조제1항에 따른 유흥접객원
- 「안마사에 관한 규칙」 제6조에 따른 안마시술소의 여성종업원
- 특별자치도지사·시장·군수·구청장이 불특정 다수를 대상으로 성매개감염병 및 후천성면역결핍증을 감염시킬 우려가 있는 행위를 한다고 인정하는 영업장에 종사하는 사람

③ 정기건강진단
- 식품 또는 식품첨가물(화학적 합성품 또는 기구 등의 살균·소독제는 제외)을 채취·제조·가공·조리·저장·운반 또는 판매하는 데 직접 종사하는 사람(완전 포장된 식품 또는 식품첨가물의 운반·판매 종사자 제외) 종사하는 사람은 제외
- 장티푸스(식품위생 관련 영업 및 집단급식소 종사자에 한함), 폐결핵, 감염성 피부질환(한센병 등 세균성 피부질환)에 대해 매년 1회 진단

④ 수시건강진단 : 특별자치도지사·시장·군수·구청장(자치구의 구청장)이 성매개 감염병 및 후천성면역결핍증에 감염되어 타인을 감염시킬 우려가 있다고 인정되는 사람에게 건강진단을 받을 것을 통지한 경우

5. 보건범죄 단속에 관한 특별조치법 및 시행령

① 부정식품 제조 등의 처벌 : 「식품위생법」의 허가나 신고 없이 제조·가공한 사람, 「건강기능식품에관한법률」의 허가를 받지 아니하고 건강기능식품을 제조·가공한 사람, 이미 허가받거나 신고된 식품, 식품첨가물 또는 건강기능식품과 유사하게 위조하거나 변조한 사람, 그 사실을 알고 판매하거나 판매할 목적으로 취득한 사람 및 판매를 알선한 사람, 「식품위생법」 또는 「건강기능식품에 관한 법률」을 위반하여 제조·가공한 사람, 그 정황을 알고 판매하거나 판매할 목적으로 취득한 사람 및 판매를 알선한 사람은 다음 각 호의 구분에 따라 처벌한다.
- 인체에 현저히 유해한 경우 : 무기 또는 5년 이상의 징역
- 가액이 소매가격으로 연간 5천만 원 이상인 경우 : 무기 또는 3년 이상의 징역
- 사람을 사상에 이르게 한 경우 : 사형, 무기 또는 5년 이상의 징역

② 제1항의 경우에는 제조, 가공, 위조, 변조, 취득, 판매하거나 판매를 알선한 제품의 소매가격의 2배 이상 5배 이하에 상당하는 벌금을 병과한다.
③ 인체에 현저히 유해한 식품 또는 첨가물이란 (부정식품의 유해기준 시행령 제4조)

- 허용 외의 착색료를 함유한 다류
- 허용 외의 착색료나 방부제를 함유하거나 비소 2 ppm 이상, 납 3 ppm 이상인 과자류
- 허용 외의 방부제를 함유한 빵류, 엿류
- 허용 외의 방부제를 함유하거나 포스파타제가 검출되는 시유
- 허용 외의 방부제를 함유하거나 납 3 ppm 이상인 식육제품, 어육제품
- 허용 외의 착색료나 방부제가 함유되거나, 비소가 0.3 ppm 이상 또는 납이 0.5 ppm 이상 함유된 청량음료수
- 허용 외의 착색료나 방부제를 함유하거나 비소가 5 ppm 이상인 장류
- 허용 외의 착색료나 방부제가 함유되거나 메틸알코올 1mg/mL 이상인 주류
- 허용 외의 착색료나 방부제를 함유하거나 수용상태에서 비소 0.3 ppm, 납 0.5 ppm 이상인 분말청량음료 등을 말한다.

6. 감염병의 예방 및 관리에 관한 법률

(1) 감염병의 종류 (법 제2조)

① **제1군 감염병** : 콜레라, 장티푸스, 파라티푸스, A형 간염, 세균성 이질, 장출혈성 대장균감염증
② **제2군 감염병** : 백일해, 파상풍, 홍역, 유행성이하선염, 풍진, 폴리오, B형간염, 일본뇌염, 수두, 디프테리아
③ **제3군 감염병** : 말라리아, 결핵, 한센병, 성홍열, 수막구균성 수막염, 레지오넬라증, 비브리오패혈증, 발진티푸스, 발진열, 쯔쯔가무시증, 렙토스피라증, 브루셀라증, 탄저, 공수병, 신증후군출혈열(유행성출혈열), 인플루엔자, 후천성면역결핍증, 매독, 크롤이츠펠트 야콥병 및 변종크롤이츠펠트 야콥병

(2) 신고와 보고의무 (법 제11조~제13조)

① 의사나 한의사는 감염병환자 등을 진단하거나 그 사체를 검안한 경우, 예방접종 후 이상반응자를 진단하거나 그 사체를 검안한 경우 또는 감염병환자 등이 제1군 내지 제4군감염병으로 사망한 경우 소속 의료기관의 장에게 보고하여야 하고, 해당 환자와 그 동거인에게 보건복지부장관이 정하는 감염 방지 방법 등을 지도하여야 한다. 다만, 의료기관에 소속되지 아니한 의사 또는 한의사는 그 사실을 관할 보건소장에게 신고하여야 한다.
② 제1항에 따라 보고를 받은 의료기관의 장은 제1군 내지 제4군감염병은 지체 없이, 제5군 및 지정감염병의 경우에는 7일 이내에 관할 보건소장에게 신고하여야 한다.
③ 육군, 해군, 공군 또는 국방부 직할 부대에 소속된 군의관은 제1항 각 호의 어느 하나에 해당하는 사실이 있으면 소속 부대장에게 보고하여야 하고, 보고를 받은 소속 부대장은 관할 보건소장에게 지체 없이 신고하여야 한다.

④ 제16조제1항에 따른 감염병 표본감시기관은 제16조제5항에 따라 표본감시 대상이 되는 감염병으로 인하여 제1항제1호 또는 제3호에 해당하는 사실이 있으면 보건복지부령으로 정하는 바에 따라 보건복지부장관 또는 관할 보건소장에게 신고하여야 한다.

⑤ 제1항부터 제4항까지의 규정에 따른 감염병환자 등의 진단 기준, 신고의 방법 및 절차 등에 관하여 필요한 사항은 보건복지부령으로 정한다.

(3) 예방접종 (법 제 24 조 ~ 33)

특별자치도지사 또는 시장·군수·구청장은 디프테리아, 폴리오, 백일해, 홍역, 파상풍, 결핵, B형간염, 유행성 이하선염, 풍진, 수두, 일본뇌염, 그 밖에 보건복지부장관이 감염병의 예방을 위해 필요하다고 인정하여 지정하는 감염병에 대하여 관할 보건소를 통하여 정기예방접종을 실시하여야 한다.

(4) 감염병환자 등의 관리 (법 제 41조)

① 전파 위험이 높다고 보건복지부장관이 고시한 감염병에 걸린 감염병환자 등은 감염병관리기관에서 입원치료를 받아야 한다.

② 보건복지부장관, 시·도지사 또는 시장·군수·구청장은 감염병관리기관의 병상이 포화상태에 이르러 감염병환자 등을 수용하기 어려운 경우에는 감염병관리기관이 아닌 다른 의료기관에서 입원치료하게 할 수 있다.

③ 보건복지부장관, 시·도지사 또는 시장·군수·구청장은 입원치료 대상자가 아닌 사람, 감염병환자 등과 접촉하여 병이 전파될 우려가 있는 사람사람에게 자가 또는 감염병관리시설에서 치료하게 할 수 있다.

④ 감염병환자 등의 자가치료 및 입원치료의 방법 및 절차 등에 관하여 필요한 사항은 대통령령으로 정한다.

(5) 예방조치 (법 제 49조)

시·도지사 또는 시장·군수·구청장은 다음 각 호의 전부 또는 일부 조치를 하여야 함

① 관할 지역에 대한 교통의 전부 또는 일부를 차단하는 것

② 흥행, 집회, 제례 또는 그 밖의 여러 사람의 집합을 제한하거나 금지하는 것

③ 건강진단, 시체 검안 또는 해부를 실시하는 것

④ 감염병 전파의 위험성이 있는 음식물의 판매·수령을 금지 및 폐기 등 처분을 명하는 것

⑤ 살처분 참여자 또는 인수공통감염병에 드러난 사람 등에 대한 예방조치를 명하는 것

⑥ 감염병 전파 매개물의 소지·이동의 제한·금지 및 폐기, 소각 등을 명하는 것

⑦ 선박·항공기·열차 등 운송 수단, 사업장 또는 그 밖에 여러 사람이 모이는 장소에 의사를 배치하거나 감염병 예방에 필요한 시설의 설치를 명하는 것

⑧ 공중위생 관련 시설 또는 장소에 대한 소독이나 그 밖에 필요한 조치를 명하거나 상수도·하수도·우물·쓰레기장·화장실의 신설·개조·변경·폐지 또는 사용을 금지하는 것
⑨ 쥐, 위생해충 또는 그 밖의 감염병 매개동물의 구제 또는 구제시설의 설치를 명하는 것
⑩ 일정한 장소에서의 어로·수영 또는 일정한 우물의 사용을 제한하거나 금지하는 것
⑪ 감염병 매개의 중간 숙주가 되는 동물류의 포획 또는 생식을 금지하는 것
⑬ 감염병 유행기간 중 의료업자나 그 밖에 필요한 의료관계요원을 동원하는 것
⑭ 감염병병원체에 오염된 건물에 대한 소독이나 그 밖에 필요한 조치를 명하는 것
⑮ 감염병병원체에 감염되었다고 의심되는 자를 적당한 장소에 일정한 기간 입원 또는 격리

(6) 소독조치 (법 제51조, 규칙 제36조)

① **소독의 의무** : 특별자치도지사 또는 시장·군수·구청장은 감염병을 예방하기 위하여 보건복지부령으로 정하는 바에 따라 청소나 소독을 실시하거나 쥐, 위생해충 등의 구제조치(소독)를 하여야 한다. 감염병 예방에 필요한 소독을 하여야 하는 시설은 다음 각 호와 같다.
- 숙박업소 (객실 수 20실 이상), 관광숙박업소
- 연면적 300제곱미터 이상의 식품접객업소
- 시내버스·농어촌버스·마을버스·시외버스·전세버스, 장의 자동차, 항공기와 공항시설, 여객선, 연 면적 300제곱미터 이상의 대합실, 여객운송 철도차량과 역사 및 역무시설
- 대형마트, 전문점, 백화점, 쇼핑센터, 복합쇼핑몰, 그 밖의 대규모 점포와 전통시장
- 종합병원·병원·요양병원·치과병원 및 한방병원
- 한 번에 100명 이상에게 계속적으로 식사를 공급하는 집단급식소
- 기숙사 및 50명 이상을 수용할 수 있는 합숙소
- 공연장(객석 수 300석 이상에 한함)
- 학교 연면적 1천제곱미터 이상의 학원
- 연면적 2천제곱미터 이상의 사무실용 건축물 및 복합용도의 건축물

② **방역관의 자격 및 직무** (법 제60조, 영 제25조)
- 보건복지부장관 및 시·도지사는 감염병 예방에 관한 업무를 처리하기 위하여 소속 공무원 중에서 방역관을 임명한다.
- 방역관은 질병관리본부 및 각 시·도에 배치하되, 시·도지사가 감염병 예방에 관한 사무를 처리하기 위하여 필요하다고 인정할 때에는 시·군·구에도 배치할 수 있다.
- 방역관의 직무 (법 제4조2항)
  - 감염병의 예방 및 방역대책
  - 감염병환자등의 진료 및 보호

- 감염병 예방을 위한 예방접종계획의 수립 및 시행
- 감염병에 관한 교육 및 홍보
- 감염병에 관한 정보의 수집·분석 및 제공
- 감염병에 관한 조사·연구
- 감염병병원체 검사·보존·관리 및 약제내성 감시
- 감염병 예방을 위한 전문인력의 양성(질병관리본부에 두는 방역관의 경우)

5. 국민건강증진법 해설

1. 목 적 (법 제 1조)

국민에게 건강에 대한 가치와 책임의식을 함양하도록 건강에 관한 바른 지식을 보급하고 스스로 건강생활을 실천할 수 있는 여건을 조성함으로써 국민의 건강을 증진하도록 한다.

2. 용어의 정의 (법 제 2조)

① 국민건강증진사업 : 보건교육, 질병예방, 영양개선 및 건강생활의 실천 등을 통하여 국민의 건강을 증진시키는 사업
② 보건교육 : 개인 또는 집단으로 하여금 건강에 유익한 행위를 자발적으로 수행하도록 하는 교육
③ 영양개선 : 개인 또는 집단이 균형된 식생활을 통하여 건강을 개선시키는 것

3. 책 임 (법 제 3조)

① 국가 및 지방자치단체는 건강에 관한 관심을 높이고 국민건강을 증진할 책임을 진다.
② 모든 국민은 자신 및 가족의 건강을 증진하도록 노력하여야 하며, 타인의 건강에 해를 끼치는 행위를 해서는 아니 된다.

4. 국민건강증진계획의 수립 (시행령 제 2조)

① 보건복지부장관은 국민건강증진종합계획의 효율적인 수립을 위하여 미리 종합계획안 작성지침을 작성하여 종합계획이 시행되는 해의 전전년도 12월 말까지 관계 중앙행정기관의 장에게 통보
② 관계 중앙행정기관의 장은 종합계획안 작성지침에 따라 소관별 계획안을 작성하여 종합계획이 시행되는 해의 전년도 3월 말까지 보건복지부장관에게 제출하고, 보건복지부장관은 이를 종합한 종합계획안을 작성하여 국민건강증진정책심의위원회의 심의를 거쳐 확정

③ 보건복지부장관은 확정된 종합계획을 관계 중앙행정기관의 장과 특별시장·광역시장·도지사에게 통보
④ 종합계획에 포함되어야 할 사항
- 국민건강증진의 기본목표 및 추진방향
- 국민건강증진을 위한 주요 추진과제 및 추진방법
- 국민건강증진에 관한 인력의 관리 및 소요재원의 조달방안
- 제22조의 규정에 따른 국민건강증진기금의 운용방안
- 국민건강증진 관련 통계 및 정보의 관리 방안
- 그 밖에 국민건강증진을 위하여 필요한 사항(법 제 4조 제2항)

5. 건강생활과 지원(법 제 6조)

① 국가 및 지방자치단체는 국민이 건강생활을 실천할 수 있도록 지원하여야 한다.
② 국가는 혼인과 가정생활을 보호하기 위하여 혼인 전에 혼인당사자의 건강을 확인하도록 권장한다.

6. 광고내용의 변경 및 금지절차

(1) 광고 및 방송(법 제 7조)
① 보건복지부장관은 국민건강의식을 잘못 이끄는 광고를 한 자에 대하여 그 내용의 변경 또는 금지를 명할 수 있다.
② 방송위원회 및 종합유선방송위원회의 심의를 거친 광고방송이라 할지라도 시정을 요청할 수 있다.

(2) 내용의 변경 또는 금지를 명할 수 있는 광고
① 「주세법」에 의한 주류의 광고
② 의학 또는 과학적으로 검증되지 아니한 건강비법 또는 심령술의 광고
③ 그 밖에 건강에 관한 잘못된 정보를 전하는 광고로 대통령령이 정한 광고

7. 금연 및 절주운동(법 제 8조)

① 국가 및 지방자치단체는 국민에게 직접·간접흡연과 과다한 음주가 국민건강에 해롭다는 것을 교육·홍보해야 한다.
② 국가 및 지방자치단체는 금연 및 절주에 관한 조사·연구를 하는 법인 또는 단체를 지원할 수 있다.
③ 주류제조의 면허를 받은 자 또는 주류를 수입하여 판매하는 자는 주류의 판매용기에 과다한 음주는 건강에 해롭다는 내용의 경고문구를 표기하여야 한다.

8. 금연을 위한 조치 (법 제 9조)

(1) 지정소매인 기타 담배를 판매하는 자는 지정된 장소 외에 담배자동판매기를 설치하여 담배를 판매해서는 아니 된다.

(2) 담배자동판매기를 설치하여 담배를 판매하는 자는 성인인증장치를 부착하여야 한다.

(3) 공중이 이용하는 시설의 소유자·점유자 또는 관리자는 당해 시설의 전체를 금연구역으로 지정하여야 한다. 이 경우 금연 구역을 알리는 표지와 흡연자를 위한 흡연실을 설치할 수 있으며, 금연 구역을 알리는 표지와 흡연실을 설치하는 기준·방법 등은 보건복지부령으로 정한다.

(4) 지방자치단체는 흡연으로 인한 피해 방지와 주민의 건강 증진을 위하여 필요하다고 인정하는 경우 조례로 다수인이 모이거나 오고가는 관할 구역 안의 일정한 장소를 금연구역으로 지정할 수 있다.

(5) 누구든지 지정된 금연구역에서 흡연하여서는 아니 된다.

(6) 담배에 관한 경고문구 등 표시 (법 제 9조의 2)
① 흡연이 폐암 등 질병의 원인이 될 수 있다는 내용의 경고문구
② 타르 흡입량은 흡연자의 흡연습관에 따라 다르다는 내용의 경고문구
③ 담배에 포함된 발암성물질(나프틸아민, 니켈, 벤젠, 비닐 크롤라이드, 비소, 카드뮴)

(7) 담배의 광고를 할 수 있는 경우 (법 제 9조의 4)
① 지정소매인의 영업소 내부에서 보건복지부령으로 정하는 광고물을 전시 또는 부착
② 품종군별로 연간 10회 이내(1회당 2쪽 이내)에서 잡지 광고를 게재하는 행위. 다만, 보건복지부령으로 정하는 판매부수 이하로 국내에서 판매되는 외국정기간행물로서 외국문자로만 된 잡지는 제한없음
③ 사회·문화·음악·체육 등의 행사 (여성 또는 청소년을 대상으로 하는 행사는 제외)를 후원하는 행위
④ 국제선의 항공기 및 여객선, 그 밖에 보건복지부령으로 정하는 장소 안에서 하는 광고

(8) 담배 광고물의 내용 제한 (법 제 9조의 2)
① 흡연자에게 제조담배의 품명·종류 및 특징을 알리는 정도를 넘지 않아야 한다.
② 비흡연자에게 직접적 또는 간접적으로 흡연을 권장 또는 유도하거나 여성 또는 청소년의 인물을 묘사해서도 안 된다.
③ 흡연경고문구의 내용 및 취지에 반하는 내용 또는 형태여서는 안 된다.

④ 제조자 등을 담배에 관한 광고가 법에 위배되지 아니하도록 자율적으로 규제해야 한다.
⑤ 보건복지부장관은 흡연경고문구의 표기가 없거나 금지 또는 제한에 위반된 광고가 게재된 외국정기간행물의 수입업자에 대한 시정조치 등을 요청할 수 있다.

(9) 담배자동판매기의 설치장소 (시행령 제 15조)
① 19세 미만 미성년자의 출입이 금지되어 있는 장소
② 지정소매인 기타 담배를 판매하는 자가 운영하는 점포 및 영업장 내부
③ 공중이 이용하는 시설 중 흡연자를 위해 설치한 흡연실. 단, 담배자동판매기를 설치하는 자가 19세 미만의 자에게 담배자동판매기를 이용하지 못하게 할 수 있는 흡연실로 한정함.

9. 보건교육의 실시

(1) 보건교육의 관장 (법 제 11조)
: 보건복지부장관은 국민의 보건교육에 관하여 관계 중앙행정기관의 장과 협의하여 이를 총괄한다.

(2) 보건교육의 실시 (법 제 12조)
① 국가 및 지방자치단체는 모든 국민을 대상으로 개인 또는 집단의 특성·건강상태·건강의식수준에 따라 적절한 보건교육을 실시한다.
② 국가 및 지방자치단체는 국민건강증진사업 관련법인 또는 단체 등이 보건교육을 실시할 경우 이에 필요한 지원을 할 수 있으며, 그 계획과 결과에 대한 자료를 요청할 수 있다.

(3) 보건교육의 개발 등 (법 제 14조)
① 보건복지부장관은 한국보건사회연구원으로 하여금 보건교육에 관한 정보·자료의 수집·개발 및 조사, 그 교육의 평가 기타 필요한 업무를 하게 할 수 있다.

(4) 보건교육의 내용 (시행령 제 17조)
① 금연·절주 등 건강생활의 실천에 관한 사항
② 만성 퇴행성질환 등 질병의 예방에 관한 사항
③ 영양 및 식생활에 관한 사항
④ 구강건강 및 공중위생에 관한 사항
⑤ 체육활동 및 기타 건강증진을 위한 사항

(5) 보건교육의 평가 내용 (시행규칙 제 8조)
① 건강에 관한 지식·태도 및 실천
② 주민의 상병유무 등 건강상태
③ 기타 국민의 건강을 증진시키는 사업에 관한 사항

10. 보건교육사

(1) 보건교육사의 채용 (법 제 12조의 4) : 국가 및 지방자치단체는 국민건강증진사업 관련 법인 또는 단체에 대하여 보건교육사를 채용하도록 권장하여야 한다.

(2) 보건교육사가 될 수 없는 자 (법 제 12조의 2)
① 금치산자 또는 한정치산자
② 파산자로서 복권되지 아니한 자
③ 금고 이상의 실형을 선고받고 그 집행이 종료 또는 취소되지 아니한 자
④ 법률 또는 법원판결에 의하여 자격이 상실 또는 정지된 자

11. 국가 및 지방자치단체가 국민의 영양개선방안을 강구하고 영양지도를 위하여 해야 할 사업 (법 제 15조, 시행규칙 제 9조)

① 영양교육사업
② 영양개선에 관한 조사·연구사업
③ 국민의 영양상태에 관한 평가사업
④ 지역사회의 영양개선사업

12. 국민영양조사

(1) 대상 및 시기 (법 제 16조) : 보건복지부장관은 국민의 건강상태·식품섭취·식생활조사 등 국민의 영양에 관한 조사를 정기적으로 실시한다.

(2) 영양조사원 및 영양지도원 (시행령 제 22조)
① 영양조사원(영양조사 담당)은 시·도지사가 의사·영양사 또는 간호사의 자격을 가진 자 또는 전문대학이상의 학교에서 식품학 또는 영양학의 과정을 이수한 자 중에서 임명 또는 위촉한다.
② 시장·군수·구청장은 영양지도원(영양개선사업을 수행하기 위한 국민영양지도를 담당하는 자)를 두어야 하며 그 영양지도원은 영양사의 자격을 가진 자로 임명한다. 다만, 영양사의 자격을 가진 자가 없는 경우에는 의사나 간호사의 자격을 가진 자 중에서 임명할 수 있다.

13. 구강건강사업 (법 제 18조)

국가 및 지방자치단체가 국민의 구강질환의 예방과 구강건강증진을 위하여 계획을 수립, 시행해야 할 사업

① 구강건강에 관한 교육사업
② 수돗물 불소농도 조정사업
③ 구강건강에 관한 조사·연구사업
④ 기타 구강건강의 증진을 위한 사업

14. 건강증진사업 (법 제 19조)

(1) 보건소장이 하여야 할 건강증진사업
  ① 보건교육 및 건강상담
  ② 영양관리 및 구강건강의 관리
  ③ 질병의 조기발견을 위한 검진 및 처방
  ④ 지역사회의 보건문제에 관한 조사·연구
  ⑤ 기타 건강교실의 운영 및 건강증진사업에 관한 사항

(2) 시장·군수·구청장이 건강증진사업을 위해 확보해야 할 인력 (시행규칙 제 19조)
  ① 보건교육 및 영양관리를 위한 인력
  ② 구강건강관리 및 건강검진을 위한 인력
  ③ 체력측정을 위한 운동지도인력

(3) 보건소장이 지역주민의 건강증진사업 수행을 위해 확보해야 할 시설 및 장비
(시행규칙 제 19조)
  ① 시청각교육실 및 시청각교육장비
  ② 건강검진실 및 건강검진에 필요한 장비
  ③ 운동지도실 및 운동부하검사장비(체력측정을 행하는 경우에 한함)
  ④ 영양관리·구강건강사업 등 건강증진사업에 필요한 시설 및 장비

15. 건강검진 (시행규칙 제 20조)

(1) 국가는 건강검진을 실시할 경우 시장·군수·구청장으로 하여금 보건소장에게 실시하도록 한다.

(2) 검진기관 근무자 또는 건강검진을 시행한 자는 국민의 건강증진사업 수행을 위하여 불가피한 경우를 제외하고는 정당한 사유없이 검진결과를 공개해서는 안 된다.(법 제 21조)

(3) 건강검진은 연령별·대상별로 검진항목을 정하여 실시한다.

16. 국민건강증진기금

(1) 기금의 재원조성 (법 제 22조)
  ① 담배의 소비부담금
  ② 기금의 운용수익금

(2) 기금을 사용할 수 있는 사업 (법 제 25조)
  ① 금연교육 및 광고 등 흡연자를 위한 건강관리사업
  ② 건강생활의 지원사업

③ 보건교육 및 그 자료의 개발
④ 보건통계의 작성·보급과 보건의료관련 조사·연구 및 개발에 관한 사업
⑤ 질병의 예방·검진·관리 및 암의 치료를 위한 사업
⑥ 국민영양관리사업
⑦ 구강건강관리사업
⑧ 시·도지사 및 시장·군수·구청장이 행하는 건강증진사업
⑨ 공공보건의료 및 건강증진을 위한 시설·장비의 확충
⑩ 기금의 관리·운용에 필요한 경비
⑪ 그 밖에 국민건강증진사업에 소요되는 경비로서 대통령령이 정하는 사업

(3) 기금계정 및 회계기관 (시행령 제 27.조)

기금의 수입과 지출을 명확히 하기 위하여 한국은행에 기금계정을 설치

6. 학교급식법 해설

1. 목 적

학교급식을 통해 학생의 심신에 건전한 발달을 도모하고 나아가 국민식생활개선에 기여함을 목적으로 한다.

2. 용어의 정의

① 학교급식 : 학교 또는 학급의 학생을 대상으로 학교의 장이 실시하는 급식
② 학교급식공급자 : 학교급식의 업무를 위탁받아 행하는 자
③ 급식에 관한 경비 : 학교급식을 위한 식품비, 급식운영비 및 급식시설·설비비 등을 말한다.

3. 국가·지방자치단체의 임무

① 국가와 지방자치단체는 양질의 학교급식이 안전하게 제공될 수 있도록 행정적·재정적으로 지원하여야 하며, 영양교육을 통한 학생의 올바른 식생활 관리능력 배양과 전통 식문화의 계승·발전을 위하여 필요한 시책을 강구하여야 한다.
② 교육감은 매년 학교급식에 관한 계획을 수립·시행하여야 한다.

4. 학교급식대상

① 「초·중등교육법」 제2조제1호 내지 제4호의 1 에 해당하는 학교
② 근로청소년을 위한 특별학급 및 산업체 부설 중·고등학교
③ 그 밖에 교육감이 필요하다고 인정하는 학교

5. 급식시설·설비

(1) 학교급식을 실시할 학교는 학교급식을 위하여 필요한 시설·설비를 갖추어야 한다. 다만, 2 이상의 학교가 인접하여 있을 경우에는 시설을 공동으로 할 수 있다.

(2) 급식의 영양관리기준
  ① 급식의 영양관리기준은 별표 3을 따른다.
  ② 식단작성 시 고려하여야 할 사항
   • 전통 식문화의 계승·발전을 고려할 것
   • 다양한 종류의 식품을 사용할 것
   • 염분·유지류·단순당류 또는 식품첨가물 등을 과다하게 사용하지 않을 것
   • 가급적 자연식품과 계절식품을 사용할 것
   • 다양한 조리방법을 활용할 것

(3) 위생 및 안전점검
  교육감·교육장 및 학교의 장은 학교급식과 위탁급식으로 제공된 식품의 위생과 안전이 확보될 수 있도록 위생 및 안전점검을 실시하여야 한다.

(4) 시설·설비의 종류와 기준
  ① **조리장** : 교실과 떨어지거나 차단되어 학생의 학습에 지장을 주지 않는 시설로 하되, 식품의 운반과 배식이 편리한 곳에 두어야 하며, 능률적이고 안전한 조리기기, 냉장·냉동시설, 세척·소독시설 등을 갖추어야 한다.
  ② **식품보관실** : 환기·방습이 용이하며, 식품과 식재료를 위생적으로 보관하는데 적합한 위치에 두되, 방충 및 방서시설을 갖추어야 한다.
  ③ **급식관리실** : 조리장과 인접한 위치에 두되, 컴퓨터 등 사무장비를 갖추어야 한다.
  ④ **편의시설** : 조리장과 인접한 위치에 두되, 조리종사자의 수에 따라 필요한 옷장과 샤워시설 등을 갖추어야 한다.

(5) 학교급식공급업자가 갖추어야 할 요건
  ① 조리, 운반, 배식 등 일부업무 위탁 : 위탁급식영업의 신고를 할 것
  ② 학교급식 과정 전부를 위탁
   • 학교 밖에서 제조·가공한 식품을 운반하여 급식 : 식품제조·가공업의 신고를 할 것
   • 학교급식시설을 운영위탁하는 경우 : 위탁급식영업의 신고를 할 것
  ③ 집단급식소 신고에 필요한 면허소지자가 있을 것

(6) 품질 및 안전을 위한 준수사항
  ① 사용할 수 없는 식재료
   • 원산지 표시를 거짓으로 적은 식재료

- 유전자변형농수산물의 표시를 거짓으로 적은 식재료
- 축산물의 등급을 거짓으로 기재한 식재료
- 표준규격품의 표시, 품질인증의 표시 및 지리적 표시를 거짓으로 적은 식재료

② 식재료의 품질관리기준, 영양관리기준 및 위생·안전관리기준
③ 매 학기별 보호자부담 급식비 중 식품비 사용비율의 공개
④ 학교급식관련 서류의 비치 및 보관(보존연한은 3년)
- 급식인원, 식단, 영양 공급량 등이 기재된 학교급식일지
- 식재료 검수일지 및 거래명세표

6. 학교급식위원회

(1) 학교급식위원회의 심의사항

① 학교급식에 관한 계획
② 급식에 관한 경비의 지원
③ 그 밖에 학교급식의 운영 및 지원에 관한 사항으로서 교육감이 필요하다고 인정하는 사항

(2) 학교급식위원회의 구성

① 학교급식위원회는 위원장 1인을 포함한 15인 이내의 위원으로 구성한다.
② 학교급식위원회의 위원장은 특별시·광역시·도·특별자치도교육청의 부교육감이 된다.
③ 위원은 시·도교육청 학교급식업무 담당국장, 특별시·광역시·도·특별자치도의 학교급식지원업무 담당국장 및 보건위생업무 담당국장, 학교의 장, 학부모, 학교급식분야 전문가, 시민단체가 추천한 자 그 밖에 교육감이 인정하는 자 중에서 교육감이 임명 또는 위촉한다.
④ 학교급식위원회에는 간사 1인을 두되, 시·도교육청 공무원 중에서 위원장이 임명한다.

7. 영양교사의 업무 및 배치

① 학교급식을 위한 시설과 설비를 갖춘 학교는 영양교사와 조리사를 둔다.
② 교육감은 학교급식에 관한 업무를 전담할 전문지식이 있는 직원을 소속 하에 둘 수 있다.
③ 영양교사의 직무
- 식단작성, 식재료의 선정 및 검수
- 위생·안전·작업관리 및 검식
- 식생활 지도, 정보 제공 및 영양상담
- 조리실 종사자의 지도·감독
- 그 밖에 학교급식에 관한 사항

8. 학교급식 시설·설비 및 급식경비의 부담

① 설립·경영자 부담을 원칙으로 하되, 보호자가 그 일부를 부담할 수 있다.
② 학교급식을 위한 식품비는 보호자가 부담하는 것을 원칙으로 한다.
③ 급식운영비
  - 급식시설·설비의 유지비
  - 종사자의 인건비
  - 연료비, 소모품비 등의 경비
④ 국가 또는 지방자치단체가 지원할 수 있는 급식비
  - 도서벽지지역에 있는 초등학교 등으로 7할 이상의 학부모가 도서벽지지역의 학부모와 유사한 생활환경에 처해 있다고 교육감이 인정하는 학교
  - 7할 이상에 해당하는 학생의 학부모가 농어촌의 학부모와 유사한 생활여건에 처하여 있다고 교육감이 인정하는 학교

9. 생산품의 직접사용

학교에서 작물재배, 동물사육 기타 각종 생산활동으로 얻은 생산품이나 그 매각대금은 학교급식을 위하여 직접 사용할 수 있다.

10. 업무위탁의 범위

(1) 공간적 또는 재정적 사유 등으로 학교급식시설을 갖추지 못한 경우

(2) 학교의 이전 또는 통·폐합 등의 사유로 장기간 학교의 장이 직접 관리·운영함이 곤란한 경우

(3) 그 밖에 학교급식의 위탁이 불가피한 경우로서 교육감이 학교급식위원회의 심의를 거쳐 정하는 경우

(4) 업무위탁 등의 계약방법 : 학교급식업무의 위탁에 관한 계약은 국가를 당사자로 하는 계약에 관한 법령 또는 지방자치단체를 당사자로 하는 계약에 관한 법령의 관계규정을 적용 또는 준용한다.

7. 식품위생행정

1. 식품위생행정의 목적과 시책

식품위생행정은 환경위생행정의 한 부분으로서 식품위생법에 근거를 두고 안전한 식품을 생산하여 질병이나 건강장해를 방지하는 것을 목적으로 하고 있다. 이러한 목적을 달성하기 위하여 다음과 같은 구체적인 시책을 시행하고 있다.

① 식품, 첨가물, 기구 및 용기·포장의 성분규격과 제조·사용 등의 기준 설정
② 제품검사제도의 실시
③ 식품첨가물로 사용되는 화학적 합성품의 지정
④ 표시제도의 실시
⑤ 식품위생감시의 실시
⑥ 식중독의 예방과 발생시의 조치
⑦ 식품관리 종사자들에 대한 건강관리 및 위생교육
⑧ 식품 취급시설 기준의 제정 및 영업의 허가제도 실시
⑨ 식품의 제조 또는 가공을 위생적으로 관리하기 위한 식품위생관리인 제도 실시
⑩ 수입식품 관리제도의 실시
⑪ 유해식품 제조·유통업자 책임하에 자진 회수·폐기하는 식품회수제도(recall)의 도입
⑫ 식품 위해요소 중점관리제도(HACCP)의 도입
⑬ 농축산물에 대한 잔류농약 및 항균성 물질의 잔류기준 설정
⑭ 조리사와 영양사 제도의 실시

2. 식품위생 행정기구

(1) 보건복지부

보건복지부는 보건, 식품, 의정 약정, 사회복지, 공적부조, 의료보험, 국민연금 및 가정복지에 관한 사무를 관장한다. 식품위생 관련업무는 보건복지부 보건의료정책실의 식품정책과 등에서 맡고 있다. 보건복지부 내 국별 사무분장 내용 중 식품관련업무 내용은 다음과 같다.

① 식품 및 건강기능식품 위생·안전정책에 관한 종합계획의 수립 및 조정
② 식품 및 건강기능식품 관련 제도 및 법령에 관한 사항
③ 어린이 식생활 안전관리 및 어린이 기호식품의 안전·영양 정책에 관한 사항
④ 좋은식단 실천 등 음식문화개선
⑤ 식품진흥기금 제도 운영

⑥ 식품위생교육 관리
⑦ 식품 관련 심의위원회 운영
⑧ 식품의약품안전청의 업무 등에 관한 사항

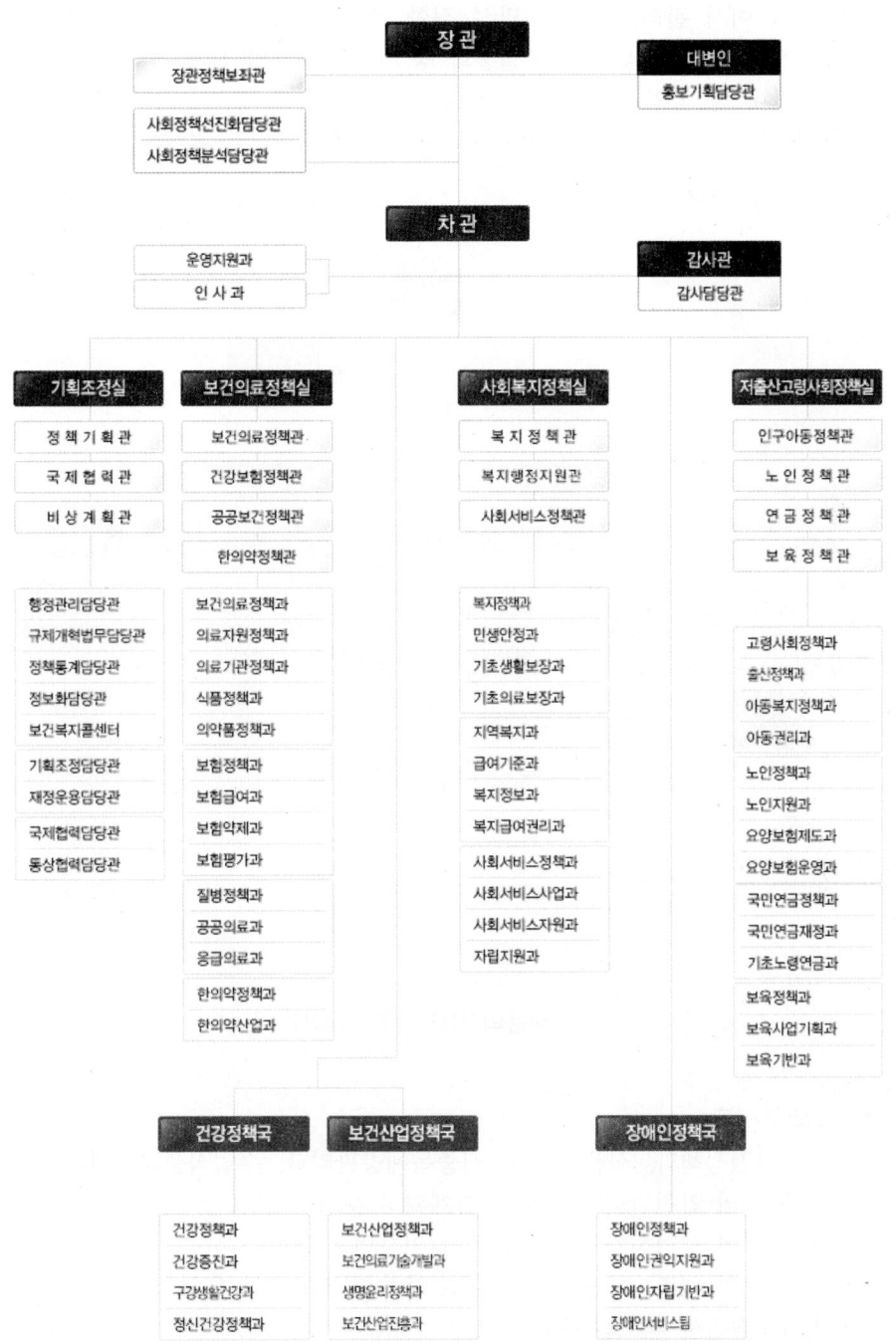

보건복지부 조직도

(2) 국립보건연구원

보건복지부의 지원기관으로 질병관리본부에 속해있는 국가연구기관이다. 감염병 대응 및 예방, 감염병에 대한 진단 및 조사·연구, 국가 만성질환 감시체계 구축, 장기기증지원 및 이식 관리, 감염병, 만성 질환, 희귀 난치성 질환 및 손상 질환에 관한 시험·연구업무, 질병관리, 유전체실용화 등 국가연구개발사업, 검역을 통한 해외유입 감염병의 국내 및 국외 전파방지 등을 관장한다.

감염병센터, 면역병리센터, 생명의과학센터, 유전체센터로 분류된다.

(3) 식품의약품안전청

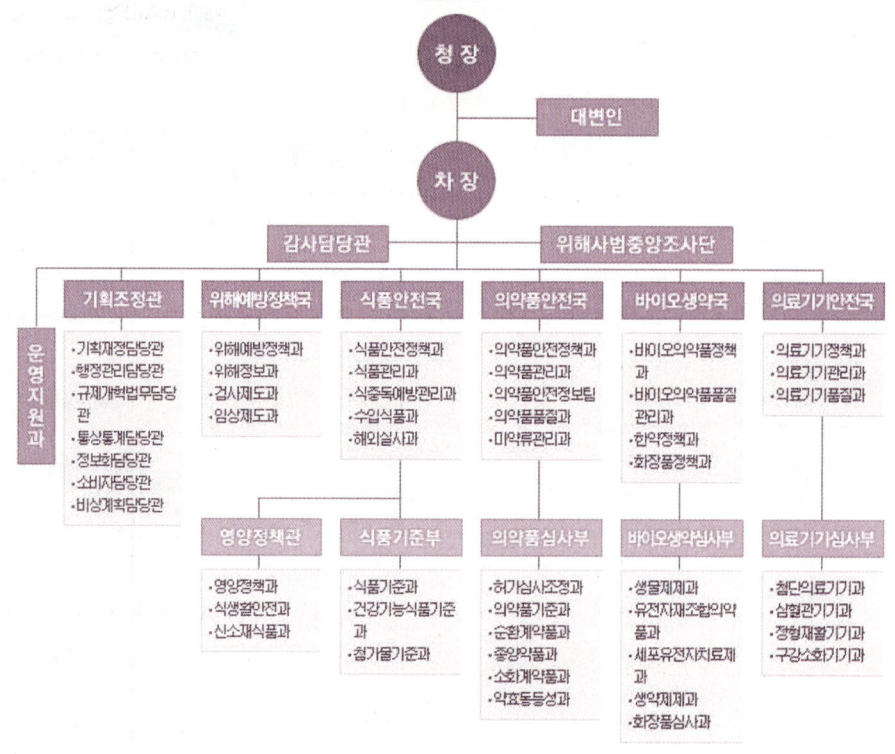

식품의약품안전청 조직도

① 식품안전국
- 식품안전정책과, 식품관리과, 식중독예방관리과, 수입식품과, 해외실사과
- 식품 등의 안전관리에 관한 종합계획의 수립
- 식품 등의 영업허가 및 신고 관련 업무의 총괄
- 식품 등의 제조·가공업소 중 우수업소 지정제도의 운영
- 자가품질검사 제도의 운영
- 식품위생감시원의 임면 및 교육
- 음식점 원산지 표시 지도·관리 총괄

- 위해식품 등의 회수관리 총괄
- 식중독예방종합대책의 수립 및 시행
- 식중독 실태조사 및 발생에 대한 원인 조사
- 식중독 통계관리
- 위해요소중점관리기준 및 우수건강기능식품제조기준 관련 법령, 고시의 제정·개정 및 제도개선
- 수입식품 안전관리 법령 및 고시의 제정·개정

② **영양정책관**
- 영양정책과, 식생활안전과, 신소재식품과
- 식품영양 정책 및 건강기능식품 안전관리 종합계획의 수립 및 총괄
- 건강기능식품과 관련된 통계 및 생산실적 관리
- 건강기능식품 표시·광고심의 기준의 제정·개정 및 운영
- 한국인의 영양섭취 기준 및 가공식품의 영양소 기준치 설정
- 어린이 식생활 안전관리 종합계획의 수립 및 시행
- 단체급식 영양관리
- 유전자재조합식품의 안전성 심사
- 유전자재조합식품의 표시기준 운영

③ **식품기준부**
- 식품기준과, 건강기능식품기준과, 첨가물기준과
- 식품에 대한 기준·규격의 설정
- 유통기한설정기준의 제정·개정
- 식품 등에 대한 국제기구 및 선진국의 기준·규격에 관한 신규 정보의 탐색 및 비교·검토 총괄
- 식품공전의 편찬
- 건강기능식품의 기준 및 규격의 설정 및 운영
- 기구·용기·포장, 기구 등의 살균소독제 및 식품첨가물의 기준·규격 등을 개선하기 위한 종합계획 수립·시행
- 식품첨가물공전의 편찬

지방식품의약품안전청의 명칭·위치 및 관할구역

명 칭	위 치	관 할 구 역
서울지방식품의약품안전청	서울특별시	서울특별시, 강원도
부산지방식품의약품안전청	부산광역시	부산광역시, 울산광역시, 경상남도
대구지방식품의약품안전청	대구광역시	대구광역시, 경상북도
경인지방식품의약품안전청	인천광역시 또는 경기도	인천광역시, 경기도
광주지방식품의약품안전청	광주광역시	광주광역시, 전라남북도, 제주도
대전지방식품의약품안전청	대전광역시	대전광역시, 충청남북도

④ 지방식품의약품안전청

또 다른 성격의 중앙기구로서 식품·의약품 등의 안전관리업무에 관하여 식품의약품안전청장의 소관업무를 분장하여 수행하는 지방식품의약품안전청이 있다. 지방식품의약품안전청의 명칭, 위치 및 관할구역은 다음과 같다.

식품위생관련업무는 식품안전관리과에서 담당하고 있으며, 국립검역소의 수입식품 검사업무가 지방청으로 이관됨에 따라 필요한 지역에 수입식품검사소를 둘 수 있다. 현재는 부산과 경인지방식품의약품안전청의 두 곳에 수입식품검사소가 있다.

(4) 국립검역소

복지부 산하기관인 국립검역소는 감염병의 국내침입과 국외전파의 방지에 관한 사무를 분장한다. 검역소의 업무는 주로 검역과에서 담당하는데 다음 사항을 분장한다.

① 입·출항 항공기 및 선박의 검역

② 승객 및 화물 검역

③ 구충·구서·훈증소독

④ 검역구역의 방역(감염병 예방관리)

⑤ 세균검사 및 역학조사

현재 우리나라는 인천공항, 부산, 인천, 군산, 목포, 여수, 마산, 김해, 통영, 울산, 포항, 동해, 제주(총 13개소)에 국립검역소를 설치, 운영하고 있으며, 필요한 지역에는 지소도 설치되어 있다.

식품위생관계법규 핵심문제 해설

1. 다음 중 식품위생법의 목적이 아닌 것은?

(가) 식품으로 인한 위생상의 위해방지
(나) 성병 감염의 방지
(다) 국민보건의 증진
(라) 식품영양의 질적 향상 도모
(마) 국민영양의 향상

1. 식품위생법 제1조 참조

2. 식품위생법이 공포된 때는?

(가) 1960년 2월 20일   (나) 1962년 1월 20일
(다) 1963년 12월 1일   (라) 1967년 2월 20일
(마) 1972년 1월 20일

3. 다음 중 식품위생관계법규의 근거로 옳게 짝지어진 것은?

(가) 법-법률, 시행령-국무총리령, 시행규칙-보건복지부령
(나) 법-대통령령, 시행령-국무총리령, 시행규칙-시·도지사령
(다) 법-법률, 시행령-대통령령, 시행규칙-보건복지부령
(라) 법-대통령령, 시행령-국무총리령, 시행규칙-보건복지부령
(마) 법-법률, 시행령-보건복지부령, 시행규칙-시·도지사령

4. 대국민 영양교육의 근간이 되는 국민 건강증진 및 질병예방을 위한 정책 관련법과 주관부서의 연결이 옳지 않은 것은?

〈영양교사, 2011년 기출문제〉

(가) 국민건강증진법 - 보건복지부
(나) 초·중등교육법 - 교육과학기술부
(다) 국민영양관리법 - 보건복지부
(라) 어린이식생활안전관리특별법 - 농림수산식품부
(마) 식생활교육지원법 - 농림수산식품부

4. '어린이식생활안전관리특별법'은 2009년 3월부터 시행하고 있으며, 주관부서는 보건복지부이다. 이 법은 어린이 건강증진에 기여함을 목적으로 한다.

정답 1. (나)   2. (나)   3. (다)   4. (라)

5. 다음 중 식품위생법의 용어정의를 잘못한 것은?

(가) '식품'이라 함은 의약품을 제외한 모든 음식물을 말한다.
(나) '첨가물'이라 함은 식품을 제조·가공 또는 보존함에 있어 식품에 첨가·혼합·침윤 기타의 방법으로 사용되는 물질을 말한다.
(다) '기구'라 함은 식품 또는 첨가물에 직접 접촉되는 기계·기구를 말한다.
(라) '화학적 합성품'이란 화학적 수단에 의하여 원소 또는 화합물에 분해반응 외에 화학반응을 일으켜 얻는 물질이다.
(마) '용기·포장'이라 함은 식품 또는 첨가물을 담아서 파는 그릇을 말한다.

6. 식품위생법에서 정의하고 있는 영업에 속하지 않는 것은?

(가) 농업 및 수산업에 속하는 식품의 채취업
(나) 식품을 제조·가공·판매하는 업
(다) 첨가물을 수입·운반·판매하는 업
(라) 식품기구 또는 용기를 제조·판매하는 업
(마) 식품포장을 수입·제조·운반·판매하는 업

7. 화학적 합성품을 얻을 수 있는 반응이 아닌 것은?

(가) 중화반응   (나) 합성반응
(다) 분해반응   (라) 부가반응
(마) 축합반응

8. 식품위생법의 정의에서 집단급식소에 해당되지 않는 곳은?

(가) 학교기숙사   (나) 공장급식소
(다) 대중음식점   (라) 병원급식소
(마) 후생기관급식소

9. 식품위생법에서 '식품'의 정의는?

(가) 모든 음식물
(나) 식품·첨가물 및 화학적 합성품
(다) 화학적 합성품을 제외한 모든 음식물
(라) 의약으로 섭취하는 것을 제외한 모든 음식물
(마) 용기·포장을 제외한 모든 음식물

5. 식품위생법 제2조 참조

6. 식품위생법 제2조 제7조 참조
　식품위생법에서 정의하고 있는 용어 중 기구나 영업에 있어서 농업 및 수산업에 속하는 식품의 채취업, 또는 이에 사용되는 기계·기구 기타의 물건은 제외하고 있다.

8. 단체급식소라 함은 영리를 목적으로 하지 않고 계속적으로 특정다수인에게 음식물을 공급하는 곳을 말한다.

정답 5. (마)　6. (가)　7. (다)　8. (다)　9. (라)

10. 유전자재조합식품을 고를 때 유의해야 할 점은?

> ① 최초로 유전자재조합식품 등을 수입하거나 개발 또는 생산, 판매하는 경우 안전성 평가를 받았는지 확인한다.
> ② 안전성 평가를 받은 후 5년이 지난 유전자재조합식품 등이 다시 안전성 평가를 받지 않고 계속 시중에 유통되고 있는 경우는 구입을 자제한다.
> ③ 유전자재조합식품 등의 심사를 위한 식품의약품안전청의 안전성평가자료심사위원회에서 제대로 평가받은 제품이어야 한다.
> ④ 유전자재조합기술을 활용하여 재배·육성된 주요 원재료로 제조·가공한 식품 또는 식품첨가물은 유전자재조합식품임이 표시되어 있어야 한다.

㈎ ①, ②　　㈏ ①, ③　　㈐ ②, ③
㈑ ②, ④　　㈒ ③, ④

10. 식품위생법시행령 제9조 1, 2항 참조
1. 최초로 법 10조에 따른 유전자재조합 식품 등을 수입하거나 개발 또는 생산하는 경우
2. 법 제18조에 따른 안전성 평가를 받은 후 10년이 지난 유전자재조합식품 등으로서 시중에 유통되어 판매되고 있는 경우

11. 다음 중 식품위생법에 의하지 않은 것은?

㈎ 음용수의 수질기준 등에 관한 규칙
㈏ 식품위해요소 중점관리기준
㈐ 영양사에 관한 규칙
㈑ 식품 등의 기준 및 규격
㈒ 식품첨가물의 고시

11. 식품위생법시행규칙 제1조 참조
　음용수의 수질기준 등에 관한 규칙은 수도법 및 공중위생법의 규정에 의한 것이다.

12. 식품위생법의 정의에 있어 식품첨가물이 사용되는 방법으로 맞지 않는 것은?

㈎ 추출　　㈏ 첨가　　㈐ 침윤
㈑ 혼합　　㈒ 부가

13. 다음 중 식품위생법의 규제대상이 아닌 것은?

㈎ 식품첨가물　　　　㈏ 식품용기
㈐ 식품제조기구　　　㈑ 식품포장 및 용기
㈒ 수산물 양식장

정답 10. ㈒　11. ㈎　12. ㈎　13. ㈒

14. 식품 등의 위생적 취급에 관한 기준으로 옳은 것은?

> ① 어류·육류·채소류를 취급하는 칼·도마는 각각 구분하여 사용하여야 한다.
> ② 제조·가공하여 최소판매 단위로 포장된 컵라면, 호빵, 일회용 다류 등의 식품 또는 식품첨가물을 허가나 신고 없이 포장을 뜯어 분할하여 판매할 수 없다.
> ③ 식품 등의 원료 및 제품은 부패·변질되지 않도록 냉동·냉장 시설에 보관·관리하여야 한다.
> ④ 식품 등의 제조·가공·조리·판매 또는 포장에 종사하는 사람은 위생을 위해 위생모를 착용한다.

㈎ ①, ② ㈏ ①, ③ ㈐ ②, ③
㈑ ②, ④ ㈒ ③, ④

14. 식품위생법 제3조, 식품위생법 시행규칙 제2조, 별표 1 참조
　④ 식품 등의 제조·가공·조리 또는 포장에 직접 종사하는 자는 위생모를 착용하는 등 개인위생관리를 철저히 하여야 한다.
　⑤ 제조·가공하여 최소판매 단위로 포장된 식품 또는 식품첨가물을 영업허가 또는 신고하지 아니하고 판매의 목적으로 포장을 뜯어 분할하여 판매하여서는 아니 된다. 다만, 컵라면, 일회용 다류, 호빵 등은 제외한다.

15. 다음 중 식품위생법에서 판매를 금지하고 있는 식품은?

> ① 살모넬라병으로 죽은 동물의 고기나 장기
> ② 유독·유해물질이 들어 있거나 묻어 있는 식품 중 식품의약품안전청장이 인체의 건강을 해칠 우려가 없다고 인정하는 것
> ③ 구간낭충에 걸려 죽은 동물의 뼈나 고기
> ④ 영업자가 아닌 사람이 제조·가공·소분한 것

㈎ ①, ② ㈏ ①, ③ ㈐ ②, ③
㈑ ②, ④ ㈒ ③, ④

16. 식품위생법에 있어서 제조·가공·조리·저장·운반·진열 및 판매가 금지되어 있는 식품이 아닌 것은?

㈎ 병든 동물의 고기로 병원미생물에 오염된 곳을 도려낸 것
㈏ 과일 등 미숙한 식품으로 비위생적이 아니라고 인정되는 것
㈐ 유독 물질이 함유되어 있지만 외관상으로 깨끗한 것
㈑ 불결, 이물질이 혼합되어 있지만 씻으면 깨끗해 보이는 것
㈒ 부패 또는 변질되어 다른 성분이 나타나는 것

16. 식품위생법 제4조 및 제5조, 식품위생법시행규칙 제2조 및 제3조 참조

정답 14. ㈏ 15. ㈏ 16. ㈏

17. 식품위생법에서 정하는 식품첨가물인 것은?

① 식품이 포함하고 있는 영양소
② 원소 또는 화합물에 분해 반응 외의 화학 반응을 일으켜서 얻은 물질
③ 식품을 적시는 등에 사용되는 물질
④ 기구·용기·포장을 살균·소독하는 데에 사용되어 간접적으로 식품으로 옮아갈 수 있는 물질

(가) ①, ②   (나) ①, ③   (다) ②, ③
(라) ②, ④   (마) ③, ④

17. 식품위생법 제2조2항
'**식품첨가물**'이란 식품을 제조·가공 또는 보존하는 과정에서 식품에 넣거나 섞는 물질 또는 식품을 적시는 등에 사용되는 물질을 말한다. 이 경우 기구·용기·포장을 살균·소독하는 데에 사용되어 간접적으로 식품으로 옮아갈 수 있는 물질을 포함한다.

18. 식품 및 식품첨가물 중 위해식품 등의 판매금지 대상이 아닌 것은?

(가) 썩거나 상하거나 설익어서 인체의 건강을 해칠 우려가 있는 것
(나) 유독·유해물질이 들어있거나 묻어있는 것 또는 그러할 염려가 있는 것
(다) 식품의약품안전청장이 인체의 건강을 해칠 우려가 없다고 인정하는 것
(라) 병을 일으키는 미생물에 오염되었거나 그러할 염려가 있어 인체의 건강을 해칠 우려가 있는 것
(마) 불결하거나 다른 물질이 섞이거나 첨가된 것 또는 그 밖의 사유로 인체의 건강을 해칠 우려가 있는 것

18. 식품위생법 제4조2항 참조
유독·유해물질이 들어 있거나 묻어있는 것, 다만 식품의약품안전청장이 인체의 건강을 해칠 우려가 없다고 인정하는 것은 제외한다.

19. 식품으로 판매 등이 부분적으로라도 금지되어 있는 병육에 해당하지 않는 질병은?

(가) 살모넬라병
(나) 리스테리아병
(다) 파스튜렐라병
(라) 선모충증
(마) 기생충증

19. 식품위생법 시행규칙 제4조2항 참조
판매 등이 금지되는 병육 중 보건복지부령이 정하는 질병은 리스테리아병, 살모넬라병, 파스튜렐라병, 구간낭충, 선모충증이다.

정답 17. (마) 18. (다) 19. (마)

20. 식품위생법에서 말하는 규격에 대한 설명으로 알맞은 것은?

(가) 식품·첨가물의 성분 등에 관한 위생상 필요로 하는 최소한의 요구이다.
(나) 식품·첨가물의 판매단위에 관한 최소한의 요구이다.
(다) 식품용기의 단위이다.
(라) 식품첨가물의 제조, 사용, 순도, 성분 등에 대해 공중위생상 필요로 하는 최대한의 요구이다.
(마) 식품첨가물의 보존에 필요한 주의사항이다.

21. 기구·용기·포장에 관한 기준 및 규격으로 바르지 못한 것은?

① 식품의약품안전청장은 판매하거나 영업에 사용하는 기구 및 용기·포장에 관한 기준과 규격을 정하여 고시한다.
② 기준과 규격이 고시되지 아니한 기구 및 용기·포장은 식품위생심의위원회의 검토를 거친다.
③ 수출할 기구 및 용기·포장과 그 원재료에 관한 기준과 규격은 수입자의 요구를 따를 수 있다.
④ 기준과 규격이 고시되지 아니한 기구 및 용기·포장은 위원회의 검토를 통해 기준과 규격이 고시될 때까지 사용할 수 없다.

(가) ①, ② (나) ①, ③ (다) ②, ③
(라) ②, ④ (마) ③, ④

21. 식품위생법 제9조2항
② 기준과 규격이 고시되지 아니한 기구 및 용기·포장에 대하여는 지정된 식품위생검사기관의 검토를 거쳐 기준과 규격이 고시될 때까지 해당 기구 및 용기·포장의 기준과 규격으로 인정할 수 있다.

22. 다음은 자가품질검사의 기준이다. 맞지 않는 것은?

(가) 식품 등에 대한 자가품질검사는 판매를 목적으로 제조·가공하는 품목별로 실시해야 한다.
(나) 즉석 판매제조·가공 대상 식품의 경우에는 동일한 성분·규격을 적용받는 식품유형별로 이를 실시하지 않는다.
(다) 자가품질검사 주기의 적용시점은 제품제조일을 기준으로 산정한다.
(라) 검사항목의 적용은 당해제품의 해당항목에 한한다.
(마) 직접 행하는 것이 부적합하면 자가품질위탁검사기관에 검사를 위탁할 수 있다.

22. 식품위생법 제31조 ② 별표 12 참조
식품 등에 대한 자가품질검사는 판매를 목적으로 제조·가공하는 품목별로 실시하여야 한다. 다만 식품공전에서 정한 동일한 검사항목을 적용받은 품목을 제조·가공하는 경우에는 식품유형별로 이를 실시할 수 있다.

정답 20. (가) 21. (라) 22. (나)

23. 자가품질검사를 의무적으로 실시해야 하는 영업자가 아닌 것은?

(가) 식품조사처리업자
(나) 즉석판매 제조·가공업자
(다) 식품제조·가공업자
(라) 기구 또는 용기·포장류 제조업자
(마) 주문자 상표 부착식품 등을 수입·판매하는 영업자

24. 다음 중 자가품질검사에 대해 바르게 설명한 것은?

> ① 식품 등을 제조·가공하는 영업자는 보건복지부령으로 정하는 바에 따라 해당 식품 등이 식품위생법에 따른 기준과 규격에 맞는지를 자체 검사하여야 한다.
> ② 식품제조·가공 과정 중 특정 식품첨가물을 사용하지 아니한 경우에는 그 항목의 검사를 생략할 수 있다.
> ③ 자가품질위탁검사기관은 검사결과를 의뢰한 영업자와 식품의약품안전청장 또는 신고관청에 통보하여야 한다.
> ④ 자가품질검사주기의 적용시점은 제품검사일을 기준으로 산정한다.

(가) ①, ② (나) ①, ③ (다) ②, ③
(라) ②, ④ (마) ③, ④

25. 시민식품감사인에 대한 설명으로 옳지 않은 것은?

> ① 식품제조·가공업자 및 식품첨가물제조업자는 식품의약품안전청장 또는 시·도지사에게 신청하여 시민식품감사인을 위촉할 수 있다.
> ② 위촉된 시민식품감사인은 영업소에 대한 위생관리 상태를 매월 한 번 이상 점검한다.
> ③ 시민식품감사인을 위촉한 영업자의 영업소는 보건복지부령으로 정하는 일정 기간 동안 영업소의 출입·검사·수거 등을 조건 없이 면제받을 수 있다.
> ④ 시민식품감사인은 식품위생교육 이행 및 시설기준의 적합 여부까지 확인·점검한다.

(가) ①, ② (나) ①, ③ (다) ②, ③
(라) ②, ④ (마) ③, ④

23. 식품위생법 제31조, 제44조, 별표 12 참조
자가품질검사를 의무적으로 실시해야 하는 영업자는 즉석판매 제조·가공업자, 식품제조·가공업자, 기구·용기·포장류 제조업자, 주문자상표부착 식품 등을 수입·판매하는 영업자이다.

24. 식품위생법 제31조, 별표 12 참조
자가품질위탁검사기관은 검사를 한 후 지체없이 그 검사 결과를 의뢰한 영업자에게 통보하여야 한다. 자가품질검사주기의 적용시점은 제품 제조일을 기준으로 산정한다.

25. 위촉된 시민식품감사인은 영업소에 대한 위생관리 상태를 분기마다 한 번 이상 점검한다. 시민식품감사인을 위촉한 영업자의 영업소에 대하여 관계 공무원으로 하여금 보건복지부령으로 정하는 일정기간 동안 출입·검사·수거 등을 면제받을 수 있다.
다만, 시민식품감사인을 위촉한 영업자가 시민식품감사인이 권고사항에 따르지 아니한 경우 등은 예외이다.

정답 **23.** (가) **24.** (가) **25.** (다)

26. 식품위생법상 식품위생의 대상물로 짝지어진 것은?

(가) 식품, 첨가물, 제조시설
(나) 식품, 첨가물, 기구, 포장
(다) 식품 및 첨가물
(라) 식품, 제조시설, 영업종사자
(마) 식품, 첨가물, 기구, 용기, 포장

27. 식품 등의 기준 및 규격에 대한 설명으로 틀린 것은?

(가) 온도의 표시는 셀시우스법을 쓰며, 아라비아숫자의 오른쪽 위에 ℃를 붙여 표시한다.
(나) 시험에 쓰는 물은 따로 규정이 없는 한 살균수를 말한다.
(다) 용액이라 기재하고 그 용제를 표시하지 아니한 것은 수용액을 말한다.
(라) 감압은 따로 규정이 없는 한 15 mmHg 이하로 한다.
(마) 찬 곳이라 함은 따로 규정이 없는 한 0~5℃의 장소를 말한다.

27. 시험에 쓰는 물은 정제수 또는 증류수를 말한다.

28. 식품 등의 기준 및 규격에서 적합한 온도로 나열된 것은?

(가) 표준온도 20℃, 상온 15~25℃, 실온 1~25℃, 미온 30~50℃
(나) 표준온도 15℃, 상온 10~30℃, 실온 15~30℃, 미온 30~50℃
(다) 표준온도 20℃, 상온 15~25℃, 실온 10~30℃, 미온 20~30℃
(라) 표준온도 20℃, 상온 15~25℃, 실온 1~35℃, 미온 30~40℃
(마) 표준온도 25℃, 상온 20~30℃, 실온 10~30℃, 미온 20℃

29. 검체를 취하는 양에 "약"이라고 한 것은 기재량의 몇 % 범위 내를 말하는가?

(가) 90~110%   (나) 100~150%   (다) 50~100%
(라) 90~150%   (마) 70~110%

30. 식품 등의 기준 및 규격이 최초로 공포된 때는?

(가) 1967. 12. 23 〈보건복지부령 206 호〉
(나) 1971. 11. 6 〈보건복지부령 3806 호〉
(다) 1969. 12. 19 〈보건복지부령 2706 호〉
(라) 1970. 6. 7 〈보건복지부령 3266 호〉
(마) 1973. 6. 11 〈보건복지부령 4156 호〉

정답 26. (마)   27. (나)   28. (라)   29. (가)   30. (가)

31. 다음 중 제조년월일의 표시에 관한 사항으로 잘못된 것은?

(가) 도시락은 제조시간까지 반드시 표시해야 한다.
(나) 표시대상식품은 도시락류, 설탕, 제재·가공소금 및 주류에 한한다.
(다) 도시락 이외의 식품도 제조자의 희망에 따라 표시할 수 있다.
(라) 우유에 있어서는 제조 '일' 만을 표시할 수 있다.
(마) 청량음료의 병마개에 표시하는 경우에는 제조 '월일'만을 표시할 수 있다.

31. 표시사항은 ① 제품명 ② 식품의 유형 ③ 업소명 및 소재지 ④ 제조년월일 ⑤ 유통기한 ⑥ 내용량 ⑦ 원료명 ⑧ 성분 및 함량 ⑨ 영양성분 ⑩ 기타 식품 등의 세부표시 기준에서 정하는 사항 등이다.

32. 품목제조보고서에 대한 설명으로 바르지 못한 것은?

① 신고관청은 품목제조 보고를 받은 경우에는 그 내용을 품목제조보고 관리대장에 기록·보관하여야 한다.
② 품목제조 신고를 한 후 해당 제품의 명이나 원료 또는 배합비율 등을 변경하고자 할 때에는 품목제조보고사항 변경보고서에 품목제조보고서 사본을 첨부하여 신고관청에 제출해야 한다.
③ 식품 또는 식품첨가물의 제조·가공에 관한 보고를 하려는 자는 제품생산 시작 전에 신고관청에 신고서를 제출하여야 한다.
④ 식품 또는 식품첨가물의 제조업·가공업의 허가를 받거나 신고 또는 등록을 한 자가 식품 또는 식품첨가물을 제조·가공하는 경우에는 보건복지부장관에게 그 사실을 보고하여야 한다.

(가) ①, ②   (나) ①, ③   (다) ②, ③
(라) ②, ④   (마) ③, ④

32. 식품위생법 제37조⑥항, 식품위생규칙 ①항
식품 또는 식품첨가물의 제조·가공에 관한 보고를 하려는 자는 제품생산 시작 전이나 제품생산 시작 후 7일 이내에 신고관청에 제출하여야 한다.
식품 또는 식품첨가물의 제조업·가공업의 허가를 받거나 신고 또는 등록을 한 자가 식품 또는 식품첨가물을 제조·가공하는 경우에는 보건복지부령으로 정하는 바에 따라 식품의약품안전청장 또는 특별자치도지사·시장·군수·구청장에게 그 사실을 보고하여야 한다.

33. 타르(tar) 색소의 사용이 가능한 식품은?

(가) 젓갈류   (나) 어육가공품   (다) 청량음료
(라) 다류   (마) 면류

정답 31. (마)   32. (마)   33. (다)

34. 식품의 보존 및 유통기준에 대한 설명이다. 틀린 것은?
- ㈎ 상온에서 2주일 동안 보존성이 없는 식품은 가능한 한 냉장 또는 냉동시설에서 보관·유통하여야 한다.
- ㈏ 모든 식품은 위생적으로 취급·판매하여야 하며, 그 보관 및 관리장소가 깨끗해야 한다.
- ㈐ 인체에 유해한 화공약품, 농약, 독극물 등과 함께 보관하여서는 안 된다.
- ㈑ 처리과정 중의 부주의로 인하여 부패·변질·파손된 제품은 제조업소측에 반품교환하거나 폐기처분하여야 한다.
- ㈒ 포장식품을 허가 없이 재분할 판매하지 말아야 한다.

34. 상온에서 7일 이상 보존성이 없는 식품은 냉장 또는 냉동시설에서 보관·유통하여야 한다.

35. 식품의 표시사항이 아닌 것은?
- ㈎ 유통기한
- ㈏ 제품의 형태
- ㈐ 제조년월일
- ㈑ 제품명
- ㈒ 업소명 및 소재지

36. 단위중량당의 열량과 영양성분을 표시하여야 하는 식품은?
- ㈎ 식빵
- ㈏ 건강보조식품
- ㈐ 초콜릿
- ㈑ 과자
- ㈒ 젓갈류

37. 다음 중 유통기한을 제조 연 월 일 시까지 표시해야 하는 식품은?
- ㈎ 과자류
- ㈏ 도시락
- ㈐ 면류
- ㈑ 청량음료
- ㈒ 주류

38. 제품의 제조·가공시에 사용한 원재료 명이나 성분명을 제품명 또는 제품명의 일부로 사용하고자 할 때, 당해 원재료명 또는 성분명과 함량을 주표시면이나 원재료명 또는 성분명 표시란에 몇 포인트의 활자로 표시하여야 하는가?
- ㈎ 14 포인트 이하의 활자
- ㈏ 12 포인트 이하의 활자
- ㈐ 8 포인트 이상의 활자
- ㈑ 12 포인트 이상의 활자
- ㈒ 10 포인트 이상의 활자

정답 **34.** ㈎ **35.** ㈏ **36.** ㈏ **37.** ㈏ **38.** ㈑

39. 우리나라의 영양표시제를 배우고 있는 고등학생들이 ○○제품의 영양성분표를 보면서 나눈 대화이다. 〈보기〉의 밑줄 친 내용 중에서 옳은 것만을 있는 대로 고른 것은?

〈영양교사, 2012년 기출문제〉

영양성분	1회 제공량 1봉지(30g) 총 3회 제공량(90g)	
	1회 제공량당 함량	★%영양소 기준치
열 량	150 kcal	
탄수화물	20 g	6%
단 백 질	2 g	3%
지 방	7 g	14%
포화지방	4.3 g	29%
트랜스지방	0 g	
콜레스테롤	0 mg	0%
나트륨	170 mg	9%
칼슘	0 mg	0%
★% 영양소 기준치: 1일 영양소 기준치에 대한 비율		

〈보기〉

A : 나는 체중 때문에 내가 먹는 식품의 열량이 얼마나 되는지 항상 궁금했어. ① 영양소 기준치는 식품의 영양 표시를 위해 설정한 기준치이지?

B : 그런데 ② 열량에 대한 %영양소 기준치가 표시되어야 해. 이 제품에는 없네. 나는 지방과 열량은 꼭 알고 싶은데........

A : 아! 나도 하나 발견했어. ③ 당류도 표시해야 해.

B : 그렇구나! 그런데 ④ 영양표시에서 함량이 '0'이라고 표시된 것은 그 영양소가 전혀 없을 때만 이렇게 표시한다고 했지?

A : 글쎄……. 그런데 ⑤ 칼슘은 영양 표시를 하지 않아도 된다는데 왜 표시 했을까?

B : 소비자가 칼슘에 관심이 많으니까 표시했겠지.

(가) ④, ⑤   (나) ①, ②, ③
(다) ①, ③, ⑤   (라) ①, ②, ③, ⑤
(마) ②, ③, ④, ⑤

40. 식품의 표시사항 및 기준에 대한 설명으로 옳은 것은?

(가) 표시는 한글로 하되 소비자의 이해를 돕기 위해 한자나 외국어를 혼용하거나 병기하여 표시할 수 있다.
(나) 용기나 포장은 다른 제조업의 표시가 있는 것을 사용해도 된다.
(다) 표시는 지워지는 잉크를 사용해도 좋다.
(라) 표시장소는 아무 장소나 편리하게 표시할 수 있다.
(마) 표시사항은 바탕색과 구별되지 않는 색상이어도 무방하다.

Guide

39. 영양표시 대상식품은 열량·탄수화물(당류)·단백질·지방(포화지방, 트랜스지방)·콜레스테롤·나트륨·그 밖에 강조하고자 하는 영양성분에 대하여 명칭, 함량 및 영양소 기준치에 대한 비율(%)을 표시해야 한다.

다만 열량·당류·트랜스지방에 대해서는 영양소 기준치에 대한 비율(%)표시를 제외한다.

표시해야 할 영양소의 함량이 극히 적은 경우 세부기준에 따라 0으로 표기할 수 있으며, 해당 영양소의 명칭과 함량을 표시하지 않을 수 있다. 다만 "무지방" 등과 같이 영양강조표시를 한 제품은 '0'인 경우에도 이를 생략할 수 없다.

정답 39. (다) **40.** (가)

41. 식품의 유통기한 표시에 대한 설명으로 틀린 것은?

㈎ 제재·가공소금 및 주류(탁주, 약주 제외)는 유통기한 표시를 생략할 수 있다.
㈏ 유통기한을 일괄장소에 표시가 곤란한 경우에는 당해 위치에 유통기한의 표시 위치를 명시해야 한다.
㈐ ○○년 ○○월 ○○일까지로 표시한다.
㈑ 도시락류도 ○○월 ○○일까지로 표시한다.
㈒ 제조일을 표시하는 경우에는 '제조일로부터 ○○일까지', '제조일로부터 ○○월까지' 또는 '제조일로부터 ○○년까지'로 표시할 수 있다.

41. 즉석섭취 식품 중 도시락, 김밥, 햄버거, 샌드위치는 "○○월 ○○일 ○○시 까지" 또는 "○○일 ○○시 까지" 또는 "○○. ○○. ○○ ○○ : ○○ 까지"로 표시한다.

42. 식품의 표시기준에 대한 설명이다. 틀린 것은?

㈎ 제조업소명과 제조업소의 반품교환업무를 대표하는 소재지를 표시하여야 한다.
㈏ 제품명은 그 제품의 고유명칭으로서 허가관청에 신고 또는 보고하는 명칭으로 표시하여야 한다.
㈐ 냉동식품은 냉동보관방법 및 조리시의 해동방법을 표시해야 한다.
㈑ 외국의 제조업소명이 외국어로 표시되는 경우에도 그 제조업소명을 한글로 따로 표시해야만 한다.
㈒ 타르 색소를 혼합 또는 희석한 제제에 있어서는 '혼합' 또는 '희석'이라는 표시와 실제의 색깔 명칭을 표시하여야 한다.

43. 식품위생법상 식품에 첨가된 첨가물의 명칭과 함량을 표시하지 않아도 되는 것은?

㈎ 합성착향료
㈏ 합성감미료
㈐ 산화방지제
㈑ 표백제
㈒ 합성착색료

정답 41. ㈑ 42. ㈑ 43. ㈎

44. 다음 중 원재료명과 함량의 표시내용으로 옳지 않은 것은?

(가) 성분명과 함량을 표시하는 경우에는 그 함량을 백분율로 표시하여야 한다.
(나) 합성착색료 중 식용색소 황색 제4호와 그 알미늄레이크를 제외한 착색료는 용도만을 표시할 수 있다.
(다) 인위적으로 가한 정제수를 포함한 5가지 이상의 성분 또는 원재료명을 표시하여야 한다.
(라) 정한 주원료의 원료명을 우선 표기하고 많이 사용한 순서에 따라 표시하여야 한다.
(마) 마가린 제품의 경우는 원재료로 사용한 유지의 종류에 따라 식물성 유지 또는 동물성 유지로 표시할 수 있다.

45. 허위·과대의 표시가 아닌 것은?

(가) 제조방법에 관하여 연구 또는 발견한 사실에 대한 식품학·영양학 등의 문헌을 이용하여 문헌의 내용을 정확히 표시하고, 연구자의 성명·문헌명·발표년월일을 명시하는 표시
(나) 질병의 치료에 효능이 있다는 내용, 또는 의약품으로 혼동할 우려가 있는 표시
(다) 제조년월일 또는 유통기한을 표시함에 있어서 사실과 다른 내용의 표시
(라) 각종 감사장·상장 또는 체험기 등을 이용하거나 '주문쇄도', '단체추천' 또는 이와 유사한 내용의 표시
(마) 외국어의 사용 등으로 외국제품으로 혼동할 우려가 있는 표시, 또는 외국과 기술제휴한 것으로 혼동할 우려가 있는 내용의 표시

46. 건강보조식품에 있어 허위·과대의 표시·광고로 보지 않는 항으로만 연결된 것은?

① 질병의 치료 효능의 표시
② 식품영양학적으로 공인된 사실의 표현
③ 의약품으로 오인할 우려가 있는 표시
④ 제품의 제조목적이나 주요 용도에 따른 용도의 표현
⑤ 한글 표시 스티커에 당해 제품 수출국의 언어로 표시한 수출국 및 제조회사의 표시

(가) ①, ②, ③   (나) ②, ③, ④   (다) ③, ④, ⑤
(라) ①, ④, ⑤   (마) ②, ④, ⑤

정답 44. (다) 45. (가) 46. (마)

Guide

44. 식품 등의 세부 표시기준(제9조 관련)
식품의 제조·가공 시 사용한 모든 원재료명(최종제품에 남지 않는 정제수는 제외한다)을 많이 사용한 순서에 따라 표시하여야 한다. 복합된 재료를 사용한 경우에는 그 복합원재료 명칭을 표시하고 괄호로 정제수를 제외하고 많이 사용한 5가지 이상의 원재료명 또는 성분명을 표시하여야 한다.

46. 건강기능식품에 관한 법률·시행령·시행규칙 제18조 참조
허위·과대의 표시·광고금지
① 질병의 예방 및 치료에 효능·효과가 있거나 의약품으로 오인·혼동할 우려가 있는 내용의 표시·광고
② 사실과 다르거나 과장된 표시·광고
③ 소비자를 기만하거나 오인·혼동시킬 우려가 있는 표시·광고
④ 의약품의 용도로만 사용되는 명칭의 표시·광고

47. 다음 중 허위표시나 과대광고의 범위에 해당하는 경우는?

> ① 질병의 예방 또는 치료에 효능이 있다는 내용의 표시·광고
> ② 체험기를 이용하는 광고
> ③ 건강증진·체질개선 등에 도움을 준다는 표현
> ④ 해당 제품이 유아식, 환자식 등으로 섭취하는 특수용도식품이라는 표현

(가) ①, ② (나) ①, ③ (다) ②, ③
(라) ②, ④ (마) ③, ④

48. 판매를 목적으로 하거나 영업에 사용할 목적으로 식품 등을 수입하려는 자는 보건복지부령으로 정하는 바에 따라 누구에게 신고하여야 하는가?

(가) 보건복지부장관
(나) 질병관리본부장
(다) 국립검역소장
(라) 식품의약품안전청장
(마) 농촌진흥청장

48. 수입식품 등의 신고 등 법 제19조

49. 식품 등의 수입신고를 할 때 알아두어야 할 사항으로 적절한 것은?

> ① 판매를 목적으로 하거나 영업에 사용할 목적으로 식품 등을 수입하려는 자는 보건복지부령으로 정하는 바에 따라 보건복지부장관에게 이를 신고하여야 한다.
> ② 검사 결과 부적합 판정을 받은 식품 등에 대해서는 수출국으로의 반송 또는 폐기처분한다.
> ③ 수입되는 식품 등의 도착일로부터 5일 후까지 신고할 수 있으며 도착항, 도착일 등 주요 사항을 문서로 기록하여 신고하여야 한다.
> ④ 우수수입업소가 수입한 식품의 경우 수입식품의 검사를 일부 또는 전부 생략할 수 있다.

(가) ①, ② (나) ①, ③ (다) ②, ③
(라) ②, ④ (마) ③, ④

49. 식품위생법 시행규칙 제12조

수입되는 식품 등의 도착 예정일 5일 전부터 미리 신고할 수 있으며, 미리 신고한 도착항, 도착 예정일 등 주요사항이 변경되는 경우에는 즉시 그 내용을 문서(전자문서를 포함한다)로 신고하여야 한다.

정답 47. (가) 48. (라) 49. (라)

50. 식품위생검사기관에 대해 설명한 내용으로 옳은 것은?

① 식품위생검사기관은 검사장의 규모별로 식품위생전문검사기관과 자가품질위탁검사기관으로 구분하여 지정할 수 있다.
② 식품위생검사기관에 변경사항이 발생한 경우 식품의약품안전청장 또는 보건복지부장관에게 지체없이 변경신고를 하여야 한다.
③ 식품위생검사기관 지정의 유효기간은 지정받은 날부터 3년이지만, 1년을 초과하지 않는 범위에서 1회에 한하여 그 기간을 연장할 수 있다.
④ 식품위생검사기관으로 지정받기 위한 식품위생검사기관 지정신청·변경신고서(전자문서로 된 신청서를 포함한다)에는 검사실 평면도, 검사원의 자격 증명서류, 검사원 등 교육에 관한 사항 등이 포함되어야 한다.

㈎ ①, ②　　㈏ ①, ③　　㈐ ②, ③
㈑ ②, ④　　㈒ ③, ④

50. 식품위생검사기관의 지정 등 법 제24조
식품위생검사기관은 식품위생검사 업무범위별로 식품위생전문검사기관과 자가품질위탁검사기관으로 구분하여 지정할 수 있다.
식품위생법 시행규칙 제25조 참조
식품위생검사기관에 변경사항이 발생한 경우 식품위생검사기관지정서를 첨부하여 식품의약품안전청장 또는 지방식품의약품안전청장에게 신고하여야 한다.

51. 식품위생법의 규정에 의한 식품위생검사기관이 아닌 곳은?

㈎ 지방식품의약품안전청　　㈏ 식품의약품안전평가원
㈐ 보건소　　㈑ 시·도 보건환경연구원
㈒ 농림수산검역검사본부(수산물의 검사에 한정)

51. 식품위생법시행규칙 제23조 참조

52. 식품위생심의위원회에 대해 바르게 설명한 것은?

① 심의위원회는 위원장 1명과 부위원장 2명을 포함한 50명 이내의 위원으로 구성한다.
② 심의위원회 위원의 임기는 2년으로 하되, 공무원인 위원은 비리예방을 위해 해당 직위 만료 후 임명하도록 한다.
③ 심의위원회의 부위원장은 심의위원회의 위원장이 지명하는 위원이 된다.
④ 심의위원회의 위원장은 위원 중에서 호선한다.

㈎ ①, ②　　㈏ ①, ③　　㈐ ②, ③
㈑ ②, ④　　㈒ ③, ④

52. 식품위생법 제58조 참조, 영 제39조 참조
심의위원회는 위원장 1명과 부위원장 2명을 포함한 100명 이내의 위원으로 구성한다.
심의위원회 위원의 임기는 2년으로 하되, 공무원인 위원은 그 직위에 재직하는 기간 동안 재임한다.

정답　50. ㈒　51. ㈐　52. ㈒

53. 식품에서 이물이 발견되었을 경우의 조치로 적절하지 않은 것은?

> ① 한국소비자원 및 소비자단체는 소비자로부터 이물 발견의 신고를 받으면 이를 시·도지사 또는 시장·군수·구청장에게 통보하여야 한다.
> ② 이물 보고를 받은 시·도지사 또는 시장·군수·구청장은 발견된 이물이 기생충 및 그 알, 동물의 사체 등 섭취과정에서 혐오감을 줄 수 있는 물질이라면 즉시 식품의약품안전청장에게 이를 통보하여야 한다.
> ③ 이물 보고는 이물보고서에 사진, 해당 식품 등 증거자료를 첨부하여 제출한다.
> ④ 소비자로부터 이물발견의 신고를 접수한 영업자가 이를 관련부처에 보고하지 않은 경우 300만 원 이하의 과태료를 부과한다.

(가) ①, ② (나) ①, ③ (다) ②, ③
(라) ②, ④ (마) ③, ④

53. 식품위생법 제46조 참조
한국소비자원 및 소비자단체는 소비자로부터 이물 발견의 신고를 접수하는 경우 지체없이 이를 식품의약품안전청장에게 통보하여야 한다.

54. 수입신고를 해야 하는 식품으로 옳은 것은?

(가) 정부 또는 지방자치단체가 직접 사용하는 식품
(나) 무상으로 반입하는 상품의 견본 및 광고물품으로 표시가 명확한 식품
(다) 여행자가 휴대한 것으로 자가소비용으로 인정되는 식품
(라) 식품의약품안전청장이 위생상 위해발생의 우려가 없다고 인정하는 식품
(마) 외화획득을 위한 박람회·전시회 등에 사용하기 위하여 수입하는 식품

54. 식품위생법 시행규칙 [별표 4] 참조

55. 수입식품 검사의 종류와 검사대상식품의 연결이 잘못된 것은?

(가) 서류검사 : 식용향료, 외화획득용으로 수입하는 식품
(나) 관능검사 : 식용을 목적으로 하는 원료성의 농·임·수산물로서 식품 등의 기준 및 규격이 설정되지 아니한 것
(다) 정밀검사 : 최초로 수입하는 식품
(라) 정밀검사 : 관능검사결과 식품위생상의 위해가 발생할 우려가 있다고 인정되는 식품
(마) 정밀검사 : 연구·조사에 사용할 목적으로 수입하는 식품

55. 식품위생법시행규칙 [별표 4] 참조
연구·조사에 사용할 목적으로 수입하는 식품은 서류검사를 행한다.

정답 53. (가) 54. (마) 55. (마)

56. 다음 중 틀린 것은?

(가) 검사대장은 최종기재일로부터 1년간 보존하여야 한다.
(나) 식품위생검사기관은 검사결과 식품 등의 기준 및 규격에 적합하지 아니한 경우에는 검체의 일부를 검사완료일로부터 60일 동안 보관하여야 한다.
(다) 양봉업자가 자가채취하여 직접 소분·포장하는 벌꿀은 식품소분업의 대상으로 보지 아니한다.
(라) 정밀검사란 물리적·화학적·세균학적 수단에 의하여 기준 및 규격에 적합여부 또는 특정한 물질의 함유·오염여부 등을 확인하는 검사로 서류검사와 관능검사를 포함한다.
(마) 서류검사·관능검사의 대상식품이라도 유해의 우려가 있으면 정밀검사를 행할 수 있다.

57. 식품위생감시원의 직무에 해당하지 않는 것은?

(가) 표시기준 및 과대광고의 단속
(나) 시설기준의 적합여부의 확인·검사
(다) 위생교육 및 영양교육실시
(라) 조리사·영양사의 법령준수사항 이행여부의 확인·지도
(마) 영업자 및 종업원의 건강진단, 위생교육의 이행여부 확인·지도

58. 식품위생법에서 규정하고 있는 식품제조가공업의 공통적인 시설기준에 포함되지 않는 것은?

(가) 화장실 (나) 급수시설 (다) 폐수처리시설
(라) 작업장 (마) 창고

59. 다음 중 식품위생법 제101조에 따라 300만 원 이하의 과태료 처벌을 받는 경우는?

① 소비자로부터 이물발견신고를 받고 보고하지 아니한 자
② 제19조의3제1항을 위반하여 교육을 받지 아니한 영업자
③ 영양표시 기준을 준수하지 아니한 자
④ 식품이력추적관리 등록사항 변경사유가 발생한 날부터 1개월 이내에 신고하지 아니한 자

(가) ①, ② (나) ①, ③ (다) ②, ③
(라) ②, ④ (마) ③, ④

56. 검사대장은 최종기재일로부터 3년간 보존하여야 한다.

57. 식품위생감시원은 (가), (나), (라), (마) 이외에도 식품첨가물·기구·용기·포장의 취급여부, 행정처분 이행여부 등을 감시한다.

58. 식품위생법시행규칙 제20조 관련 [별표 8] 참조

59. 식품위생법 제101조 참조
300만원 이하의 과태료 처벌을 받게 되는 경우
① 식품위생검사기관의 지위 승계 신고 불이행
② 식품제조·가공업자의 식품광고에 유통기한 확인권장 미포함
③ 해당 식품거래기록 보관 불이행
④ 유흥주점영업자의 종업원 명부 비치 불이행
⑤ 식품접객 영업자의 영업신고증이나 영업허가증 보관 불이행
⑥ 소비자로부터 이물발견신고를 받고 보고하지 않은 영업자
⑦ 식품이력추적관리 등록사항 변경 신고 불이행

정답 56. (가) 57. (다) 58. (다) 59. (나)

60. 식품위생법에 따라 3년 이하의 징역 또는 3천만 원 이하의 벌금에 처하는 경우는?

> ① 관계 공무원이 부착한 봉인 또는 게시문 등을 함부로 제거하거나 손상시킨 자
> ② 영업소 폐쇄명령을 위반하여 영업을 계속한 자
> ③ 기준·규격이 고시되지 아니한 화학적 합성품인 첨가물과 이를 함유한 물질을 식품첨가물로 사용하는 행위
> ④ 청소년을 유흥접객원으로 고용하여 유흥행위를 하게 하는 행위

㈎ ①, ②　　㈏ ①, ③　　㈐ ②, ③
㈑ ②, ④　　㈒ ③, ④

60. 식품위생법 제97조 참조

61. 식품제조가공업에서 작업장에 대한 설명으로 틀린 것은?
㈎ 작업장은 독립건물이거나 식품제조·가공 외의 용도로 사용되는 시설과 분리되어야 한다.
㈏ 작업장의 바닥은 콘크리트 등으로 내수처리를 하여야 하며, 배수가 잘 되도록 하여야 한다.
㈐ 작업장 안에서 발생하는 악취·유해가스·매연·증기 등을 환기시키기에 충분한 환기시설을 갖추어야 한다.
㈑ 작업장의 내벽은 바닥으로부터 3 m 까지 밝은 색의 내수성으로 설비하거나 세균방지용 페인트로 도색하여야 한다.
㈒ 작업장에는 쥐·바퀴 등 해충이 들어오지 못하도록 한다.

61. 작업장의 내벽은 바닥으로부터 1.5 m 까지 밝은 색의 내수성으로 설비한다.

62. 다음 설명 중 틀린 것은?
㈎ 지하수를 사용하는 경우 화장실, 오물장, 동물사육장 등으로부터 최소한 10 m 이상 떨어진 곳이어야 한다.
㈏ 급수는 수돗물 또는 먹는물관리법 제5조의 규정에 의한 먹는물의 수질기준에 적합한 것으로 인정된 것이어야 한다.
㈐ 작업장에 영향을 미치지 아니하는 곳에 정화조를 갖춘 수세식화장실을 설치해야 한다.
㈑ 인근에 사용하기 편리한 화장실이 있는 경우에는 화장실을 따로 설치하지 아니할 수 있다.
㈒ 화장실은 콘크리트 등으로 내수처리를 하여야 하고, 바닥과 내벽에는 타일을 붙이거나 방수페인트로 색칠을 하여야 한다.

62. 지하수를 사용하는 경우 취수원은 화장실, 오물장, 동물사육장 및 기타 지하수가 오염될 우려가 있는 장소로부터 최소한 20 m 이상 떨어진 곳에 유지하여야 한다.

정답 60. ㈎　61. ㈑　62. ㈎

63. 식중독이 발생할 경우의 보고체계에 대한 설명으로 바른 것은?

> ① 식중독 환자를 진단한 의사나 한의사는 보건복지부장관, 식품의약품안전청장에게 지체없이 보고한다.
> ② 의사·한의사는 환자 또는 사망자의 주소·성명, 식중독의 원인, 발병연월일, 진단 또는 검사 연월일의 네 가지 요소를 보고한다.
> ③ 의사나 한의사는 대통령령으로 정하는 바에 따라 식중독 환자나 식중독이 의심되는 자의 혈액 또는 배설물을 보관하는 데에 필요한 조치를 하여야 한다.
> ④ 식품의약품안전청장은 식중독 발생의 원인을 규명하기 위하여 식중독 의심환자가 발생한 원인시설 등에 대한 조사절차와 시험·검사 등에 필요한 사항을 정할 수 있다.

㈎ ①, ②   ㈏ ①, ③   ㈐ ②, ③
㈑ ②, ④   ㈒ ③, ④

64. 식용얼음 판매업의 업종별 시설기준으로 설명이 잘못된 것은?

㈎ 판매장은 얼음을 저장하는 창고와 취급실이 구획되어야 한다.
㈏ 취급실의 바닥은 타일·콘크리트 또는 두꺼운 목판자 등으로 설비하여야 하나, 배수가 안 되도록 해야 한다.
㈐ 배수로에는 덮개를 설치하여야 한다.
㈑ 얼음을 저장하는 창고에는 보기 쉬운 곳에 온도계를 비치하여야 한다.
㈒ 소비자에게 배달판매를 하고자 하는 경우에는 위생적인 용기가 있어야 한다.

65. 식품자동판매기영업의 시설기준 중 더운 물을 필요로 하는 경우에 제품의 최종음용온도는 몇 도 이상이 되어야 하는가?

㈎ 65℃   ㈏ 68℃   ㈐ 75℃
㈑ 80℃   ㈒ 85℃

66. 영업의 신고를 해야 할 업종이 아닌 것은?

㈎ 용기·포장류 제조업
㈏ 주세법에 의하여 주류제조 면허를 받아 주류를 제공하는 경우
㈐ 식품소분·판매업
㈑ 식품운반업
㈒ 즉석 판매제조·가공업

정답 63. ㈒   64. ㈏   65. ㈏   66. ㈏

67. 식품위생법상 조리사를 두어야 할 영업은?

> ① 식사류를 조리하지 않는 휴게음식점
> ② 지방자치단체가 운영하는 집단급식소
> ③ 운영자가 조리사인 식품접객업
> ④ 복어를 조리·판매하는 영업

(가) ①, ② (나) ②, ③ (다) ②, ④
(라) ③, ④ (마) ①, ②, ③, ④

68. 조리사에 대한 설명으로 옳은 것은?

> ① 식품접객영업자와 집단급식소 운영자는 반드시 조리사를 두어야 한다.
> ② 정신질환자라 하더라도 전문의가 조리사로서 적합하다고 인정하는 자는 조리사 면허를 받을 수 있다.
> ③ 조리사는 영업소의 운영일지를 작성하고 종업원에 대한 영양 지도 및 식품위생교육을 실시한다.
> ④ 조리사 면허증이 취소된 자라도 1년이 경과하면 새로 면허증을 취득할 자격요건이 된다.

(가) ①, ② (나) ①, ③ (다) ②, ③
(라) ②, ④ (마) ③, ④

69. 영업허가를 취소당한 자가 동일장소에서 동일영업을 다시 허가받고자 할 경우에는 허가가 취소된 후 얼마가 경과되어야 하나?

(가) 1 개월 (나) 3 개월 (다) 6 개월
(라) 12 개월 (마) 재허가를 받을 수 없다.

70. 다음의 위생교육에 관한 설명 중 맞지 않는 것은?

(가) 법의 규정에 의한 영업을 하고자 하는 자는 미리 위생에 관한 교육을 받아야 한다.
(나) 부득이한 사유로 미리 교육을 받을 수 없는 경우에는 영업개시 후 식품의약품안전청장이 정하는 바에 따라 교육을 받을 수 있다.
(다) 조리사 또는 영양사의 면허를 받은 자가 법이 정한 식품접객업을 하고자 하는 때에는 위생교육을 받은 것으로 본다.
(라) 영업자는 특별한 사유가 없는 한 법의 규정에 의한 위생에 관한 교육을 받지 아니한 자를 그 영업에 종사시키지 못한다.
(마) 법의 규정에 의한 위생에 관한 교육의 실시기관 및 내용 등은 보건복지부령으로 정한다.

67. 음식물을 조리하지 않는 경우에는 조리사를 두지 않는다.

68. 식품위생법 제51조 참조
① 대통령령으로 정하는 식품접객영업자와 집단급식소 운영자는 조리사를 두어야 한다. 다만, 영업자 또는 운영자 자신이 조리사로서 직접 음식을 조리하는 경우에는 조리사를 두지 아니하여도 된다.
② 집단급식소 조리사의 직무를 수행한다.
1. 집단급식소에서의 식단에 따른 조리업무(식재료의 전처리에서부터 조리, 배식 등의 전 과정)
2. 구매식품의 검수지원
3. 급식설비 및 기구의 위생·안전 실무
4. 그 밖에 조리실무에 관한 사항

69. 식품위생법 제24조 참조

70. 식품위생법 제41조
부득이한 사유로 미리 식품위생교육을 받을 수 없는 경우에는 영업을 시작한 후에 보건복지부장관이 정하는 바에 따라 식품위생교육을 받을 수 있다.

정답 **67.** (다) **68.** (라) **69.** (다) **70.** (나)

71. 식품위생교육대상자를 위한 교육 계획으로 잘못된 것은?

① 집단급식소에 종사하는 조리사와 영양사는 2년마다 6시간씩 교육을 받도록 안내한다.
② 교육 내용은 식품위생, 개인위생, 식품의 품질관리, 모범업소 시찰 등으로 한다.
③ 즉석판매제조·가공업을 하려는 영업자와 종업원은 6시간의 교육과정을 안내한다.
④ 사전교육을 받기가 곤란하다고 허가관청 또는 신고관청이 인정하는 자에 대해서는 영업허가를 받거나 영업신고를 한 후 3개월 이내에 식품위생교육을 받게 할 수 있다.

㈎ ①, ②   ㈏ ①, ③   ㈐ ②, ③
㈑ ②, ④   ㈒ ③, ④

72. 다음 중 영양사의 직무가 아닌 것은?

㈎ 식단작성, 검색 및 배식관리
㈏ 종업원에 대한 영양 및 위생에 관한 지도
㈐ 급식시설의 위생적 관리
㈑ 구매식품의 검수 및 관리
㈒ 시설기준의 적합여부에 관한 사항

73. 식품접객영업의 모범업소 지정기준으로 잘못된 것은?

㈎ 업소 내에는 방충·방서시설과 환기시설을 갖추어야 한다.
㈏ 주방은 입식조리대가 아니라도 된다.
㈐ 주방은 공개되어야 한다.
㈑ 화장실은 정화조를 갖춘 수세식이어야 한다.
㈒ 종업원은 청결한 위생복을 입고 있어야 한다.

74. 영양사 자격시험을 시행하는 사람은?

㈎ 대통령
㈏ 보건복지부장관
㈐ 국무총리
㈑ 국립보건원장
㈒ 한국식품공업협회장

71. 식품위생법 제56조, 규칙 제84조 참조
〈식품위생 교육내용〉
① 식품위생법령 및 시책
② 집단급식 위생관리
③ 식중독 예방 및 관리를 위한 대책
④ 조리사 및 영양사의 자질향상에 관한 사항
⑤ 그 밖에 식품위생을 위하여 필요한 사항

식품위생법 시행령 제21조, 규칙 제52조 참조
〈위생교육시간〉
식품제조·가공업, 즉석판매제조·가공업, 식품첨가물제조업은 8시간 교육

73. 식품위생법시행규칙 [별표 14] 참조

74. 영양사에 관한 규칙 제8조 참조

정답 71. ㈐ 72. ㈒ 73. ㈏ 74. ㈏

75. 식품접객업에 있어 허가를 받거나 신고한 영업 외의 다른 영업시설을 설치하거나 다음에 해당하는 영업행위를 하여서는 아니 된다. 그 내용으로 틀린 것은?

㈎ 휴게음식점 영업자가 손님에게 음주를 허용하지 않는 행위
㈏ 식품접객업소의 종업원이 영업장을 벗어나 시간적 소요의 대가로 금품을 수수하거나, 종업원의 이러한 행위를 조장하거나 묵인하는 행위
㈐ 일반음식점 영업자가 주류만을 판매하거나 주로 다류를 조리·판매하는 다방 형태의 영업을 하는 행위
㈑ 휴게음식점 영업자 또는 일반음식점 영업자가 음향 및 반주시설을 갖추고 손님이 노래를 부르도록 허용하는 행위
㈒ 휴게음식점 영업자·일반음식점 영업자 또는 단란주점 영업자가 유흥접객원을 고용하여 유흥접객행위를 하게 하거나 종업원의 이러한 행위를 조장하거나 묵인하는 행위

76. 식품자동판매기 영업자의 준수사항으로 잘못된 것은?

㈎ 자판기전면에 영업자의 영업신고번호, 자판기의 일련관리번호, 영업자 성명, 영업자 주소, 고장시 연락처 등을 12포인트 활자 이상으로 표시하여야 한다.
㈏ 자판기 내부에 사용되는 물은 수돗물을 사용해야 한다.
㈐ 자판기를 직접 관리·조작하는 영업자라도 건강진단은 받지 않아도 된다.
㈑ 자판기 내부는 하루 1회 이상 세척하여 청결히 해야 한다.
㈒ 자판기 내부의 정수기·살균기 등은 항상 작동되도록 해야 한다.

76. 자판기를 직접 관리 조작하는 영업자 및 관리자는 정기건강진단을 받아야 하고 자판기 관리시에는 건강진단 수첩을 항상 휴대해야 한다.

77. 영양사 자격시험에 합격한 자는 면허증 교부 신청서에 다음의 서류를 첨부하여 보건복지부장관에게 제출하여야 한다. 옳지 않은 것은?

㈎ 경력증명서
㈏ 졸업증명서 또는 졸업예정증명서
㈐ 면허증 사본
㈑ 관계법에 해당하는 자가 아님을 증명하는 의사진단서
㈒ 사진 2매(면허증 교부신청 전 6개월 이내에 촬영한 동일원판의 탈모정면 상반신 반명함판)

77. 국민영양관리법 제18조, 규칙 15조 참조

정답 75. ㈎ 76. ㈐ 77. ㈎

78. 영양사의 처벌 기준에 대한 서술로 옳은 것은?

① 영양사 면허를 받지 않은 사람이 영양사라는 명칭을 허위로 사용하면 300만 원 이하의 벌금에 처한다.
② 면허정지처분 기간 중에 영양사의 업무를 하는 경우 위반 횟수에 따라 면허 정지 1개월, 2개월, 면허 취소의 행정처분을 내린다.
③ 면허를 타인에게 대여하여 사용하게 한 경우 6개월 이내의 기간을 정하여 그 면허의 정지를 명할 수 있다.
④ 영양사가 그 업무를 행함에 있어서 식중독이나 그 밖에 위생과 관련한 중대한 사고 발생에 3회 이상 직무상의 책임이 있는 경우 면허를 취소한다.

㈎ ①, ② ㈏ ①, ③ ㈐ ②, ③
㈑ ②, ④ ㈒ ③, ④

Guide

78. 국민영양관리법 제21조 [면허취소 등], 제28조 [벌칙] 참조
· 면허정지처분 기간 중에 영양사의 업무를 하는 경우 면허를 취소한다.
· 영양사가 그 업무를 행함에 있어서 식중독이나 그 밖에 위생과 관련한 중대한 사고 발생에 직무상의 책임이 있는 경우, 6개월 이내의 기간을 정하여 그 면허의 정지를 명할 수 있다.

79. 다음은 국민영양조사에 관한 설명들이다. 옳지 않은 것은?

㈎ 보건복지부장관은 국민의 건강상태·식품섭취·식생활조사 등 국민의 영양에 관한 조사를 정기적으로 실시해야 한다.
㈏ 특별시·광역시 및 도에는 국민영양조사와 영양에 관한 지도업무를 행하게 하기 위한 공무원을 두어야 한다.
㈐ 국민영양조사를 행하는 공무원은 그 권한을 나타내는 증표를 관계인에게 내보여야 한다.
㈑ 국민영양조사의 내용 및 방법 기타 국민영양조사와 영양에 관한 지도에 관하여 필요한 사항은 대통령령으로 정한다.
㈒ 법의 규정에 의한 국민영양조사의 시기는 대통령령으로 정한다.

79. 국민건강증진법 시행령 제19조 참조
법 제16조의 규정에 의한 국민영양조사의 시기는 보건복지부령으로 정한다.

80. 국민영양조사에 해당되지 않는 내용은?

① 국민영양조사는 매년 12월에 실시한다.
② 식생활조사에서는 흡연·음주 등 건강과 관련된 생활태도에 관한 사항을 조사한다.
③ 선정된 조사가구 중 전출·전입 등의 사유로 선정된 조사가구에 변동이 있는 경우에는 같은 구역 안에서 조사가구를 다시 선정하여 조사할 수 있다.
④ 조사항목은 건강상태조사, 식품섭취조사, 식생활조사이다.

㈎ ①, ② ㈏ ①, ③ ㈐ ②, ③
㈑ ②, ④ ㈒ ③, ④

80. 국민건강증진법 시행규칙 제10조 참조
국민영양조사는 조사연도의 11월에 실시한다.
국민건강증진법 시행령 제21조 참조
식생활조사 내용
1. 가구원의 식사 일반사항
2. 조사가구의 조리시설과 환경
3. 일정한 기간에 사용한 식품의 가격 및 조달방법

정답 78. ㈏ 79. ㈒ 80. ㈎

81. 영양지도원의 자격과 업무에 대한 설명으로 옳은 것은?

① 요식업자는 영양사의 자격을 가진 영양지도원을 두어야 한다.
② 영양사의 자격을 가진 자가 없는 경우에는 의사 또는 간호사의 자격을 가진 자 중에서 임명할 수 있다.
③ 시·도의 영양지도원의 업무는 영양조사 및 효과측정, 집단급식시설에 대한 급식업무지도 등이다.
④ 시·군·구의 영양지도원은 건강상태, 식품섭취, 식생활에 관한 조사·기록을 병행한다.

(가) ①, ② (나) ①, ③ (다) ②, ③
(라) ②, ④ (마) ③, ④

82. 다음 중 영양지도원의 지도업무사항이 아닌 것은?

(가) 식품위생관리
(나) 홍보 및 영양교육
(다) 영양지도의 기획·분석·평가 및 영양상담
(라) 영양조사 및 효과측정
(마) 보건소의 영양업무지도

83. 학교환경위생정화구역 중 절대정화구역의 기준으로 알맞은 것은?

(가) 학교경계선으로부터 직선거리 50 m 까지
(나) 학교출입문으로부터 직선거리 50 m 까지
(다) 학교경계선으로부터 직선거리 100 m 까지
(라) 학교출입문으로부터 직선거리 200 m 까지
(마) 학교출입문으로부터 직선거리 100 m 까지

84. 다음 중 학교급식법에 대한 서술이 옳은 것은?

① 학교급식은 학교 또는 학급의 학생 및 교직원을 대상으로 학교의 장이 실시하는 급식을 말한다.
② 2 이상의 학교가 인접하여 있는 경우에는 학교급식을 위한 시설과 설비를 공동으로 할 수 있다.
③ 조리장의 조명은 220룩스(lx) 이상이 되도록 한다. 다만 검수구역은 500룩스(lx) 이상이 되도록 한다.
④ 급식실 출입구에는 신발소독 설비를 갖추어야 한다.

(가) ①, ② (나) ①, ③ (다) ②, ③
(라) ②, ④ (마) ③, ④

Guide

81. 국민건강증진법 시행규칙 제13조 참조
국민영양조사원 (영양조사원)은 건강상태조사원, 식품섭취조사원, 식생활조사원으로 구분한다.
1. 건강상태조사원 : 건강상태에 관한 조사사항의 조사·기록
2. 식품섭취조사원 : 식품섭취에 관한 조사사항의 조사·기록
3. 식생활조사원 : 식생활에 관한 조사사항의 조사·기록

82. 국민건강증진법 시행규칙 제17조 참조

83. 학교보건법시행령 제3조 참조

84. 학교급식법 제2조 참조
  학교급식은 학교 또는 학급의 학생을 대상으로 학교의 장이 실시하는 급식을 말한다.
학교급식법 제6조 별표1 참조
  조리장 출입구에는 신발소독 설비를 갖추어야 한다.

정답 81. (다) 82. (가) 83. (나) 84. (다)

85. 학교환경정화구역 중 상대정화구역은?

㈎ 학교출입문에서 50 m 이내의 지역
㈏ 학교출입문에서 200 m 이내의 지역
㈐ 학교출입문에서 100 m 이내의 지역
㈑ 학교경계선에서 200 m 이내의 지역
㈒ 학교경계선에서 500 m 이내의 지역

85. 학교보건법시행령 제3조 참조

86. 환경정화구역안에서의 금지행위와 금지시설에 대한 설명으로 잘못된 것은?

㈎ 극장
㈏ 폐기물 수집장소
㈐ 다방
㈑ 호텔, 여관, 여인숙
㈒ 당구장

87. A 씨는 학교 급식소 점검에서 식품위생관리의 문제점을 발견한 후, 아래와 같이 각 사항을 시정하도록 요구하였다. A씨가 요구한 시정 사항들 중 옳은 것만을 있는 대로 고른 것은?

〈영양교사, 2012년 기출문제〉

	문제점	시정사항
①	익힌 음식을 뚜껑을 덮어서 냉장고 하단에 보관하였다.	뚜껑을 열고 냉장고 상단에 보관하도록 하였다.
②	가열조리식품의 중심온도가 64℃이었다.	중심 온도가 74℃ 이상 될 때까지 가열하도록 하였다.
③	보존식을 5℃ 냉장고에서 72시간 보관하였다.	-18℃에서 72시간 보관하도록 하였다.
④	조리가 완료된 뜨거운 음식을 50℃ 이상에서 배식하였다.	57℃ 이상에서 배식하도록 하였다.
⑤	오이생채를 만들 때 오이를 75ppm의 차아염소산나트륨 용액에 3분간 침지하였다.	100ppm의 차아염소산나트륨 용액에 3분간 침지하도록 하였다.

㈎ ①, ④   ㈏ ②, ④   ㈐ ③, ⑤
㈑ ①, ③, ⑤   ㈒ ②, ④, ⑤

87. 보존식은 식힌 다음(매회 1인분 분량을) 영하 18℃에서 144시간 동안 보관하도록 법이 개정되었다(식품위생법 제88조 제2항 제2호, 동법 시행규칙 제95조제1항). 과일이나 채소 등 식재료를 살균소독할 때 염소 농도가 100ppm인 소독액(차아염소산나트륨)에 5분간 침지한 후 먹는 물로 헹구어 낸다.

88. 영양교사의 직무에 해당되지 않는 것은?

㈎ 식단작성, 식재료의 선정 및 검수
㈏ 위생·안전·작업관리 및 검식
㈐ 식생활지도, 정보제공 및 영양상담
㈑ 조리실 종사자의 지도·감독
㈒ 식재료 선정, 조리설비의 유지·보수

88. 학교급식법시행령 제8조 참조

정답 85. ㈑   86. ㈐   87. ㈏   88. ㈒

89. 학교급식의 시설·설비기준에 대한 설명으로 틀린 것은?

㈎ 조리실은 교실과 떨어지거나 차단된 곳이어야 한다.
㈏ 조리실의 바닥과 내부벽은 세척과 배수 및 청소가 용이한 타일·콘크리트로 시공한다.
㈐ 갱의실은 조리실과 인접한 곳에 두고 하나의 옷장을 설치한다.
㈑ 식품보관실은 환기·방습이 용이하여야 한다.
㈒ 식품보관실은 방충·방서시설을 갖추어야 한다.

89. 갱의실에 옷장은 조리종사자의 수에 따라 알맞게 설치한다. (학교급식법 시행령 제4조 참조)

90. 학교급식시설에서 갖추어야 할 시설·설비의 종류와 기준으로 옳은 것은?

① 조리장 – 교실과 떨어져 학생의 학습에 지장을 주지 않되, 식품의 운반과 배식이 편리한 곳에 두어야 한다.
② 식품보관실 – 환기·방습이 용이하며, 방충 및 방서(防鼠)시설을 갖추어야 한다.
③ 전용화장실 – 조리장과 인접한 위치에 두되, 조리종사자의 수에 따라 화장실 수를 조정할 수 있다.
④ 급식관리실 – 조리장과 인접한 위치에 두되, 식품 및 식재료를 위생적으로 보관할 수 있는 장소여야 한다.

㈎ ①, ②   ㈏ ①, ③   ㈐ ②, ③
㈑ ②, ④   ㈒ ③, ④

90. 학교급식법 시행령 제7조, 규칙 제3조 관련 별표1 참조

91. 다음 중 학교급식의 위생·안전관리기준으로 옳은 것은?

① 식품취급 및 조리작업자는 1년에 1회 건강진단을 실시하고, 그 기록을 2년간 보관하여야 한다.
② 해동은 냉장해동 또는 흐르는 물(10℃ 이하)에서 실시한다.
③ 급식용수로 지하수를 사용하는 경우 소독 또는 살균하여 사용하여야 한다.
④ 식기세척기의 최종 헹굼수 또는 식기소독보관고의 온도를 기록·관리하여야 한다.

㈎ ①, ②   ㈏ ①, ③   ㈐ ②, ③
㈑ ②, ④   ㈒ ③, ④

91. 학교급식법 시행규칙 제6조, 별표4 참조
식품취급 및 조리작업자는 6개월에 1회 건강진단을 실시하고, 그 기록을 2년간 보관하여야 한다.
해동은 냉장해동(10℃ 이하), 전자레인지 해동 또는 흐르는 물(21℃ 이하)에서 실시하여야 한다.

정답 89. ㈐   90. ㈎   91. ㈒

92. A고등학교 기숙사 급식소에서 2009년 11월 2일(월)에 점심 식사로 제공한 메뉴의 보존식 관리 내용의 일부이다.(①)~(③) 중 식품위생법에 위배되는 사항을 모두 고른 것은?(단, 월요일~토요일 급식을 제공함.) 〈영양교사, 2010년 기출문제〉

> 잡곡밥 <u>100g</u>을 보존식 전용 용기에 넣어 <u>-20℃</u> 상태에서
>   (①)   (②)
> <u>11월 5일(목) 저녁까지 보관</u>하였다.
>   (③)

(가) ②   (나) ③   (다) ①, ②
(라) ①, ③   (마) ①, ②, ③

93. A중학교 영양 교사가 2009년 11월 11일(수)에 사용할 식재료를 구매하고자 한다. 학교급식법에 근거하여 구매할 수 있는 식재료를 〈보기〉에서 모두 고른 것은? 〈영양교사, 2010년 기출문제〉

〈보기〉
① 품질 등급이 2등급인 중란 규격의 달걀
② 2007년에 수확하여 2009년에 도정한 국내산 쌀
③ 무농약 농산물로 인증받아 세척, 박피 후 깍둑썰기된 무
④ 위해요소중점관리기준을 적용하는 도축장에서 처리된, 육질등급이 3등급인 육우

(가) ①, ③   (나) ②, ③   (다) ②, ④
(라) ①, ③, ④   (마) ①, ②, ③, ④

94. 다음 중 음용수의 수질기준으로 잘못된 것은?

(가) 일반세균은 1 mL 당 100 CFU(Colony Forming Unit) 이하
(나) 대장균군은 50 mL 에서 음성
(다) 염소이온은 150 mL 이하
(라) 탁도는 1 NTU(Nephelometric Turbidity Unit) 이하
(마) 증발잔류물은 500 mg/L 이하

92. 식품위생법 제 88조에 의하면, '조리제공한 식품의 매회 1인분 분량을 144시간 이상 보관해야 한다'라고 되어 있다. 그러므로 잡곡밥 100g은 위배되고 144시간이면 6일 동안이므로 이 또한 위배된다.
즉, 11월 2일에서 6일이면 11월 11일까지이다. 식품위생법 제 88조 제2항 제2조에 따르면, 매회 1인분 분량을 -18℃ 이하로 보관하게 되어 있다.

119. 학교급식법 시행규칙 제4조 제1항 '학교급식 식재료의 품질관리기준'에 의하면, 구매 가능한 식재료는 달걀은 품질등급이 2등급 이상으로 되어 있고, 쌀은 수확 연도부터 1년 이내의 것으로 되어 있으며, '무농약 농산물'로 인증받음은 '친환경 농산물 인증품'이라 생각된다.
또, 쇠고기는 '축산물가공처리법' 제9조제2항에 따라 '위해요소중점관리기준을 적용하는 도축장에서 처리된 식육으로 하며 등급판정 결과 육질등급이 3등급 이상인 한우 및 육우'로 되어 있다. 그러므로 ②는 구매할 수 없다.

94. 먹는물 수질기준 및 검사 등에 관한 규칙 참조
염소이온은 250 mg/L 를 넘지 않아야 한다.

정답 92. (라) 93. (라) 94. (다)

95. 먹는 샘물 수처리제 제조업의 기본기구 및 설비에 있어서 제조공정상 부식방지 등을 위하여 내산성 및 내열성 자재를 사용하여야 한다. 그 내용으로 틀린 것은?

(가) 방청제는 원료저장탱크·혼합기·용광로·성형기·건조시설
(나) 수산화칼슘은 분쇄기·혼합기·반응기·분급기
(다) 응집제는 반응기·농축기·여과기·냉각기·탈수기·포장기
(라) 수산화나트륨은 전해조·농축조
(마) 제오라이트는 분쇄기·건조기·입도분리기·약품처리조·세척조

95. 먹는물관리법 시행규칙 [별표 4] 먹는물 관련영업의 시설기준 참조

96. 부정식품을 제조·판매하여서 보건범죄단속에 관한 특별조치법에 의해 영업이 취소된 후 당해 업무에 종사하지 못하는 기간은?

(가) 취소된 날로부터 1년간
(나) 취소된 날로부터 2년간
(다) 취소된 날로부터 3년간
(라) 취소된 날로부터 5년간
(마) 당해 업무에 재종사하지 못한다.

96. 보건범죄단속에 관한 특별조치법 제7조7 제2항을 참조

97. 식품위해요소 중점관리기준(HACCP)에 대한 설명으로 옳은 것은?

① 지방식품의약품안전청장은 HACCP 적용업소로 지정받은 업소에 대하여 HACCP 준수 여부를 수시로 조사·평가할 수 있다.
② HACCP 적용업소로 지정된 업소는 출입·검사 및 수거 등을 완화하고, HACCP 적용 품목에 대해 표시·광고를 허용하는 우대조치를 취할 수 있다.
③ 중요관리점(CCP)이란 HACCP을 적용하여 식품의 위해요소를 예방·제거·감소시켜 해당 식품의 안전성을 확보할 수 있는 중요한 공정을 말한다.
④ HACCP 지도관이 될 수 있는 자격요건은 식품관련학과에서 석사학위 이상의 학위를 취득한 자 중 식품위생행정에 5년 이상 근무한 자 또는 식품위생행정에 10년 이상 근무한 자이다.

(가) ①, ②　　(나) ①, ③　　(다) ②, ③
(라) ②, ④　　(마) ③, ④

정답 95. (다)　96. (라)　97. (다)

98. 보건범죄단속에 관한 특별조치법으로 무기 또는 5년 이상의 징역형을 받게 되는 '인체에 현저한 유해'의 기준이 아닌 것은?

㈎ 비소 2 ppm 이상, 납 3 ppm 이상을 함유한 과자류
㈏ 허용 외의 방부제가 함유된 빵류
㈐ 비소 5 ppm 이상을 함유한 장류
㈑ 비소 0.3 ppm 이상 또는 납 0.5 ppm 이상을 함유한 청량음료
㈒ 납 0.3 ppm 이상을 함유한 식육제품

98. 보건범죄단속에관한특별조치법 시행령 제4조 참조
식육 및 어육제품은 허용 외의 방부제가 함유되거나, 납이 3ppm 이상 함유된 경우 인체에 현저한 유해기준으로 본다.

99. 급식소에서 실시하는 HACCP(Hazard Analysis Csitical Control Point) 프로그램의 7원칙에 기준하여 〈보기〉의 예를 순서대로 나열한 것은?
〈영양교사, 2010년 기출문제〉

─〈보기〉─
① 냉장고 온도의 유지 기준을 5℃ 이하로 하였다.
② 냉장고 관리 일지를 주기적으로 확인하도록 하였다.
③ 냉장고 온도는 1일 2회 조리장이 확인하고 기록하도록 하였다.
④ 냉장식품의 부적절한 보관으로 미생물이 증식할 수 있음을 파악하였다.
⑤ 냉장고별 온도기록표, 관리일지, 관리에 대한 교육 자료는 1년간 보관하도록 하였다.
⑥ 냉장고 온도가 6℃ 이상일 때는 냉각장치를 확인하고 고장난 경우 수리를 요청하도록 하였다.
⑦ 냉장식품을 적정 온도로 저장하는 것을 식품의 안전성 확보를 위한 중요한 사항으로 결정하였다.

㈎ ④-⑦-①-③-⑥-②-⑤
㈏ ④-⑦-①-②-⑥-③-⑤
㈐ ④-⑦-③-①-⑥-⑤-②
㈑ ⑦-④-①-③-⑥-②-⑤
㈒ ⑦-④-③-①-⑥-⑤-②

99. HACCP 7원칙은 다음과 같다.
1. 위해요인을 분석한다.
2. 중점관리점을 설정한다.
3. CCP관리기준을 설치한다.
4. CCP의 측정방법을 확립한다.
5. 허용관계를 벗어났을 때 개선조치를 확립한다.
6. HACCP 시스템의 검증방법을 확립한다.
7. 기록을 적어서 보관하는 시스템을 확립한다.

정답 98. ㈒   99. ㈎

100. 다음은 급식소에 HACCP을 도입할 때 필요한 12절차의 일부이다. 절차에 대한 내용 중에서 옳게 설명한 것만을 〈보기〉에서 모두 고른 것은? 〈영양교사, 2011년 기출문제〉

―〈보기〉―
① 제품의 특징 기술 : 생산메뉴의 종류, 식재료, 조리공정, 메뉴의 특성, 보존 조건, 포장 조건, 제품의 용도, 급식대상 등을 작성
② 생산 공정흐름도 작성 : 조리공정은 비가열/가열/가열조리 후 처리 공정으로 나누고 생산 공정흐름도가 실제 작업공정과 동일한지의 여부 확인
③ 위해요소 분석 : 메뉴와 조리법, 시설설비 환경, 온도와 소요시간 등 모든 생산 단계에서 잠재 위해 발생 가능성을 분석, 해석하여 예방방법 확립
④ 한계기준 설정 : 중요관리점이 적정하게 관리되고 있는지 확인하기 위하여 수분활성도, 온도와 소요시간, 개인위생 등에 대한 제어방식 및 관리기준을 설정
⑤ 개선조치 방법 수립 : 소독제 농도 확인, 온도와 소요시간 측정, 납품된 식품의 반품과 납품업체에 대해 경고조치 등의 개선 방법 확립

(가) ①, ② (나) ③, ④ (다) ①, ③, ⑤
(라) ②, ④, ⑤ (마) ①, ③, ④, ⑤

Guide

100. HACCP의 절차
1단계 – HACCP 팀 구성,
2단계 – 제품설명서 작성,
3단계 – 용도확인,
4단계 – 공정 흐름도 작성,
5단계 – 공정 흐름도 현장확인,
6단계 – 위해요소분석,
7단계 – 중요관리점 결정,
8단계 – 한계기준 설정,
9단계 – 모니터링 체계확립,
10단계 – 개선조치방법수립,
11단계 – 검증절차 및 방법 수립,
12단계 – 기록 및 문서화

101. 급식소의 숙주나물 무침 작업공정 중 일부이다. 식품위해요소 중점관리기준(HACCP)의 중요관리점에 해당되는 것으로 옳은 것만을 있는 대로 고른 것은? 〈영양교사, 2012년 기출문제〉

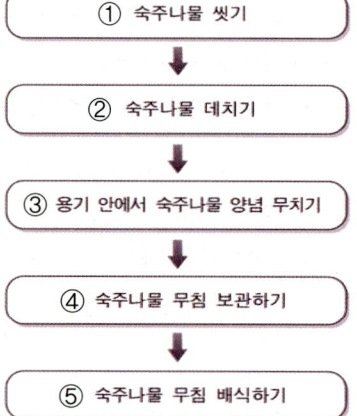

① 숙주나물 씻기
② 숙주나물 데치기
③ 용기 안에서 숙주나물 양념 무치기
④ 숙주나물 무침 보관하기
⑤ 숙주나물 무침 배식하기

(가) ①, ②, ④ (나) ②, ③, ④ (다) ②, ④, ⑤
(라) ①, ②, ③, ⑤ (마) ②, ③, ④, ⑤

101. HACCP : 식품의 원료, 제조·가공·조리 및 유통의 각 단계에서 발생할 수 있는 위해요소를 분석하여 중점관리할 수 있는 기준을 정하는 사전예방적 식품안전 관리 체계

정답 100. (나) 101. (마)

102. 우리나라 식품위생법에서 규정하는 내용이 아닌 것은?
㈎ 영업자 등의 준수사항
㈏ 위해요소 중점관리기준
㈐ 식중독에 관한 조사보고
㈑ 국민영양 조사 및 지도
㈒ 과태료에 관한 규정적용의 특례

103. 식품·식품첨가물·기구 또는 용기포장에 기재하는 표시로 옳은 것은?
㈎ 문자, 숫자, 도형   ㈏ 문자, 도형
㈐ 숫자, 조형   ㈑ 조형
㈒ 문자, 숫자, 도형, 조형

104. 집단급식소의 정의로 옳은 것은?
㈎ 계속적으로 음식물을 공급한다.
㈏ 위탁에 의하여 음식물을 공급한다.
㈐ 영리를 목적으로 할 수 있다.
㈑ 불특정다수인을 대상으로 한다.
㈒ 원하는 사람에게는 누구에게나 음식물 공급한다.

104. 식품위생법 제2조 제12호 참조

105. 유독·유해물질이 들어 있거나 묻어 있는 것, 또는 그 염려가 있더라도, 식품의약품안전청장이 인체의 건강을 해할 우려가 없다고 인정하여 판매를 허용할 수 있는 것은?
㈎ 한시적 기준과 규격을 인정받은 화학적 합성품
㈏ "식품 등의 기준 및 규격"에 부적합한 식품첨가물
㈐ 영업의 허가를 받아야 하는 경우, 허가와 신고를 하지 아니한 자가 제조·가공한 것
㈑ 수입이 금지된 것 또는 법의 규정에 의하여 수입신고를 하여야 하는 경우에 신고하지 아니하고 수입한 것
㈒ 식품위생심의위원회로 하여금 심의를 하도록 하여 유해의 정도가 인체의 건강을 해할 우려가 없는 것으로 인정된 것

105. 식품위생법 시행규칙 제3조 참조

정답 102. ㈑ 103. ㈎ 104. ㈎ 105. ㈒

106. 식품위생법에 지정된 위해평가에 대해 바르게 설명한 것은?
- ㈎ 위해평가가 끝나기 전까지는 해당 식품의 판매를 일시적으로 금지할 수 없다.
- ㈏ 보건복지부장관은 유해물질이 함유된 것으로 의심되는 경우 그 식품 등의 위해 여부를 결정해야 한다.
- ㈐ 소비자단체가 위해평가를 요청한 식품으로 식품위생심의위원회가 인정한 식품은 위해평가의 대상이 된다.
- ㈑ 국민건강을 급박하게 위해할 경우가 있는 경우에는 심의위원회의 심의·의결 전에 우선 일시적 금지조치를 할 수 있다.
- ㈒ 식품의약품안전청장은 외국의 품질검사에 합격했더라도 국내에 처음 수입되는 식품에 대해서는 위해평가를 실시해야 한다.

106. 식품의약품안전청장은 국내외에서 유해물질이 함유된 것으로 알려지는 등 위해의 우려가 있는 식품은 위해요소를 신속히 평가하여 그것이 위해식품인지를 결정하여야 한다.

107. 위해식품을 공표하기 위해 위해식품 등의 긴급회수문을 게재하는 방법으로 옳지 못한 것은?
- ㈎ 기간통신사업자는 이를 신속하게 문자 또는 음성으로 송신한다.
- ㈏ 해당 업체의 홈페이지 전면에 공식 사과문과 회수문을 게재하여야 한다.
- ㈐ 회수대상 식품 등의 제조일·수입일 또는 유통기한·품질 유지기한을 표시한다.
- ㈑ 긴급회수문에는 회수하는 영업자의 전화번호, 주소 등이 포함되어 있어야 한다.
- ㈒ 지상파 텔레비전 방송사업자 및 지상파 라디오방송 사업자는 이를 신속하게 방송한다.

107. 식품위생법 제17조 참조

108. 보건복지부령이 정하는 병육의 판매 등이 금지되는 질병으로 축산물가공처리법 시행규칙의 규정에 의한 도축이 금지되는 가축 감염병이 아닌 것은?
- ㈎ 리스테리아병
- ㈏ 살모넬라병
- ㈐ 파스튜렐라병
- ㈑ 구간낭충
- ㈒ 노로바이러스

108. 식품위생법 시행규칙 제4조 참조

109. 식품의약품안전청장이 정하여 고시하는 식품의 기준으로 옳지 않은 것은?

(가) 식품 또는 식품첨가물의 제조
(나) 식품 또는 식품첨가물의 수정
(다) 식품 또는 식품첨가물의 조리
(라) 식품 또는 식품첨가물의 보존
(마) 식품 또는 식품첨가물의 가공

109. 식품위생법 제7조 참조

110. 식품위생법의 규정에 의한 식품, 식품첨가물, 기구 또는 용기·포장의 위생적 취급에 관한 기준으로 옳지 않은 것은?

(가) 유통기한이 경과된 식품을 판매하거나 판매의 목적으로 진열·보관하여서는 아니 된다.
(나) 식품 등을 취급하는 원료보관실·제조가공실·포장실 등의 내부는 항상 청결하게 관리하여야 한다.
(다) 식품 등의 원료 및 제품 중 부패·변질이 되기 쉬운 것은 냉동·냉장시설에 보관, 관리하여야 한다.
(라) 어류·육류·채소류를 취급하는 칼·도마는 항상 위생적으로 취급하여 구분하지 않고 사용하여야 한다.
(마) 식품 등의 제조·가공·조리 또는 포장에 직접 종사하는 자는 위생모를 착용하는 등 개인위생관리를 철저히 하여야 한다.

110. 식품위생법 시행규칙 제2조 관련 별표1참조

111. 식품위생법의 규정에 의하여 기준·규격이 고시되지 아니한 화학적합성품 등의 판매 금지 사항이 아닌 것은?

(가) 식품위생심의위원회의 심의를 거쳐 인체의 건강을 해칠 우려가 없다고 인정되는 경우
(나) 기준·규격이 고시되지 아니한 화학적 합성품인 첨가물과 이를 함유한 물질을 식품첨가물로 사용하는 행위
(다) 기준·규격이 고시되지 아니한 화학적 합성품인 첨가물과 이를 함유한 물질을 판매할 목적으로 제조하는 행위
(라) 기준·규격이 고시되지 아니한 화학적 합성품인 첨가물과 이를 함유한 물질을 판매할 목적으로 수입 및 가공하는 행위
(마) 기준·규격이 고시되지 아니한 화학적 합성품인 첨가물과 이를 함유한 물질을 판매할 목적으로 저장 또는 운반하는 행위

111. 식품위생법 제6조 참조

정답 109. (나) 110. (라) 111. (가)

112. 식품위생법의 규정에 의한 영업의 세부종류와 그 범위에 있어서 식품첨가물 제조업의 첨가물로 옳지 않은 것은?
　(가) 국·종국
　(나) 자연식품
　(다) 첨가물의 혼합제제
　(라) 감미료·착색료·보존료·표백제 등의 식품첨가물
　(마) 동·식물로부터 추출한 단일성분의 천연첨가물

113. 식품 등의 한시적 기준 및 규격에 관련된 내용으로 옳지 않은 것은?
　(가) 모든 식품 및 식품첨가물이 이의 대상이 된다.
　(나) 수입·제조·가공업자가 스스로 기준과 규격을 정하여 제출한다.
　(다) 제출한 기준 및 규격내용의 적합여부를 검사기관에서 검토한다.
　(라) 당해 제품의 기준 및 규격으로 한시적으로 인정한다.
　(마) 인정받은 한시적 기준 및 규격은 스스로 꼭 지켜야 한다.

113. 식품위생법 시행규칙 제5조 참조

114. 식품위생법의 규정에 의한 영업의 종류 중 식품보존업에 해당되는 영업인 것은?
　(가) 식품조사처리업　　(나) 식품운반업
　(다) 식품소분관리업　　(라) 식품판매업
　(마) 식품제조업

115. 허위표시 등의 금지에 포함되지 않는 내용은?
　(가) 식품의 명칭에 관한 허위표시
　(나) 포장에 있어서의 과대포장
　(다) 의약품과 혼동할 우려가 있는 식품의 표시
　(라) 식품의 품질에 관한 과대광고
　(마) 첨가물 사용 용도에 관한 사항

115. 식품위생법 제13조 참조

116. 식품위생법의 규정에 의한 영업의 종류 중 휴게음식점 영업에 해당되는 사항이 아닌 것은?
　(가) 주로 다류를 조리·판매하는 다방
　(나) 컵라면을 끓여주는 분식점
　(다) 아이스크림류 등을 조리·판매하는 패스트푸드점
　(라) 1회용 다류에 뜨거운 물을 부어주는 슈퍼마켓
　(마) 주로 과자류를 제조·판매하는 과자점

116. 식품위생법 시행령 제21조 제8항 가목 참조

정답 112. (나)　113. (가)　114. (가)　115. (마)　116. (라)

117. 도시락류에 사용될 채소류의 보존방법으로 옳은 것은?
- (가) 채소는 반드시 물기를 제거한 후 포장지를 싸서 냉동보관하여야 한다.
- (나) 씻은 채소와 씻지 않은 채소가 섞이지 않도록 분리 보관하여야 한다.
- (다) 채소를 서늘하고 그늘진 곳에 보관하면 유통기한이 짧아진다.
- (라) 양파 및 감자를 오래 보관하여야 할 경우에는 껍질을 벗겨서 보관한다.
- (마) 껍질이 있는 채소일 경우에는 양지 바른 곳에 보관하여야 한다.

118. 식품의약품안전청장은 국민보건상 특히 필요하다고 인정하는 때에는 표시에 관하여 필요한 기준을 정하여 이를 고시할 수 있는데, 그 표시의 대상이 아닌 것은?
- (가) 판매를 목적으로 하는 식품
- (나) 법의 규정에 의하여 기준 또는 규격이 정하여진 기구
- (다) 법의 규정에 의하여 기준 또는 규격이 정하여진 포장
- (라) 판매를 목적으로 하는 식품첨가물
- (마) 기준에 맞는 표시가 없는 수입품

119. 표시기준에 있어서 허위표시·과대광고로 보지 않는 것은?
- (가) 질병의 치료에 효능이 있다는 내용
- (나) 각종 감사장·상장·체험기 등을 이용
- (다) 의약품으로 오인할 우려가 있는 표시
- (라) 제품의 원재료 또는 성분과 다른 내용의 표시
- (마) 신체조직기능의 일반적인 증진을 주목적으로 하는 표현

119. 식품위생법 시행규칙 제8조 참조

120. 식품공전의 수록범위로 알맞은 내용은?
- (가) 식품 또는 식품첨가물의 기준과 규격
- (나) 식품의 기준과 규격, 식품영업의 시설기준
- (다) 식품첨가물의 기준과 규격, 식품영업자 준수사항
- (라) 식품 등의 표시기준, 식품영업의 시설기준
- (마) 식품 등의 표시기준, 식품영업자 준수사항

120. 식품위생법 제14조 참조

정답 117. (나)　118. (마)　119. (마)　120. (가)

121. 식품공전에 있어서 원칙적 총칙으로 옳은 내용은?
  (가) 감압은 따로 규정이 없는 한 20mmHg 이하로 한다.
  (나) 찬 곳이라 함은 따로 규정이 없는 한 0~15℃의 장소를 말한다.
  (다) 따뜻한 곳이라 함은 따로 규정이 없는 한 35℃의 장소를 말한다.
  (라) 시험에 쓰는 물은 따로 규정이 없는 한 수돗물 또는 우물물로 한다.
  (마) 방울수를 측정할 때에는 30℃에서 30방울을 직하할 때, 그 무게가 0.10~0.70g이 되는 기구를 쓴다.

121. 시험에 쓰는 물은 따로 규정이 없는 한 증류수 또는 정제수로 하고, 방울수를 측정할 때에는 20℃에서 증류수 20방울을 직하할 때에 그 무게가 0.90~1.10g이 되는 기구를 쓴다.
감압은 따로 규정이 없는 한 15mmHg 이하로 한다.

122. 식품공전에서 식품일반에 대한 공통기준 및 규격 중에 사용되는 용어인 '가공식품'의 설명이 아닌 것은?
  (가) 변형시킨 것을 서로 혼합한 것
  (나) 원형이 유지되게 껍질을 벗긴 것
  (다) 농·임·축·수산물 등 식품원료에 식품첨가물을 가한 것
  (라) 그 원형을 알아볼 수 없도록 분쇄·절단 등의 방법으로 변형시킨 것
  (마) 변형시키거나 서로 혼합한 것에 다른 식품이나 식품첨가물을 사용하여 제조·가공·포장한 것

123. 판매를 목적으로 하거나 영업상 사용하는 식품 등을 수입하고자 하는 자는 누구에게 신고하여야 하는가?
  (가) 도지사   (나) 보건복지부장관
  (다) 시장·군수   (라) 식품의약품안전청장
  (마) 관할세관장

123. 식품위생법 제19조 참조

124. 식품위생법의 규정에 의하여 영업의 허가를 받은 자가 그 영업을 폐업하거나 허가 받은 사항 중 중요사항을 제외한 경미한 사항을 변경하고자 하는 때에는 누구에게 신고하여야 하는가?
  (가) 시장·군수 또는 구청장   (나) 보건복지부장관
  (다) 검찰청   (라) 한국보건산업진흥원
  (마) 경찰청

124. 식품위생법 제37조 7항 참조

정답 **121.** (가) **122.** (나) **123.** (라) **124.** (가)

125. 식품위생검사기관의 검사방법에 대한 내용으로 맞지 않는 것은?

㈎ 검사를 하는 경우에는 시험기록서를 작성 비치하여야 한다.
㈏ 검사의뢰기관이 검사할 항목을 선정한 경우에도 그 항목만을 검사할 수는 없다.
㈐ 식품위생전문검사기관은 검사 의뢰를 받은 경우 식품 등의 기준 및 규격에 따라 검사하여야 한다.
㈑ 기술 또는 시설의 부족으로 검사를 할 수 없는 경우, 다른 식품위생검사기관에 검사를 하기 위한 시험재료를 송부해야 한다.
㈒ 검사 결과 식품 등의 기준 및 규격에 적합하지 않는 경우, 그 검체의 일부를 검사완료일로부터 60일 동안 보관하여야 한다.

125. 식품위생법 시행규칙 제21조 참조

126. 보건복지부장관은 식품위생수준의 향상을 위하여 필요하다고 인정하는 경우에는 영업자 및 그 종업원에게 위생에 관한 교육을 받을 것을 명할 수 있는데 그 내용이 아닌 것은?

㈎ 집단급식소에 종사하는 조리사와 영양사는 1년마다 식품위생교육을 받아야 한다.
㈏ 조리사 또는 영양사의 면허를 받은 자가 식품위생법에서 정한 식품접객업을 하고자 하는 때에는 위생교육을 받은 것으로 본다.
㈐ 영업자는 특별한 사유가 없는 한 식품위생법의 규정에 의한 위생에 관한 교육을 받지 아니한 자를 그 영업에 종사시키지 못한다.
㈑ 식품위생법의 규정에 의한 영업을 하고자 하는 자가 부득이한 사유로 미리 교육을 받을 수 없는 경우에는 영업개시 후 보건복지부장관이 정하는 바에 따라 교육을 받을 수 있다.
㈒ 위생교육을 받아야 하는 자 중에 영업에 직접 종사하지 아니하거나 그 이상의 장소에서 영업을 하고자 하는 자로서 그 종업원 중 식품위생에 관한 책임자를 지정하는 경우에는 그 책임자로 하여금 교육을 받게 할 수 있다.

126. 식품위생법 제41조 참조

127. 청소년보호법의 규정에 의해 식품접객영업자에게 금지되는 행위로 맞는 것은?

㈎ 청소년에게 주류를 제공하지 않는 행위
㈏ 청소년을 유흥접객원으로 고용하지 않는 행위
㈐ 청소년 유해업소에 청소년을 고용하지 않는 행위
㈑ 청소년유해업소에 청소년을 출입하지 못하게 하는 행위
㈒ 청소년을 유흥접객원으로 고용하여 유흥행위를 하게 하는 행위

127. 식품위생법 제38조 참조

정답 **125.** ㈏ **126.** ㈎ **127.** ㈒

128. 단란주점의 영업장 안에 객실이나 칸막이를 설치할 때의 기준으로 적합하지 않은 것은?

㈎ 객실에는 잠금장치를 설치할 수 없다.
㈏ 객실에는 별도의 칸막이 공간을 마련할 수 있다.
㈐ 객실을 통로형태 또는 복도형태로 설비하여서는 아니 된다.
㈑ 객실로 설치하는 면적은 객석 면적의 2분의 1을 초과할 수 없다.
㈒ 객실을 설치하는 경우 내부가 보이도록 투명한 유리로만 설치하여야 한다.

129. 다음 중 즉석판매제조·가공업의 대상이 아닌 것은?

㈎ 과자류(과자, 캔디류)
㈏ 빵 또는 떡류(모든 품목)
㈐ 두부류 또는 묵류(모든 품목)
㈑ 김치류, 젓갈류, 절임류(모든 품목)
㈒ 생선류(모든 품목)

129. 식품위생법 시행규칙 제37조 관련, 별표 15 참조

130. 즉석 판매제조·가공업자의 준수사항으로 옳지 않은 것은?

㈎ 영업신고증을 업소 안에 보관하여야 한다.
㈏ 손님이 보기 쉬운 곳에 가격표를 붙여야 하며, 가격표대로 요금을 받아야 한다.
㈐ 수돗물이나 지하수 등은 수질검사기관에서 검사를 받지 않아도 사용할 수 있다.
㈑ 검사를 받지 아니한 축산물 또는 실험 등의 용도로 사용한 동물은 식품의 제조·가공에 사용하여서는 아니 된다.
㈒ 제조·가공한 식품을 영업장 외의 장소에서 판매하거나 판매를 목적으로 하는 사람에게 판매하여서는 아니 된다.

130. 식품위생법 제57조 관련, 별표 17참조

131. 소방법령이 정하는 소방시설을 갖추어야 하는 영업끼리 묶인 것은?

㈎ 단란주점영업, 유흥주점영업, 휴게음식점영업
㈏ 단란주점영업, 유흥주점영업
㈐ 휴게음식점영업, 위탁급식영업
㈑ 위탁급식영업
㈒ 단란주점영업, 유흥주점영업, 휴게음식점영업, 위탁급식영업

131. 식품위생법 시행규칙 제36조관련, 별표 14 참조

정답 128. ㈏ 129. ㈒ 130. ㈐ 131. ㈎

132. 상시 1회 급식인원 50명 이상인 집단급식소이면서 영양사를 두어야 하는 집단급식소가 아닌 곳은?
(가) 국가·지방자치단체
(나) 학교·병원·사회복지시설
(다) 정부투자기관
(라) 지방공사 및 지방공단
(마) 호텔음식점

132. 식품위생법 제52조, 영 제2조, 제37조 참조

133. 법이 정하는 위생등급기준에 따라 위생관리상태 등이 우수한 식품 등의 제조·가공업소 또는 식품접객업소를 우수업소로 지정할 수 있다. 그 지정기준으로 옳지 않은 것은?
(가) 작업장의 바닥은 경사가 없도록 하여야 한다.
(나) 건물은 작업에 필요한 공간을 확보하여야 한다.
(다) 건물의 주위환경이 항상 청결하게 관리되어야 한다.
(라) 작업장의 바닥·내벽 및 천장은 내수처리를 하여야 한다.
(마) 원료처리실·제조가공실·포장실 등 작업장은 분리·구획되어야 한다.

133. 식품위생법 제47조, 시행규칙 제61조, 별표19 참조

134. 건강진단 대상자가 아닌 것은?
(가) 식품·식품첨가물을 판매하는 일에 직접 종사하는 자
(나) 식품·식품첨가물을 채취·제조하는데 직접 종사하는 자
(다) 식품·식품첨가물을 가공·조리하는 데 직접 종사하는 자
(라) 식품·식품첨가물을 저장·운반 하는데 직접 종사하는 자
(마) 완전 포장된 식품·식품첨가물을 운반 또는 판매하는 데 종사하는 자

134. 식품위생법 제40조, 시행규칙 제49조 참조

135. 식품위생법의 규정에 의한 식품 등의 위생적 취급에 관한 기준에 적합하지 아니하게 영업을 하는 자와 기타 이 법을 지키지 아니하는 자에 대하여 시정을 명할 수 있는 사람이 아닌 것은?
(가) 시·도지사
(나) 식품의약품안전청장
(다) 시장·군수
(라) 구청장
(마) 보건복지부장관

135. 식품위생법 제71조 참조

정답 132. (마) 133. (가) 134. (마) 135. (마)

136. 위생교육 대상자에 대한 내용으로 맞지 않는 것은?

㈎ 유흥종사자를 둘 수 있는 식품접객업 영영자의 종사원
㈏ 식품위생법의 규정에 의하여 과징금 처분을 받은 영업자
㈐ 조리사 또는 영양사 면허를 받은 자가 식품접객업을 하고자 할 때
㈑ 식품위생법 또는 이 법에 의한 명령을 위반하여 행정처분을 받은 영업자
㈒ 감염병 예방 및 관리에 관한 법률의 규정에 의한 감염병이 식품으로 인하여 유행되거나 집단식중독의 발생 및 확산 등으로 국민 건강상 위해가 발생할 우려가 있는 경우, 해당업종의 영업자

137. 식품위생법에 의해 조리사를 두어야 할 영업은?

㈎ 도시락 즉석판매제조가공업
㈏ 식품접객업 중 상어를 조리·판매하는 영업
㈐ 식품접객업 중 복어를 조리·판매하는 영업
㈑ 즉석판매제조·가공업소, 중소기업 집단급식소
㈒ 식품접객업 중 영업장 면적이 200제곱미터 이상인 업소로서 식사류를 조리하는 영업

137. 식품위생법 제51조, 식품위생법 시행령 제36조 참조

138. 식품제조·가공업 등의 행정처분에 있어서 1차 위반 시에 영업허가 취소 또는 영업소 폐쇄와 당해제품폐기에 해당되는 내용은?

㈎ 썩었거나 상한 것
㈏ 설익었거나 불결한 것
㈐ 유독·유해물질이 함유된 식품
㈑ 비위생적인 식품
㈒ 식용 외의 용도로 수입된 것을 식용으로 사용

138. 식품위생법 제72조 관련, 별표 제23 참조

139. 식품위생심의위원회 구성에 대한 내용으로 맞지 않는 것은?

㈎ 보건복지부장관이 위원장이 된다.
㈏ 위원장은 위원중에서 호선하고, 부위원장은 위원장이 지명한다.
㈐ 심의위원회에 식품 등의 국제기준 및 규격을 조사·연구할 연구위원을 둘 수 있다.
㈑ 심의위원회는 위원장 1명과 부위원장 2명을 포함한 100명 이내의 위원으로 구성된다.
㈒ 위원의 임기는 2년으로 하되, 공무원인 위원은 그 직위에 재직하는 기간 동안 재임한다.

139. 식품위생법 제58조, 시행령 제39조 참조

정답 136. ㈐ 137. ㈐ 138. ㈐ 139. ㈎

140. 먹는물관리법에서 사용하는 용어의 정의 중 '먹는물 관련영업'에 대한 내용이 아닌 것은?
(가) 먹는 샘물의 수입판매업
(나) 수처리제의 제조업
(다) 정수기의 수입판매업
(라) 먹는 샘물의 제조업
(마) 약수물의 판매업

140. 먹는물관리법 제3조, 제9호 참조

141. 먹는물관리법에서 정의한 용어해설이 명확치 않은 것은?
(가) 먹는물 : 먹는 데 통상 사용하는 자연상태의 물
(나) 유통전문판매업 : 제품을 스스로 제조하여 상표로 유통·판매하는 영업
(다) 먹는 샘물 : 샘물을 먹기에 적합하도록 물리적으로 처리하는 등의 방법으로 제조한 물
(라) 수처리제 : 자연상태의 물을 정수 또는 소독하거나 먹는물 공급시설의 산화방지 등을 위하여 첨가하는 제제
(마) 샘물 : 양반대수층 안의 지하수 또는 용천수 등 수질의 안전성을 계속 유지할 수 있는 자연상태의 깨끗한 물을 먹는 용도로 사용하기 위한 원수

141. 먹는물관리법 제3조 참조

142. 담배에 관한 경고문구 등 표시하여야 할 사항이 아닌 것은?
(가) 보건복지부령으로 정하는 금연 상담전화의 전화번호
(나) 흡연이 폐암 등 질병의 원인이 될 수 있다는 내용의 경고문구
(다) 타르 흡입량은 흡연자의 흡연습관에 따라 다르다는 내용의 경고문구
(라) 담배에 포함된 나프틸아민, 니켈, 벤젠, 비닐 크롤라이드, 비소, 카드뮴의 발암성물질
(마) 제조자는 담배갑 포장지 앞면에만 경고문구 등을 인쇄하여 표기하여야 한다.

142. 국민건강증진법 제9조의 2 참조

143. 보건복지부장관은 국민영양조사를 정기적으로 실시해야 하는데, 그 조사항목으로 옳은 내용끼리 묶인 것은?
(가) 건강상태조사, 식생활조사, 음주량조사
(나) 식품섭취조사, 식생활조사, 기호도조사
(다) 식품섭취조사, 식생활조사, 가족수조사
(라) 건강상태조사, 식품섭취조사, 식생활조사
(마) 건강상태조사, 식품섭취조사, 기호도조사

143. 국민건강증진법 시행령 제21조 참조

정답 **140.** (마)　**141.** (나)　**142.** (마)　**143.** (가)

144. 국민건강증진법의 규정에 의하여 담배자동판매기의 설치가 허용되지 않는 곳은?
   ㈎ 지정소매인 기타 담배를 판매하는 자가 운영하는 점포
   ㈏ 미성년자 등을 보호하는 법령에서 19세 미만의 자가 출입이 금지되어 있는 장소
   ㈐ 지정소매인 기타 담배를 판매하는 자가 운영하는 영업장의 내부
   ㈑ 미성년자 등을 보호하는 법령에서 담배자동판매기의 설치를 금지하고 있는 장소
   ㈒ 법의 규정에 의한 공중이 이용하는 시설 중 흡연구역으로 지정된 장소로 담배자동판매기를 설치하는 자가 19세 미만의 자에게 담배자동판매기를 이용하지 못하게 할 수 있는 장소

145. 국민건강증진법에 의한 시·도의 영양지도원의 업무 내용으로 옳은 것은?
   ㈎ 식품섭취에 관한 조사사항의 조사·기록
   ㈏ 보건소의 영양업무지도, 급식시설 운영 및 영양지도
   ㈐ 영양 조사 및 효과 측정, 의식주 생활개선에 관한 사항
   ㈑ 집단급식 시설에 대한 급식업무 지도, 영양과 식생활개선에 관한 사항
   ㈒ 영양지도의 기획·분석·평가 및 영양상담, 모든 식품관련영업 시설에 대한 업무 지도

146. 학교환경위생 정화구역 안에서의 금지행위에 대한 내용이 아닌 것은?
   ㈎ 도축장, 화장장
   ㈏ 호텔, 여관, 여인숙
   ㈐ 만화가게, 담배자동판매기
   ㈑ 공중목욕탕, 고서점
   ㈒ 폐기물수집장소

147. 학교급식법에서 사용되는 용어 중 '급식에 관한 경비'의 정의로 옳지 않은 것은?
   ㈎ 학교급식을 위한 식품비
   ㈏ 학교급식을 위한 급식운영비
   ㈐ 학교급식을 위한 급식시설비
   ㈑ 학교급식을 위한 급식설비비
   ㈒ 학교급식을 위한 운반비

144. 국민건강증진법 시행령 제15조 참조

145. 국민건강증진법 시행규칙 제17조 참조

146. 학교보건법 제6조 참조

147. 학교급식법 제2조 참조

정답 **144.** ㈑ **145.** ㈑ **146.** ㈑ **147.** ㈒

148. 학교급식에 관하여 학교운영위원회에서 심의해야 할 사항이 아닌 것은?

㈎ 학교급식 운영계획 및 예산·결산에 관한 사항
㈏ 학교급식 후원금의 집행상황에 대한 홍보
㈐ 급식활동에 관한 보호자의 참여와 지원에 관한 사항
㈑ 학교급식 운영방식, 급식대상, 급식횟수, 급식시간 및 구체적 영양기준 등에 관한 사항
㈒ 식재료의 원산지, 품질등급, 그 밖의 구체적인 품질기준 및 완제품 사용 승인에 관한 사항

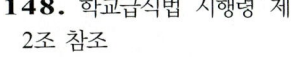

148. 학교급식법 시행령 제2조 참조

149. 학교급식위원회의 구성 및 운영에 관한 설명 중 옳은 것은?

㈎ 위촉위원의 임기는 2년으로 하되 연임할 수 없다.
㈏ 위원장 1인을 포함한 10인 이내의 위원으로 구성한다.
㈐ 위원장은 특별시·광역시·도·특별자치도교육청의 교육감이 된다.
㈑ 위원장은 학교급식위원회의 회의를 소집하고, 그 의장이 된다.
㈒ 간사 1인을 두되, 시·도교육청 공무원 중에서 부위원장이 임명한다.

149. 학교급식법 시행령 제5조, 제6조 참조

정답 148. ㈏ 149. ㈑

*젊은이들과 미래의 꿈을 개척해 나아가는
행복한 세르파가 되겠습니다.

영양사 특강 ②

발행일 2012년 12월 20일 초판 인쇄 · 2012년 12월 25일 초판 발행 | **편저자** 영양사고시연구회 | **발행인** 주병오
경기도 파주시 문발동 파주출판문화정보산업단지 518-2 | **등록번호** 1979년 7월 13일(제 9-57호)
TEL 영업팀 (031)955-7566 · 7577 | 편집팀 (031)955-7731 · 7732 | FAX (031)955-7730 | www.ji-gu.co.kr

*본서의 무단복제 또는 복사는 저작권법 침해오니 절대 삼가시기 바랍니다.

we can do it!!

사람은 만남에 살고 만남으로써 모든 일이 이루어집니다.
지구문화사는 당신과의 만남에서 당신이 뜻을 이루도록 도와주는 반려자가 되겠습니다.

한 번만 보세요.

*〈영양사 시험〉 겁먹지 마세요.
　이 책은 최근 10년 간의 기출문제를 분석하고 확실한
　경향을 파악해서 방향을 제시해 주고 있습니다.

*핵심 내용을 이해하기 쉽게 정리
　핵심 내용은 이해하기 쉽게 편집하였으며, 옆의 작은 공간에
　간추려서 이해를 도왔습니다.

*시원한 디자인과 2색도 인쇄로 한 눈에
　막힘없는 편집체제로 깔끔하고, 이해력을 높이기 위하여
　2색도로 인쇄했습니다.